U0850568

中华人民共和国法律释义丛书

全国人民代表大会常务委员会法制工作委员会　编

中华人民共和国
物权法释义

主　编：胡康生（全国人大常委会法制工作委员会主任）

副主编：王胜明（全国人大常委会法制工作委员会副主任）

姚　红（全国人大常委会法制工作委员会民法室主任）

法律出版社

图书在版编目(CIP)数据

中华人民共和国物权法释义 / 全国人大常委会法工委编. -- 北京 : 法律出版社, 2007.3(2018.11 重印)
ISBN 978-7-5036-7180-7

Ⅰ. ①中… Ⅱ. ①全… Ⅲ. ①物权法-法律解释-中国 Ⅳ. ①D923.25

中国版本图书馆 CIP 数据核字(2007)第 028507 号

中华人民共和国物权法释义
ZHONGHUA RENMIN GONGHEGUO WUQUANFA SHIYI

全国人大常委会法工委 编

责任编辑 麦 锐
装帧设计 李 瞻

编辑统筹 法规出版分社

出版 法律出版社
总发行 中国法律图书有限公司
经销 新华书店
印刷 北京玺诚印务有限公司
责任印制 吕亚莉

开本 850 毫米×1168 毫米 1/32
印张 18.75
字数 470 千
版本 2007 年 3 月第 1 版
印次 2018 年 11 月第 4 次印刷

法律出版社/北京市丰台区莲花池西里 7 号(100073)
网址/www.lawpress.com.cn
投稿邮箱/info@lawpress.com.cn
举报维权邮箱/jbwq@lawpress.com.cn
销售热线/010-83938336
咨询电话/010-63939796

中国法律图书有限公司/北京市丰台区莲花池西里 7 号(100073)
全国各地中法图分、子公司销售电话:
统一销售客服/400-660-6393
第一法律书店/010-83938334/8335 西安分公司/029-85330678 重庆分公司/023-67453036
上海分公司/021-62071639/1636 深圳分公司/0755-83072995

书号:ISBN 978-7-5036-7180-7 **定价**:66.00 元
(如有缺页或倒装,中国法律图书有限公司负责退换)

总　　序

人类文明的历史上，还没有哪一个时代像中国的改革开放40年一样，在历史长河中掀起如此巨大的浪花——它不仅深刻改变了一个国家的面貌与精神气质、使数亿人摆脱贫困，还极大地改变了世界格局。

1978，在那一年的年底，中共中央一次全体会议——十一届三中全会扭转了中国的前进方向，开辟了一个时代。回首过去，我们发现，一些观念从那时开始在中国出现，一些声音从那时开始逐渐响起，一些人物开始登上历史舞台。从这一年开始，随着“加强社会主义民主，健全社会主义法制”历史性任务的提出，“法制”两个字进入了人们的视野；政法机关开始恢复重建；法律院系开始蓬勃发展。一部部法律从庙堂走进了人们的生活，一次次裁决推动着国家前进的脚步。从“有法可依、有法必依、执法必严、违法必究”到“科学立法、严格执法、公正司法、全民守法”；从“法制”到“法治”；从法治观念的形成到“依法治国，建设社会主义法治国家”写进宪法，再到“法治国家、法治政府、法治社会一体建设”，人们对法治的认识步步深入，中国的改革不断向前推进，结出丰硕的果实。在中国共产党的带领下，这个励精图治的古老国度，再一次创造了改革的奇迹。

40年发生了无数故事,40年产生了许多事物。为了纪念这难忘的40年,本社组织编辑出版了一批"纪念改革开放40周年"主题图书。这些图书,将40年来颁布的重要法律及其释义甄选汇集,将法学领域有代表性的学术论文萃取精编,把有关政法机关的重建、法律院系的重生与发展进行展现,将一批被时代改变命运的人物再次唤起。我们希望从法律与法律人的视角,重新审视过去的40年,认真体会这不平凡的40年。

如江河东下,逝者如斯。岁月总会过去,人事总有代谢,但一个不平凡的时代留下的深刻痕迹,永远不会磨灭。"不忘初心,牢记使命",习近平总书记在党的十九大报告中向全党发出的号召,使我们有理由期待,下一个40年,中国将更加惊艳!

法律出版社编辑委员会

2018年10月

出 版 前 言

《中华人民共和国法律释义丛书》是由全国人大常委会法制工作委员会组织编辑的一套系列丛书。

该套丛书由一系列法律释义组成。邀请有关专家、学者和部分参与立法的同志编著。该丛书坚持以准确地反映立法宗旨和法律条款内容为最基本要求,在每部法律释义中努力做到观点的权威性和内容解释的准确性。

我们相信,该套丛书的陆续出版,将会给广大读者进一步学好法律提供有益的帮助。

重 印 说 明

本次重印，是为改革开放40周年制作的特别纪念版，为了保持内容原貌，未对正文和附录作实质修改。个别法条内容有修订或修正的，以脚注形式作了标注。特此说明。

2018年10月

目　录

导　言

第一部分　释　义

第二部分　附　　录

导　言

物权法的基本原则及其主要内容

全国人大常委会法制工作委员会主任　胡康生

2007 年 3 月 16 日，十届全国人民代表大会第五次会议通过了《中华人民共和国物权法》。制定物权法，政治性、政策性很强，专业性也很强。为了便于大家学习掌握物权法的基本原则和主要内容，正确贯彻实施物权法，现就物权法的有关情况介绍如下。

一、制定物权法的必要性

物权法是规范财产关系的民事基本法律。物权法上讲的物，主要指不动产和动产。不动产是指土地以及房屋、林木等土地附着物；动产是指不动产以外的物，比如汽车、电视机等。物权是一种财产权，是权利人在法律规定的范围内对一定的物享有直接支配并排除他人干涉的权利，物权包括所有权、用益物权和担保物权。所有权是指权利人依法对自己的物享有全面支配的权利。用益物权是指权利人依法对他人的物享有占有、使用和收益的权利，比如土地承包经营权、建设用地使用权、宅基地使用权等。担保物权是指为了确保债务履行而设立的物权，包括抵押权、质权、留置权，当债务人不履行债务时，债权人依法享有就担保财产优先受偿的权利。物权法主要从民事角度明确物的归属即确认物是属于谁的，明确物的权利人对物的利用享有哪些权利，明确对物权如何保护。总之，因物的归属和利用而产生的民事关系都适用物权法。

我国的民法通则、土地管理法、城市房地产管理法、担保法、农村土地承包法等法律对物权作了不少规定，这些规定对经济社会发展发挥了重要作用。为了适应改革的深化、开放的扩大和社会主义现代化建设的发展，顺应构建社会主义和谐社会的要求，有必要依据宪法，在总结实践经验的基础上制定物权法，对涉及物权制度的共性问题和现实生活中迫切需要规范的问题作出规定，进一步明确物的归属，定纷止争，发挥物的效用，保护权利人的物权，完善中国特色社会主义物权制度。

（一）制定物权法是坚持社会主义基本经济制度的需要

物权法通过明确国有财产和集体财产的范围、国家所有权和集体所有权的行使、加大对国有财产的保护力度等规定，以巩固和发展公有制经济；通过明确私有财产的范围、依法对私有财产的保护等规定，以鼓励、支持和引导非公有制经济的发展。

（二）制定物权法是规范社会主义市场经济秩序的需要

产权明晰、公平竞争是发展社会主义市场经济的基本要求，物权法通过确认物的归属，明确所有权和用益物权、担保物权的内容，保障市场主体的平等法律地位，依法保护权利人的物权等规定，为发展社会主义市场经济提供法律保障。

（三）制定物权法是维护广大人民群众切身利益的需要

随着改革开放和经济发展，人民群众生活普遍改善，要求切实保护他们通过辛勤劳动积累的合法财产、保护依法享有的土地承包经营权、宅基地使用权等合法权益。物权法通过私人所有权、业主的建筑物区分所有权、土地承包经营权、宅基地使用权等规定，以保护他们的切身利益，激发人们创造财富的活力，促进社会和谐。

（四）制定物权法是实现 2010 年形成中国特色社会主义法律体系目标的需要

物权法是民法的重要组成部分，是在中国特色社会主义法律体系中起支架作用、不可或缺的重要法律。制定物权法是本届全国人大任期内基本形成中国特色社会主义法律体系的重要步骤。

二、制定物权法总的原则

物权法的起草工作始于1993年。2002年12月,九届全国人大常委会对物权法草案进行了初次审议。本届全国人大常委会对制定物权法高度重视,花了很大精力,做了大量工作,进行了六次审议。为了把这部法律制定好,全国人大常委会坚持民主立法、科学立法。2005年7月将物权法草案向社会全文公布,共收到人民群众提出的意见1万多件,并先后召开100多次座谈会和几次论证会,还到一些地方进行专题调研,充分听取部分全国人大代表、基层群众、专家学者、中央有关部门等各方面的意见。在征求意见过程中,社会各方面提出了许多意见和建议。广大干部群众对向社会公布的物权法草案的主要内容是认同的、肯定的。

制定物权法总的原则是:以邓小平理论和"三个代表"重要思想为指导,全面贯彻落实科学发展观,坚持正确的政治方向,从我国的国情和实际出发,全面准确地体现社会主义基本经济制度;依据宪法和法律规定,对国家、集体和私人的物权实行平等保护的原则,同时加大对国有财产的保护力度,防止国有财产流失;全面准确地体现现阶段党在农村的基本政策,维护农民利益;针对现实生活中迫切需要规范的问题,统筹协调各种利益关系,促进社会和谐。总之,在修改完善物权法草案过程中,始终坚持正确的政治方向,坚持物权法的中国特色,坚持一切从实际出发。遵循以上原则,吸收各方面的合理意见和建议,经对草案反复研究修改,修改后的草案比最初的草案有了较大改动。十届全国人大常委会第二十五次会议通过了将草案提请十届全国人大五次会议审议的决定。经十届全国人大第五次会议审议,表决通过了中华人民共和国物权法。

三、物权法的基本框架

物权法共5编,19章,247条。

第一编“总则”,共3章。第一章“基本原则”,对立法目的,适用范围,维护国家基本经济制度,保护国家、集体、私人的物权和其他权利人的物权,物权法定和物权的取得、行使的原则,物权法和其他法律的关系等作了规定。物权法调整因物的归属和利用而产生的民事关系,这种财产关系的基础是社会主义基本经济制度。第二章“物权的设立、变更、转让和消灭”,对确认物权的规则区分不动产和动产作了规定。不动产物权的设立、变更、转让和消灭,除法律另有规定外,经依法登记,发生效力;未经登记,不发生效力。动产物权的设立和转让,除法律另有规定外,自交付时发生效力。第三章“物权的保护”,对权利人可以通过确认权利、返还原物、消除危险、排除妨害、损害赔偿等多种方法保护物权作了规定。

第二编“所有权”,自第四章至第九章,共6章。第四章“一般规定”,对所有权人的权利,征收、征用等作了规定。所有权是物权的基础,用益物权和担保物权都是由所有权派生的。第五章“国家所有权和集体所有权、私人所有权”,对国有财产的范围,行使国家所有权的主体,加大对国有资产的保护等作了规定,以保障国有经济在国民经济中的主导地位。对集体财产的范围和归属作了规定,以巩固和发展集体经济。对私人所有权的内容和对私人所有权的保护作了规定,以鼓励、支持和引导非公有制经济的发展,切实保护公民的合法财产。第六章至第九章,分别对业主的建筑物区分所有权、相邻关系、共有等作了规定。

第三编“用益物权”,自第十章至第十四章,共5章。第十章“一般规定”,对用益物权人的权利,自然资源有偿使用制度,用益物权人应当保护和合理开发利用资源等作了规定。第十一章至第十四章,分别对土地承包经营权、建设用地使用权、宅基地使用权、地役权等用益物权作了规定。

第四编“担保物权”，自第十五章至第十八章，共4章。第十五章“一般规定”，对担保物权共同适用的规则作了规定。第十六章至第十八章，分别对抵押权、质权、留置权等担保物权作了规定。

第五编“占有”，第十九章，对占有的保护和无权占有人的侵权责任作了规定。

四、物权法的主要内容

（一）关于坚持社会主义基本经济制度

中国特色社会主义物权制度是由社会主义基本经济制度决定的。所有权是所有制在法律上的表现，是物权的核心和基础。为了制定一部中国特色社会主义物权法，物权法把宪法规定的社会主义基本经济制度和党的十六大提出的两个“毫不动摇”作为物权法的基本原则，第三条第一款、第二款明确规定：“国家在社会主义初级阶段，坚持公有制为主体、多种所有制经济共同发展的基本经济制度。”“国家巩固和发展公有制经济，鼓励、支持和引导非公有制经济的发展。”这一基本原则规定作为物权法的核心，贯穿并体现在整部物权法的始终。

（二）关于平等保护国家、集体和私人的物权

物权法属于民法，民法的一项重要原则是对权利人的权利实行平等保护。物权法第四条规定：“国家、集体、私人的物权和其他权利人的物权受法律保护，任何单位和个人不得侵犯。”

宪法规定：“国家实行社会主义市场经济。”公平竞争、平等保护、优胜劣汰是市场经济的基本法则。在社会主义市场经济条件下，各种所有制经济形成的市场主体都在统一的市场上运作并发生相互关系，各种市场主体都处于平等地位，享有相同权利，遵守相同规则，承担相同责任。如果对各种市场主体不给予平等保护，解决纠纷的办法、承担的法律责任不一样，就不可能发展社会主义

市场经济,也不可能坚持和完善社会主义基本经济制度。为适应社会主义市场经济发展的要求,党的十六届三中全会进一步明确要"保障所有市场主体的平等法律地位和发展权利"。即使不进入市场交易的财产,宪法也已经明确规定:"公民的合法的私有财产不受侵犯。""国家依照法律规定保护公民的私有财产权和继承权。"在财产归属依法确定的前提下,作为物权主体,不论是国家、集体,还是私人,对他们的物权也都应当给予平等保护。否则,不同权利人的物权受到同样的侵害,国家的、集体的应当多赔,私人的可以少赔,势必损害群众依法创造、积累财富的积极性,不利于民富国强、社会和谐。国家保护的私人财产,当然是合法的财产,非法取得的财产不但不受法律保护,还要承担相应的法律责任,物权法也是这样规定的。需要说明的是,平等保护不是说不同所有制经济在国民经济中的地位和作用是相同的。依据宪法规定,公有制经济是主体,国有经济是主导力量,非公有制经济是社会主义市场经济的重要组成部分,他们在国民经济中的地位和作用是不同的。这主要体现在国家宏观调控、公共资源配置、市场准入等方面,对关系国家安全和国民经济命脉的重要行业和关键领域,必须确保国有经济的控制力,而这些是由经济法、行政法予以规定的。

宪法第十二条规定:"社会主义的公共财产神圣不可侵犯。""国家保护社会主义的公共财产。禁止任何组织或者个人用任何手段侵占或者破坏国家的和集体的财产。"在现实生活中,受到侵害最严重的是国有财产。对此,物权法在坚持平等保护原则的基础上,从五个方面强化了对国有财产的保护。一是第四十五条第一款规定:"法律规定属于国家所有的财产,属于国家所有即全民所有。"并在物权法中规定了哪些财产属于国有财产,防止因归属不明确而造成国有财产流失。二是第四十一条规定:"法律规定专属于国家所有的不动产和动产,任何单位和个人不能取得所有权。"第四十条中规定:"用益物权人、担保物权人行使权利,不得损害所有权人的权益。”三是第五十六条规定：“国家所有的财产受法律保护，禁止任何单位和个人侵占、哄抢、私分、截留、破坏。”四是针对国有企业财产流失的问题，第五十七条第二款规定：“违反国有财产管理规定，在企业改制、合并分立、关联交易等过程中，低价转让、合谋私分、擅自担保或者以其他方式造成国有财产损失的，应当依法承担法律责任。”五是针对国有财产监管中存在的问题，第五十七条第一款规定：履行国有财产管理、监督职责的机构及其工作人员，“滥用职权，玩忽职守，造成国有财产损失的，应当依法承担法律责任。”物权法这些规定，体现了宪法关于加强对社会主义公共财产保护的精神，具有重要的现实意义。贯彻实施宪法的上述规定，不仅是物权法的任务，也是经济法、行政法、刑法等相关法律的共同任务，各个部门法律通过各自的调整范围和规范，来实现宪法的规定。

（三）关于国有财产

对国有财产的保护问题，前面已经作了介绍。这里再讲一下国有财产的范围、国家所有权的行使以及国家机关、国家举办的事业单位和国有企业的物权问题。

1. 国有财产的范围。物权法依据宪法和法律明确列举了“矿产、水流、海域”、“城市的土地”等财产属于国家所有。在征求意见过程中，有的认为，物权法具体列举的国有财产不够全面，建议增加规定空域、航道、无居民岛屿、种质资源等属于国家所有。考虑到国有财产的范围很宽，难以逐项列全，物权法第四十五条第一款作了概括性的规定：“法律规定属于国家所有的财产，属于国家所有即全民所有。”这样，物权法没有明确列举的，可以在制定或者修改有关法律时作出具体规定。

2. 由谁代表国家行使国家所有权。依据宪法规定，全国人民代表大会是最高国家权力机关，国务院是最高国家权力机关的执行机关。全国人民代表大会代表全国人民行使国家权力，体现在依法就关系国家全局的重大问题作出决定,而具体执行机关是国务院。因此,具体行使国家所有权的是政府,而不是人大。土地管理法、矿产资源法、草原法、海域使用管理法等法律已经明确规定由国务院代表国家行使所有权,这也是现行的管理体制。物权法第四十五条第二款规定:“国有财产由国务院代表国家行使所有权;法律另有规定的,依照其规定。”这样规定,既符合人民代表大会制度的特点,也体现了党的十六大关于国家要制定法律法规,建立中央政府和地方政府分别代表国家履行出资人职责,享有所有者权益的国有资产管理体制的要求。全国人民代表大会通过立法授权国务院代表国家行使国家所有权,体现了全国人民代表大会的性质及其行使职权的特点。当然,政府代表国家行使所有权,应当依法对人大负责,受人大监督。

3. 国家机关、国家举办的事业单位的物权。物权法第五十三条规定:“国家机关对其直接支配的不动产和动产,享有占有、使用以及依照法律和国务院的有关规定处分的权利。”第五十四条规定:“国家举办的事业单位对其直接支配的不动产和动产,享有占有、使用以及依照法律和国务院的有关规定收益、处分的权利。”国家机关和国家举办的事业单位应当依照民法通则、事业单位登记管理暂行条例的有关规定,对其直接支配的财产行使占有、使用、收益和处分的权利,不得擅自处置国有财产。

4. 国家出资的企业的物权。物权法对国家出资的企业,从两个方面作了规定。一是第六十八条第一款规定:“企业法人对其不动产和动产依照法律、行政法规以及章程享有占有、使用、收益和处分的权利。”这是从企业法人作为市场主体的角度,对不同市场主体之间的关系作出的规定。企业法人包括国有企业作为市场主体,应当有独立的财产,独立承担民事责任。同时,企业法人应当依照法律和章程的规定对其财产行使占有、使用、收益和处分的权利,不能损害国家作为出资人享有的权益。二是第六十七条规定:“国家、集体和私人依法可以出资设立有限责任公司、股份有限公司或者其他企业。国家、集体和私人所有的不动产或者动产,投到企业的,由出资人按照约定或者出资比例享有资产收益、重大决策以及选择经营管理者等权利并履行义务。”这是从出资人的角度作出的规定。国家作为出资人,享有资产收益、重大决策以及选择经营管理者等权利并履行义务。也就是说,国家出资的企业,企业经营管理者无权决定依照有关法律和企业章程的规定应当由国家作为出资人决定的事项,不得擅自处分企业财产。

(四)关于集体财产

1. 农村集体财产。物权法第一百二十四条第一款根据宪法和现阶段党在农村的基本政策,明确规定:“农村集体经济组织实行家庭承包经营为基础、统分结合的双层经营体制。”并以专章分别规定了“土地承包经营权”和“宅基地使用权”。在农村实行土地承包经营制度是我国将长期坚持的一项基本制度。为了赋予农民长期而有保障的土地使用权,让农民吃“定心丸”,物权法第一百二十六条第二款规定,耕地、草地或者林地的承包期届满,由土地承包经营权人按照国家有关规定继续承包。关于土地承包经营权、宅基地使用权的转让和抵押能否放开的问题,现行法律和国家有关加强土地调控的文件中对土地承包经营权、宅基地使用权的转让和抵押区别不同情况作了不同规定。我国地少人多,应当实行最严格的土地管理制度。目前,我国农村社会保障体系尚未全面建立,土地承包经营权和宅基地使用权是农民安身立命之本,从全国范围看,现在放开土地承包经营权、宅基地使用权的转让和抵押的条件尚不成熟。特别是农民一户只有一处宅基地,这一点与城市居民是不同的。农民一旦失去住房及其宅基地,将会丧失基本生存条件,影响社会稳定。为了维护现行法律和现阶段国家有关农村土地政策,也为今后修改有关法律或者调整有关政策留有余地,物权法第一百二十八条中规定:“土地承包经营权人依照农村土地承包法的规定，有权将土地承包经营权采取转包、互换、转让等方式流转。”第一百五十三条规定：“宅基地使用权的取得、行使和转让，适用土地管理法等法律和国家有关规定。”

2. 城镇集体财产。在征求意见过程中，有的要求明确城镇集体财产归本集体成员集体所有，并加强对集体财产的保护。经反复研究认为，我国的城镇集体企业是从上世纪五十年代以来逐步形成的。在几十年的进程中，几经发展变化，有些集体企业是由国有企业为安排子女就业、知识青年回城设立的，有些是在国企改制中为分离辅业、安置富余人员设立的。近些年来，城镇集体企业通过改制又发生了很大变化。目前，按照党的十六大以来的精神，城镇集体企业改革还在继续深化。鉴于这种历史的和现实的情况，而且城镇集体财产不像农村集体财产属于本集体成员集体所有那样清晰、稳定，城镇集体企业成员也不像农村集体经济组织成员那样相对固定，因而对城镇集体财产难以不加区别地规定为属于本集体成员集体所有。物权法第六十一条对城镇集体财产从物权的角度作出原则规定：“城镇集体所有的不动产和动产，依照法律、行政法规的规定由本集体享有占有、使用、收益和处分的权利。”这样规定，符合当前实际情况，也为今后深化改革留下空间。为了保护集体财产，物权法第六十三条第一款规定：“集体所有的财产受法律保护，禁止任何单位和个人侵占、哄抢、私分、破坏。”

（五）关于私有财产

宪法规定：“公民的合法的私有财产不受侵犯。”物权法依据宪法对私有财产的范围和归属作了规定，以完善保护私有财产的法律制度。物权法对私人所有权的规定主要有：

1. 私人不仅依法对生活资料享有所有权，而且，对“生产工具、原材料”等生产资料享有所有权。

2. 私人合法的储蓄、投资及其收益受法律保护。

3. 私人的合法财产受法律保护，禁止任何单位和个人侵占、哄抢、破坏。

关于业主的建筑物区分所有权。随着住房制度改革和高层建筑物的大量出现，住宅小区越来越多，业主的建筑物区分所有权已经成为私人不动产物权中的重要权利。物权法规定，业主对建筑物内的住宅、经营性用房等专有部分享有所有权，对道路、绿地等共有部分享有共有和共同管理的权利。物权法还对业主和物业服务机构之间的关系作了规定。在征求意见过程中，许多业主关心车库、车位的归属问题。经对我国房地产市场的实际做法和存在的问题进行调查研究，并借鉴国外的通常做法，认为：属于业主共有的财产，应是那些不可分割、不宜也不可能归任何业主专有的财产，如电梯等公用设施、绿地等公用场所。从房地产市场的情况看，一般来说，专门用来停放汽车的车库、车位的归属，是由当事人通过出售、出租或者附赠等方式约定归业主专有或者专用的。这样，既容易操作，也可以避免纠纷。据此，物权法第七十四条第二款规定："建筑区划内，规划用于停放汽车的车位、车库的归属，由当事人通过出售、附赠或者出租等方式约定。"同时，现实生活中有的开发商将车位、车库高价出售、出租给小区外的人停放；不少小区没有车位、车库或者车位、车库严重不足，占用共有的道路或者其他场地作为车位。针对这些情况，物权法第七十四条第一款、第三款规定："建筑区划内，规划用于停放汽车的车位、车库应当首先满足业主的需要。""占用业主共有的道路或者其他场地用于停放汽车的车位，属于业主共有。"

（六）关于公共利益和征收补偿

当前在征收集体所有土地和城乡居民房屋的过程中，侵害群众利益的问题时有发生，社会普遍关注。

关于公共利益。物权法第四十二条第一款规定："为了公共利益的需要，依照法律规定的权限和程序可以征收集体所有的土地和单位、个人的房屋及其他不动产。"在征求意见过程中，有的认为,应在物权法中明确界定公共利益的范围,以限制有的地方政府滥用征收权力,侵害群众利益。经研究,曾将“为了公共利益的需要”修改为“为了发展公益事业、维护国家安全等公共利益的需要”,但有关部门和专家认为这样规定仍不清楚。法律委员会、法制工作委员会同国务院法制办、国土资源部等部门以及专家反复研究,一致认为:在不同领域内,在不同情形下,公共利益是不同的,情况相当复杂,物权法难以对公共利益作出统一的具体界定,还是分别由土地管理法、城市房地产管理法等单行法律作出具体规定较为切合实际。现行有的法律如信托法、测绘法已经对公共利益的范围作了一些具体界定。针对现实生活中滥用征收权力、违法征地的行为,物权法第四十三条明确规定:“国家对耕地实行特殊保护,严格限制农用地转为建设用地,控制建设用地总量。不得违反法律规定的权限和程序征收集体所有的土地。”

关于征收补偿。在征求意见过程中,有的认为,在现实生活中,存在征收土地的补偿标准过低、补偿不到位的问题,侵害群众利益,建议对补偿问题作出具体规定。有的建议规定为“相应补偿”,有的建议规定为“合理补偿”,有的建议规定为“充分补偿”,有的建议规定“根据市场价格予以补偿”。针对群众反映较大的问题,物权法第四十二条第二款、第三款就补偿原则和补偿内容作了明确规定:“征收集体所有的土地,应当依法足额支付土地补偿费、安置补助费、地上附着物和青苗的补偿费等费用,安排被征地农民的社会保障费用,保障被征地农民的生活,维护被征地农民的合法权益。”“征收单位、个人的房屋及其他不动产,应当依法给予拆迁补偿,维护被征收人的合法权益;征收个人住宅的,还应当保障被征收人的居住条件。”考虑到各地的发展很不平衡,具体的补偿标准和补偿办法,还是由土地管理法等有关法律依照物权法规定的补偿原则和补偿内容,根据不同情况作出具体规定较为切合实际。针对现实生活中补偿不到位和侵占补偿费用的行为,物权法第四十二条第四款明确规定："任何单位和个人不得贪污、挪用、私分、截留、拖欠征收补偿费等费用。"

物权法还对征用问题作了规定。物权法第四十四条规定："因抢险、救灾等紧急需要，依照法律规定的权限和程序可以征用单位、个人的不动产或者动产。被征用的不动产或者动产使用后，应当返还被征用人。单位、个人的不动产或者动产被征用或者征用后毁损、灭失的，应当给予补偿。"

（七）关于建设用地使用权

根据国家实行最严格的耕地保护制度的要求，物权法就严格控制建设用地，建设用地的出让方式，建设用地使用权人的权利和义务，作了明确规定。

在征求意见过程中，群众关心的是住宅建设用地使用期届满后是否要申请续期以及支付使用费的问题。考虑到群众的普遍要求，物权法第一百四十九条第一款规定："住宅建设用地使用权期间届满的，自动续期。"至于住宅建设用地续期后是否支付土地使用费的问题，由于关系广大群众切身利益，需要慎重对待，目前本法以不作规定为宜。届时，可以根据实际情况再作慎重研究。

关于非住宅建设用地使用权的续期问题，物权法第一百四十九条第二款依据城市房地产管理法、中外合作经营企业法等法律，规定："非住宅建设用地使用权期间届满后的续期，依照法律规定办理。该土地上的房屋及其他不动产的归属，有约定的，按照约定；没有约定或者约定不明确的，依照法律、行政法规的规定办理。"

（八）关于担保物权

1995 年制定的担保法分别对抵押权、质权和留置权作了规定。物权法第四编"担保物权"，是在担保法的基础上制定的，以进一步完善我国担保物权制度。增加的规定主要是：(1)经当事人书面协议，企业、个体工商户、农业生产经营者可以将现有的以及将有的生产设备、原材料、半成品、产品抵押。(2)正在建造的建筑物、船舶、航空器可以抵押。(3)基金份额可以质押。(4)应收账款可以质押。增加这些规定,有利于促进融资,发展经济。此外,物权法根据我国担保实践的发展,并借鉴国外的有益经验,还对担保法有些条款作了修改。为了妥善处理物权法与担保法的关系,物权法第一百七十八条规定:担保法与本法的规定不一致的,适用本法。

(九)关于物权的保护

加强对物权的保护,是维护权利人合法权益的必然要求。物权法专章对物权的保护途径、保护方法作了规定。物权法第三章规定:物权受到侵害的,权利人可以通过和解、调解、仲裁、诉讼等途径解决。并规定:当事人可以通过请求确认权利、返还原物、消除危险、排除妨害、修理、重作、更换或者恢复原状、损害赔偿等方式保护自己的权利。上述保护方式,可以单独适用,也可以根据权利被侵害的情形合并适用。

在征求意见过程中,有的认为,许多法律都有关于法律责任的规定,物权法也应对法律责任作出专章规定。我们认为,物权法第三章"物权的保护"是从物权受到侵害如何保护权利人作出规定,权利人依照规定有权要求侵权人"返还原物"、"排除妨害"、"损害赔偿"等,也就是侵权人应当承担的法律责任。物权法第三十八条第二款明确规定了侵害物权要承担民事责任,并规定"除承担民事责任外,违反行政管理规定的,依法承担行政责任;构成犯罪的,依法追究刑事责任"。

此外,还有几个问题简要介绍如下:

1. 关于本法的名称。本法的名称是"物权法"。有的建议改为"财产权法",认为"物权"不容易懂,"财产权"容易懂。考虑到财产权比物权内涵广,不仅包括物权,还包括债权、知识产权等。债权主要是由合同法规范的,知识产权主要是由商标法、专利法和著作权法规范的。因此，不宜把本法的名称改为财产权法。有的建议改为“财产所有权法”。考虑到物权法所说的物权，不仅包括所有权，还包括用益物权和担保物权，后两种权利也是相对独立的物权。因此，本法的名称还是采用物权法比较准确。

2. 关于确认物权的基本准则。主要有两个方面：一是物权法定原则。物权不同于债权，债权的权利义务发生在当事人之间，因此债权遵循自愿原则，具体内容是由当事人约定的。物权的权利人行使权利是排他性的，对所有其他人都有约束力，因此物权实行法定原则，物权法第五条规定：“物权的种类和内容，由法律规定。”二是物权公示原则。为了使其他人知道物属于谁，需要采取公示的办法，不动产原则上经过登记发生效力，动产原则上通过交付发生效力。据此，物权法第九条第一款规定：“不动产物权的设立、变更、转让和消灭，经依法登记，发生效力；未经登记，不发生效力，但法律另有规定的除外。”第二十三条规定：“动产物权的设立和转让，自交付时发生效力，但法律另有规定的除外。”同时，物权法第九条第二款和第二十八条至第三十一条对“法律另有规定的除外”的条款作了规定。

3. 关于预告登记制度。物权法设立预告登记制度主要是为了保障债权人的合法权益。比如，在商品房预售过程中，为了防止有的开发商利用强势违反约定将商品房再次出卖给出价更高的人，先购房人依据预告登记制度，可以将已预售的商品房暂作登记，以保护自己的合法权益。物权法第二十条第一款规定：“当事人签订买卖房屋或者其他不动产物权的协议，为保障将来实现物权，按照约定可以向登记机构申请预告登记。预告登记后，未经预告登记的权利人同意，处分该不动产的，不发生物权效力。”

4. 关于占有。物权法第十九章“占有”，主要规定了对占有的保护和无权占有人的侵权责任。占有是指占有人对物的实际控制。从现实生活看，对占有作出规范是必要的，如张某把汽车租给李某，王某擅自将汽车开走。张某是汽车的所有权人，张某和李某之间是合同租赁关系，如果没有占有保护制度，李某就不能要求王某将汽车归还，只能由张某要求王某将汽车归还，而依据物权法第二百四十五条有关占有保护的规定，李某就可以要求王某返还汽车，这样就能够及时地保护权利人的合法权益。

第一部分　释　　义

第一编 总 则

第一章 基本原则

本章共八条,对物权法的立法目的、调整范围,物权法的原则以及物权法和其他法律的关系作了规定。

第一条 为了维护国家基本经济制度,维护社会主义市场经济秩序,明确物的归属,发挥物的效用,保护权利人的物权,根据宪法,制定本法。

【释义】 本条是关于立法目的和立法依据的规定。

法律属于上层建筑,是由经济基础决定并服务于经济基础的。我国经济制度的基础是生产资料的社会主义公有制,在社会主义初级阶段,坚持公有制为主体、多种所有制经济共同发展的基本经济制度。这一基本经济制度决定了我国物权法的社会主义性质。物权包括所有权、用益物权和担保物权。物权的归属、范围和内容,都与我国基本经济制度密切相关,如果不反映、不体现我国的基本经济制度,就不可能制定出符合我国国情的、具有中国特色的物权法。因此,物权法必须体现我国的基本经济制度并以维护我国的基本经济制度为根本目的,所以本条明确将维护国家基本经济制度作为立法目的之一。物权法主要从民事角度通过明确物的归属,权利人有哪些权利,他人负有哪些义务,侵害物权的法律责任等,来体现和维护我国的基本经济制度。

民法是调整平等主体之间关系的法律,是伴随市场经济的发展而逐步完备的。改革开放以来,我国实行社会主义市场经济。对于发展社会主义市场经济,中央政策很明确,就是要建立市场经济体制,利用市场的手段,发挥经济规律的作用,合理配置资源,发挥人力物力资源的最大效益,通过市场主体的公平竞争,发展生产力,促进经济繁荣,提高生活水平,增强综合国力。发展市场经济,就要建立与社会主义市场经济相适应的法律制度,而规范市场经济关系基本法律就是民法。物权法是民法的重要组成部分,通过确立物权归属和利用的基本规则,规范市场主体因物的归属和利用而产生的财产关系,保障市场主体的权利,维护市场经济秩序,为我国社会主义市场经济服务。因此,维护社会主义市场经济秩序是物权法的立法目的之一。

制定物权法最直接的目的是明确物的归属,发挥物的效用。这与物权法的作用密切相关。物权法的作用主要体现在两个方面:(1)定纷止争。商鞅在《商君书》中说:“一兔走,百人逐之,非以兔可分以为百也,由名分之未定也,夫卖兔者满市,而盗不敢取,由名分已定也,故名分未定,尧、舜、禹、汤且皆如鹜焉而逐之,名分已定,贫盗不取。”生活中常常发生这样的事,有一个房东,把自己的房子先卖给甲,并把房子交给甲使用;后由于价格、熟人等多种原因又把该房子卖给乙,并和乙办理了房屋过户手续。试问,该房子究竟属于谁,乙能否要求甲腾出房子?解决一物二卖的问题,有多种办法,比如按照订立合同的先后确定房屋的归属,按照有无付款或者付款的先后确定房屋的归属,按照买方有无实际占有该房屋确定房屋的归属,还有一种办法就是按照房屋有无办理过户登记手续确定房屋的归属。上述几种解决办法都有一定道理。没有物权法,仁者见仁,智者见智。有了物权法,物权法从维护经济秩序和市场交易安全出发,规定谁是该房屋的所有人,首先看该房屋有无办理过户登记手续，如果已经办理过户登记手续，不动产登记簿上登记的人就是房屋的所有人。甲虽然先买，但没有办理过户手续，乙虽然后买，但已经办理过户手续，不动产登记簿上的所有人是乙，因此，乙有权要求甲腾出房子。甲虽然没有办理过户手续，但甲和原房主之间订立的买卖房屋合同是有效的，甲受到的损失，可以按照合同要求原房主赔偿。因此，依靠物权法确定的规则就能够明确归属，定纷止争，稳定经济秩序。(2)物尽其用。物可以自己用，也可以交由他人使用。物权法为权利人充分利用财产留下很大的活动空间，物权法不仅有物的所有权人占有、使用、收益权利的规定，也有他人利用物的权利的规定，如用益物权、担保物权等。同时，从合理利用资源、维护公共利益出发，对权利人的权利也有不少限制，如物权法有关严格保护耕地的规定，有关相邻关系的规定，以及征收、征用的规定等。制定物权法，就是要充分发挥物权法定纷止争和物尽其用这两个方面的作用，为权利人充分利用财产创造一个良好的法制环境，鼓励权利人创造财富，积累财富，使“有恒产者有恒心”，保障安居乐业，促进经济发展和社会进步。因此，物权法把明确物的归属，发挥物的效用作为立法目的。

保护权利人的物权是物权法的目的之一。这主要体现在：一是通过一系列确定物权归属的规则明确物权属于谁；二是通过规定物权保护的途径与方式使物权受到侵害的权利人可以保护自己的合法权利；三是通过规定国有财产的范围、行使以及防止国有资产流失，加大对国有资产的保护力度保护国有资产；通过规定集体财产的范围、行使等保护农村和城镇的集体财产；通过规定私人所有权、业主的建筑物区分所有权等保护私人所有的合法财产；通过规定土地承包经营权、宅基地使用权等用益物权和担保物权保护权利人对物的利用的权利。总之，制定物权法的目的是之一，就是切实保护权利人的物权，维护广大人民群众切身利益，激发人们创造财富的活力，促进社会和谐。

宪法是国家的根本大法，是母法，其他法律都是由宪法派生的。宪法规定大政方针，其他法律都必须体现宪法精神，不得与宪法相抵触。物权法必须体现宪法的精神。物权法将宪法规定的我国的基本经济制度作为立法目的，同时将基本经济制度和实行社会主义市场经济作为物权法的基本原则。物权法将宪法规定的保护公私财产的精神落实在对国有资产、集体财产和私人合法财产保护的具体规定上，以保护国家财产、集体财产和私有财产，维护最广大人民群众的根本利益。

第二条　因物的归属和利用而产生的民事关系，适用本法。

本法所称物，包括不动产和动产。法律规定权利作为物权客体的，依照其规定。

本法所称物权，是指权利人依法对特定的物享有直接支配和排他的权利，包括所有权、用益物权和担保物权。

【释义】　本条是关于物权法调整范围的规定。

本条第一款规定了物权法规范的社会关系，也就是物权法的调整范围。物的归属是指物的所有人是谁，确定物的归属即是确定在民事上财产权属于谁，这是对物进行利用的前提。物权法调整物的归属关系，就要确定物的归属原则，这是物权法的重要内容。所有权人对其所有物无论自己使用还是交他人使用，都是对物的利用。物的利用是对物拥有所有权的目的所在。物权法调整因物的利用而产生的相互关系，要确定对物进行利用的规则，这也是物权法的重要内容。因物的归属和利用而产生的民事关系都适用物权法。需要明确的是，物权法并不一般性地调整所有的物的归属和利用的关系，物权法只调整平等主体之间因物的归属和利用而产生的财产关系，也就是本条第一款规定的“民事关系”。按照法律部门的划分，物权法属于民法，调整横向的社会关系；经济社会管理活动中管理者与被管理者之间的纵向关系，也涉及财产的归属和利用问题，但此类关系主要是由行政法、经济法调整，不属于物权法调整的范围。

物权法规范的物，包括不动产和动产，不动产是指土地以及房屋、林木等土地定着物；动产是指不动产以外的物，比如汽车、电视机。不动产和动产是物权法上对物的分类，之所以进行这样的分类，主要是便于根据不动产和动产各自的特点分别予以规范。物权法上的物通常讲是有体物或者有形物，指物理上的物，包括固体、液体、气体、电等。所谓“有体物”或者“有形物”主要是与精神产品相对而言的，著作、商标、专利等是精神产品，是无体物或者无形物，精神产品不是物权法规范的对象，主要由专门法律如著作权法、商标法、专利法调整。大千世界万事万物，并非所有的有体物或者有形物都是物权法规范的对象，能够作为物权法规范对象的还必须是人力所能控制并有利用价值的物，人力无法控制且无法利用的物不是物权法规范的对象。但是，随着科学技术的发展，一些原来无法控制且无法利用的物也可以控制和利用了，也就纳入了物权法的调整范围，物权法规范的物的范围也在不断扩大。

精神产品不属于物权法的调整范围，但在有些情况下，物权法也涉及这些精神产品。这主要是指，著作权、商标权和专利权中的财产权可以作为担保物权的标的。物权法第二百二十三条规定，可以转让的注册商标专用权、专利权、著作权等知识产权中的财产权可以出质作为权利质权。在这种情况下，权利也成了物权的客体。因此，本条第二款中规定，法律规定权利作为物权客体的，依照规定。

物权是一种财产权，是权利人在法律规定的范围内对一定的物享有直接支配并排除他人干涉的权利。由于物权是直接支配物的权利，因而物权又称为“绝对权”；物权的权利人享有物权，任何其他人都不得非法干预，物权的义务人是物权的权利人以外的任何其他的人,因此物权又称为“对世权”。在权利性质上,物权与债权不同。债权的权利义务限于当事人之间,如合同的权利义务限于订立合同的各方当事人。债权是债权人要求债务人作为或者不作为的权利,不能要求与其债权债务关系无关的人作为或者不作为。正因为如此,债权被称为“对人权”、“相对权”。物权包括所有权、用益物权和担保物权。所有权是指权利人依法对自己的物享有全面支配的权利。用益物权是指依法对他人的物享有使用和收益的权利,比如农村土地承包经营权、建设用地使用权等。担保物权是指为了确保债务履行而设立的物权,当债务人不履行债务时,债权人依法有权就担保物的价值优先受偿,比如抵押权、质权、留置权等。

此外,还有两个有关的问题需要说明:

1.“物权”与“财产权”、“财产所有权”的联系与区别。本法的名称是“物权法”。有人认为“物权”不容易懂,“财产权”容易懂,建议法名改为“财产权法”,或者改为“财产所有权法”。这里要说明的是,财产权比物权内涵广,不仅包括物权,还包括债权、知识产权、继承权。债权主要是由合同法规范的,知识产权主要是由商标法、专利法和著作权法规范的,继承权主要是由继承法规范的。同时,“财产所有权”一词仅从所有权方面讲又比“物权”内涵窄,物权不仅包括所有权,还包括用益物权和担保物权,后两种权利也是相对独立的物权。因此,本法的名称不宜称作“财产权法”或者“财产所有权法”,还是采用“物权法”比较准确。

2. 关于物权主体。本条第三款和第一条将物权的主体表述为“权利人”。对于如何表述物权的主体,在立法过程中有不同意见,有的建议规定为“自然人、法人”;有的建议规定为“自然人、法人和其他组织”;有的建议规定为“国家、集体和私人”;有的建议规定为“国家、公民、法人和其他组织”;有的认为,国家作为物权主体,可以包括在法人之中;有的认为,用“权利人”可以包括各种物权主体,这一规定是妥当的,不必改动。上述意见各自都有一定的道理。现行有关法律、行政法规在这个问题上的规定也不一致。本法对物权主体的表述基本上有两类,一是统一表述为"权利人",如第一条规定"保护权利人的物权",第二章、第三章等章节中规定的"权利人"。二是根据有关章节和具体规定的内容相应地表述为"国家"、"集体"、"私人"、"单位"、"个人"、"企业法人"、"企业法人以外的法人"、"个体工商户"、"农业生产经营者"等。现实生活中国家、集体、自然人、法人等都是物权主体,但究竟把它归类为两种主体、三种主体还是四种主体,可以在制定民法总则有关民事主体时一并研究。本法对物权主体的表述适应了现实生活的需要,也不影响将来制定民法总则时对民事主体做出统一规定。

第三条　国家在社会主义初级阶段,坚持公有制为主体、多种所有制经济共同发展的基本经济制度。

国家巩固和发展公有制经济,鼓励、支持和引导非公有制经济的发展。

国家实行社会主义市场经济,保障一切市场主体的平等法律地位和发展权利。

【释义】　本条是关于我国基本经济制度与社会主义市场经济原则的规定。

在立法过程中,有人认为,我国是社会主义国家,国有经济是国民经济中的主导力量,我国的物权法要突出保护公有制。有人认为,物权法属于私法,要突出对私有财产的保护。我们认为,我国是社会主义国家,处于社会主义初级阶段,实行以公有制为主体、多种所有制经济共同发展的基本经济制度。中国特色社会主义物权制度是由社会主义基本经济决定的,与资本主义物权制度有本质区别。作为反映我国社会主义生产关系和维护社会主义经济制度的物权法,必须全面、准确地体现现阶段我国社会主义基本经济制度,体现党的十六大提出的“必须毫不动摇地巩固和发展公有制经济”、“必须毫不动摇地鼓励、支持和引导非公有制经济发展”这两个“毫不动摇”的精神。因此,物权法把宪法规定的社会主义基本经济制度和党的十六大提出的两个“毫不动摇”作为物权法的基本原则,这一基本原则规定作为物权法的核心,贯穿并体现在整部物权法的始终。

实行社会主义市场经济与我国基本经济制度密切相关。发展社会主义市场经济是坚持和完善社会主义基本经济制度的必然要求。要坚持公有制为主体、多种所有制经济共同发展,要巩固和发展公有制经济,鼓励、支持和引导非公有制经济的发展,就要提供一个共同发展的平台,这个平台就是社会主义市场经济。改革开放前,我国实行公有制基础上的计划经济,生产过程以及生产资料的配置主要靠计划与调拨来完成。所有制较为单一,只有全民所有制与集体所有制两种形式,虽然有小规模消费市场的存在,但形不成生产资料大市场,因此不是市场经济而是计划经济。改革开放以来,实行以公有制为主体、多种所有制经济共同发展的基本经济制度,实行社会主义市场经济。实行多种所有制经济共同发展,就要相应采取市场经济体制。多种所有制经济只有在市场经济中才能得到共同发展。市场经济是人类创造的发展经济的文明成果,能够最大限度地发挥生产者的积极性,合理配置资源,创造高效率的经济效益,促进经济繁荣。因此,宪法规定,国家实行社会主义市场经济。实行社会主义市场经济最重要的一条就是要保障市场主体的平等地位和发展权利,这是实行市场经济的前提。作为规范平等主体之间因物的归属和利用而产生的财产关系的物权法,物权关系的主体具有平等的法律地位是物权法调整的平等财产关系存在的前提,这也是物权法乃至民法存在的前提。没有平等关系就没有民法,没有平等的财产关系就没有物权法。因此,物权法将实行社会主义市场经济与保障一切市场主体的平等法律地位和发展权利作为基本原则。

第四条　国家、集体、私人的物权和其他权利人的物权受法律保护,任何单位和个人不得侵犯。

【释义】　本条是关于平等保护国家、集体和私人的物权原则的规定。

民法是调整平等主体之间的财产关系和人身关系的法律,作为民法重要组成部分的物权法,是调整平等主体之间因物的归属和利用而产生的财产关系的法律。物权法平等保护各个民事主体的物权是民法调整的社会关系的性质决定的。对于民法的平等原则,民法通则已有明确规定:民法调整平等主体的公民之间、法人之间、公民和法人之间的财产关系和人身关系。当事人在民事活动中的地位平等。民事活动应当遵循自愿、公平、等价有偿、诚实信用的原则。因此,本条规定了对国家、集体和私人的物权平等保护的原则。

宪法规定:"国家实行社会主义市场经济。"公平竞争、平等保护、优胜劣汰是市场经济的基本法则。在社会主义市场经济条件下,各种所有制经济形成的市场主体都在统一的市场上运作并发生相互关系,各种市场主体都处于平等地位,享有相同权利,遵守相同规则,承担相同责任。马克思说,"商品是天生的平等派"。如果对各种市场主体不给予平等保护,解决纠纷的办法、承担的法律责任不一样,那就不可能发展社会主义市场经济,也不可能坚持和完善社会主义基本经济制度。为适应社会主义市场经济发展的要求,党的十六届三中全会进一步明确要"保障所有市场主体的平等法律地位和发展权利"。即使不进入市场交易的财产,宪法也明确规定:"公民的合法的私有财产不受侵犯。""国家依照法律规定保护公民的私有财产权和继承权。"在财产归属依法确定的前提下，作为物权主体，不论是国家的、集体的物权，还是私人的物权，也都应当给予平等保护。否则，不同权利人的物权受到同样的侵害，国家的、集体的应当多赔，私人的可以少赔，势必损害群众依法创造、积累财富的积极性，不利于民富国强、社会和谐。需要说明的是，平等保护不是说不同所有制经济在国民经济中的地位和作用是相同的。依据宪法规定，公有制经济是主体，国有经济是主导力量，非公有制经济是社会主义市场经济的重要组成部分，它们在国民经济中的地位和作用是不同的。这主要体现在国家宏观调控、公共资源配置、市场准入等方面，对关系国家安全和国民经济命脉的重要行业和关键领域，必须确保国有经济的控制力，而这些在经济法、行政法中都有明确的规定。

另外还需要说明，本条规定了“其他权利人的物权”，这是由于本条是从所有制的角度对物权主体分类规定平等保护原则的，尚有无法完全纳入“国家”、“集体”和“私人”的权利人，如公益性基金会等，因此规定了“其他权利人”。

第五条　物权的种类和内容，由法律规定。

【释义】　本条是关于物权法定原则的规定。

物权法定原则，指的是能设立哪些种类的物权，各种物权有哪些基本内容，只能由法律规定，当事人之间不能创立。物权是一项重要的民事权利，物权制度属于民事基本制度。依照立法法的规定，民事基本制度只能由法律规定。而且，物权不同于债权，债权的权利义务发生在当事人之间，遵循自愿原则，具体内容是由当事人约定的。比如合同是当事人之间的协议，对合同内容如何约定原则上由当事人决定。物权是“绝对权”、“对世权”，物权的权利人行使权利是排他性的，对所有其他人都有约束力，物权调整的权利人和义务人之间的关系与合同当事人之间的权利义务关系不同，物权的义务人有成千上万，物权内容不能由权利人一个人说了算，也不能由一个权利人和几个义务人说了算，对权利人和成千上万义务人之间的规范只能由法律规定。

在立法过程中，对物权法定原则曾有不同意见。一种意见认为，物权法定作为一条原则是对的，但如果法律没有规定的就不具有物权效力，限制太严，应开个口子，以适应实践发展的需要。物权法调整物权主体和广大的义务人之间的关系，物权的内容不能像合同那样由双方当事人约定，但现实生活中有些权利是否属于物权尚难确定，随着实践的发展还会产生新的物权。因此，对我国有关物权种类的规定为进一步改革留下一定空间是必要的。根据这一意见，此条曾经表述为："物权的种类和内容，由法律规定；法律未作规定的，符合物权特征的权利，视为物权。"之后，在全国人大常委会审议物权法过程中，有的常委委员提出，物权法定是本法的一项原则，但依照这一条规定，哪些权利可以视为物权，谁来认定"符合物权性质"都不够清楚，建议删去例外规定。全国人大法律委员会经研究认为：草案关于"法律未作规定的，符合物权性质的权利，视为物权"的规定，本意是随着实践的发展为物权的种类留下一定空间，实际上哪些权利"符合物权的性质"还需要通过立法解释予以明确。考虑到依照立法法的规定，法律解释与法律具有同等效力，而且从一些国家的实际情况看，新出现的物权种类并不多见。因此，建议删去上述规定。

第六条　不动产物权的设立、变更、转让和消灭，应当依照法律规定登记。动产物权的设立和转让，应当依照法律规定交付。

【释义】　本条是关于物权公示原则的规定。

物权公示原则说的是两个方面的问题：第一个方面，物权人享有物权、物权的内容变更或者物权消灭以什么方式确定。比如买房屋或者买电视，买主什么时候拥有该房屋或者电视的所有权，以什么方式确定？某人决定将其所有的房屋与他人共有，以什么方式确定共有权？房屋出售什么时候丧失所有权，以什么方式确定？这些都是物权的设立、变更、转让和消灭的方式问题，称为物权变动。第二个方面，由于物权是排他的“绝对权”、“对世权”，要求成千上万的义务人负有不作为的义务，因此必须让广大的义务人清楚地知道谁是权利人，不应该妨碍谁。而且，权利人转让自己的物时，也要让买主知道他有无资格转让该物。这都要求以令公众信服的特定方式确定，让大家很容易、很明白地知道该物是谁的，以维护权利人和社会公众的合法权益。这是物权的公信问题。

物权公示的主要方法是：不动产物权的设立、变更、转让和消灭经过登记发生效力，动产物权的设立、转让通过交付发生效力。也就是说，要获得不动产的所有权，就要进行登记；变更不动产所有权的内容，比如一人所有变为两人所有，也要进行登记；将不动产出售，还要进行登记。登记之后不动产所有权的设立、变动或者消灭才有效。要获得一个动产的所有权，要通过交付。比如买一台电视，就要通过交付，买主才有所有权；反之，出售一台电视，要交付给买主，卖主才失去所有权。因此，物权变动的关键点，不动产就是登记，动产就是交付。这是一方面。另一方面，要了解一项不动产属于谁所有，就要查不动产登记簿，要了解动产属于谁，看谁占有它。简单地讲，确定物的归属就是不动产看登记，动产看占有。不动产不能移动，要靠不动产登记簿标明四至界限，除登记错误需要依法更正的外，不动产登记簿上记载的人就是该不动产的权利人。不动产登记簿是公开的，有关人员都能查阅、复制，因此，不动产登记簿的公示性是最强的，最能适应市场交易安全便捷的需要，能最大限度地满足保护权利人的要求。动产可能频繁移动，动产在谁的手里，除有相反证据外，谁就是该动产的权利人。物权法有关财产归属的规定是人类文明的优秀成果，各国有关财产归属的规定大同小异，方法简单，一目了然。如果不采取这种方法，而采取别的什么方法，必然使经济秩序混乱不堪，最终影响经济的发展和社会的进步。

第七条　物权的取得和行使，应当遵守法律，尊重社会公德，不得损害公共利益和他人合法权益。

【释义】　本条是关于取得和行使物权遵守法律、尊重社会公德原则的规定。

物权是排他性的支配权，被称为“绝对权”，这在一定程度上是与其他权利如债权等相对而言的，并不是说物权是绝对的、不受限制的权利。所谓权利就是做法律许可之事。现代社会不承认有不受限制的权利，并且随着社会化的发展，物权因公共利益的需要受到越来越多的限制。

在摆脱封建制度不久的西方自由资本主义时期，曾以绝对的、不受限制的私有权为原则，在物权法律制度上，表现为所有权的绝对性和无限制性地主张私人所有权对其所有物可以任意自由地使用、收益和处分。这一原则对于初期资本主义的发展的确起到过推动作用，但是由于过于强调个人利益而忽视社会整体利益，导致个人利益与社会利益的冲突，阻碍社会经济整体的发展，19 世纪末期以来，这一绝对的不受限制的私权观念逐渐被抛弃，而代之以社会化的权利新观念。这种新观念一方面强调私权自由，尊重私权，另一方面也强调私权不得滥用，不得损害公共利益和他人权益，并为公共利益的需要而对私权作必要的限制。如 1919 年德国魏玛宪法规定：“所有权负有义务，于其行使应同时有益于社会公益。”1947 年日本修改民法典时，第一条即规定：“私权必须遵守公共福祉。”在理论上，这一转变被称为权利的社会化，在民事法律上主要表现为对所有权的限制。

我国是社会主义国家，处于社会主义初级阶段，实行改革开放和社会主义市场经济。我们曾经历过忽视个人利益，忽视私人权利的历史阶段，而只强调公共利益，这不能调动广大人民群众生产和创造的积极性，最终还是损害公共利益，使国家无法摆脱贫穷落后的面貌。现在我们要强调保护私人权利，维护个人利益，充分发挥广大人民群众生产和创造的积极性，但同时也应当强调，权利不能滥用，取得或者行使物权要遵守法律，尊重社会公德，不能损害公共利益和他人的合法权益。在民法的传统理论上，本条规定的原则也称为不得违反公序良俗的原则。这是民法的原则，当然也是物权法的原则。

对于这一原则，大陆法系国家在民法典中一般均有规定。主要表现为对物权限制的原则性规定和权利行使原则的规定。对物权限制的原则性规定，如德国规定“在不违反法律和第三人利益的范围内”，意大利规定“在法律规定的范围内并且在遵守法律规定的义务的前提下”，瑞士规定“在法律规范的限制范围内”，日本规定“于法令限制的范围内”。对权利行使原则的规定，如德国规定“权利的行使不得以损害他人为目的”，瑞士规定“任何人都必须以诚实、信用的方式行使权利和履行其义务，显系滥用权利时，不受法律保护”，俄罗斯规定“公民和法人不得实施仅以致人损害为目的的行为，也不得以其他形式滥用权利”。

以上所引述的这些规定都是原则性规定，与我国物权法本条的规定意思基本一致。这一原则在民法中作为原则规定通常只有一条，但民法和其他相关法律中有许多规定都具体体现了这一原则，主要表现为对物权的限制。现从物权的取得与行使两个方面对这一原则说明如下：

（一）物权的取得

物权的取得有两个方面：

1. 取得物权应当符合法定的方式。取得不动产物权，法律要求登记的必须登记，否则法律不承认享有物权。比如取得房屋等不动产所有权必须依法登记，取得不动产及不动产权利的抵押权必须办理登记。取得汽车、船舶、航空器等大型动产必须办理登记才可取得对抗善意第三人的效力。取得一般动产必须通过交付才能取得所有权。

2. 对于特定的物,自然人、法人不能取得所有权。如我国土地只能国家或者集体所有,个人、单位不能取得土地所有权。法律禁止流通的物通常个人不能取得所有权,如国家保护的珍稀动植物、特定的文物、军用品等。

(二)物权的行使

法律对权利人享有的物权或者权利人行使权利有诸多限制,大致可归为两个方面:

1. 使权利人丧失权利或者受到损害:(1)征收征用。如本法第四十二条、第四十四条规定,国家为了公共利益的需要,可以征收集体所有的土地和单位、个人的房屋及其他不动产。因抢险、救灾等紧急需要,可以征用单位、个人的不动产或者动产。(2)没收财产或者收回用益物权。没收财产多发生在当事人违法犯罪的情况下,国家对其财产予以没收,直接剥夺其所有权。收回用益物权通常发生在当事人违法行使权利的情况下,如取得建设用地使用权而不进行建设,怠于行使权利或者违法行使权利,国家可将其建设用地收回。(3)自卫和紧急避险。在自卫和紧急避险的情况下,可能损害他人的财产,但如果进行自卫和紧急避险的人没有过错,则不承担赔偿责任。如德国规定,为使自己和他人避免紧急危险而损坏或者损毁引起此急迫危险的他人之物的人,如果其损坏或者损毁行为系防止危险所必要,而且造成的损害又未超越危险程度时,其行为不为违法。我国民法通则第一百二十九条也规定,因紧急避险造成损害的,由引起险情发生的人承担民事责任。如果危险是由自然原因引起的,紧急避险人不承担民事责任或者承担适当的民事责任。因紧急避险采取措施不当或者超过必要的限度,造成不应有的损害的,紧急避险人应当承担适当的民事责任。

2. 对权利人行使权利的限制:(1)对土地所有权的客体范围

和效力范围的限制。国外通常规定土地所有权的效力范围包括地下及土地上空,但是如果土地权利无限延伸则有损公共利益。因此,不少国家对土地所有权的行使予以限制。如德国规定,所有权人不得禁止他人在排除干涉与所有人无利害关系的高空和地层中所为的干涉。我国实行土地公有制,通常不发生此类问题,但集体土地并不属于国家所有,从理论上讲,集体所有的土地,也不得妨碍国家在其土地的上空或者土地地层中为公益目的的使用。(2)对不动产权利行使的限制。这一类通常称为相邻关系,也就是本法第七章规定的内容。不动产权利人应当对相邻的不动产权利人行使权利提供必要的便利,并要求其容忍来自相邻不动产权利人的轻微的伤害。(3)对行使处分权的限制。对于一些特定的物,法律虽不限制其公民拥有所有权,但以其关系国计民生、文化价值或者国防安全而限制其流通,通常规定禁止出口或者限制出口。如我国台湾规定,农地、林地等"不能转移、设定负担或租赁于外国人",重要古物不得转移于外国人。我国文物法规定,具有重要历史、艺术、科学价值的文物,除经国务院批准运往国外展览的以外,一律禁止出境。

第八条　其他相关法律对物权另有特别规定的,依照其规定。

【释义】　本条是关于物权法与其他法律关系的规定。

物权法是规范财产关系的民事基本法律,主要规定物权的基本原则和基本制度。除物权法外,许多法律如土地管理法、城市房地产管理法、农村土地承包法等对物权都做了规定。这些单行法律是就某一方面的物权作的规定,比物权法规定得更具体,针对性更强,按照特别法优先的原则,本条做了上述规定。当然,物权法作为基本法律,对单行法律有关物权的制定和适用,有指导和补充作用。

在物权法的起草过程中,有的提出,物权法是基本法,其他法律与物权法规定不一致的,应当适用物权法。这个意见表明对于法律的分类和效力不太了解。按照法律的效力范围,法律可分为一般法与特别法,特别法优先于一般法。一般法是指在一国的范围内,对一般的人和事都有效力的法,特别法是指特定地区、特定人、特定事、特定时间内有效的法。一般法与特别法的区别在于,就地域来说,一般法适用于一国的全部地域,而特别法适用于局部地域,如民族区域自治法;就人而论,一般法适用于所有的人,而特别法适用于特定的人,如兵役法;就时间而论,一般法适用于平时,特别法适用于特别时期,如戒严法;就事而论,一般法适用于一般的事,而特别法适用于特别的事。由于特别法是对特别的人、事等特别规定的,当然必须要优先适用特别法,否则就失去了制定特别法的意义了。物权法是规范物的一般法,相对于物权法来说,其他规范物权的法都是特别法。如土地管理法、城市房地产管理法、农村土地承包法、文物法等许多法律的规定都涉及物权,都是对特定领域的物权所作的特别规定,当然要优先适用。

第二章 物权的设立、变更、转让和消灭

本章对确认物权的规则做了规定。不动产物权的设立、变更、转让和消灭，应当依法登记；除法律另有规定外，未经登记，不发生物权效力。动产物权的设立和转让，除法律另有规定外，自交付时发生效力。此外，本章第一节对不动产登记制度的一些重要内容做了规定，包括不动产统一登记原则、登记机构的职责、不动产登记的生效时间、登记资料的查询复制、更正登记、异议登记、预告登记以及登记错误责任等；本章第二节对船舶、飞行器和机动车等物权的登记和动产物权生效时间的特殊情形做了规定；本章第三节对物权设立、变更、转让或者消灭的一些特殊情况做了规定，主要是非依法律行为而发生的物权变动问题。

第一节 不动产登记

第九条 不动产物权的设立、变更、转让和消灭，经依法登记，发生效力；未经登记，不发生效力，但法律另有规定的除外。

依法属于国家所有的自然资源，所有权可以不登记。

【释义】 本条是关于不动产物权登记生效以及依法属于国家所有的自然资源，所有权可以不登记的规定。

本法第一章规定了物权公示的基本原则，不动产物权的设立、变更、转让和消灭，应当依照法律规定登记。本条的规定，是对不

动产公示原则的具体体现。

不动产，即土地以及房屋、林木等土地附着物，对整个社会都具有重大的政治意义、经济意义。不动产的物权，在各国都是物权法最重要的内容。不动产物权的重要意义和作用，又与不动产登记制度有着紧密的联系。本条规定，除法律另有规定外，不动产物权的设立、变更、转让和消灭，经依法登记，发生效力；未经登记，不发生效力。这表明，原则上不动产物权登记是不动产物权的法定公示手段，是不动产物权设立、变更、转让和消灭的生效要件，也是不动产物权依法获得承认和保护的依据。

关于不动产物权登记对不动产物权变动的效力，境外基本有两种立法体例：一种是登记生效主义；另一种是登记对抗主义。所谓登记生效主义，即登记决定不动产物权的设立、变更、转让和消灭是否生效，亦即不动产物权的各项变动都必须登记，不登记者不生效。这种体例为德国、我国台湾地区等所采纳，如德国民法典规定，为转让一项土地的所有权，为在土地上设立一项物权以及转让该项物权或者在该物权上设立其他权利，如法律没有另行规定时，必须有权利人和因该权利变更而涉及的其他人的合意，以及权利变更在不动产登记簿上的登记。我国台湾地区“民法”规定，不动产物权，依法律行为而取得、设定、丧失即变更者，非经登记，不生效力。瑞士民法典规定，取得土地所有权，须在不动产登记簿登记。我国土地管理法、担保法等法律以及最高人民法院的司法解释也是采用这种体例。按照这种体例，不动产物权的各种变动不仅需要当事人的法律行为，也需要登记，法律行为和登记的双重法律事实决定不动产物权变动的效力。登记对抗主义，即不动产物权的设立、变更、转让和消灭的生效，仅仅以当事人的法律行为作为生效的必要充分条件，登记与否不决定物权变动的效力。但是为交易安全的考虑，法律规定，不经登记的不动产物权不得对抗第三人。这种体例，为日本法律所采纳，日本民法典规定，不动产物权的取得、丧失及变更,除非依登记法规定进行登记,不得以之对抗第三人。我国民法学界一般认为,这两种体例相比,不论是在法理上,还是在实践效果上,登记生效主义都更为合理。在法理上,因物权的本质特征就是排他性,如果权利人获得的物权不能排他,就不能认为其是物权,因此而发生的物权变动自然应该无效。因此,不动产物权变动不登记就能够生效,不合法理。从实践意义上讲,不经登记的不动产物权变动对权利人和相对人均具有极大的风险,对交易的安全非常不利。物权法起草过程中,立法机关对这个问题广泛征求过意见。大多数认为应当采用不动产物权登记生效的立法体例;同时,考虑到我国现行有关不动产物权的法律法规也体现了这一原则,如城市房地产管理法规定,国家实行土地使用权和房屋所有权登记发证制度。房地产转让或者变更时,应当向县级以上地方人民政府房产管理部门申请房产变更登记,并凭变更后的房屋所有权证书向同级人民政府土地管理部门申请土地使用权变更登记,经同级人民政府土地管理部门核实,由同级人民政府更换或者更改土地使用权证书。土地管理法规定,依法改变土地权属和用途的,应当办理土地变更登记手续。土地管理法实施条例规定,土地所有权、使用权的变更,自变更登记之日起生效。社会各方面在实践中对这一原则也较为熟悉。因此,本条做出了上述规定,这也有利于保持法律的连续性。

不动产物权登记,最基本的效力表现为,除法律另有规定外,不动产物权的设立、变更、转让和消灭,经依法登记,发生效力;未经登记,不发生效力。例如,当事人订立了合法有效的买卖房屋合同后,只有依法办理了房屋所有权转让登记后,才发生房屋所有权变动的法律后果;不经登记,法律不认为发生了房屋所有权的变动。在不动产物权登记这个核心效力的基础上,还可以派生出不动产物权登记推定真实的效力,即除有相反证据证明外,法律认为记载于不动产登记簿的人是该不动产的权利人。这既是不动产物权交易安全性和公正性的需要,也是不动产物权公示原则的必然要求。因此,对不动产登记簿记载的权利为正确权利而取得该项权利的第三人,法律认可其权利取得有效而予以保护,但对明知不动产登记簿记载的权利有瑕疵而取得该项权利的人,法律则不予以保护。正因为不动产物权登记具有这样的效力,本章才规定有异议登记的制度,在发生登记上的不动产物权和事实上的不动产物权不一致的情况下,事实上的权利人可以进行异议登记,将不动产登记可能有瑕疵的情况记入登记簿,以对抗第三人,防止自己利益受到损害。

本条规定,“未经登记,不发生效力,但法律另有规定的除外。”这里的“法律另有规定的除外”,主要包括三方面的内容:一是本条第二款所规定的,依法属于国家所有的自然资源,所有权可以不登记。二是本章第三节规定的物权设立、变更、转让或者消灭的一些特殊情况,即主要是非依法律行为而发生的物权变动的情形:第一,因人民法院、仲裁委员会的法律文书,人民政府的征收决定等,导致物权设立、变更、转让或者消灭的,自法律文书生效或者人民政府的征收决定等行为生效时发生效力。第二,因继承或者受遗赠取得物权的,自继承或者受遗赠开始时发生效力。第三,因合法建造、拆除房屋等事实行为设立和消灭物权的,自事实行为成就时发生效力。三是考虑到现行法律的规定以及我国的实际情况尤其是农村的实际情况,本法并没有对不动产物权的设立、变更、转让和消灭,一概规定必须经依法登记才发生效力。例如,在土地承包经营权一章中规定,“土地承包经营权自土地承包经营权合同生效时设立”。同时还规定,“土地承包经营权人将土地承包经营权互换、转让,当事人要求登记的,应当向县级以上地方人民政府申请土地承包经营权变更登记;未经登记,不得对抗善意第三人。”这里规定的是“未经登记,不得对抗善意第三人”,而不是“不发生效力”。地役权一章规定,“地役权自地役权合同生效时设立。当事人要求登记的,可以向登记机构申请地役权登记;未经登记,不得对抗善意第三人。"在宅基地使用权一章,也没有规定宅基地使用权必须登记才发生效力,只是规定,"已经登记的宅基地使用权转让或者消灭的,应当及时办理变更登记或者注销登记。"也就是说,宅基地使用权不以登记为生效要件。

本条第二款规定,依法属于国家所有的自然资源,所有权可以不登记。本法规定,法律规定属于国家所有的财产,属于国家所有即全民所有。同时,在现行法律相关内容的基础上规定,矿藏、水流、海域属于国家所有;城市的土地,属于国家所有。法律规定属于国家所有的农村和城市郊区的土地,属于国家所有;森林、山岭、草原、荒地、滩涂等自然资源,属于国家所有,但法律规定属于集体所有的除外;野生动物资源属于国家所有。本款作这样的规定,主要是出于两方面的考虑:第一,规定不动产物权登记生效,是物权公示原则的体现。法律明确规定哪些自然资源属于国家所有,比权利记载于登记机构管理的不动产登记簿有着更强的公示力,也就无须再通过不动产登记来达到生效的法律效果。第二,不动产物权登记生效,针对的主要是当事人通过法律行为进行物权变动的情况。本款所规定的国家依照法律规定对自然资源享有所有权,不属于因法律行为而产生物权变动的情况,因此也就无须进行登记来享有所有权。需要说明的是,本款只是规定依法属于国家所有的自然资源,所有权可以不登记,至于在国家所有的土地、森林、海域等自然资源上设立用益物权、担保物权,则需要依法登记生效。

关于本条第二款,在立法征求意见的过程中,有一种意见认为,这样规定不利于对国家所有的自然资源的管理,也不利于对自然资源的利用。建议将其修改为国家所有的自然资源也应登记,并具体规定由哪个部门登记、管理、开发和利用。应当指出,在实践中,为了加强对国有自然资源的管理和有效利用,有关管理部门对国有自然资源进行了资产性登记。一些法律法规也有这方面的规定，如草原法规定，未确定使用权的国家所有的草原，由县级以上人民政府登记造册，并负责保护管理。土地管理法实施条例规定，未确定使用权的国有土地，由县级以上人民政府登记造册，负责保护管理。土地登记规则规定，尚未确定土地使用权、所有权的土地，由土地管理部门进行登记造册，不发土地证书。但这种资产性登记，与物权法规定的作为公示方法的不动产物权登记性质上是不同的，它只是管理部门为"摸清家底"而从事的一种管理行为，并不产生物权法上的效力。

第十条　不动产登记，由不动产所在地的登记机构办理。

国家对不动产实行统一登记制度。统一登记的范围、登记机构和登记办法，由法律、行政法规规定。

【释义】 本条是关于不动产登记机构和国家实行统一登记制度的规定。

从现行有关法律、法规的规定看，不动产登记主要由不动产所在地的县级以上人民政府的相关不动产管理部门负责。涉及的部门主要有：(1)土地管理部门。土地管理法规定，农民集体所有的土地，由县级人民政府登记造册，核发证书，确认所有权。单位和个人依法使用的国有土地，由县级以上人民政府登记造册，核发证书，确认使用权。土地登记规则规定，县级以上地方人民政府土地管理部门主管本行政区域内的土地登记工作。土地管理法实施条例规定，依法改变土地所有权、使用权的，因依法转让地上建筑物、构筑物等附着物导致土地使用权转移的，必须向土地所在地的县级以上人民政府土地行政主管部门提出土地变更登记申请，由原土地登记机关依法进行土地所有权、使用权变更登记。担保法规定，以无地上定着物的土地使用权抵押的，抵押登记部门为核发土地使用权证书的土地管理部门。(2)房产管理部门。城市房地产管理法规定，在依法取得的房地产开发用地上建成房屋的，应当凭土地使用权证书向县级以上地方人民政府房产管理部门申请登记。房地产转让或者变更时，应当向县级以上地方人民政府房产管理部门申请房产变更登记，并凭变更后的房屋所有权证书向同级人民政府土地管理部门申请土地使用权变更登记。(3)农业主管部门。农村土地承包法规定，县级以上地方人民政府应当向承包方颁发土地承包经营权证，并登记造册，确认土地承包经营权。(4)林业主管部门。森林法规定，国家所有的和集体所有的森林、林木、林地，个人所有的林木和使用的林地，由县级以上地方人民政府登记造册，发放证书，确认所有权或者使用权。担保法规定，以林木抵押的，抵押登记部门为县级以上林木主管部门。(5)海洋行政主管部门。海域使用管理法规定，海域使用申请经依法批准后，国务院批准用海的，由国务院海洋行政主管部门登记造册，向海域使用申请人颁发海域使用权证书；地方人民政府批准用海的，由地方人民政府登记造册，向海域使用申请人颁发海域使用权证书。海域使用权登记办法规定，海域使用权实行分级登记。国务院批准的项目用海，由国家海洋局登记造册；县级以上地方人民政府批准的项目用海，由批准用海的地方人民政府登记造册，海洋行政主管部门负责登记的具体工作。(6)地质矿产主管部门。矿产资源开采登记管理办法规定，开采下列矿产资源，由国务院地质矿产主管部门审批登记，颁发采矿许可证：①国家规划矿区和对国民经济具有重要价值的矿区内的矿产资源；②领海及中国管辖的其他海域的矿产资源；③外商投资开采的矿产资源；④本办法附录所列的矿产资源。开采石油、天然气矿产的，经国务院指定的机关审查同意后，由国务院地质矿产主管部门登记，颁发采矿许可证。

在立法过程中，不少部门、专家认为，登记机构特别是不动产登记机构不统一，必然出现重复登记、登记资料分散、增加当事人负担、资源浪费等弊端，不利于健全登记制度，应当统一登记机构。

立法机关经研究,赞成上述意见,同时又要考虑统一登记涉及行政管理体制改革,实行统一登记需要有一个过程。因此,本条第二款在规定"国家对不动产实行统一登记制度"的同时,又规定,"统一登记的范围、登记机构和登记办法,由法律、行政法规规定。"

从境外情况看,一些发达国家都规定在一国之内或一个统一司法区域内实行不动产统一登记的制度,即不论是土地、房屋还是其他不动产,也不论是何种不动产物权,均由统一的机构登记。至于具体的登记机构设置,则不尽相同,如德国的不动产登记机构为属于地方法院的土地登记局,瑞士大多为各州的地方法院,日本为司法行政机关法务局、地方法务局及其派出所,我国台湾地区的登记机关是属于行政机构的"地政局"。

目前,我国各地方在不动产行政管理和不动产登记体制方面存在不同的做法。以房屋和土地来说,有的地方在房产和土地管理部门分别设立,房屋和土地分别由这两个部门进行管理和登记;有的地方,如上海、广州、深圳等实现了房屋和土地管理机构的统一,同时也实行房地产统一登记;还有的地方,虽然房屋、土地的管理机构实现了统一,但在管理机构合并之前,房屋管理与土地管理作为两个独立的管理部门,各自按房屋、土地登记的程序、内容、要求和方法进行了房屋所有权登记和土地登记,已分别向权利人颁发了大量证书,由于对房产、土地登记程序、方法和内容的整合上有相当大的难度,目前仍然实行房屋和土地分别登记。考虑到这些情况,本法在附则中对不动产统一登记的问题又做了补充规定:"法律、行政法规对不动产统一登记的范围、登记机构和登记办法做出规定前,地方性法规可以依照本法有关规定做出规定。"

第十一条　当事人申请登记,应当根据不同登记事项提供权属证明和不动产界址、面积等必要材料。

【释义】　本条是关于当事人申请登记应当提供的必要材料

的规定。

关于申请登记需要向登记机构提供哪些材料这些问题,有些国家是由专门的不动产登记法去作规定的,如日本不动产登记法规定,申请登记,应提供申请书、证明登记原因的材料、关于登记义务人权利的登记证明书、第三人许可、同意或承诺的证明、代理人权限的证明等。物权法在此只是原则性地做出一个衔接性的规定,当事人申请登记所需要提供的具体材料,还需要专门法律法规,包括将来可能制定的不动产登记法去进一步明确。例如,本条规定的权属证明材料可以包括权属证书、合同书、法院判决或者征收决定等,其他的必要材料也需要具体明确。此外,关于登记申请的其他一些问题,也需要专门法律法规明确,如具体的不动产物权登记申请,是共同申请,还是单方申请,注销登记是否要权利人申请,不申请怎么办,利害关系人能否申请等。

第十二条　登记机构应当履行下列职责:

(一)查验申请人提供的权属证明和其他必要材料;

(二)就有关登记事项询问申请人;

(三)如实、及时登记有关事项;

(四)法律、行政法规规定的其他职责。

申请登记的不动产的有关情况需要进一步证明的,登记机构可以要求申请人补充材料,必要时可以实地查看。

【释义】　本条是对登记机构应当履行的职责的规定。

物权法制定以前,法律对不动产物权的登记要件和登记审查标准没有明确的规定,各地登记机构掌握的尺度宽严不一,法院在审理有关房地产登记的行政案件中审判标准也不尽相同。据在立法过程中调研了解,房产登记机构一般只是对登记申请人提供的有关必要材料是否齐备进行审核,各城市基本都没有将询问当事人纳入登记程序,大部分城市登记时不去现场查看。土地登记机构对登记申请的审查较为严格。主管部门的同志认为,实质审查登记错误率低,但效率也低,登记机关也承担一定风险。形式审查效率高,登记机关不承担风险,但存在着不安全因素。

境外关于不动产物权登记机构职责有不同的规定,德国法律规定不动产登记机关除有审查当事人的申请材料是否齐备的权利之外,对当事人申请登记的内容只有消极的登记义务。登记机关既没有权利也没有义务对当事人申请登记的涉及实质权利义务的内容进行调查,也无权对当事人的财产法律关系进行变更。我国台湾地区的"土地登记规则"也只规定了登记机关审查当事人的申请材料的职能。日本不动产登记法规定,登记官在有土地或者建筑物标示登记的申请时,或依职权进行其登记时,如有必要,可以调查土地或建筑物标示事项。

物权法立法过程中,关于本条的意见主要集中在登记审查应当采用何种方式上,主要有形式审查和实质审查两种意见的争论。有的认为,登记机构应当对登记申请进行实质审查,以避免错误登记;有的认为,登记机构的审查主要是形式审查,实质审查是没有能力做到的。然而,对于何谓形式审查,何谓实质审查,也存在争论。有的学者从登记审查的范围对此二者进行界定,认为形式审查就是登记机构不审查登记申请是否与实体法上的权利关系一致,而仅审查登记申请在登记手续、提供材料等方面是否合法、齐备;实质审查则是不仅审查登记申请在登记手续上是否合法,还要审查其是否与实体法上的权利关系一致,实体法上的权利关系是否有效。有学者则从登记机构的调查权限上界定实质审查,即登记机构接受了登记申请之后,应当对登记内容进行询问和调查,以确保登记内容的真实性。还有的学者认为登记机构的审查权限及于不动产物权变动的原因关系的,就是实质审查;反之,就是形式审查。

本条的两款规定,既没有试图界定什么是实质审查,什么是形式审查，更不去回答物权法要求不动产登记机构进行实质审查还是形式审查。本条的规定，是在调研我国不动产登记实际情况并听取各方面意见的基础上做出的，目的是使登记机构在各自的职权范围内，充分履行职责，尽可能地保证如实、准确、及时地登记不动产物权有关事项，避免登记错误。实践中，不动产登记机构也在总结经验，积极探索改进登记工作的新思路。例如，目前土地登记主管部门正在探索建立中介代理制度，把登记中大量的实质审查工作由中介代理机构承担，通过中介代理机构的行业规范和行业自律，对资料进行实质审查，保证真实性。登记机关对有资质的中介机构的资料进行形式审查。对登记错误造成的损失，登记机关承担责任；对由于中介代理机构造成的登记错误，国家可向中介代理机构追偿。本条内容只是物权法在现阶段做出的一个原则性规定，随着行政管理体制改革和不动产统一登记制度的建立，法律还将在总结实践经验的基础上对登记机构履行职责问题上做出更为具体的规定。

第十三条　登记机构不得有下列行为：

（一）要求对不动产进行评估；

（二）以年检等名义进行重复登记；

（三）超出登记职责范围的其他行为。

【释义】　本条是关于登记机构禁止从事的行为的规定。

本章在前条规定登记机构应当履行的职责的基础上，又做出本条的规定，主要是针对在立法调研过程中发现的一些问题。一些地方的一些不动产登记机构，履行职责态度不端正，管理不严格，不考虑如何准确及时登记申请事项，如何为当事人提供便利，而是挖空心思，利用手中职权给当事人设置重重障碍，在为单位和个人谋取私利上做足工夫，炮制出评估、年检等诸多名目，收取高额费用。这些现象在抵押登记领域尤为突出，群众的意见很大。

这种情况从另一面也反映出在不动产登记方面法律法规还有待更加完善。因此,本条做出上述规定,对这些行为予以明确禁止,在明确列举“要求对不动产进行评估”和“以年检等名义进行重复登记”这两项反映较多的问题的同时,又规定了一项兜底内容,即“超出登记职责范围的其他行为”,以防止这些登记机构改头换面,钻法律的空子;同时,也为当事人在权益受到侵害时提供法律武器。

第十四条 不动产物权的设立、变更、转让和消灭,依照法律规定应当登记的,自记载于不动产登记簿时发生效力。

【释义】 本条是关于依法应当登记的不动产物权的设立、变更、转让和消灭何时发生效力的规定。

本法第九条规定,除法律另有规定外,不动产物权的设立、变更、转让和消灭,经依法登记,发生效力,未经登记,不发生效力,确立了不动产物权登记生效的原则。本条则具体明确了不动产物权设立、变更、转让和消灭登记生效的时间,即“自记载于不动产登记簿时发生效力”,也即是说,不动产物权登记,自登记机构将不动产物权有关事项记载于不动产登记簿时,始告完成。

不动产登记簿是法律规定的不动产物权登记机构管理的不动产物权登记档案。一般认为,根据物权公示原则的要求,不动产登记簿应当具有这样一些特征:一是统一性,一个登记区域内的不动产登记簿只能有一个,这样该区域内的不动产物权变动的各种情况才能准确地得到反映,物权交易的秩序才能良好建立;二是权威性,不动产登记簿是国家建立的档案簿册,其公信力以国家的行为担保,并依此为不动产物权变动的可信性提供保障;三是持久性,不动产登记簿将由登记机构长期保存,以便于当事人和利害关系人的利益获得长期的保障;四是公开性,不动产登记簿不应是秘密档案,登记机构不但应当允许权利人和利害关系人查阅复制,而且还要为他们的查阅复制提供便利。正因为不动产登记簿具有这些特征,不动产物权的设立、变更、转让和消灭只有在记载于不动产登记簿之后,才具有了公示力和排他力,因此,本条做出了上述规定。在这一点上,国外也有相似的规定,如瑞士民法典规定,物权在不动产登记簿主簿登记后,始得成立,并依次列顺序及日期。德国民法典规定,转让土地所有权、对土地设定权利以及转让此种权利或者对此种权利设定其他权利,需有权利人与相对人关于权利变更的协议,并应将权利变更在土地登记簿中登记注册,但法律另有其他规定的除外。

第十五条　当事人之间订立有关设立、变更、转让和消灭不动产物权的合同,除法律另有规定或者合同另有约定外,自合同成立时生效;未办理物权登记的,不影响合同效力。

【释义】 本条是关于合同效力和物权效力区分的规定。

本条规定的内容,在民法学中称为物权变动与其基础关系或者说原因关系的区分原则。以发生物权变动为目的的基础关系,主要是合同,它属于债权法律关系的范畴,成立以及生效应该依据合同法来判断。民法学将这种合同看成是物权变动的原因行为。不动产物权的变动只能在登记时生效,依法成立生效的合同也许不能发生物权变动的结果。这可能是因为物权因客观情势发生变迁,使得物权的变动成为不可能;也可能是物权的出让人“一物二卖”,其中一个买受人先行进行了不动产登记,其他的买受人便不可能取得合同约定转让的物权。有关设立、变更、转让和消灭不动产物权的合同和物权的设立、变更、转让和消灭本身是两个应当加以区分的情况。除非法律有特别规定,合同一经成立,只要不违反法律的强制性规定和社会公共利益,就可以发生效力。合同只是当事人之间的一种合意,并不必然与登记联系在一起。登记是针对民事权利的变动而设定的,它是与物权的变动联系在一起的,是一种物权变动的公示的方法。登记并不是针对合同行为,而是针对物权的变动所采取的一种公示方法,如果当事人之间仅就物权的变动达成合意,而没有办理登记,合同仍然有效。例如,当事人双方订立了房屋买卖合同之后,合同就已经生效,如果没有办理登记手续,房屋所有权不能发生移转,但买受人基于有效合同而享有的占有权仍然受到保护。违约的合同当事人一方应该承担违约责任。依不同情形,买受人可以请求债务人实际履行合同,即请求出卖人办理不动产转让登记,或者请求债务人赔偿损失。

区分合同效力和登记的效力为我国民法学界普遍赞同。有的学者提出,区分原则具有如下几个方面的实际意义:第一,有利于保护买受人依据合同所享有的占有权。在不动产买卖合同成立以后,即使没有办理不动产权利移转的登记手续,但是,因为合同已经生效,所以依据有效合同而交付之后,买受人因此享有的占有权仍然受到保护。即使买受人不享有物权,但是可以享有合法的占有权,针对第三人的侵害不动产的行为,可以提起占有之诉。第二,有利于确立违约责任。如果一方在合同成立之后没有办理登记,或者拒绝履行登记义务,由于合同已经成立并生效,此种拒不履行登记的行为构成违约,应当承担相应的违约责任。假如未办理登记导致合同无效,非违约方将无法要求违约方承担违约责任。第三,有利于保护无过错一方当事人。当事人之间买卖房屋未经登记的情况错综复杂,如果以登记为合同生效要件,则在因出卖人的原因而未办理登记手续的情况下,在房屋价格上涨之后,出卖人有可能以未办理登记将导致合同无效为理由,要求确认合同无效并返还房屋,这有可能鼓励一些不法行为人规避法律,甚至利用房屋买卖欺诈他人,而损害的却是善意的买受人的利益。特别是在房屋已经交付使用,买受人对房屋已进行了重大修缮的情况下,如果因未登记而确认合同无效并返还房屋,这确实会妨碍现有的财产秩序。如果严格地区分合同效力和登记效力,则可以防止此种现象的发生。

学者一般认为,区分两种效力不但是科学的,符合物权为排他权而债权为请求权的基本法理,而且被民法实践证明对分清物权法和债权法的不同作用范围,区分当事人的不同法律责任,保障原因合同当事人的合法利益也是非常必要和行之有效的原则。曾有一段时期,我国的司法实践以及一些立法,对这个问题有不同的认识。目前,无论是民法学界,还是法律规定和司法实践,对于区分合同效力和登记效力,在认识上已经基本一致。合同法第四十四条规定,依法成立的合同,自成立时生效。合同法还规定了导致合同无效的各种情形,在这些情形中,并没有不动产物权未依法登记的规定。虽然担保法有抵押合同自登记之日起生效的规定,但本法在担保物权编抵押权一章,改变了这一规定,即不动产抵押登记,只产生抵押权生效的效力。司法实践也明确了区分合同效力与登记效力的原则,如最高人民法院 1995 年《关于审理房地产管理施行前房地产开发经营案件若干问题的解答》规定,“转让合同签订后,双方当事人应按合同约定和法律规定,到有关主管部门办理土地使用权变更登记手续,一方拖延不办,并以未办理土地使用权变更登记手续为由主张合同无效的,人民法院不予支持,应责令当事人依法办理土地使用权变更登记手续。”该解答明确指出,不动产登记并不是买卖合同的生效要件,而是其履行行为的组成部分。同时还规定,“土地使用者与他人签订土地使用权转让合同后,未办理土地使用权变更登记手续之前,又另与他人就同一土地使用权签订转让合同,并依法办理了土地使用权变更登记手续的,土地使用权应由办理土地使用权变更登记手续的受让方取得。转让方给前一合同的受让方造成损失的,应当承担相应的民事责任。”转让方(即出让人)因其过错使得买受人不能取得土地使用权的,要承担违约责任。显然,土地使用权未办理转让登记并不影响合同的约束力。最高人民法院《关于适用〈中华人民共和国合同法〉若干问题的解释》规定，依照合同法第四十四条第二款的规定，法律、行政法规规定合同应当办理批准手续，或者办理批准、登记等手续才生效，在一审法庭辩论终结前当事人仍未办理批准手续的，或者仍未办理批准、登记等手续的，人民法院应当认定该合同未生效；法律、行政法规规定合同应当办理登记手续，但未规定登记后生效的，当事人未办理登记手续不影响合同的效力，合同标的物所有权及其他物权不能转移。

第十六条　不动产登记簿是物权归属和内容的根据。

不动产登记簿由登记机构管理。

【释义】　本条是关于不动产登记簿效力以及管理机构的规定。

前文已述不动产登记簿的几个特征。在本法确立了不动产物权登记生效的原则之后，不动产登记簿就自然应当成为不动产物权的法律根据，这是不动产物权公示原则的当然体现，也是保障物权变动安全的必要手段。本条第一款的规定，在民法学上一般称为权利正确性推定原则，即在不动产登记簿上记载某人享有某项物权时，推定该人享有该项权利，其权利的内容也以不动产登记簿上的记载为准。在建立不动产登记制度的情况下，不动产登记成为不动产物权制度的基础。不动产登记簿所记载的权利的正确性推定效力对客观、公正的不动产交易秩序的建立有着极为重要的意义。

不动产登记簿记载的权利和事实上的权利应当是一致的，法律也要求登记机构正确履行职责，如实记载登记事项，但是由于现实经济生活的复杂性，也会产生两者不相符合的情形。在实际生活中，由于当事人自己的过错或者由于登记机关的过错，可能会出现登记的权利和事实上的权利不一致的情况。因此，规定不动产登记簿的推定正确效力，对实现不动产物权变动中的客观公正有十分重要的意义，正因为登记簿有此效力，第三人依据登记簿的取得才受到法律的保护，交易的安全才有了保障。由此可见，法律规定物权的归属和内容以不动产登记簿为根据，目的就是从国家公信力的角度对物权相对人的利益进行保护，从而建立一个能以客观标准衡量的公正的经济秩序，这也是物权公示原则的价值和要求。法律在为建立公正安全的交易秩序而保护相对人利益的同时，也为可能的事实权利人提供了异议登记、更正登记等救济手段。

本条的这一规定，是建立不动产登记制度的各地普遍承认的原则。如德国民法典规定，在土地登记簿中为了某人登记一项权利的，应推定此人享有该项权利。在土地登记簿中注销一项权利的，应推定该项权利不复存在。为有利于根据法律行为取得一项权利或者取得该项权利上的权利的人，土地登记簿中所记载的内容应视为是正确的，对其正确性提出的异议已进行登记的或者取得人明知其为不正确的除外。瑞士民法典规定，出于善意而信赖不动产登记簿的登记，因而取得所有权或其他权利的人，均受保护。我国台湾地区“土地法”规定，“依本法所为之登记，有绝对效力”。

第十七条　不动产权属证书是权利人享有该不动产物权的证明。不动产权属证书记载的事项，应当与不动产登记簿一致；记载不一致的，除有证据证明不动产登记簿确有错误外，以不动产登记簿为准。

【释义】　本条是关于不动产登记簿与不动产权属证书关系的规定。

不动产权属证书，即不动产的所有权证、使用权证等，是登记机关颁发给权利人作为其享有权利的证明。根据物权公示原则，完成不动产物权公示的是不动产登记，不动产物权的归属和内容应以不动产登记簿为根据。不动产物权证书只是不动产登记簿所记载内容的外在表现形式。在社会生活和交易过程中,不动产权利人为了证明自己的权利状况,可以出示权属文书。

我国目前不动产登记制度及其实际运作还有待进一步完善,不动产登记簿的设置、管理和查阅复制工作需要重视和加强。实践中,单位和个人普遍存在重视不动产权属证书而轻视不动产登记簿的现象,这样将削弱不动产物权的公示性,影响不动产交易的安全。因此,本条规定,不动产权属证书是权利人享有该不动产物权的证明。不动产权属证书记载的事项,应当与不动产登记簿一致;记载不一致的,除有证据证明不动产登记簿确有错误外,以不动产登记簿为准。国外也有类似的规定,如意大利民法典规定,在不动产登记簿、复印件或证明是不同的情况下,登记簿的效力优先。

第十八条　权利人、利害关系人可以申请查询、复制登记资料,登记机构应当提供。

【释义】　本条是关于不动产登记资料查询、复制的规定。

现行法律法规对土地登记查询问题有一些规定。担保法规定,登记部门登记的资料,应当允许查阅、抄录或者复印。土地管理法实施条例规定,土地登记资料可以公开查询。

为了规范土地登记资料的公开查询活动,保证土地交易安全,保护土地权利人的合法权益,国土资源部2002年制定了土地登记资料公开查询办法,主要内容如下:

1. 关于查询范围和有权查询的单位、个人。土地登记资料是指:(1)土地登记结果,包括土地登记卡和宗地图;(2)原始登记资料,包括土地权属来源文件、土地登记申请书、地籍调查表和地籍图。对第(1)项规定的土地登记结果,任何单位和个人都可以依照本办法的规定查询。对于第(2)项规定的原始登记资料,有权查询的单位和个人是:(1)土地权利人、取得土地权利人同意的单位和个人有权查询其土地权利范围内的原始登记资料;(2)土地登记代理机构有权查询与其代理业务直接相关的原始登记资料;(3)国家安全机关、公安机关、检察机关、审判机关和纪检监察部门有权查询与调查、处理案件有关的原始登记资料。

2. 关于查询机关。县级以上人民政府国土资源行政主管部门(简称查询机关)负责土地登记资料的公开查询工作。查询机关根据工作需要,可以委托有关单位具体承办土地登记资料的公开查询事务。

3. 关于查询程序。查询人查询土地登记资料,应当向查询机关提供本人的身份证明,并填写查询申请表。查询人为法人或者其他组织的,还应当提交单位的证明文件。查询原始登记资料的,还应当提交其他证明材料。查询人查询土地登记资料,应当在查询机关设定的场所进行。任何单位和个人不得擅自将土地登记资料带离设定的场所。查询人在查询时应当保持土地登记资料的完好,不得对土地登记资料进行圈点、划线、注记、涂改或者拆页,也不得损坏查询设备。查询人可以阅读或者自行抄录土地登记资料。对符合本办法规定的查询申请,查询机关应当当场提供查询;因情况特殊,不能当场提供查询的,应当在5日内提供查询。应查询人要求,查询机关可以摘录或者复制有关的土地登记资料。查询机关摘录或者复制的土地登记结果,查询人请求出具查询结果证明的,查询机关经审核后可以出具查询结果证明。查询结果证明应当加盖查询机关印章,并注明日期。查询结果证明复制无效。对无土地登记结果的,应查询人请求,查询机关可以出具无土地登记记录的书面证明。涉及国家秘密的土地登记资料的查询,按照保守国家秘密法的有关规定执行。查询土地登记资料所发生的费用由查询人承担。

此外,林木和林地权属登记管理办法规定,登记机关应当公开登记档案,并接受公众查询。

不动产登记制度是建立和完善物权法律制度的基础。但是,究竟哪些人可以查询和复制登记资料,在立法征求意见过程中有不同的意见。有一种观点认为,任何人都可以查询和复制,所有的社会公众都可以进行查询。持这种观点的主要基于以下三个理由:第一个理由是,物权公示的目的就是要公开登记资料,让社会公众都能够知道物权归属的状况。第二个理由是,如果权利人选择进行登记,登记行为本身也就表明他并不把所要登记的内容作为个人隐私,登记的资料就是准备要公开的,因此不属于隐私的范畴,也不属于商业秘密。第三个理由是,如果一部分人可以进行查询、复制,而另外一部分人不能进行查询、复制,就需要做出一些限制性的规定,在实际操作中所需的成本比较高。还有一种观点认为,对于享有不动产物权而不想进行交易的权利人来说,没有必要使其不动产物权登记信息让社会公众都知道。对于想要受让不动产物权的当事人来说,也无须了解所有的不动产物权登记信息,需要了解的只是对方需要出让的不动产物权信息。因此,没有必要规定不动产登记资料向全社会公众开放。

对于这个问题,国外的规定也不一样,有的国家、地区是允许大家都可以查询,有的则做出某种限制。瑞士民法典规定,任何人均有权获悉在不动产登记簿上登记的不动产所有权人为何人。经初步证据证明为有利益关系者,有权请求查阅不动产登记簿或请求就此制作内容摘要。任何人不得提出其不知不动产登记簿上登记的抗辩。日本不动产登记法规定,任何人都可以缴纳手续费,而请求交付登记簿的誊本、节本或地图及建筑物所在图的全部或一部的副本。并且,以有利害关系部分为限,可以请求阅览登记簿及其附属文件或地图、建筑物所在图。德国法律规定,不动产权利人和相关利害关系人可以申请查询不动产登记簿。

立法机关经研究,认为物权公示本来的含义或者真正目的,不是要求全社会的人都知道特定不动产的信息。物权公示虽然是针对不特定的人,但这个不特定的人不是全社会的人。登记资料只要能够满足合同双方当事人以外或者物权权利人以外的人中可能和这个物权发生联系的这部分人的要求,就达到了登记的目的和物权公示的目的了。如果不加区别地认为所有人都可以去查询、复制登记资料,实际上是一种误导,做了没有必要做的事情,甚至会带来没有必要的麻烦。因此,本条规定,权利人、利害关系人可以申请查询、复制登记资料,登记机构应当提供。

第十九条　权利人、利害关系人认为不动产登记簿记载的事项错误的,可以申请更正登记。不动产登记簿记载的权利人书面同意更正或者有证据证明登记确有错误的,登记机构应当予以更正。

不动产登记簿记载的权利人不同意更正的,利害关系人可以申请异议登记。登记机构予以异议登记的,申请人在异议登记之日起十五日内不起诉,异议登记失效。异议登记不当,造成权利人损害的,权利人可以向申请人请求损害赔偿。

【释义】　本条是关于不动产更正登记和异议登记的规定。

更正登记与异议登记同样是保护事实上的权利人或者真正权利人以及真正权利状态的法律措施。与异议登记不同的是,更正登记是彻底地消除登记权利与真正权利不一致的状态,避免第三人依据不动产登记簿取得不动产登记簿上记载的物权。因此,也可以认为更正登记是对原登记权利的涂销登记,同时是对真正权利的初始登记。更正登记有两种方式:一种是经权利人(包括登记上的权利人和事实上的权利人)以及利害关系人申请的登记;另一种是登记机关自己发现错误后做出的更正登记。

目前我国的不动产登记规则中已经建立有更正登记制度。土地登记规则规定,土地登记后,发现错登或者漏登的,土地管理部门应当办理更正登记;利害关系人也可以申请更正登记。林木和林地权属登记管理办法规定,发现林权证错、漏登记的或者遗失、损坏的,有关林权权利人可以到原林权登记机关申请更正或者补办。海域使用权登记办法规定,海域使用权人发现海域使用权登记结果有误或者有遗漏时,可以向原登记机关申请更正。经审核属实的,由原登记机关予以更正。海洋行政主管部门因审查疏忽导致错漏登记或者表证不符的,应当及时更正,并将更正结果书面通知海域使用权人。

建立不动产登记制度的国家和地区,一般都建立有更正登记制度。如德国民法典第八百九十四条规定,"土地登记簿记载的土地物权、在此权利上设定的物权、或者依据第八百九十二条第一款确定的处分限制,与真正的权利状态不一致时,其权利未被登记、未被正确登记、或者被一个并不存在的权利负担的登记或者权利限制的登记受到损害的人,可以要求因更正登记而涉及其权利者的同意,为更正登记。"瑞士民法典规定,物权的登记不正当,或正当的登记被不正当地涂销或者更改时,物权受到损害的人,得诉请更正登记。不动产登记簿管理人的更正登记,须得当事人同意或依法官的裁判始得完成。……书写错误的更正,根据联邦委员会颁布的有关规定办理。我国台湾地区"土地登记规则"规定,登记人员或利害关系人于登记完毕后,发现登记错误或遗漏时,应申请更正登记。登记机关报经上级地政机关查明核准后更正之。

更正登记的目的是为了保护事实上的权利人的物权,许可真正的权利人或者利害关系人依据真正的权利状态对不动产登记簿记载的内容进行更正。但是,更正的程序可能较为费时,有时申请更正的权利人与登记簿上记载的权利人之间的争议一时难以化解,法律有必要建立异议登记制度,作为一种对真正权利人利益的临时性保护措施。所谓异议登记,就是将事实上的权利人以及利害关系人对不动产登记簿记载的权利所提出的异议记入登记簿,异议登记的法律效力是,登记簿上所记载权利失去正确性推定的效力,第三人也不得主张依照登记的公信力而受到保护。

由此可见,异议登记虽然可以对真正权利人提供保护,但这种保护应当是临时性的,因为它同时也给不动产物权交易造成了一种不稳定的状态。为使得不动产物权的不稳定状态早日恢复正常,法律必须对异议登记的有效期间做出限制。因此,本条规定,申请人在异议登记之日起十五日内不起诉的,异议登记失效。申请人在异议登记之日起十五日内不起诉,说明异议登记的申请人不积极行使其权利,为使登记簿上记载的权利人的利益和正常的交易秩序不致受到严重的影响,法律规定这时该异议登记失去其效力。

由于异议登记可以使登记簿上所记载权利失去正确性推定的效力;同时,异议登记的申请人在提出异议登记的申请时也无须充分证明其权利受到了损害,因此,如果申请人滥用异议登记制度,将可能给登记簿上记载权利人的利益造成损害。所以,本条规定,异议登记不当,造成权利人损害的,权利人可以向申请人请求损害赔偿。

异议登记同样是境外不动产登记制度的重要组成部分,如德国民法典规定,发生登记错误的情形时,对抗土地登记簿的正确性的异议,可以纳入登记。在我国台湾地区"民法"中,原来也规定有异议登记制度,但是后来"法律"做了修改,将其纳入"民事诉讼法"中的"假处分"制度。所谓假处分,属于民事诉讼法中一种保全性质的强制执行程序,其目的在于将争议的法律关系状态暂时保持不变,以防止权利人处分其权利后,使得将来无法恢复。但在后来制定"土地登记规则"时,考虑到这一制度的积极意义,又将其纳入限制登记之中。日本不动产登记法中的假处分制度意义也是如此。

第二十条　当事人签订买卖房屋或者其他不动产物权的协议，为保障将来实现物权，按照约定可以向登记机构申请预告登记。预告登记后，未经预告登记的权利人同意，处分该不动产的，不发生物权效力。

预告登记后，债权消灭或者自能够进行不动产登记之日起三个月内未申请登记的，预告登记失效。

【释义】　本条是关于预告登记的规定。

预告登记，是指为保全一项请求权而进行的不动产登记，该项请求权所要达到的目的，是在将来发生不动产物权变动。这种登记是不动产登记的特殊类型。其他的不动产登记都是对现实的不动产物权进行登记，而预告登记所登记的，不是不动产物权，而是目的在于将来发生不动产物权变动的请求权。预告登记的本质特征是使被登记的请求权具有物权的效力，也就是说，进行了预告登记的请求权，对后来发生的与该项请求权内容相同的不动产物权的处分行为，具有对抗的效力，这样，所登记的请求权就得到了保护。

预告登记的功能是限制房地产开发商等债务人处分其权利，即本条规定的“预告登记后，未经预告登记的权利人同意，处分该不动产的，不发生物权效力”，以保障债权人将来实现其债权。正如有的学者所说，预告登记的实践意义在于，权利人所期待的未来发生的物权变动对自己有极为重要的意义，非要发生这种变动不可；而法律也认可这种变动对权利人的意义，并以法律予以保障。比如，老百姓购买预售的住房，它涉及公民的基本生存权利，所以法律上承认买受人获得指定的房屋的权利有特殊保护的必要。但是，因为购房人在与开发商订立预售合同后，只享有合同法上的请求权，该项权利没有排他的效力，所以购房人无法防止开发商将房屋以更高的价格出卖给他人即“一房二卖”这种情况的发生，而只能在这种情况发生时主张开发商违约要求损害赔偿，而无法获得指定的房屋。在建立了预告登记制度的情况下,购房人如果将他的这一请求权进行预告登记,因为预告登记具有物权的排他效力,所以开发商违背预告登记内容的处分行为就不能发生法律效力。这些处分行为既包括一房二卖,也包括在已出售的房屋上设定抵押权等行为。这样,购房者将来肯定能够获得约定买卖的房屋。因此,预告登记对解决类似商品房预售中一房二卖这样一些敏感的社会问题有着特殊的作用。依照本条规定,预告登记不仅可以针对当事人签订买卖房屋协议的情况,还包括签订其他不动产物权协议的情况。因而,建立预告登记制度,具有广泛的保障债权实现的意义。

预告登记,是德国中世纪民法创立的制度。根据德国民法典的规定,为保全目的在于转让或者废止一项土地上的物权的请求权,或者土地上负担的物权请求权,或者变更这些物权的内容或其顺位的请求权,可以在土地登记簿中将其纳入预告登记。预告登记可在满足两种条件之一的情况下进行:(1)不动产物权人的同意;(2)法院的临时处分命令。为预告登记而做出的临时处分,与民事诉讼法中规定的临时处分有所不同。根据德国民事诉讼法的规定,临时处分是在当事人认为存在着将来不能实现其权利或者难以实现其权利的危险时实施的。而预告登记的临时处分命令的做出无须当事人证明请求权处于危险,只需证明存在着可为预告登记的请求权即可。预告登记的请求权纳入预告登记后,即具有排他效力,可能妨害请求权的处分视为违反预告登记的处分而无效。预告登记是与所登记的请求权紧密结合在一起的,随着请求权的移转而移转,随着请求权的消灭而消灭。此外,预告登记还因债权人的放弃、所保全的请求权指向的物权纳入本登记、不动产物权人行使涂销预告登记的请求权而消灭。瑞士民法典规定,因下列原因之一,可以预登记对土地的处分限制:(1)官方为保全有争执的或有待执行的请求权所发布的命令;(2)出质、破产或遗产延期分割;(3)属法定预登记的,如家宅的设定及后位继承人的继承权等权利。处分的限制,经预登记后,始得对他人后取得的权利有对抗的效力。

日本不动产登记法将这种制度称为“假登记”,在下列各项情形下进行:(1)未具备登记申请程序上需要的条件时;(2)欲保全法律所载权利的设定、移转、变更或者消灭的请求权时。我国台湾地区“土地法”中该制度的名称也是预告登记,该“法”规定,声请保全下列请求权之预告登记,应由请求权人检附登记名义人之同意书为之:(1)关于土地权利移转或使其消灭之请求权;(2)土地权利内容或次序变更之请求权;(3)附条件或期限之请求权。预告登记未涂销前,登记名义人就其土地所为之处分,对于所登记之请求权有妨碍者无效。本条对预告登记条件及法律效力的规定,较为接近我国台湾地区的规定。

第二十一条　当事人提供虚假材料申请登记,给他人造成损害的,应当承担赔偿责任。

因登记错误,给他人造成损害的,登记机构应当承担赔偿责任。登记机构赔偿后,可以向造成登记错误的人追偿。

【释义】　本条是关于登记错误赔偿责任的规定。

实践中登记错误的发生主要有两种情况:一是登记机构工作人员疏忽、过失等原因造成错误;二是登记申请人等采取欺骗手段或者与登记机关的人员恶意串通造成错误。目前土地登记规则等有关登记工作的规范,很少对登记错误的责任问题做出规定。海域使用权登记办法规定,海洋行政主管部门因审查疏忽导致错漏登记或者表证不符的,应当及时更正,并将更正结果书面通知海域使用权人;给海域使用权人造成损失的,应当承担相应的赔偿责任。

立法征求意见过程中,普遍认为,当事人提供虚假材料申请登记，给他人造成损害的，应当承担赔偿责任。对于登记错误登记机构应当如何承担责任，有不同的意见。有的提出，因登记机构的过错，致使不动产登记发生错误，因该错误登记致当事人或者利害关系人遭受损害的，登记机关应依照国家赔偿法的相应规定承担赔偿责任。这种意见认为，我国国家赔偿法规定，国家机关及其工作人员因执行公务的过错给公民、法人造成损害的，应承担国家赔偿的责任。具体承担责任的部门，包括政府、法院和检察院等。不动产物权登记是以国家的公信力为不动产的交易提供法律基础的行为，如果登记错误的原因是登记机构的过错，而当事人或者利害关系人因该登记受到损害，登记机关应当承担国家赔偿责任。同时认为，国家赔偿责任是过错责任，如登记机关没有过错，则不应承担责任。如果登记错误是登记机构和当事人、利害关系人的共同过错，则他们应当承担共同责任。有的提出，因不动产登记机构登记漏登、误登造成他人损失的，应当由不动产登记机构赔偿，但不赞同适用国家赔偿法并由国家出资赔偿，而是建议设立不动产登记赔偿基金，在不动产登记业务中根据一定的标准收取一定的费用，纳入不动产登记赔偿基金，该基金只能用于不动产登记赔偿，不能挪作他用。

经研究认为，对于登记机构应当具有什么性质还有不同意见，有待于随着行政管理体制改革进一步明确，目前不宜规定登记机构的国家赔偿责任。不动产登记赔偿基金可否设立，应当如何设立，也还可以进一步研究，即使以后规定，也宜由不动产登记的专门法律做出。物权法作为民事基本法，对于登记错误责任问题，在本条做出的只是原则性的规定。本条第二款规定，因登记错误，给他人造成损害的，登记机构应当承担赔偿责任。这里造成登记错误的原因，既包括登记机构工作人员故意以及疏忽大意等过错，也包括当事人提供虚假材料欺骗登记机构等情形。登记错误的受害人处于相对弱势的地位，这样规定，是为了对受害人提供更加充分的保护。登记机构赔偿后,可以向造成登记错误的人追偿。

第二十二条 不动产登记费按件收取,不得按照不动产的面积、体积或者价款的比例收取。具体收费标准由国务院有关部门会同价格主管部门规定。

【释义】 本条是关于登记收费问题的规定。

在物权法立法征求意见过程中,有的提出,一段时间以来,许多地方存在着不动产登记收费过高的问题,并且无论是对不动产所有权登记,还是对不动产抵押权等所谓不动产他项权利登记,普遍地按不动产的面积作为计收登记费的标准,有的地方按照不动产转让或者抵押合同的标的额的相当比例收取登记费。如有的地方如此规定房屋抵押登记收费标准:“抵押评估价值 10 万元以下 1%;10 万元以上至 100 万元 0.7%;100 万元至 1000 万元 0.3%;1000 万元以上 0.2%。”该标准正面还附有注释:“以抵押评估值计费基数,实行差额定率累进收费,由抵押人支付。每件收费基准抵押期限为一年,低于一年期的收费标准可下降 50%,超过一年的收费标准可上浮,但最高不得超过 50%。”一些群众对各地方的这些现象有意见,认为加重了交易负担。

2002 年,国家计委、财政部发布了《关于规范房屋所有权登记费计费方式和收费标准等有关问题的通知》,主要内容是:(1)房屋所有权登记费是指县级以上地方人民政府行使房产行政管理职能的部门依法对房屋所有权进行登记,并核发房屋所有权证书时,向房屋所有权人收取的登记费,不包括房产测绘机构收取的房产测绘(或勘丈)费用。(2)房屋所有权登记包括所有权初始登记、变更登记、转移登记、注销登记等内容。(3)房屋所有权登记费的计费方式和收费标准,按下列规定执行:①对住房收取的,从现行按房屋价值量定率计收、按房屋建筑面积定率或定额计收、按套定额计收等,统一规范为按套收取,每套收费标准为 80 元。住房以外其他房屋所有权登记费,统一规范为按宗定额收取,具体收费标准由省、自治区、直辖市价格、财政部门核定。②注销登记不得收费。通知自2002年5月1日起执行,之后,各地对住房所有权登记费统一按每套80元收取,基本上降低了当事人的负担。对于该通知中“住房以外其他房屋所有权登记费,统一规范为按宗定额收取”的规定,各地方各自做出规定,收费水平不一。如有的地方规定,“对住房以外其他房屋所有权登记费统一规范为按宗定额收取,具体收费标准规定如下:建筑面积100平方米及以下的每宗100元;建筑面积101至500平方米的每宗200元;建筑面积501至1500平方米的每宗300元;建筑面积1501至3000平方米的每宗400元;建筑面积3001至10000平方米的每宗600元;建筑面积10001平方米以上的每宗800元。住房以外其他房屋他项权利(包括抵押权、典权)登记费比照上述规定执行。”有的地方规定,“非住宅50平方米以内收100元,50至100平方米以内收200元,100平方米以上不超过4000平方米,以200元为基数每超过100平方米加收20元。”有的地方规定,大于1000平方米小于2000平方米的收1000元,大于2000平方米小于5000平方米的收1500元,大于5000平方米小于10000平方米的收2000元,大于10000平方米小于20000平方米的收4000元,20000平方米以上的则收到10000元。

多数意见认为,登记机构不是营利性组织,目前我国各地的不动产登记机构,尤其是房产登记机构,从事的登记工作一般也只是对登记申请人提供的有关材料是否符合规定的条件进行审核,在此基础上收取登记费,不宜与不动产的面积、体积或者价款的比例等因素挂钩,把这些作为计费的标准。据此,本条做出上述规定。立法过程中,有的部门提出,物权法不宜对登记收费问题作规定。有的专家也认为,登记收费的问题属于具体的程序性问题,可以由将来的不动产登记法去作规定,物权法作为民事基本法,对此可以不作规定。立法机关经研究认为,物权法关系人民群众的切身利益,为社会各方面普遍关注,对于社会生活中反映较多,与人民群众利益较为密切的问题,应当在物权法中做出适当的规定。

第二节 动产交付

第二十三条 动产物权的设立和转让,自交付时发生效力,但法律另有规定的除外。

【释义】 本条是关于动产物权的设立和转让何时发生效力的规定。

本法第一章规定了物权公示原则,以维护交易安全,为第三人利益提供切实保障。不动产物权以登记为公示手段,与此相对应,动产物权以占有和交付为公示手段。占有主要在静态下,即在不发生物权变动的情况下发挥动产物权的公示作用;而交付主要是在动态下,即在发生物权变动的情况下发挥动产物权的公示作用。

依照本条规定,"动产物权的设立和转让,自交付时发生效力",指的是当事人通过合同约定转让动产所有权和设立动产质权两种情况。物权法上所说的交付,指的是物的直接占有的转移,即一方按照法律行为要求,将物的直接占有移转给另一方的事实。本条规定的"法律另有规定的除外"主要指的是:第一,本节对动产物权的设立和转让的一些特殊情况:"动产物权设立和转让前,权利人已经占有该动产的,物权自法律行为生效时发生效力。""动产物权设立和转让前,第三人占有该动产的,可以通过转让请求第三人返还原物的权利代替交付。""动产物权转让时,双方又约定由出让人继续占有该动产的,物权自该约定生效时发生效力。"第二,本章第三节对主要是非依法律行为而发生的物权变动问题所作的规定。第三,本法担保物权编对动产抵押权和留置权的相关规定。

本条规定也是继承了我国民法的有关规定。民法通则规定，按照合同或者其他合法方式取得财产的，财产所有权从财产交付时起转移，法律另有规定或者当事人另有约定的除外。在民法通则颁布时，我国尚没有不动产市场，故民法通则规定的这一原则，即是为动产所有权移转确定的。合同法规定，标的物的所有权自标的物交付时起转移，但法律另有规定或者当事人另有约定的除外。境外也有相似的立法例，如德国民法典规定，为转让一项动产所有权，必须有物的所有权人将物交付与受让人，以及双方就所有权的移转达成合意。为设立质权，必须由物的所有权人将物交付与债权人，以及双方为债权人设立质权的合意。瑞士民法典规定，动产所有权的移转，应移转占有。动产经将其占有转移质权人，始为出质。日本民法典规定，质权的设定，因向债权人交付标的物而发生效力。质权人不得使出质人代自己占有。我国台湾地区“民法”规定，动产物权之让与，非将动产交付，不生效力。

第二十四条　船舶、航空器和机动车等物权的设立、变更、转让和消灭，未经登记，不得对抗善意第三人。

【释义】　本条是关于船舶、航空器和机动车等物权登记的规定。

现行法律对船舶、航空器的物权登记效力问题已有规定。海商法规定，船舶所有权的取得、转让和消灭，应当向船舶登记机关登记；未经登记的，不得对抗第三人。设定船舶抵押权，由抵押权人和抵押人共同向船舶登记机关办理抵押权登记；未经登记的，不得对抗第三人。民用航空法规定，民用航空器所有权的取得、转让和消灭，应当向国务院民用航空主管部门登记；未经登记的，不得对抗第三人。设定民用航空器抵押权，由抵押权人和抵押人共同向国务院民用航空主管部门办理抵押权登记；未经登记的，不得对抗第三人。

我国的上述法律规定，为民法学界普遍认可，实践中也没有什么问题，为了保持法律的稳定性，本条延续了对这类动产登记对抗主义原则的规定。民法学一般认为，船舶、飞行器和汽车因价值超过动产，在法律上被视为一种准不动产，其物权变动应当以登记为公示方法。但在登记的效力上不采用登记生效主义，这是考虑到船舶、航空器和机动车等本身具有动产的属性，其物权变动并不是在登记时发生效力，依照本法规定，其所有权转移一般在交付时发生效力，其抵押权在抵押合同生效时设立。但是，法律对船舶、航空器和汽车等动产规定有登记制度，其物权的变动如果未在登记部门进行登记，就不产生社会公信力，不能对抗善意第三人。所谓善意第三人，就是指不知道也不应当知道物权发生了变动的物权关系相对人。

第二十五条　动产物权设立和转让前，权利人已经依法占有该动产的，物权自法律行为生效时发生效力。

【释义】　本条是关于动产物权受让人先行占有问题的规定。

本条规定的是设立或者转让动产物权时的一种特殊的情形，即物权的受让人已经取得了动产的占有，而后又与动产的所有权人达成移转所有权或者设定质权合同的情形。例如，承租人或者借用人，依据租赁合同或者借用合同已经取得了动产的占有，而后又与动产的所有权人达成协议，购买该项动产或者在动产上设定质权。这种情况在实际生活中也经常发生，因此物权法需要加以规定。

本法所规定的法律行为是民法学上的概念。民事法律行为是公民或者法人设立、变更、终止民事权利和民事义务的合法行为。民事法律行为应当具备下列条件：（1）行为人具有相应的民事行为能力；（2）意思表示真实；（3）不违反法律或者社会公共利益。民事法律行为具有如下三项特征：第一，民事法律行为是一种合法行为。民事法律行为必须合法,才能为国家法律所确认和保护,从而能够产生行为人预期的民事法律后果。民事法律行为的内容和形式均应合法,既要符合法律规定,又要符合社会公共利益和社会公德的要求。第二,民事法律行为以行为人的意思表示作为构成要素。意思表示是指行为人追求民事法律后果(民事法律关系的设立、变更或者消灭)的内心意思用一定的方式表示于外部的活动。民事法律行为是人们有目的、有意识的行为。所以,意思表示是民事法律行为的必要组成部分。每种民事法律行为都必须存在意思表示。缺少民法所确认的意思表示的行为就不是民事法律行为。意思表示是民事法律行为的构成要素,但并不等于民事法律行为。第三,民事法律行为能够实现行为人所预期的民事法律后果,即设立、变更或者消灭民事法律关系。民事法律行为是一种目的性行为,即以设立、变更或终止民事法律关系为目的,民事法律行为的目的与实际产生的后果是相互一致的。本条规定的法律行为,主要指的是动产所有权人与受让人订立动产转让的协议以及与质权人订立动产出质协议。

在受让人已经取得对动产的占有又依据法律行为取得其物权的情况下,动产物权的公示已经在事先完成,物权受让人已经能够依物权的排他性行使物权。因此,物权的变动就在当事人之间的关于物权变动的协议生效时生效。

境外对此也有类似的规定。如德国民法典规定,为转让一项动产所有权,必须有物的所有权人将物交付与受让人,以及双方就所有权的移转达成合意。如受让人已经占有该项动产的,则仅须让与所有权的合意而生效。为设立质权,必须由物的所有权人将物交付与债权人,以及双方为债权人设立质权的合意。债权人已经占有该项动产时,仅须质权成立的合意为必要。我国台湾地区"民法"规定,动产物权之让与,非将动产交付,不生效力。但受让人已占有动产者,于让与合意时,即生效力。

第二十六条　动产物权设立和转让前，第三人依法占有该动产的，负有交付义务的人可以通过转让请求第三人返还原物的权利代替交付。

【释义】　本条是关于动产物权指示交付的规定。

不动产物权的变动是通过登记簿的记载而被外部识别的，而动产物权的变动，则由交付这一行为完成。民法上，交付的原意仅指现实交付，即动产占有的现实转移。例如甲向乙出售蔬菜五斤，蔬菜自甲手中转至乙的菜篮里，由乙获得对蔬菜的直接控制和支配，此时法律意义的交付行为完成。通过交付这一行为，动产上物权的变动能够被人们从外部加以识别。但实践中，动产的交付并非必须是由出让人之手直接交到受让人之手，本条所规定的指示交付即是一种例外情形，它与现实交付具有同等效力。

关于现实交付的例外情形，除去本条所规定的指示交付外，本法第二十五条和第二十七条还分别对简易交付和占有改定做了规定。在这三类例外情形中，法律关系最为复杂的当属本条所规定的指示交付，因为它不仅涉及动产物权的让与人与受让人两方主体，还牵涉一个“第三人”的问题。为了更准确地理解本条的规定，下面就指示交付的含义、适用情形以及返还请求权的性质等问题加以说明：

1. 指示交付的含义。指示交付，又称返还请求权的让与，是指让与动产物权的时候，如果让与人的动产由第三人占有，让与人可以将其享有的对第三人的返还请求权让与给受让人，以代替现实交付。举例说明，甲将自己的自行车出租给乙使用，租期一个月，租赁期未满之时，甲又将该自行车出售给丙，由于租期未满，自行车尚由乙合法使用，此时为使得丙享有对该自行车的所有权，甲应当将自己享有的针对乙的返还原物请求权转让给丙以代替现实交付。

2. 指示交付适用的情形及“第三人”的范围。关于本条所规定的指示交付,其逻辑上的前提是,动产物权的让与人对其所转让的标的不享有物理意义上直接占有和直接控制的可能,出让人无法通过现实交付的方式使得动产物权得以变动,因此才有本条指示交付适用的余地。条文中的“第三人”即指能够对转让标的(动产)进行物理意义上直接占有和直接控制的一方,例如前例中根据租赁或者借用协议而占有自行车的乙,或者根据保管合同、动产质押协议等而占有动产的保管人、质权人等,都可以成为本条所规定的“第三人”。此外需要特别说明的是,在利用提单、仓单等证券进行动产物权变动时,接受货物而签发提单或者仓单的承运人或者仓储保管人都可能成为本条中的“第三人”。

除去这一类基于合同等关系而产生的能够对动产进行直接占有和控制的“第三人”外,还有一类“第三人”也在本条的适用范围之内,即不具备法律上的正当原因而占有动产的无权占有人。例如,甲将自己收藏的古董出售给乙,买卖合同达成时甲不知该古董已被丙盗去,甲此时只能向乙转让他对于丙的返还原物请求权来代替实际交付,而丙即是本条所指的“第三人”。

3. 让与人所让与的返还请求权的性质。指示交付中让与人所让与的返还请求权,属于债权请求权,还是物权请求权,学术界的争论比较激烈。因为指示交付产生的前提是,被出让的动产不在出让人手中,而是被第三人直接占有和控制。而第三人对动产的占有又可大体分为两种:一种为基于租赁或者质权合同等关系而发生的有权占有;另一种为没有正当法律依据的无权占有。因此向第三人请求返还原物的权利,也因有权占有和无权占有性质上的差别而有不同。

有的意见认为,指示交付中出让人让与的返还请求权仅指所有人的物上请求权,而非债权请求权;有的意见认为,在第三人基于租赁或者借用合同等而对动产进行有权占有的情况下,出让人转让给受让人的仅是债权上的请求权。如甲借钢笔于乙,同时又出卖钢笔于丙,甲转移给丙的是甲基于借用合同要求乙到期返还钢笔的请求权,性质上属于债权请求权;也有意见认为,指示交付中要求第三人返还原物的请求权,既包括物权的返还请求权,也包括债权的返还请求权。后一种意见渐为通说,本法采之。

在第三人有权占有的情形下,出让人应当将其基于与第三人之间的合同关系而产生的债法上的请求权让与给受让人,此时让与人在指示交付时应当将其针对第三人享有的任何合同上的返还请求权都让与给受让人。如果让与人与第三人间的合同无效,出让人还应当将自己基于不当得利的返还请求权或者基于侵权损害赔偿的请求权让与给受让人。如果第三人对动产为无权占有,假设第三人从出让人处盗取该动产,出让人无法向受让人让与任何基于合同等关系而产生的返还原物请求权,那么出让人可以将其基于所有权的返还请求权让与给受让人。仍引前例,甲将钢笔借用给乙,后又出售于丙,此时丁自乙处盗走钢笔并赠与戊,此时甲向丙转让的基于所有权的返还原物请求权足以使得丙取得该钢笔的所有权,需要说明的是此项被让与的返还请求权不仅针对现时的无权占有人戊,对于戊将来的后手(排除善意取得的情形)也有效。

4. 指示交付的公示力。指示交付中,第三人对动产的实际占有和控制关系并未发生改变,出让人与受让人之间只是发生无形的返还请求权的转移,无论该返还请求权的转移是否采取特定的形式(对于第三人基于租赁等合同关系而占有动产的情形,出让人转让的返还请求权性质上属于债权请求权范畴,而根据债权转让的规则,出让人应当履行通知第三人的义务;但当第三人为无权占有的情形下,出让人转让的为基于所有权的物上请求权,不涉及通知的义务),都无法向外界展现物权的变动,因此此种交付方法的公示作用较弱,但由于动产善意取得制度的存在,因此对交易安全并未有太大障碍。

第二十七条　动产物权转让时，双方又约定由出让人继续占有该动产的，物权自该约定生效时发生效力。

【释义】　本条是关于动产物权占有改定的规定。

占有改定是指动产物权的让与人使受让人取得对标的物的间接占有，以代替该动产现实移转的交付。占有改定的原因在于，社会生活中，出卖人虽然将其动产出卖，但是在某一段时间内仍然可能还有使用的需要；或者买受人已经取得了该动产的所有权但是需要出卖人对该动产进行暂时的保管或者改进。在德国民法中，占有改定已经成为让与担保制度的法律基础。

占有改定以及本法第二十五条规定的指示交付作为观念交付的主要方法，其前提是民法学理上直接占有同间接占有的区分，要准确地把握和理解占有改定的概念，有必要先对学理上间接占有的概念作一点了解。学理上，占有作为一种对物进行控制和管领的事实状态，可分为直接占有和间接占有，其中直接占有即是不通过他人媒介而能够对自己所有或他人之物进行直接控制和管领的事实状态，例如甲对手中自己所有的钢笔，商店对于店中存放待售的货物，承租人、受寄人等对于他人之物的直接控制和管领等，直接占有侧重的是物理意义上对物现实、直接地控制。除去直接占有外，还有一类为间接占有，即因他人媒介的占有而对物享有间接的控制。间接占有的前提是间接占有人同媒介占有人（直接占有人）之间存在某种法律关系，例如承租人、受寄人或者基于其他类似的法律关系，对于他人之物为占有的称为直接占有，而该他人即出租人或者寄托人等称为间接占有。间接占有侧重在间接占有人通过与直接占有人的某种特定法律关系，而间接地对物进行控制和管领。本条所规定的占有改定即是出让人自己保留直接占有，而为受让人创设间接占有以代替现实交付的一种变通方法。为了更准确地理解本条的规定，下面就占有改定制度的历史渊源、构成要件、占有改定的效力及是否适用善意取得制度等问题作三点说明。

1. 占有改定的历史渊源。占有改定制度起源于罗马法中的占有协议，罗马法早期，对于交易形式非常严苛，例如略式物（罗马法中“物”分为要式物和略式物。要式物是通过要式买卖向他人转让的物品；而略式物多体现为债权、继承权、城市役权等无形物），只有经过让渡或者交付才能发生所有权移转，这使得交易形式极为僵化，阻碍了交易的发展，因此只好扩展让渡内容，以占有协议的方式来缓解这种矛盾。后来占有协议的观念为大陆法系所接受，德国民法典、法国民法典以及我国台湾地区“民法”均对此做了规定，即本条所规定的占有改定制度。

占有改定制度的产生及发展，在于经济实践中常常发生的一种混合交易。例如所有权人甲将一项动产出卖给买受人乙，而乙同时又将该物出租给甲，这样做的目的是为了使出卖人甲既可获得卖价，又可享受使用的权利，而买受人乙既可以获得动产的所有权，又可获取租金。法律为满足双方当事人的需要，将法律关系简化，确定为占有改定制度。

2. 占有改定的要件。占有改定必须符合下列三项要件：第一，让与人与受让人达成移转动产物权的合意，一般通过买卖或者让与担保的设定，使得受让人取得动产所有权。第二，让与人与受让人之间还需具有某种使得受让人取得动产间接占有的具体法律关系，即本条所规定的由出让人继续占有该动产的双方约定。德国民法中，这种具体的法律关系也被称为占有媒介关系。所谓占有媒介关系，是为了保护间接占有人和直接占有人的利益而由法律拟制出来的一种法律关系，具体到本条规定来说，出让人可以根据租赁关系、寄托关系以及其他类似关系为占有改定。第三，让与人已经对物进行了直接占有或者间接占有，否则不能发生占有改定的适用。当让与人间接占有标的物时,让与人可以使受让人取得更上一级的间接占有,这样可能存在多层次的占有关系。举例来说,甲将其寄放在乙处的某物出售给丙,同时又与丙签订借用合同以代替交付,则乙为直接占有人,甲、丙都为间接占有人。

最后需要说明一点的是,除去现实已经存在的动产,占有改定制度还适用于将来可取得的动产。例如甲向乙购买一台尚未生产出的机器,同时双方约定该机器生产出来后由乙暂时保管。一旦该机器生产完毕,则甲取得间接占有以代替交付。

3. 占有改定的效力及善意取得制度的适用。占有改定仅有当事人移转动产物权的合意和使买受人取得间接占有的合意,它不仅与现实交付不同,与同为观念交付的简易交付和指示交付也存在大的差别。在本法第二十四条规定的简易交付中,买受人已经占有动产,其所有权可被人们从外部识别。在本法第二十五条规定的指示交付,虽然受让人尚未占有动产,但出让人已经脱离占有,对直接占有人已经没有返还请求权。但占有改定与上述两种情况皆不相同,占有改定情形下所有权的移转仅仅是通过当事人的合意在观念中完成的。无论约定采取何种形式,口头或者书面,都不具有可被人们察知的外观,人与物的事实控制和支配关系并未发生改变。而根据物权公示性的原则,物权的设立、变更、转让或者消灭应当以一定的可以从外部察知的方式表现出来,因此物权公示在不动产为登记,在动产为交付(占有转移)。而以占有改定取得的所有权移转,第三人无从察知物权的变动,所以对于因信赖出让人直接占有动产这一事实状态,而与之交易的第三人就必须通过善意取得制度加以保护。

举例说明,出让人甲将其自行车出售于乙并约定由甲继续租用,而后甲又将自行车出售于丙,并作相同约定由甲继续使用该自行车,那么丙能否主张善意取得的适用而取得自行车的所有权呢?有的意见认为占有改定不能适用善意取得,认为善意取得要件中的“交付”仅限于现实交付,并且该例中的乙和丙对于甲都寄予同样的信赖,不应厚此薄彼。但我们认为该例中的丙可以主张善意取得的适用而取得自行车的所有权,理由有三:首先,本法关于善意取得构成要件所规定的“已经交付给受让人”并不排除观念交付(简易交付、指示交付和占有改定)的适用;其次,如果承认乙可通过占有改定的方式从甲处取得所有权,那么自无排除丙以同样方式取得所有权的理由;最后,对于乙因信赖出让人甲而承担的风险,是自己选择的结果,完全符合私法意思自治的原则,并且如果要避免风险,乙完全可以要求现实交付。而丙对甲的信赖是不同的,丙信赖的是甲占有动产的外观,而善意取得制度所保护的正是第三人对于所有权外观的信赖,因此,只要丙具备了善意取得的各项要件,当然可以主张对自行车的所有权。

第三节　其他规定

物权的设立、变更、转让或者消灭,要发生效力就必须经由一定的方式使人们能够从外部得以察知,这即是物权公示原则的要求。物权的公示性决定了物权的效力,本章第一节及第二节分别对不动产登记以及动产交付等公示方法及其物权效力做了规定。而本节第二十八条至第三十条所规定的则是以上公示原则的例外,即不依物权变动的一般公示原则,而依法律的规定直接发生物权变动效力的情况。

第二十八条　因人民法院、仲裁委员会的法律文书或者人民政府的征收决定等,导致物权设立、变更、转让或者消灭的,自法律文书或者人民政府的征收决定等生效时发生效力。

【释义】　本条是关于因人民法院、仲裁委员会的法律文书或者人民政府的征收决定等而导致物权设立、变更、转让或者消灭的规定。

物权的设立、变更、转让或者消灭，依其发生根据可以分为依法律行为而进行的物权变动，以及非依法律行为而发生的物权变动。依法律行为进行的物权变动，是指以一方当事人的单方意思表示或双方（或者多方）当事人共同的意思表示为基础进行的物权变动。此种物权变动必须遵循物权公示的一般原则才能发生效力，例如甲将自有的私宅出售于乙，要想使私宅的所有权由甲移转至乙，双方必须去不动产登记机构办理变更登记，否则物权移转不生效力；再如甲将收藏的古董出售于乙，要使乙获得古董的所有权，甲必须将古董或者现实交付给乙手中，或者采取本法第二十五条、第二十六条或者第二十七条关于简易交付、指示交付或者占有改定等观念交付的方法替代现实交付，而完成所有权的移转。但无论何种情形，物权变动的效力是同公示方法密切相关的。但在本条，物权的设立、变更、转让或者消灭，并非基于原权利人的意思表示，而是在无原权利人甚至法律有意识排除原权利人意思表示的情况下发生的物权变动，此种变动遵循的不是一般性的物权公示原则，而是法律的直接规定。

非依法律行为进行的物权变动，一般有如下几种：第一，因人民法院、仲裁委员会的法律文书或者人民政府的征收决定等而发生的物权变动；第二，因继承或者受遗赠而取得物权；第三，因合法建造，拆除房屋等事实行为设立和消灭物权。而本条主要规定的是第一种情形，即基于公权力的行使而使物权发生变动的情形：

1. 因国家司法裁判权的行使、仲裁裁决而导致物权的设立、变更、转让或者消灭。基于国家司法裁判权的行使、仲裁裁决而产生的生效法律文书，即人民法院的判决书、调解书以及仲裁委员会的裁决书、调解书等法律文书的生效时间，就是当事人的物权设立、变动的时间。这里需要说明两点：第一，导致物权变动的人民法院判决或者仲裁委员会的裁决等法律文书，指直接为当事人创设或者变动物权的判决书、裁决书、调解书等。例如离婚诉讼中确定当事人一方享有某项不动产的判决、分割不动产的判决、使原所有人回复所有权的判决即属于本条所规定的设权、确权判决等。此类设权或者确权判决、裁决书、调解书本身,具有与登记、交付(移转占有)等公示方法相同的效力,因而依据此类判决、裁决书、调解书而进行的物权变动,无须再进行一般的物权公示而直接发生效力。例如甲乙二人向法院诉请离婚,家中电脑经判决为乙所有,那么自法院判决生效时起,电脑的所有权归乙,尽管此时电脑仍处于甲的占有使用之中,未有交付(现实占有的转移)并不影响所有权的移转。第二,由于法院的判决书或者仲裁委员会的裁决等,所针对的只是具体当事人而非一般人,对当事人以外的第三人来说公示力和公信力较弱,因此根据本法第三十条的规定,对于依照法院判决或者仲裁裁定而享有的物权,在处分时,如果法律规定需要办理登记的,不经登记,不发生物权效力。

2. 因国家行政管理权的行使而导致物权的设立、变更、转让或者消灭。因国家行政管理权的行使而导致物权变动的情况,主要指因人民政府的征收决定等而产生的物权变动。国家征收,是国家取得财产的特殊方式,按照土地管理法的规定,国家征收土地,县级以上人民政府要进行公告,这已起到了公示作用,而且集体所有土地被征收,即成为国家所有的自然资源,按照物权法第九条第二款的规定,依法属于国家所有的自然资源,所有权可以不登记,因此人民政府的征收决定生效之时即生物权变动的效力。

第二十九条 因继承或者受遗赠取得物权的,自继承或者受遗赠开始时发生效力。

【释义】 本条是关于因继承或者受遗赠等而取得物权的规定。

除去因国家公权力的行使而导致的物权变动,可以不依一般的公示原则直接发生效力外，还有一类情形也导致物权的变动直接发生效力，即因继承或者受遗赠而取得物权的情形。继承是导致物权变动的一个重要方式，根据我国继承法的规定，继承从被继承人死亡时开始。因此，本条所指的“继承开始”就是“被继承人死亡”之时。而此所谓“死亡”既包括事实死亡，如老死、病死、意外事故致死，也包括宣告死亡。在宣告死亡的情形，自判决所确定的死亡之时继承开始。本条所指的继承又可分为法定继承和遗嘱继承两大类：

1. 因法定继承而取得物权。本法第二十八条所规定的物权由于国家公权力的介入而产生变动，不难被理解，但为何继承也可以直接产生物权变动的效力呢？首先来看法定继承，按照继承法第三十三条的规定，继承遗产应当清偿被继承人依法应当缴纳的税款和债务。例如甲死后其财产由其子乙继承，那么继承的大致流程为：公示催告与依法定顺序清偿债务，若仍有剩余财产，方能作为遗产处理，即只有在对被继承人甲生前债务清偿完毕后，继承人乙才享有对剩余财产的所有权。

假设乙对遗产的所有权发生在清偿债务之后，那么他对甲的生前债务进行清偿的行为（对遗产的处分行为）如何能生效呢？换言之就是，乙如何取得对遗产的处分权而对甲的生前债务进行清偿？因此，法律从逻辑上就必须规定乙自继承开始时即取得对遗产的所有权，由此，乙将所继承的遗产首先用于对甲生前债务的清偿这一财产处分行为才为有效。

2. 因遗嘱继承或者受遗赠而取得物权。根据继承法第十六条的规定，公民可以依照本法规定立遗嘱处分个人财产，公民可以立遗嘱将个人财产指定由法定继承人的一人或者数人继承，公民可以立遗嘱将个人财产赠给国家、集体或者法定继承人以外的人。遗嘱是公民生前按照自己意愿处分自己不动产物权的一种单方法律行为，关于这一单方法律行为究竟属单方债权行为还是单方物权行为，存在不同意见。但我们认为，遗嘱属单方债权行为，自继承开始后，所有继承人是基于法律的直接规定（非依法律行为）而取得物权，因此取得物权的生效时间始于继承开始。最后需要说明的是，根据本法第三十一条的规定，无论是因法定继承还是因遗嘱继承或者受遗赠而取得物权，如果涉及的遗产为不动产，依照法律规定需要办理登记，但继承人未办理登记的，其处分行为不生效力。

第三十条 因合法建造、拆除房屋等事实行为设立或者消灭物权的，自事实行为成就时发生效力。

【释义】 本条是关于因事实行为而设立或者消灭物权的规定。

首先，为了准确理解本条的规定，有必要对“事实行为”作进一步的解释。要理解“事实行为”，就要从“法律事实”说起。法律事实又可分为自然事实和人的行为，其中自然事实包括两种：一是状态，即某种客观情况的持续，如下落不明、权利继续不行使、未成年人已成年等；二是事件，即某种客观情况的发生，如人的生死、果实自落于邻地、不可抗力事由的出现等。在法律实践中，引起法律后果的自然事实是有限的，仅限于法律的明文规定。能够产生法律后果的事实主要表现为人的行为，而人的行为又可分为法律行为、准法律行为和事实行为。法律行为因以意思表示为核心要素，所以又被称之为表示行为。准法律行为虽有意思表示的外观，但不同于法律行为中的意思表示，法律行为中的意思表示是产生法律效果的依据，而准法律行为中的意思表示只是一种事实构成要素，其法律效果的产生是基于法律的直接规定，只不过在某些方面可以准用法律行为的相关规定。事实行为不以意思表示为要素，属于无关乎心理状态的行为，所以又叫非表示行为。由此可见，所谓事实行为应是指不以意思表示为要素的能够产生民事法律后果的法律事实。这一定义表明：首先，事实行为是人的行为，是人的一种有意识的活动，与自然事实有别；其次，事实行为是一种法律事实,即能够在人与人之间产生、变更或终止民事法律关系;再次,事实行为不以意思表示为要素,即行为人是否表达了某种心理状态,法律不予考虑,只要有某种事实行为存在,法律便直接赋予其法律效果。

其次,具体到本条的规定来说,能够引起物权设立或者消灭的事实行为,举例来讲,如用钢筋、水泥、砖瓦、木石建造房屋或者用布料缝制衣服,用木料制作家具,将缝制好的衣物抛弃或者将制作好的家具烧毁等。本条规定的"自事实行为成就时发生效力",就是指房屋建成之时、衣服制成之时、书柜完成之时或者衣服被抛弃之时、书柜被烧毁之时,这些物的所有权或为设立或为消灭。这些因事实行为而导致的物权的设立或者消灭,自事实行为成就时发生效力,而不需要遵循一般的物权公示方法(不动产为登记,动产为交付)即生效力。

最后需要说明一点的是,我国存在许多因合法建造房屋等事实行为设立物权的情况,这种情形下的建房有些虽然缺少登记行为,但不能将这种行为形成的建筑物作为无主财产对待,对其所有权法律承认归建房人所有。比如农民在宅基地上建造的住房,自建成之日起就取得该住房的所有权。但根据本法第三十条的规定,此类合法建造的房屋,固然因建造完成而取得所有权,但如果按照法律规定应当办理登记而未登记的,所有权人其后的处分行为,不发生物权效力。

第三十一条　依照本法第二十八条至第三十条规定享有不动产物权的,处分该物权时,依照法律规定需要办理登记的,未经登记,不发生物权效力。

【释义】 本条是关于非依法律行为享有的不动产物权变动的规定。

物权变动的公示方式,在动产一般为交付,在各地不动产立法例多采登记。通过此种方法，物权变动可以被人们从外部察知，从而保护了交易的安全。但依照本法第二十八条至第三十条的规定，物权的变动还可因法院判决、政府征收决定、继承或者遗赠以及合法建造房屋等，直接发生效力，而不必遵循依法律行为而进行的物权变动应当遵循的一般公示方法，这必然可能损害到交易秩序和交易安全，尤其是涉及不动产的物权变动时更甚。

因此各地立法皆对此做了限制规定。例如依照德国土地登记法的规定，依继承、夫妻共同财产制度之权利取得等，可不依登记而发生物权取得之效力，但物权人非经登记不得处分其物权；瑞士民法典也有类似规定，因先占、继承、征收、强制执行或者法院判决等情况取得不动产，可以不经登记，但未经登记，不得处分；我国台湾地区“民法”规定，因继承、强制执行、公用征收、法院判决等而取得物权，以及定作人新建筑物之取得、因除斥期间完成时之典物所有权之取得、对于无主土地之国库取得以及因没收而取得等，皆可在登记之前取得物权，但非经登记不得处分。

考虑到对交易安全的保护，本法明确，依照本法第二十八条至第三十条的规定享有的物权，处分该不动产物权时，依照法律规定需要办理登记的，未经登记，不发生物权效力。举例说明，甲乙向法院诉请离婚，法院判决原甲的房屋归乙所有，在判决生效之时，乙已经取得该房屋的所有权，但尚未去房产登记部门办理变更登记，此时乙将房屋转卖给丙，丙信赖乙出示的法院判决而与之交易，与此同时，甲将该房屋又转卖于丁，丁信赖的是登记簿上甲为所有权人的登记记录。那么乙对丙的处分行为能否发生物权效力而由丙取得房屋的所有权呢？按照本条的规定，答案是否定的。尽管乙为真正的房屋所有权人，也有权对房屋进行处分，但未经登记，该处分行为不发生所有权转移的效力，丙只能要求乙负担违约责任要求返还价款等，房屋的所有权由丁取得。

第三章 物权的保护

加强对物权的保护,是维护权利人合法权益的必然要求。本章从物权受到侵害时对如何保护权利人做出规定,权利人依照规定有权要求侵权人返还原物、排除妨害、损害赔偿等。

第三十二条 物权受到侵害的,权利人可以通过和解、调解、仲裁、诉讼等途径解决。

【释义】 本条是关于物权保护争讼程序的规定。

物权受到侵害,物权人有权选择和解、调解、仲裁、诉讼途径救济。和解是当事人之间私了。调解是通过第三人调停解决纠纷。仲裁是当事人协议选择仲裁机构,由仲裁庭裁决解决争端。诉讼包括民事、行政、刑事三大诉讼,物权保护的诉讼主要指提起民事诉讼。

第三十三条 因物权的归属、内容发生争议的,利害关系人可以请求确认权利。

【释义】 本条是关于物权确认请求权的规定。

物权确认请求权是物权保护的一项基本权利,很多立法对此都有规定。例如,意大利民法典第九百五十条规定确定地界之诉:在相邻土地的地界未确定的情况下,每块土地的所有人都可以请求通过法律途径划定地界。允许通过任何方式进行举证。在没有其他证据的情况下,法官将根据地籍册标明的地界进行划定。第九百五十一条规定设置界石之诉:如果在相邻的两块土地之间没有界石或者界石无法辨认，则每块土地的所有人都有权请求设置或者重建界石，并且由双方共同承担费用。第一千零七十九条规定确认役权之诉和其他保护措施：对否认役权之人，役权人可以提起确认役权之诉，通过判决确认自己享有的役权并且请求停止妨碍或干扰役权行使的行为。此外，除损害赔偿以外，役权人还可以请求恢复原状。

物权确认请求权是物权保护请求权的一种。物权归属或者内容发生争议，物权人可以请求有关行政机关、人民法院等部门确认该物权的归属或者内容。

第三十四条　无权占有不动产或者动产的，权利人可以请求返还原物。

【释义】　本条是关于返还原物权请求权的规定。

返还原物权请求权是物权保护的一项基本权利，很多立法对此都有规定。例如，德国民法典第九百八十五条规定返还请求权：所有权人可以要求占有人返还其物。第九百八十六条规定占有人的抗辩：(1)占有人或者作为其权利来源的间接占有人对所有权人有权占有时，占有人可以拒绝将物返还。间接占有人对所有权人无权将占有让与占有人的，所有权人可以要求占有人将物返还于间接占有人，或者在间接占有人不能或者不愿重新承担占有时，所有权人可以要求将物返还于自己。(2)根据第九百三十一条的规定，因让与返还请求权而受让的物的占有人，可以其对受让的请求权享有的抗辩对抗新的所有权人。第九百九十三条规定正当占有人的责任：(1)如果不存在第九百八十六条至第九百九十二条所规定的条件，以果实依通常经营方法不能认为是物的收益的为限，占有人应当根据关于返还不当得利的规定将收取的果实返还；此外，占有人既不负返还收益的义务，也不负损害赔偿义务。(2)对占有人保留收益期间，适用第一百零一条的规定。第一千零五条规定追诉权:占有物在物的所有权人以外的他人占有的土地上时,物的所有权人对土地的所有权人享有第八百六十七条规定的请求权。瑞士民法典第六百四十一条规定:(1)物的所有人,在法律规范的限制范围内,对该物得自由处分。(2)其有权请求物的扣留人返还该物并有权排除一切不当影响。第九百四十八条规定返还所有物之诉:物品的所有人可以向占有或持有物品的人要求返还所有物;在提出返还请求之后,如果由于占有或持有物品之人的行为丧失了对物品的占有或持有,则物品的所有人还可以向他们提起返还所有物之诉。在这种情况下,被告承担为原告追回所有物的责任并且承担追回所有物所需要的全部费用;在无法追回的情况下,除赔偿原告的损失以外,还要向原告支付相当于物品价值的价款。如果物品的所有人直接从现占有人或持有人处取得了物品,则应当将获得的补偿金退还前占有人或前持有人。意大利民法典规定返还所有物之诉不因时效而消灭,但是,基于时效取得所有权的情况不在此限。我国台湾地区"民法"第七百六十七条规定所有权人之物上请求权:所有人对于无权占有或侵夺其所有物者,得请求返还之。第七百六十七条规定所有权人之物上请求权:所有人对于无权占有或侵夺其所有物者,得请求返还之。第八百二十条规定共有人请求权之行使:各共有人对于第三人,得就共有物之全部,为本于所有权之请求。但回复共有物之请求,仅得为共有人全体之利益为之。我国民法通则第一百一十七条规定,侵占国家的、集体的财产或者他人财产的,应当返还财产,不能返还财产的,应当折价赔偿。第一百三十四条第一款中规定承担民事责任的方式包括返还财产。

物权人的物被他人侵占,物权人有权请求返还原物,使物复归于物权人事实上的支配。

第三十五条　妨害物权或者可能妨害物权的,权利人可以请

求排除妨害或者消除危险。

【释义】 本条是关于排除妨害、消除危险请求权的规定。

排除妨害也是物权保护的一项基本方式,立法例很多。例如,德国民法典第一千零四条规定排除和停止侵害请求权:(1)所有权人受到除剥夺或者扣留占有以外的其他方式的妨害时,可以要求妨害人排除妨害。所有权有继续受妨害之虞的,可以提起停止妨害之诉。(2)所有权人负有容忍妨害义务的,不享有上述请求权。意大利民法典第九百四十九条规定否认所有权之诉:物品的所有人为宣告在自己的物品上不存在他人的权利,可以以惧怕遭受损害为由提起否认所有权之诉。我国台湾地区"民法"第七百六十七条规定所有权人之物上请求权:所有人对于妨害其所有权者,得请求除去之。我国民法通则第一百三十四条第一款规定的承担民事责任的方式,包括排除妨碍。

物权遭受妨害的,物权人有权请求排除妨害。例如,侵权人设置路障妨害通行,物权人可以请求排除妨害。

被排除的妨害需具有不法性,倘若物权人负有容忍义务,则无排除妨害请求权。

消除危险也是物权保护的一项基本方式,立法例很多。例如,意大利民法典第九百四十九条规定否认所有权之诉:物品的所有人为宣告在自己的物品上不存在他人的权利,可以以惧怕遭受损害为由提起否认所有权之诉。第一千一百七十一条规定新施工警告:由于惧怕如同在他人土地上进行的施工那样可能给自己的土地、权利或者占有造成损害,土地的所有人、物权人或者占有人可以请求司法机关发出新施工警告,但是,以施工尚在进行并且自施工开始之日起未超过1年者为限。在进行简单的事实审理之后,司法机关可以做出禁止继续施工或者在施工方采取适当的防范措施的情况下准许继续施工的处理决定。在第一种情况下,如果提出的异议没有充分的依据,则控告方应当赔偿施工方因停工造成的损失;在第二种情况下,尽管施工方取得了继续施工的许可,但是,在控告方胜诉的情况下,施工方应当根据判决拆除建筑物或者缩减工程范围,在给控告方造成损失的情况下,还应当向控告方承担赔偿损失的责任。第一千一百七十二条规定惧怕损害之诉:由于惧怕位于自己享有权利的财产或者占有的财产附近的任一建筑、树木或者其他物品可能发生给自己的财产、权利或者占有造成严重损害的紧急危险,所有权人、物权人或者占有人可以将这一危险告知司法机关,由司法机关根据具体情况采取排除危险的措施。必要时,司法机关可以裁定为可能发生的危险提供适当的担保。我国台湾地区“民法”第七百六十七条规定所有权人之物上请求权:有妨害其所有权之虞者,所有人得请求防止之。我国民法通则第一百三十四条第一款承担民事责任的方式包括消除危险。

请求消除危险,又称请求防止侵害。侵害虽未发生,但物权面临遭受侵害的危险,存在被侵害的可能,对于这种可能发生的侵害,物权人有权请求相对人为一定行为或者不为一定行为,防止侵害,消除既存的危险,以避免侵害的发生。

第三十六条　造成不动产或者动产毁损的,权利人可以请求修理、重作、更换或者恢复原状。

【释义】 本条是关于修理、重作、更换或者恢复原状请求权的规定。

修理、重作、更换属于恢复原状。恢复原状也是物权保护的一项基本方式,立法例很多。例如,瑞士民法典第七百零七条规定恢复原状:(1)为土地的耕作或居住及饮用水供给所必要的泉、井的水被污染或被引走的,受害人可请求恢复原状。(2)除上述情形外,非因正当的特殊原因,不得请求恢复原状。意大利民法典第一千零七十九条规定确认役权之诉和其他保护措施:对否认役权之人,役权人可以提起确认役权之诉,通过判决确认自己享有的役权并且请求停止妨碍或干扰役权行使的行为。此外,除损害赔偿以外,役权人还可以请求恢复原状。我国台湾地区“民法”第七百八十二条规定用水权之物上请求权:水源地或井之所有人,对于他人因工事杜绝、减少或污秽其水者,得请求损害赔偿。如其水为饮用,或利用土地所必要者,并得请求回复原状。但不能回复原状者,不在此限。我国民法通则第一十一十七条第二款规定损坏国家的、集体的财产或者他人财产的,应当恢复原状或者折价赔偿。第一百三十四条第一款规定的承担民事责任的方式包括恢复原状,修理、重作、更换。

不动产或者动产毁损,物权人可以请求恢复原状,包括修理、重作、更换。修理、重作、更换也是民法通则规定的承担民事责任的方式。

第三十七条 侵害物权,造成权利人损害的,权利人可以请求损害赔偿,也可以请求承担其他民事责任。

【释义】 本条是关于损害赔偿和其他民事责任请求权的规定。

损害赔偿也是物权保护的一项基本方式,立法例很多。例如,德国民法典第九百八十九条规定诉讼拘束发生后的损害赔偿:占有人自诉讼拘束发生时起,因其过失致物毁损、灭失或者由于其他原因致不能返还其物而造成的损害,对所有权人负其责任。第九百九十条规定恶意占有人:(1)占有人在取得占有时为非出于善意的,自取得占有时起,根据第九百八十七条,第九百八十九条的规定对所有权人负其责任。占有人于事后知道其为无权占有的,自其知情时起负同样的责任。(2)占有人因迟延所产生的其他责任,不因此而受影响。第九百九十一条规定代理占有人的责任:(1)占有人从间接占有人处继受占有的权利的,仅在对间接占有人也存在有第九百九十条规定条件或者对间接占有人发生诉讼拘束时起，始在收益方面适用第九百九十条的规定。(2)占有人即使在取得占有时为善意的，仍然自取得之时起，对第九百八十九条所列举的损害，在其应对间接占有人负责的范围内，对所有权人负其责任。第九百九十二条规定违法占有人的责任：占有人以禁止的擅自行为或者以犯罪行为取得占有的，根据关于侵权行为产生的损害赔偿的规定，对所有权人负其责任。意大利民法典第一千零七十九条规定确认役权之诉和其他保护措施：对否认役权之人，役权人可以提起确认役权之诉，通过判决确认自己享有的役权并且请求停止妨碍或干扰役权行使的行为。此外，除损害赔偿以外，役权人还可以请求恢复原状。瑞士民法典第七百零六条规定：(1)有重点利用价值或设有围障的泉及井，因建筑、铺路等工程，水源受到破坏、污染或被引走，使所有人或用益人的利益受到损害时，受害人可请求赔偿。(2)前款的损害，非因故意或过失，或受害人自己有过错的，法官可以自己的裁量决定是否需要赔偿以及赔偿的范围及方法。我国台湾地区"民法"第七百八十二条规定用水权之物上请求权：水源地或井之所有人，对于他人因工事杜绝、减少或污秽其水者，得请求损害赔偿。如其水为饮用，或利用土地所必要者，并得请求回复原状。但不能回复原状者，不在此限。我国民法通则第一百一十七条规定：侵占国家的、集体的财产或者他人财产的，应当返还财产，不能返还财产的，应当折价赔偿。损坏国家的、集体的财产或者他人财产的，应当恢复原状或者折价赔偿。受害人因此遭受其他重大损失的，侵害人并应当赔偿损失。第一百三十四条第一款规定的承担民事责任的方式包括赔偿损失。

物权受到侵害，给物权人造成损失，物权人有权请求赔偿损失。赔偿损失包括金钱赔偿、代物赔偿。例如将他人的椅子坐坏，赔偿的方式有多种，如修理好椅子，或者赔把新椅子，或者赔把椅子的钱，或者赔些其他东西折抵椅子。

请求赔偿损失以外的其他民事责任请求权有很多种类。例如,我国台湾地区“民法”第七百六十七条规定所有权人之物上请求权:所有人对于无权占有或侵夺其所有物者,得请求返还之。对于妨害其所有权者,得请求除去之。有妨害其所有权之虞者,得请求防止之。

对于物权归属问题,物权人可以请求确认物权。侵害物权的,物权人可以请求防止侵害、停止侵害、排除妨害、返还原物、赔偿损失、赔礼道歉。其中请求防止侵害、停止侵害、排除妨害、返还原物、恢复原状有物上请求权之称。物上请求权又称作物的请求权,其包括物权请求权和占有请求权。物权请求权指物权受到侵害时,物权人享有请求恢复其物权圆满支配状态的权利。占有请求权指占有受到侵害时,物权人以外的其他占有人享有请求恢复其占有状态的权利。物上请求权与金钱赔偿损失的请求权不同,前者旨在恢复对物的支配力,后者是赔偿物的损害。物权被侵害的,物权人可以行使一种或者数种请求权。

请求停止侵害也是物权保护的一种请求权。对正在实施的侵害物权行为,物权人可以请求侵权人停止侵害行为,也可以请求有关机关制止侵权行为。

赔礼道歉也是承担民事责任的一种方式。物权受到侵犯,物权人有权请求赔礼道歉。赔礼道歉是将道德规范法律化,它不仅可以用于侵犯人身权利的责任承担,也可以用于侵犯财产权利的责任承担。损坏了他人心爱的东西,侵权人赔个礼,道个歉,让物权人消消气,往往有利于化干戈为玉帛。

物权请求权中的某些种类可适用于对物权人以外的其他占有人的保护。

第三十八条　本章规定的物权保护方式,可以单独适用,也可以根据权利被侵害的情形合并适用。

侵害物权，除承担民事责任外，违反行政管理规定的，依法承担行政责任；构成犯罪的，依法追究刑事责任。

【释义】 本条是关于物权保护方式的单用和并用，以及三大法律责任的适用的规定。

物权受到侵害的，当事人可以通过请求确认权利、返还原物、消除危险、排除妨害、修理、重作、更换、损害赔偿等方式保护自己的权利。上述保护方式，可以单独适用，也可以根据权利被侵害的情形合并适用。

法律责任包括民事、行政责任、刑事责任。侵害物权，除承担民事责任外，违反行政管理规定的，依法承担行政责任；构成犯罪的，依法追究刑事责任。

第二编　所 有 权

第四章　一 般 规 定

本章共六条，对于所有权基本内容、国家专有、征收征用等做了规定。

第三十九条　所有权人对自己的不动产或者动产，依法享有占有、使用、收益和处分的权利。

【释义】　本条是关于所有权基本内容的规定。

通常认为，所有权是对物的支配权，这样讲是很抽象的，但准确地给所有权下定义则非常困难。境外民法通常以规定所有权的内容的方式来说明所有权，有几种情形：一是作概括性规定，强调处分权。如德国规定，在不违反法律和第三人利益的范围内，"物的所有权人可以随意处分其物"，并排除他人的任何干涉。瑞士规定，物的所有人在法律规范的限制范围内，"对该物得自由处分"。二是规定两项内容，强调使用权和处分权。如意大利规定，在法律规定的范围内并且在遵守法律规定的义务的前提下，"所有权人对所有物享有完全的、排他的使用和处分的权利"。法国规定，"所有权是指，以完全绝对的方式，享有与处分物的权利，但法律或条例禁止的使用除外。"三是规定三项内容，在规定使用权、处分权外，规定收益权或者占有权。如日本规定，"所有人于法令限制的范围内,有自由使用、收益及处分所有物的权利。”俄罗斯规定,“财产的占有权、使用权和处分权属于财产的所有人。”我国台湾地区规定,所有人,于法令限制之范围内,得自由使用、收益、处分其所有物,并排除他人之干涉。

我国民法通则第七十一条对所有权规定了四项内容:“财产所有权是指所有人依法对自己的财产享有占有、使用、收益和处分的权利。”物权法本条的规定与民法通则这一规定基本一致,仍沿用民法通则四项内容的规定。

所有权的上述内容在传统理论上称为所有权的“权能”。虽然大陆法国家在所有权概念上对所有权权能的规定各有不同,但在理论上通常都认为所有权具有四项基本权能:

1. 占有。占有就是对于财产的实际管领或控制。拥有一个物的一般前提就是占有,这是财产所有者直接行使所有权的表现。所有人的占有受法律保护,不得非法侵犯。对于动产,除非有相反证明,占有某物即是判定占有人享有该物所有权的标准。除了前引俄罗斯民法明确规定了占有权之外,外国和地区民法在所有权的概念中虽然并不明确规定占有,但其所有权的内容包括这一权利是不言自明的。

2. 使用。使用是权利主体对财产的运用,以便发挥财产的使用价值。如使用机器生产产品,在土地上种植农作物。拥有物的目的一般是为了使用。境外民法对于使用权一般都有明确规定。如前引日本、意大利、俄罗斯和我国台湾地区的规定。德国、瑞士虽然只有“处分”一词,但“随意处分”或者“自由处分”也当然包括使用。所有权人可以自己使用,可以授权他人使用,这些都是所有权人行使使用权的行为。

3. 收益。收益是通过财产的占有、使用等方式取得的经济效益。使用物并获益是拥有物的目的之一。对于收益权,境外民法也有规定,如前引日本和我国台湾地区,有的国家只规定了使用权,没有明确规定收益权,这是因为其规定的使用权包括了收益权。收益通常与使用相联系,但是处分财产也可以带来收益。收益也包括孳息。孳息分为天然孳息和法定孳息。家畜生仔、果树结果等属于天然孳息;存款所得的利息、出租所得租金属于法定孳息。

4. 处分。处分是指财产所有人对其财产在事实上和法律上的最终处置。处分权一般由所有权人行使,但在某些情况下,非所有权人也可以有处分权,如运输的货物,如果发生紧急情况,承运人也可以依法进行处分。外国民法对所有权概念的规定都包括“处分”一词。同时规定使用权的,处分不包括使用,没有规定使用权的,处分也包括了使用。

对于所有权有几项权能,在理论上意见并不完全一致,但上述四项权能为学者一致认可。传统民法理论还认为,所有权的权能分为两种:一是积极的权能;二是消极的权能。前述几项权能是积极的权能。所有权的消极权能,指所有权人在法律限制内,有排除他人干涉的权利。如德国、瑞士、我国台湾地区都有排除他人干涉等类似的规定。我国物权法第二条对物权的定义也规定了“排他”的性质,这一规定当然适用于所有权。可以认为本法也规定了所有权的消极权能。

除了上述各项权能,一般认为,所有权本身具有如下一些特性:

1. 完全性。或者称所有权为完全权,所有权是就标的物为一般支配的完全权。所有权作为一般的支配权,是用益物权、担保物权等他物权的源泉。与所有权不同,他物权仅在使用收益上于一定范围内有支配权。

2. 整体性。或者称为单一性。所有权不是占有、使用、收益和处分等各项权能量的总和,而是对标的物有统一支配力,是整体的权利,不能在内容或者时间上加以分割。所有权人可以在其物上设定他物权,即使其物的占有、使用、收益、处分等权能分别归他人享有,但所有权人的所有权性质不受影响。

3. 恒久性。所有权有永久性,其存在没有存续期间,不因时效而消灭。

4. 弹力性。或者称为"所有权弹性"、"归一力"。所有权人在其所有物上为他人设定权利,即使所有权的所有已知表征权利均被剥夺,仍潜在地保留其完整性,这种剥夺终止后,所有权当然地重新恢复其圆满状态。

对于所有权的这些特性,各国民法通常都没有明确规定,但也有的国家对所有权的一些特性做了明确规定,如俄罗斯民法典第二百零九条第二款的规定体现了所有权的整体性和弹力性:"财产所有人有权根据自己的意志对属于他的财产实施不与法律和其他法律文件相抵触的并且不侵犯他人权利和受法律保护的利益的任何行为,其中包括将自己的财产让与他人所有;向他人移转财产的占有权、使用权和处分权,而自己仍为财产所有人;抵押自己的财产和以其他方式为财产设定负担;以其他方式处分财产。"其中"向他人移转财产的占有权、使用权和处分权,而自己仍为财产所有人"的规定,表明了所有权的整体性和弹力性。

根据所有权的权能和所有权的特性,学者通常在理论上以"支配权"来定义所有权。如我国台湾地区有的学者认为:"所有权谓以全面的物之支配权能为内容之权利。"有的学者认为:"所有权者,指于法令限制之范围内,对物为全面支配的权利。"内地有的学者认为:"所有权作为一种民事权利,是民事主体依法对其物实行占有、使用、收益和处分并独立支配的权利。"

所有权与所有制密切相关。所有权是所有制在法律上的体现,所有权的本质属性是由一定社会形态的所有制决定的。但是,人们常常对所有制产生误解,将所有制也理解为所有权,因而搞不清所有制与所有权究竟是什么关系。"所有制"与"所有权"仅一字之差,但其内涵却相去甚远。由于生产资料的占有形式是生产关系的重要内容,生产资料所有制成为生产关系的集中表现,通常以所有制表述特定的生产关系。但是,所有制不仅指生产资料的占有形式,而且指总和的生产关系,马克思说:“私有制不是一种简单的关系,也绝不是什么抽象概念或原理,而是资产阶级生产关系的总和。”(《马克思恩格斯全集》第四卷,第352页)我们说所有权是所有制在法律上的体现,这里的“所有制”指的是一定的以生产资料的占有为重要内容的生产关系。

还需要说明的是,所有权不仅仅是民法的专有名词,也不仅仅是民法上的权利。“所有权”一词使用甚广,在不同的含义上使用,也在各种政治法律关系中使用。在较广的含义上,所有权指政治法律制度中的所有权制度,是调整财产所有关系的法律规范的总称。我们说所有权是所有制的法律体现,就是在这个意义上使用“所有权”这一概念的。在这个意义上,所有权与所有制是个对应的概念。在较窄的含义上,所有权指所有人对特定财产所享有的占有、使用、收益和处分的权利。所有权的基本概念通常是由民法规定的,民法的所有权是一项民事权利,属于物权的一种。但是,所有权概念的使用却不限于民法,而是广泛使用于各个法律部门。或者说,规范所有权的法律不仅有民法,各个法律部门均有涉及所有权关系的法律规范。

法律调整的是人与人之间的关系,不是人与物之间的关系。权利体现的是社会关系。民法的所有权是基于所有物而产生的所有权人与他人的财产关系。民法上讲所有权,不仅要讲所有权人对所有物的权利,而且主要是讲所有权人与他人的关系。在行政法、经济法、刑法上也讲所有权,但由于这些法律调整的社会关系与民法不同,调整的所有权关系也与民法不同。由于民法调整平等主体之间的关系,因而民法上的所有权体现了平等的民事关系。行政法、经济法调整的是行政管理的关系,因而行政法、经济法上的所有权体现的是行政管理的关系。比如,国家依行政权征收集体和私人的财产,体现了行政管理的关系。

第四十条　所有权人有权在自己的不动产或者动产上设立用益物权和担保物权。用益物权人、担保物权人行使权利,不得损害所有权人的权益。

【释义】　本条是关于所有权人设定他物权的规定。

所有权人在自己的不动产或者动产上设立用益物权和担保物权,是所有权人行使其所有权的具体体现。所有权人的各项所有权权能可以与所有权相分离。因而可以为他人设定用益物权和担保物权。由于用益物权与担保物权都是对他人的物享有的权利,因此都称为"他物权",与此相对应,所有权称为"自物权"。现代各国民法贯彻效益原则,已逐渐放弃了传统民法注重对物的实物支配、注重财产归属的做法,转而注重财产价值形态的支配和利用。大陆法系和英美法系这两大法系有关财产的现代法律,都充分体现了以"利用"为中心的物权观念。传统的以物的"所有"为中心的物权观念,已经被以物的"利用"为中心的物权观念所取代。

但是,所有权是他物权的本源和基础。用益物权与担保物权的设定,源于所有权人对其所有权的行使。让渡对物的占有、使用,或者以物的价值为他人设定担保,正是所有权人对其所有权中诸项权能的行使。所有权人根据法律和合同,可以将使用权转移给非所有权人行使,非所有权人取得使用权、行使使用权,必须依据法律与合同的规定进行。所以,非所有人享有的使用权,不过是从所有权中分离出来的权能。所有权人根据法律或者合同用自己的物为他人债务提供担保,是对其物所有权中处分权的行使,非所有权人取得担保物权、行使担保物权,必须依据法律与合同的规定进行。所以,他人享有的担保权利,同样也是从所有权中分离出来的权能。因此,设定他物权,是所有权人行使所有权的结果。也正因如此,用益物权人、担保物权人行使权利必须依据法律或者合同的约定进行,不得损害所有权人的权益。

设定土地承包经营权、宅基地使用权、建设用地使用权是以土地为他人设定权利。在我国,土地实行公有制,土地属于国家或者集体所有,这与西方土地私有的情况有很大不同。对于土地承包、宅基地和建设用地,国家有大量的法律、行政法规以及地方法规和规章,要求政府部门严格依法办事,不能损害国家、集体的利益。土地承包经营权人、宅基地使用权人、建设用地使用权人也要依据法律和合同行使权利,履行义务,不得损害国家、集体的利益。

用益物权中有一项是地役权。"地役权"是指,在相邻关系以外,权利人按照合同约定处理两个或者两个以上不动产权利人之间在通行、通风、采光等方面产生的各种关系,以提高自己的生产或者生活水平。比如甲公司和乙公司约定,借用乙公司的道路通行,以便利甲公司员工的出入。在我国,设立地役权的情况较为特殊。在国有土地上设定地役权的,通常是拥有土地使用权的单位而不是作为所有权人的国家,在集体土地上设定地役权的通常是承包土地的农户而不是作为土地所有权人的集体经济组织。

留置权为担保物权的一种。"留置权"是法律规定为了确保债务履行而设立的一种担保物权,当债务人不履行债务时,债权人依法留置已经合法占有的债务人的动产,并就该动产享有优先受偿的权利,比如顾客不支付洗衣费,洗衣店依法有权留置衣物,在法定期限内顾客还不支付洗衣费,洗衣店依法有权就变卖衣物的价款中获取洗衣费。留置权是债权人留置债务人的动产,留置权的设定由债权人依法进行,而非动产的所有权人设定,但当事人约定不得留置的,债权人必须遵守约定,不得违背合同规定留置约定不得留置的债务人的动产。债权人留置债务人的动产、行使留置权必须依法进行,不得损害所有权人的权益。

第四十一条　法律规定专属于国家所有的不动产和动产，任何单位和个人不能取得所有权。

【释义】 本条是关于国家专有的规定。

国家专有是指只能为国家所有而不能为任何其他人所拥有。国家专有的财产由于不能为他人所拥有，因此不能通过交换或者赠与等任何流通手段转移所有权，这与非专有的国家财产的性质不同。非专有的国家财产是可以流转的，如国家用于投资的财产。国家专有的财产范围很宽，各项具体的专有财产由各个相关单行法律、行政法规规定，本条只作概括性规定。

国家专有的财产包括但不限于以下各项：

1. 国有土地。依据法律、行政法规的规定，属于国家所有的土地有：城市市区的土地；农村和城市郊区已被征收的土地；依法不属于集体所有的森林、山岭、草地、荒地、滩涂及其他土地等。

2. 海域。海域使用管理法规定，海域属于国家所有。

3. 水流。宪法规定，水流属于国家所有。

4. 矿产资源。宪法规定，矿藏属于国家所有。矿产资源法规定，矿产资源属于国家所有。有关法律、行政法规规定煤炭资源、石油资源、盐资源、水晶矿产等属于国家所有。

5. 野生动物资源。野生动物保护法规定，野生动物资源属于国家所有。

6. 无线电频谱资源。本法第五十条规定，无线电频谱资源属于国家所有。

国外有“公用财产”的概念，国外的公用财产指社会公众共同使用的财产，如公共道路、公路、街道、桥梁、水库、图书馆、港口等。有的国家规定公用财产属于社会公有，不属于国家所有，但国家享有主权和管理权。公用财产不能转让，不适用取得时效。在这一点上，与我国的国家专有财产有类似的地方。

第四十二条　**为了公共利益的需要，依照法律规定的权限和程序可以征收集体所有的土地和单位、个人的房屋及其他不动产。**

征收集体所有的土地，应当依法足额支付土地补偿费、安置补助费、地上附着物和青苗的补偿费等费用，安排被征地农民的社会保障费用，保障被征地农民的生活，维护被征地农民的合法权益。

征收单位、个人的房屋及其他不动产，应当依法给予拆迁补偿，维护被征收人的合法权益；征收个人住宅的，还应当保障被征收人的居住条件。

任何单位和个人不得贪污、挪用、私分、截留、拖欠征收补偿费等费用。

【释义】　本条是关于征收的规定。

征收是国家以行政权取得集体、单位和个人的财产所有权的行为。征收的主体是国家，通常是政府部门，政府以行政命令的方式从集体、单位和个人取得土地、房屋等财产，集体、单位和个人必须服从。在物权法上，征收是物权变动的一种极为特殊的情形。征收属于政府行使行政权，属于行政关系，不属于民事关系，但由于征收是所有权丧失的一种方式，是对所有权的限制，同时又是国家取得所有权的一种方式，因此外国民法通常都从这一民事角度对征收作原则规定。

征收导致所有权的丧失，当然对所有权人造成损害。因此，征收虽然是被许可的行为，但通常都附有严格的法定条件的限制。征收土地是世界各国政府取得土地的常用办法，但在土地私有制国家里，征收土地的含义与我国有所不同，即表现为一种强制购买权，只有在正常收买无法取得土地时再动用征收权。其特点是：(1)只有为了公共目的，可以征收，非公共目的，不得动用征收权；(2)必须经过一定的程序，有的还需议会批准；(3)按市价予以补偿。由于征收本不属于民法规范，同时征收的情况极为复杂，因此,外国民法通常规定得较为简单,但都原则性地规定了公共利益的目的和公平补偿的内容。如法国规定,任何人不得被强制转让其所有权,但因公用并在事前受公正补偿时,不在此限。意大利规定,不得全部或部分地使任何所有权人丧失所有权,但是,为公共利益的需要,依法宣告征收并且给予合理补偿的情况不在此限。德国基本法规定,剥夺所有权只有为公共福利的目的才能被允许。剥夺所有权只有依照法律或者法律的原因进行,而且该法律对损害赔偿的方式和措施有所规定。该赔偿必须在对公共利益和当事人的利益进行公平地衡量之后确定。对损害赔偿的高低有争议时可以向地方法院提起诉讼。

在我国,由于公共建设任务繁重而征收较多,在城市是因城市规划拆迁而征收居民房屋,在农村是因公共建设、城市规划而征收集体土地。在征收集体所有土地和城乡居民房屋的过程中,侵害群众利益的问题时有发生,社会普遍关注。在物权法制定过程中,对于征收的问题意见较多,主要集中在公共利益的目的和征收补偿两个方面。

关于公共利益。有的认为,应在物权法中明确界定公共利益的范围,以限制有的地方政府滥用征收权力,侵害群众利益。在立法过程中,曾将"为了公共利益的需要"修改为"为了发展公益事业、维护国家安全等公共利益的需要",但有关部门和专家认为这样规定仍不清楚。全国人大法律委员会、全国人大常委会法制工作委员会同国务院法制办、国土资源部等部门以及专家反复研究,一致认为:在不同领域内,在不同情形下,公共利益是不同的,情况相当复杂,物权法难以对公共利益做出统一的具体界定,还是分别由土地管理法、城市房地产管理法等单行法律规定较为切合实际。现行有的法律如信托法、测绘法已经对公共利益的范围做了一些具体界定。

关于征收补偿。有的认为,在现实生活中,存在征收土地的补偿标准过低、补偿不到位的问题，侵害群众利益，建议对补偿问题做出具体规定。有的建议规定为“相应补偿”，有的建议规定为“合理补偿”，有的建议规定为“充分补偿”，有的建议规定“根据市场价格予以补偿”。针对群众反映较大的问题，本条第二款、第三款就补偿原则和补偿内容做了明确规定。考虑到各地的发展很不平衡，具体的补偿标准和补偿办法，由土地管理法等有关法律依照本法规定的补偿原则和补偿内容，根据不同情况做出规定。针对现实生活中补偿不到位和侵占补偿费用的行为，本条第四款明确规定，任何单位和个人不得贪污、挪用、私分、截留、拖欠征收补偿费等费用。

第四十三条 国家对耕地实行特殊保护，严格限制农用地转为建设用地，控制建设用地总量。不得违反法律规定的权限和程序征收集体所有的土地。

【释义】 本条是关于保护耕地、禁止违法征地的规定。

我国地少人多，耕地是宝贵的资源，且后备资源贫乏，如何保护我国宝贵的耕地资源，并合理利用，关系中华民族的生存。国家历来重视对耕地的保护，实行最严格的耕地保护制度，严格控制农用地转为建设用地，这是保障我国长远发展、经济平稳、社会安定的必然要求。为了切实加强土地调控，制止违法违规用地行为，针对现实生活中滥用征收权力、违法征地的行为，本条做了原则规定。

根据土地管理法等法律、行政法规的有关规定，有关耕地保护的基本政策是：

1.严格控制耕地转为非耕地。国家保护耕地，严格控制耕地转为非耕地。国家实行严格的用途管制制度。通过制定土地利用总体规划，限定建设可以占用土地的区域。对各项建设用地下达土地利用年度计划，控制建设占用土地（包括占用耕地）。农用地转用要报省级以上人民政府批准。通过这些措施，使各项建设占用耕地的总量降到最低限度。

按照规定,建设占用土地涉及农用地转为建设用地的,应当办理农用地转用审批手续。省、自治区、直辖市人民政府批准的道路、管线工程和大型基础设施建设项目、国务院批准的建设项目占用土地,涉及农用地转为建设用地的,由国务院批准。在土地利用总体规划确定的城市和村庄、集镇建设用地规模范围内,为实施该规划而将农用地转为建设用地的,按土地利用年度计划分批次由原批准土地利用总体规划的机关批准。在已批准的农用地转用范围内,具体建设项目用地可以由市、县人民政府批准。其他建设项目占用土地,涉及农用地转为建设用地的,由省、自治区、直辖市人民政府批准。

2. 国家实行占用耕地补偿制度。非农业建设经批准占用耕地的,按照"占多少,垦多少"的原则,由占用耕地的单位负责开垦与所占用耕地的数量和质量相当的耕地;没有条件开垦或者开垦的耕地不符合要求的,应当按照省、自治区、直辖市的规定缴纳耕地开垦费,专款用于开垦新的耕地。

根据有关法律规定,省级地方政府负责耕地总量动态平衡。省、自治区、直辖市人民政府应当严格执行土地利用总体规划和土地利用年度计划,采取措施,确保本行政区域内耕地总量不减少;耕地总量减少的,由国务院责令在规定期限内组织开垦与所减少耕地的数量与质量相当的耕地,并由国务院土地行政主管部门会同农业行政主管部门验收。个别省、直辖市确因土地后备资源匮乏,新增建设用地后,新开垦耕地的数量不足以补偿所占用耕地的数量的,必须报经国务院批准减免本行政区域内开垦耕地的数量,进行易地开垦。

3. 基本农田保护制度。国家实行基本农田保护制度,划定基本农田保护区,对基本农田保护区内的耕地实行特殊保护。所谓"基本农田",是指根据一定时期人口和国民经济对农产品的需求以及对建设用地的预测而确定的在土地利用总体规划期内未经国务院批准不得占用的耕地。基本农田是从战略高度出发，为了满足一定时期人口和国民经济对农产品的需求而必须确保的耕地的最低需求量，老百姓称之为“吃饭田”、“保命田”。“基本农田保护区”，是指为对基本农田实行特殊保护而依照土地利用总体规划和法定程序划定的区域。划定基本农田保护区主要是为了对耕地实行特殊保护。对于那些影响国民经济及农业发展的重点耕地，必须划入基本农田保护区实行严格管理。

4.其他。对保护耕地还有许多规定。例如：（1）非农业建设的用地原则是，必须节约使用土地，可以利用荒地的，不得占用耕地；可以利用劣地的，不得占用好地。禁止占用耕地建窑、建坟或者擅自在耕地上建房、挖砂、采石、采矿、取土等。禁止占用基本农田发展林果业和挖塘养鱼。（2）禁止闲置、荒芜耕地。禁止任何单位和个人闲置、荒芜耕地。已经办理审批手续的非农业建设占用耕地，一年内不用而又可以耕种并收获的，应当由原耕种该幅耕地的集体或者个人恢复耕种，也可以由用地单位组织耕种；一年以上未动工建设的，应当按照省、自治区、直辖市的规定缴纳闲置费；连续二年未使用的，经原批准机关批准，由县级以上人民政府无偿收回用地单位的土地使用权；该幅土地原为农民集体所有的，应当交由原农村集体经济组织恢复耕种。（3）开发未利用土地。国家鼓励单位和个人按照土地利用总体规划，在保护和改善生态环境、防止水土流失和土地荒漠化的前提下，开发未利用的土地；适宜开发为农用地的，应当优先开发成农用地。国家依法保护开发者的合法权益。（4）土地复垦。因挖损、塌陷、压占等造成土地破坏，用地单位和个人应当按照国家有关规定负责复垦；没有条件复垦或者复垦不符合要求的，应当缴纳土地复垦费，专项用于土地复垦。复垦的土地应当优先用于农业。

按照宪法、土地管理法等有关法律规定，征收的条件与程序是：

1. 征收土地必须是为了社会公共利益的需要。

2. 征地是一种政府行为，是政府的专有权力，其他任何单位和个人都没有征地权。同时，被征地单位必须服从，不得阻挠征地。

3. 必须依法取得批准。征收基本农田、基本农田以外的耕地超过三十五公顷的，以及其他土地超过七十公顷的，由国务院批准。征收其他土地的，由省、自治区、直辖市人民政府批准，并报国务院备案。征收农用地的，应当依照有关规定先行办理农用地转用审批。国家征收土地依照法定程序批准后，由县级以上地方人民政府予以公告并组织实施。

4. 必须依法对被征地单位进行补偿。被征收土地的所有权人、使用权人应当在公告规定期限内，持土地权属证书到当地人民政府土地行政主管部门办理征地补偿登记。征收土地的，按照被征收土地的原用途给予补偿。有关法律和行政法规对征收的具体补偿标准有专门规定。

5. 征地行为必须向社会公开，接受社会的监督。征地补偿安置方案确定后，有关地方人民政府应当公告，并听取被征地的农村集体经济组织和农民的意见。被征地的农村集体经济组织应当将征收土地的补偿费用的收支状况向本集体经济组织的成员公布，接受监督。同时规定，禁止侵占、挪用被征收土地单位的征地补偿费用和其他有关费用。

因此，法律、行政法规对于保护耕地、征收土地都有明确的规定。征收农村土地，应当按照特殊保护耕地的原则，依照法律规定的权限和程序进行，切实保护耕地，保护农民利益，保障社会安定和经济的可持续发展。

第四十四条　因抢险、救灾等紧急需要，依照法律规定的权限和程序可以征用单位、个人的不动产或者动产。被征用的不动产或者动产使用后，应当返还被征用人。单位、个人的不动产或者动

产被征用或者征用后毁损、灭失的,应当给予补偿。

【释义】 本条是关于征用的规定。

征用是国家强制使用单位、个人的财产。强制使用就是不必得到所有权人的同意,在国家有紧急需要时即直接使用。国家需要征用单位、个人的不动产和动产的原因,是抢险、救灾等在社会整体利益遭遇危机的情况下,需要动用一切人力、物力进行紧急救助。所以,法律允许在此种情况下限制单位和个人的财产所有权。

国家以行政权命令征用财产,被征用的单位、个人必须服从,这一点与征收相同。但征收是剥夺所有权,征用只是在紧急情况下强制使用单位、个人的财产,紧急情况结束后被征用的财产要返还给被征用的单位、个人,因此征用与征收有所不同。本法第四十二条规定的征收限于不动产,本条规定的征用的财产既包括不动产也包括动产。

征用在国家出现紧急情况时采用,因此国外通常在紧急状态法中规定,但也有的国家在民法中做了规定,如意大利民法规定,“在发生公共事务、军事、民事的重大紧急需求的情况下,可以对动产或者不动产进行征调。对动产或者不动产的所有权人应当给予合理补偿。”考虑到征用如征收一样也是对所有权的限制,本法对征用做了规定。由于征用是对所有权的限制。并可能给所有权人造成不利的后果,因此,征用的采用亦有严格的条件限制:(1)征用的前提条件是发生紧急情况,因此征用适用于出现紧急情况时,平时不得采用;(2)征用应符合法律规定的权限和程序;(3)使用后应当将征用财产返还被征用人,并且给予补偿,但通常不及于可得利益的损失。

征用如征收一样也是较为复杂的问题,同时征用是政府行使行政权,不是民事关系,征用的具体问题应由相关的行政法规定。因此,本条仅从民事角度做了原则性规定。

第五章　国家所有权和集体所有权、私人所有权

本章规定了国家所有权和集体所有权、私人所有权，共二十五条。本章主要对国有财产的范围、国家所有权的行使、对国有财产的保护、集体所有权的范围、集体所有权的行使、对集体成员合法权益的保护、私人所有权的范围、企业法人的财产权等作了规定。

第四十五条　法律规定属于国家所有的财产，属于国家所有即全民所有。

国有财产由国务院代表国家行使所有权；法律另有规定的，依照其规定。

【释义】　本条是关于国有财产范围、国家所有的性质和国家所有权行使的规定。

国有经济是国民经济中的主导力量。加大对国有资产的保护力度，切实防止国有资产流失，是巩固和发展公有制经济的现实要求。本法通过明确规定国有财产的归属和行使主体，对国有财产的合理开发利用，侵害国有财产的民事保护方法等，加大对国有资产的保护力度，防止国有资产流失。本法有关物权法的基本原则、物权的设立和转让、所有权人享有的权利、用益物权、担保物权、物权的保护等一系列规定对国有财产都是适用的，并对国有财产做出若干特别规定。

（一）国有财产的范围

本条第一款是对国有财产范围的概括性规定。依据宪法、法律、行政法规，本法第四十六条至第五十二条明确规定矿藏、水流、海域、无线电频谱资源、城市的土地、国防资产属于国家所有。法律规定属于国家所有的铁路、公路、电力设施、电信设施和油气管道等基础设施、文物、农村和城市郊区的土地、野生动植物资源，属于国家所有。除法律规定属于集体所有的外，森林、山岭、草原、荒地、滩涂等自然资源，属于国家所有。

在征求意见过程中，对于国有财产范围的不同意见主要是，国有财产的范围很广，如何在物权法中确定国有财产的范围，哪些应该明确写，哪些不应该写，对物的种类在文字上应该如何表述。有的认为，本法具体列举的国有财产不够全面，应当增加规定空域、航道、频道、无居民岛屿、种质资源属于国家所有。考虑到国有财产范围很宽，难以逐项列全，所提出的增加规定的有些内容是否属于物权法上的物，也有争议。因此，本条对国有财产的范围做了概括性的规定："法律规定属于国家所有的财产，属于国家所有即全民所有。"并以现行法律的规定为依据对国家所有的财产做了列举规定。现行法律、行政法规没有明确规定的，根据本条，可以在制定或者修改有关法律时做出具体规定。

（二）我国国家所有的性质

我国国家所有的性质是全民所有。宪法第九条第一款规定："矿藏、水流、森林、山岭、草原、荒地、滩涂等自然资源，都属于国家所有，即全民所有；由法律规定属于集体所有的森林和山岭、草原、荒地、滩涂除外。"民法通则第七十三条第一款规定："国家财产属于全民所有。"土地管理法第二条第二款规定："全民所有，即国家所有土地的所有权由国务院代表国家行使。"本法根据宪法和民法通则规定，"国家所有即全民所有"，以更好地和宪法、民法通则的规定相衔接，进一步明确国家所有的性质。

（三）代表国家行使国家财产所有权的主体

本条第二款是对代表国家行使国家财产所有权的主体的规定。在征求意见过程中，有的认为，由“国务院代表国家行使国家所有权”可操作性不强。有的提出，国有自然资源的所有权实际上有不少是由地方人民政府具体行使的，应规定地方人民政府也有权代表国家具体行使国有自然资源的所有权。有的建议，明确实践中行使所有权的地方各级政府同国务院之间的关系是委托还是授权。有的认为，应该由全国人民代表大会代表国家行使国家财产所有权。立法机关经研究认为，依据宪法规定，全国人民代表大会是最高国家权力机关，国务院是最高国家权力机关的执行机关。全国人民代表大会代表全国人民行使国家权力，体现在依法就关系国家全局的重大问题做出决定，而具体执行机关是国务院。我国的许多法律已经明确规定由国务院代表国家行使所有权。例如土地管理法第二条第二款规定：“全民所有，即国家所有土地的所有权由国务院代表国家行使。”矿产资源法第三条第一款中规定：“矿产资源属于国家所有，由国务院行使国家对矿产资源的所有权。”水法第三条中规定：“水资源属于国家所有。水资源的所有权由国务院代表国家行使。”草原法第九条第一款中规定：“国家所有的草原，由国务院代表国家行使所有权。”海域使用管理法第三条第一款中规定：“海域属于国家所有，国务院代表国家行使海域使用权。”党的十五届四中全会报告中指出：“国务院代表国家统一行使国有资产所有权，中央和地方政府分级管理国有资产，授权大型企业、企业集团和控股公司经营国有资产。”

由国务院代表国家行使所有权也是现行的管理体制。本法规定：“国有财产由国务院代表国家行使所有权；法律另有规定的，依照其规定。”这样规定，既符合人民代表大会制度的特点，也体现了党的十六大关于国家要制定法律法规，建立中央政府和地方政府分别代表国家履行出资人职责，享有所有者权益的国有资产管理体制的要求。全国人民代表大会通过立法授权国务院代表国家行使国家所有权,正体现了全国人民代表大会的性质及其行使职权的特点。当然,国务院代表国家行使所有权,应当依法对人大负责,受人大监督。

国有财产由国务院代表国家行使所有权,同时依照法律规定也可以由地方人民政府等部门行使有关权利。我国很多法律法规对此都有相应的规定,如土地管理法第五条规定:“国务院土地行政主管部门统一负责全国土地的管理和监督工作。县级以上地方人民政府土地行政主管部门的设置及其职责,由省、自治区、直辖市人民政府根据国务院有关规定确定。”草原法第八条规定:“国务院草原行政主管部门主管全国草原监督管理工作。县级以上地方人民政府草原行政主管部门主管本行政区域内草原监督管理工作。乡(镇)人民政府应当加强对本行政区域内草原保护、建设和利用情况的监督检查,根据需要可以设专职或者兼职人员负责具体监督检查工作。”森林法第十条规定:“国务院林业主管部门主管全国林业工作。县级以上地方人民政府林业主管部门,主管本地区的林业工作。乡级人民政府设专职或者兼职人员负责林业工作。”水法第十二条规定:“国家对水资源实行流域管理与行政区域管理相结合的管理体制。国务院水行政主管部门负责全国水资源的统一管理和监督工作。国务院水行政主管部门在国家确定的重要江河、湖泊设立的流域管理机构(以下简称流域管理机构),在所管辖的范围内行使法律、行政法规规定的和国务院水行政主管部门授予的水资源管理和监督职责。县级以上地方人民政府水行政主管部门按照规定的权限,负责本行政区域内水资源的统一管理和监督工作。”矿产资源法第十一条规定:“国务院地质矿产主管部门主管全国矿产资源勘查、开采的监督管理工作。国务院有关主管部门协助国务院地质矿产主管部门进行矿产资源勘查、开采的监督管理工作。省、自治区、直辖市人民政府地质矿产主管部门主管本行政区域内矿产资源勘查、开采的监督管理工作。省、自治区、直辖市人民政府有关主管部门协助同级地质矿产主管部门进行矿产资源勘查、开采的监督管理工作。”煤炭法第十二条规定：“国务院煤炭管理部门依法负责全国煤炭行业的监督管理。国务院有关部门在各自的职责范围内负责煤炭行业的监督管理。县级以上地方人民政府煤炭管理部门和有关部门依法负责本行政区域内煤炭行业的监督管理。”渔业法第六条规定：“国务院渔业行政主管部门主管全国的渔业工作。县级以上地方人民政府渔业行政主管部门主管本行政区域内的渔业工作。县级以上人民政府渔业行政主管部门可以在重要渔业水域、渔港设渔政监督管理机构。”矿产资源法实施细则第三条第二款规定：“国务院代表国家行使矿产资源的所有权。国务院授权国务院地质矿产主管部门对全国矿产资源分配实施统一管理。”

第四十六条　矿藏、水流、海域属于国家所有。

【释义】　本条是关于矿藏、水流、海域的国家所有权的规定。

（一）矿藏属于国家所有

矿藏，主要指矿产资源，即存在于地壳内部或者地表的，由地质作用形成的，在特定的技术条件下能够被探明和开采利用的，呈固态、液态或气态的自然资源。本法依据宪法规定矿藏属于国家所有。矿藏属于国家所有，指国家享有对矿产资源的占有、使用、收益和处分的权利。宪法第九条第一款规定：“矿藏、水流、森林、山岭、草原、荒地、滩涂等自然资源，都属于国家所有，即全民所有；由法律规定属于集体所有的森林和山岭、草原、荒地、滩涂除外。”矿产资源是国民经济和社会发展的重要物质基础，只有严格依照宪法的规定，坚持矿藏属于国家所有，即全民所有，才能保障我国矿产资源的合理开发、利用、节约、保护和满足各方面对矿产资源日益增长的需求，适应国民经济和社会发展的需要。矿产资源法

第三条第一款规定:“矿产资源属于国家所有,由国务院行使国家对矿产资源的所有权。地表或者地下的矿产资源的国家所有权,不因其所依附的土地的所有权或者使用权的不同而改变。”1995年12月国务院发布的《关于整顿矿业秩序维护国家对矿产资源所有权的通知》中规定:“矿产资源是经济建设和社会发展的重要物质基础。矿产资源属于国家所有。”1994年3月国务院发布的矿产资源法实施细则第三条中规定:“矿产资源属于国家所有,地表或者地下的矿产资源的国家所有权,不因其所依附的土地的所有权或者使用权的不同而改变。”一些具体的矿产行政法规也规定了一些矿产的国家所有权。如1994年12月国务院发布的乡镇煤矿管理条例第三条第一款规定:“煤炭资源属于国家所有。地表或者地下的煤炭资源的国家所有权,不因其所依附的土地的所有权或者使用权的不同而改变。”1993年10月国务院发布的对外合作开采陆上石油资源条例第三条规定:“中华人民共和国境内的石油资源属于中华人民共和国所有。”1982年1月国务院发布的对外合作开采海洋石油资源条例第二条第一款规定:“中华人民共和国的内海、领海、大陆架以及其他属于中华人民共和国海洋资源管辖领域的石油资源,都属于中华人民共和国所有。”1990年2月国务院发布的盐业管理条例第三条中规定:“盐资源属于国家所有,国家对盐资源实行保护,并有计划地开发利用。国家鼓励发展盐业生产,对盐的生产经营实行计划管理。”1982年8月国家经委发布的《关于重新颁发天然水晶管理办法的通知》第二项规定:“水晶矿产是国家的宝贵财富,属全民所有。依附于土地的水晶资源,不因土地所有权而改变其全民所有的性质。未经批准,任何单位或个人不得私自开采。”

国家对矿藏的所有权可以有多种行使方式。民法通则第八十一条第二款规定:“国家所有的矿藏,可以依法由全民所有制单位和集体所有制单位开采,也可以依法由公民采挖。”矿产资源法第三条第三款中规定："勘查、开采矿产资源，必须依法分别申请、经批准取得探矿权、采矿权，并办理登记。"矿产资源法第四条第一款规定："国家保障依法设立的矿山企业开采矿产资源的合法权益。"依照规定，民事主体可以依法取得开发和经营矿藏的权利，其性质为采矿权。取得该权利后，通过开发和经营矿藏取得对矿藏的所有权。民事主体取得采矿权并不影响国家的所有权。国家保护合法的采矿权。但该采矿权与对矿藏的所有权不同，前者是他物权，后者是所有权。国家保障矿产资源的合理利用。

（二）水流属于国家所有

水流，指江、河等的统称。此处水流应包括地表水、地下水和其他形态的水资源。水是人类生存的生命线，人类因水而生存，因水而发展。然而，本世纪人类却面临着严重的水资源问题。水资源短缺几乎成为世界性的问题。我国是水资源贫乏的国家，人均水资源仅为世界平均水平的四分之一。同时，水资源在时间和地区分布上很不平衡，由于所处的独特的地理位置和气候条件，使我国面临水资源短缺、洪涝灾害频繁、水环境恶化三大水问题，对国民经济和社会发展具有全局影响。

本法规定水流属于国家所有。水流属于国家所有，指国家享有对水流的占有、使用、收益和处分的权利。宪法第九条规定："矿藏、水流、森林、山岭、草原、荒地、滩涂等自然资源，都属于国家所有，即全民所有。"水法第三条第一款规定："水资源属于国家所有。水资源的所有权由国务院代表国家行使。"在征求意见过程中，有的建议将"水流"修改为"水资源"。考虑到宪法中的用词是"水流"，本法中仍然依照宪法使用"水流"一词。水流是我国最宝贵的自然资源之一，是实现可持续发展的重要物质基础。只有严格依照宪法的规定，坚持水流属于国家所有，即全民所有，才能保障我国水资源的合理开发、利用、节约、保护和满足各方面对水资源日益增长的需求，适应国民经济和社会发展的需要。

（三）海域属于国家所有

海域，是指中华人民共和国内水、领海的水面、水体、海床和底土。这是一个空间资源的概念，是对传统民法中“物”的概念的延伸与发展。内水，是指中华人民共和国领海基线向陆地一侧至海岸线的海域。领海这个概念是随公海自由原则的确立而形成的，它是指沿着国家的海岸、受国家主权支配和管辖下的一定宽度的海水带。我国是海洋大国，拥有近 300 万平方公里的管辖海域，相当于陆地国土面积的 1/3，拥有 18000 多公里的大陆岸线，14000 多公里的岛屿岸线，蕴藏着丰富资源，包括生物资源、矿产资源、航运资源、旅游资源等。对于丰富的资源，国家有责任实施管理，对于我国辽阔的海域，需要由国家行使管理职能。这些管理，是以海域的国家所有权为法律依据的。

本条明确规定海域属于国家所有。海域使用管理法第三条第一款中规定：“海域属于国家所有，国务院代表国家行使海域所有权。任何单位或者个人不得侵占、买卖或者以其他形式非法转让海域。”长期以来，在海域权属问题上存在一些模糊认识，出现了一些不正常的现象。个别地方政府或者有关部门擅自将海域的所有权确定为本地所有或者某集体经济组织所有，用海单位在需要使用海域时直接向乡镇和农民集体经济组织购买或者租用；个别乡镇竟然公开拍卖海域或者滩涂；有的村民认为，祖祖辈辈生活在海边，海就是村里的。这些认识和行为，不仅导致海域使用秩序的混乱，而且损害了国家的所有权权益。因此，本法明确规定海域属于国家所有。海域属于国家所有，指国家享有对海域的占有、使用、收益和处分的权利。这不仅能正本清源，纠正思想上的错误认识，而且有助于树立海域国家所有的意识和有偿使用海域的观念，使国家的所有权权益能在经济上得到实现。

第四十七条　城市的土地，属于国家所有。法律规定属于国

家所有的农村和城市郊区的土地，属于国家所有。

【释义】 本条是关于国家所有土地范围的规定。

土地是人类可利用的一切自然资源中最基本、最宝贵的资源，首先，它是人类赖以生存的基地，只有它的存在人类才能有立足之地，人类凭借着土地栖息繁衍，土地是人类最珍贵的自然资源；第二，在人类生活中，土地是最基本的生产资料，人们在土地上从事生产，直接或间接地获取大量的财富，土地成为财富之母；第三，土地是为人类提供食物和其他生活资料的重要源泉，一切动植物繁殖滋生的营养物质皆取自土地，由而产生出人类赖以生存发展的各类生活资料，土地养育着人类。在人与土地之间的关系中、由于土地作为自然过程的产物，具有面积有限，不可创造的特点，因此，人们必须十分珍惜土地，严格保护和合理利用每一寸土地，必须重视土地的自然属性，遵循土地的自然规律。

我国实行土地的社会主义公有制。宪法第六条规定："中华人民共和国的社会主义经济制度的基础是生产资料的社会主义公有制，即全民所有制和劳动群众集体所有制。"土地是宝贵的自然资源，同时也是最基本的生产资料。中华人民共和国建国以后，我国土地的社会主义公有制逐步确立，形成了全民所有土地即国家所有土地和劳动群众集体所有土地即农民集体所有土地这两种基本的土地所有制形式。土地管理法第二条规定："中华人民共和国实行土地的社会主义公有制，即全民所有制和劳动群众集体所有制。"土地所有制的法律表现形式是土地所有权，即土地所有者对其土地享有占有、使用、收益和处分的权利。

土地的国家管理，这是土地的特殊作用和特殊地位所决定的。首先，土地是人类赖以生存的最基本的物质基础，是一个国家最珍贵的资源；必须由国家进行管理；第二，土地的开发利用涉及社会的整体利益，与国民经济的发展息息相关，直接影响到社会进步与稳定，因此，土地应当由国家管理，从社会整体利益出发进行必要的控制；第三，土地是自然、经济、社会历史的结合体，土地的开发利用会受制于一定的自然、社会经济条件，应当由国家综合平衡，控制调节，获取符合公共利益的最佳成效；第四，我国实行土地社会主义公有制，国家应当具有统一监督管理土地的职能，而不是由某一个社会团体或经济组织来拥有这种职能。

本条规定了国家所有土地的范围，国家所有的土地包括：(1)城市的土地；(2)法律规定属于国家所有的农村和城市郊区的土地。

1. 城市的土地属于国家所有。这里所讲的城市，根据《中华人民共和国城市规划法》第三条第一款的规定，是指"国家按行政建制设立的直辖市、市、镇"。"城市的土地属于国家所有"即指国家对于城市的土地享有所有权，且城市的土地所有权只属于国家。宪法第十条中规定："城市的土地属于国家所有。"土地管理法第八条第一款中规定："城市市区的土地属于国家所有。"

2. 法律规定属于国家所有的农村和城市郊区的土地属于国家所有。宪法第十条中规定："农村和城市郊区的土地，除由法律规定属于国家所有的以外，属于集体所有。"土地管理法第八条第二款中规定："农村和城市郊区的土地，除由法律规定属于国家所有的以外，属于农民集体所有。"农村和城市郊区的土地，除法律规定属于国家所有的以外，是属于农民集体所有的。但是法律规定属于国家所有的农村和城市郊区的土地属于国家所有。这里所讲的法律是全国人大及其常委会通过的具有法律约束力的规范性文件，包括宪法和其他法律。宪法第九条第一款就规定："矿藏、水流、森林、山岭、草原、荒地、滩涂等自然资源，都属于国家所有，即全民所有；由法律规定属于集体所有的森林和山岭、草原、荒地、滩涂除外。"也就是说，国家法律未确定为集体所有的森林和山岭、草原、荒地、滩涂等，均属于国家所有。国务院发布的《中华人民共和国土地管理法实施条例》第二条规定，属于国家所有的土地是:"(一)城市市区的土地;(二)农村和城市郊区中已经依法没收、征收、征购为国有的土地;(三)国家依法征用的土地;(四)依法不属于集体所有的林地、草地、荒地、滩涂及其他土地;(五)农村集体经济组织全部成员转为城镇居民的,原属于其成员集体所有的土地;(六)因国家组织移民、自然灾害等原因,农民成建制地集体迁移后不再使用的原属于迁移农民集体所有的土地。"

第四十八条　森林、山岭、草原、荒地、滩涂等自然资源,属于国家所有,但法律规定属于集体所有的除外。

【释义】　本条是关于属于国家所有的森林、草原等自然资源的规定。

自然资源包括土地资源、水资源、矿产资源、生物资源、气候资源、海洋资源等。自然资源是国民经济与社会发展的重要物质基础。随着工业化和人口的发展,人类对自然资源的巨大需求和大规模的开采已导致资源基础的削弱、退化。以最低的环境成本确保自然资源的可持续利用,已经成为当代国家在经济、社会发展过程中面临的一大难题。自然资源的合理开发利用是人类生存和发展的必然要求和重要内容。宪法第九条第二款规定:"国家保障自然资源的合理利用,保护珍贵的动物和植物。禁止任何组织或者个人用任何手段侵占或者破坏自然资源。"

本条有关森林、山岭、草原、荒地、滩涂等自然资源所有权的规定是依据宪法作出的。宪法第九条第一款规定:"矿藏、水流、森林、山岭、草原、荒地、滩涂等自然资源,都属于国家所有,即全民所有;由法律规定属于集体所有的森林和山岭、草原、荒地、滩涂除外。"我国绝大多数自然资源都属于国家所有,这是我国不同于资本主义国家经济制度的基本特征之一。本法根据宪法和有关法律的规定,对自然资源的归属做出规定,对进一步保护国有自然资源,合理开发利用国有自然资源,具有重要意义。

在征求意见过程中，有的建议，删除“等自然资源”的表述。有的认为，“土地”包括“山岭”、“荒地”、“滩涂”，建议删除本条中的“山岭”、“荒地”、“滩涂”。有的认为，本条中“等”表述易生歧义，建议删除。宪法是我国的根本大法，制定法律要以宪法为依据，因此，本条在文字的表述上依据宪法作出了规定。

根据宪法，我国其他法律对自然资源的国家所有权也作出了相应的规定。森林法第三条第一款规定：“森林资源属于国家所有，由法律规定属于集体所有的除外。”草原法第九条规定：“草原属于国家所有，由法律规定属于集体所有的除外。国家所有的草原，由国务院代表国家行使所有权。任何单位或者个人不得侵占、买卖或者以其他形式非法转让草原。”森林、山岭、草原、荒地、滩涂作为自然资源，一般属于国家所有。依照我国的法律，森林、山岭、草原、荒地、滩涂等自然资源除了国家所有外，存在另一种所有权形式，即集体所有。民法通则第七十四条第一款中规定：法律规定为集体所有的土地和森林、山岭、草原、荒地、滩涂等属于劳动群众集体所有。

第四十九条　法律规定属于国家所有的野生动植物资源，属于国家所有。

【释义】　本条是关于属于国家所有的野生动植物资源的规定。

依据我国野生动物保护法第二条第二款的规定，野生动物，指受保护的野生动物，即珍贵、濒危的陆生、水生野生动物和有益的或者有重要经济、科学研究价值的陆生野生动物。依据野生植物保护条例第二条第二款的规定，野生植物资源，是指原生地天然生长的珍贵植物和原生地天然生长并具有重要经济、科学研究、文化价值的濒危、稀有植物。

野生动物是我国的一项巨大自然财富。我国野生动物资源十分丰富，不仅经济动物种类繁多，还有不少闻名世界的珍贵稀有鸟兽。野生动物作为自然生态系统的重要组成部分,是人类宝贵的自然资源,为人类的生产和生活提供了丰富的资源,对人类发展有重要的促进作用。我国也是世界上野生植物资源种类最为丰富的国家之一。野生植物是自然生态系统的重要组成部分,是人类生存和社会发展的重要物质基础,是国家重要的资源。野生植物资源作为社会经济发展中一种极为重要的资源,具有生态性、多样性、遗传性和可再生性等特点。

野生动植物是国家宝贵的种质资源,人类生产生活的重要物质基础,人类的衣食住行都与其密切相关。同时,它还是重要的战略资源,保存着丰富的遗传基因,为人类的生存与发展提供了广阔的空间。野生植物资源在国民经济和社会发展中具有非常重要的地位。

因此,本条规定,法律规定属于国家所有的野生动植物资源,属于国家所有。这样规定,有利于保护我国的野生动植物资源,有利于更加合理地利用野生动植物资源。野生动物保护法第三条规定:“野生动物资源属于国家所有。国家保护依法开发利用野生动物资源的单位和个人的合法权益。”1992 年 11 月国务院批准发布的《陆生野生动物资源保护管理费收费办法》规定:“野生动物资源属于国家所有。”

第五十条　无线电频谱资源属于国家所有。

【释义】　本条是关于无线电频谱资源的国家所有权的规定。

几千年来,从烽火报信、快马传书、驿站梨花,到发明电报、电话、互联网,人们追求时空通信自由的努力从未停止过。人们梦想有朝一日拥有在任何时间、任何地点与任何人的无束缚通信自由。要获得这种自由,利用无线电波进行通信必不可少。无线电通信属于电信中的一种。根据国际电信联盟《无线电规则》,电信定义为利用有线电、无线电、光或其他电磁系统对于符号、信号、文字、图像、声音或任何性质的信息的传输、发射或接收。无线电通信则为使用无线电波的电信。无线电波定义为频率在3000GHz以下，不用人工波导而在空间传播的电磁波。作为传输载体的无线电波都具有一定的频率和波长，即位于无线电频谱中的一定位置，并占据一定的宽度。无线电频谱一般指9KHz～3000GHz频率范围内发射无线电波的无线电频率的总称。

所有的无线电业务都离不开无线电频率，就像车辆必须行驶在道路上。无线电频率是自然界存在的一种电磁波，是一种物质，是一种各国可均等获得的看不见、摸不着的自然资源，它具有以下六种特性：第一，它是有限的。尽管使用无线电频谱可以根据时间、空间、频率和编码四种方式进行频率的复用，但就某一频段和频率来讲，在一定的区域、一定的时间和一定的条件下使用频率是有限的。第二，它是排他的。无线电频谱资源与其他资源具有共同的属性，即排他性，在一定的时间、地区和频域内，一旦被使用，其他设备是不能再用的。第三，它具备复用性。虽然无线电频谱具有排他性，但在一定的时间、地区、频域和编码条件下，无线电频率是可以重复使用和利用的，即不同无线电业务和设备可以频率复用和共用。第四，它是非耗竭性的。无线电频谱资源又不同于矿产、森林等资源，它是可以被人类利用，但不会被消耗掉，不使用它是一种浪费，使用不当更是一种浪费，甚至由于使用不当产生干扰而造成危害。第五，它具有固有的传播特性。无线电波是按照一定规律传播，是不受行政地域的限制，传播既无省界也无国界。第六，它具有易污染性。如果无线电频率使用不当，就会受到其他无线电台、自然噪声和人为噪声的干扰而无法正常工作，或者干扰其他无线电台站，使其不能正常工作，使之无法准确、有效和迅速地传送信息。

无线电频谱资源是有限的自然资源。为了充分、合理、有效地利用无线电频谱，保证各种无线电业务的正常运行，防止各种无线电业务、无线电台站和系统之间的相互干扰，本条规定无线频谱资源属于国家所有。无线电频谱资源属于国家所有，是指国家对无线电频谱资源享有占有、使用、收益和处分的权利。《无线电管理条例》第四条规定："无线电频谱资源属国家所有。国家对无线电频谱实行统一规划、合理开发、科学管理、有偿使用的原则。"

在征求意见过程中，有的认为，规定频谱资源属于国家所有，不利于新技术的开发，会产生争议。《无线电管理条例》第五条规定："国家鼓励对无线电频谱资源的开发、利用和科学研究，努力推广先进技术，提高管理水平。对在无线电管理工作和科学研究中做出重大贡献的单位和个人，应当给予奖励。"因此，规定无线电频谱资源属于国家所有并不会不利于新技术的开发，而会更有利于充分、合理、有效地利用无线电频谱资源。

第五十一条　法律规定属于国家所有的文物，属于国家所有。

【释义】　本条是关于属于国家所有文物的规定。

我国是一个拥有悠久历史和灿烂文化的文明古国，拥有极为丰富的文化遗产。我们的祖先在改造自然、改造社会的长期斗争中，创造了灿烂辉煌的古代文化，为整个人类文明历史做出过重要的贡献。保存在地上地下极为丰富的祖国文物是文化遗产的重要组成部分，是中华民族历史发展的见证。它真实地反映了我国历史各个发展阶段的政治、经济、军事、文化、科学和社会生活的状况，蕴藏着各族人民的创造、智慧和崇高的爱国主义精神，蕴含着中华民族特有的精神价值、思维方式、想像力，体现着中华民族的生命力和创造力，对世世代代的中华儿女都有着强大的凝聚力和激励作用。在建设具有中国特色的社会主义的新时期，在全国各族人民坚持四项基本原则，坚持改革开放总方针的伟大实践中，保护和利用好文物，对于继承和发扬中华民族的优秀文化和革命传统，增进民族团结和维护国家统一，增强民族自信心和凝聚力，促进社会主义物质文明和精神文明建设,团结国内外同胞推进祖国统一大业,以及不断扩大我国人民同世界各国人民的文化交流和友好往来,都具有重要的意义。文物保护法第二条规定:“在中华人民共和国境内,下列文物受国家保护:(一)具有历史、艺术、科学价值的古文化遗址、古墓葬、古建筑、石窟寺和石刻、壁画;(二)与重大历史事件、革命运动或者著名人物有关的以及具有重要纪念意义、教育意义或者史料价值的近代现代重要史迹、实物、代表性建筑;(三)历史上各时代珍贵的艺术品、工艺美术品;(四)历史上各时代重要的文献资料以及具有历史、艺术、科学价值的手稿和图书资料等;(五)反映历史上各时代、各民族社会制度、社会生产、社会生活的代表性实物。文物认定的标准和办法由国务院文物行政部门制定,并报国务院批准。具有科学价值的古脊椎动物化石和古人类化石同文物一样受国家保护。”

本条规定,法律规定属于国家所有的文物,属于国家所有。在此需要明确的是,并不是所有的文物都归国家所有,而是法律规定属于国家所有的文物,属于国家所有。文物的所有者可以是各类民事主体,民事主体可以按照法律规定享有对文物的所有权。依照文物保护法第五条的规定,以下文物属于国家所有:(1)中华人民共和国境内地下、内水和领海中遗存的一切文物,属于国家所有。(2)古文化遗址、古墓葬、石窟寺属于国家所有。国家指定保护的纪念建筑物、古建筑、石刻、壁画、近代现代代表性建筑等不可移动文物,除国家另有规定的以外,属于国家所有。(3)下列可移动文物,属于国家所有:①中国境内出土的文物,国家另有规定的除外;②国有文物收藏单位以及其他国家机关、部队和国有企业、事业组织等收藏、保管的文物;③国家征集、购买的文物;④公民、法人和其他组织捐赠给国家的文物;⑤法律规定属于国家所有的其他文物。文物保护法第五条中还规定:“属于国家所有的可移动文物的所有权不因其保管、收藏单位的终止或者变更而改变。

国有文物所有权受法律保护，不容侵犯。”“国有不可移动文物的所有权不因其所依附的土地所有权或者使用权的改变而改变。”国家依法享有对法律规定属于国家所有的文物的所有权，也就是国家依法享有对其所有的文物的占有、使用、收益和处分的权利。

我国一些行政法规也对一些文物的国家所有权作出过规定。如 1980 年 5 月国务院批转国家文物事业管理局、国家基本建设委员会《关于加强古建筑和文物古迹保护管理工作的请示报告的通知》规定：“凡是由政府公布的各级文物保护单位其所有权属于国家，任何单位都不得据为己有。”1989 年 10 月国务院发布的《水下文物保护管理条例》第二条规定：“本条例所称水下文物，是指遗存于下列水域的具有历史、艺术和科学价值的人类文化遗产：（一）遗存于中国内水、领海内的一切起源于中国的、起源国不明的和起源于外国的文物；（二）遗存于中国领海以外依照中国法律由中国管辖的其他海域内的起源于中国的和起源国不明的文物；（三）遗存于外国领海以外的其他管辖海域以及公海区域内的起源于中国的文物。前款规定内容不包括一九一一年以后的与重大历史事件、革命运动以及著名人物无关的水下遗存。”第三条规定：“本条例第二条第（一）、（二）项所规定的水下文物属于国家所有，国家对其行使管辖权；本条例第二条第（三）项所规定的水下文物，国家享有辨认器物物主的权利。”1987 年 5 月国务院发布的《关于打击盗掘和走私文物活动的通告》规定：“我国地下、内水和领海中遗存的一切文物，统属国家所有，非经国家文化行政管理部门批准，任何单位和个人，不得以任何借口私自掘取。”

第五十二条　国防资产属于国家所有。

铁路、公路、电力设施、电信设施和油气管道等基础设施，依照法律规定为国家所有的，属于国家所有。

【释义】 本条是关于国防资产的国家所有权以及属于国家

所有的基础设施的规定。

本条第一款规定,国防资产属于国家所有。国防是国家生存与发展的安全保障,是维护国家安全统一,确保实现全面建设小康社会目标的重要保障。建立强大巩固的国防是中国现代化建设的战略任务。规定国防资产的国家所有权对我国的国防建设有重大意义。国防法第三十七条第二款也规定,国防资产归国家所有。根据国防法第三十七条的规定,国家为武装力量建设、国防科研生产和其他国防建设直接投入的资金、划拨使用的土地等资源,以及由此形成的用于国防目的的武器装备和设备设施、物资器材、技术成果等属于国防资产。国防法第三十九条第一款规定,国家保护国防资产不受侵害,保障国防资产的安全、完整和有效。

本条第二款规定铁路、公路、电力设施、电信设施和油气管道等基础设施,依照法律规定为国家所有的,属于国家所有。依据本款的规定,并不是所有的铁路、公路、电力设施、电信设施和油气管道等基础设施,都属于国家所有,而是依照法律规定为国家所有的基础设施才属于国家所有。此处的基础设施也不仅仅是包括铁路、公路、电力设施、电信设施和油气管道这几种,只要是依照法律规定为国家所有的基础设施都被包括在本条之内。

铁路、公路、电力设施、电信设施和油气管道等基础设施都是国家重要的基础设施,建设铁路、公路、电力设施、电信设施和油气管道等基础设施对方便人民生活、提高人民生活水平有重要意义,确保铁路、公路、电力设施、电信设施和油气管道等基础设施的安全对于国民经济发展和保障人民群众生命财产安全意义重大。因此,规定铁路、公路、电力设施、电信设施和油气管道等基础设施,依照法律规定为国家所有的,属于国家所有,对于提高基础设施的建设速度、使用效率和保障基础设施的安全等都有重要意义。电力法第四条规定:“电力设施受国家保护。禁止任何单位和个人危害电力设施安全或者非法侵占、使用电能。”

第五十三条　国家机关对其直接支配的不动产和动产，享有占有、使用以及依照法律和国务院的有关规定处分的权利。

【释义】 本条是关于国家机关的物权的规定。

本条是国家机关对其直接支配的物享有的物权的规定，规定国家机关对其直接支配的不动产和动产，享有占有、使用以及依照法律和国务院的有关规定处分的权利。国家机关的财产也是国有资产的重要组成部分。明确国家机关对其直接支配的财产享有的权利，哪些权利必须依照法律和国务院的有关规定行使，这对保护国家机关的财产具有重要意义。本法依照民法通则关于机关法人应当具备"必要的财产或者经费"、"与其业务活动相适应的经费来源"和"能够独立承担民事责任"等条件，从物权角度作出了上述规定。民法通则第三十七条规定："法人应当具备下列条件：(一)依法成立；(二)有必要的财产或者经费；(三)有自己的名称、组织机构和场所；(四)能够独立承担民事责任。"民法通则第五十条第一款规定："有独立经费的机关从成立之日起，具有法人资格。"

保护国有财产权，防止国有财产流失，是我国的一项长期任务。物权法颁布后，需要制订国有财产管理法，进一步完善国有财产的管理制度。国有财产权作为一种物权，有关这种权利的归属及其内容的基本规则已经在物权法中做出规定，但也要看到，国有财产的行使及其监管又具有特殊性，因而单纯依靠物权法的规定是不够的，还需要制定国有财产管理法，区分经营性财产和非经营性财产，建立不同的管理制度。依据本条规定，国家机关应当依法对其直接支配的财产行使占有、使用和处分的权利。国家机关对其占用的财产的处分必须依照法律规定的限制和程序进行。不得擅自处置国有财产。本条对国家机关对其直接支配的国有财产行使占有、使用和处分的权利作出了规定，加强了对国家机关直接占有的国有财产的保护。

第五十四条　国家举办的事业单位对其直接支配的不动产和动产，享有占有、使用以及依照法律和国务院的有关规定收益、处分的权利。

【释义】　本条是关于国家举办的事业单位的物权的规定。

本条是对国家举办的事业单位对其直接支配的物权的规定。规定国家举办的事业单位对其直接支配的不动产和动产，享有占有、使用以及依照法律和国务院的有关规定收益、处分的权利。国有事业单位的财产也是国有资产的重要组成部分。明确国有事业单位对其直接支配的财产享有的权利，哪些权利必须依照法律和国务院的有关规定行使，这对保护国有事业单位的财产具有重要意义。本法依照民法通则和事业单位登记管理暂行条例关于事业单位法人应当具备“必要的财产或者经费”、“与其业务活动相适应的经费来源”和“能够独立承担民事责任”等条件，从物权角度作出了上述规定。

民法通则第三十七条规定：“法人应当具备下列条件：（一）依法成立；（二）有必要的财产或者经费；（三）有自己的名称、组织机构和场所；（四）能够独立承担民事责任。”民法通则第五十条第二款规定：“具备法人条件的事业单位、社会团体，依法不需要办理法人登记的，从成立之日起，具有法人资格；依法需要办理法人登记的，经核准登记，取得法人资格。”《事业单位登记管理暂行条例》第六条规定：“申请事业单位法人登记，应当具备下列条件：（一）经审批机关批准设立；（二）有自己的名称、组织机构和场所；（三）有与其业务活动相适应的从业人员；（四）有与其业务活动相适应的经费来源；（五）能够独立承担民事责任。”第十五条规定：“事业单位开展活动，按照国家有关规定取得的合法收入，必须用于符合其宗旨和业务范围的活动。事业单位接受捐赠、资助，必须符合事业单位的宗旨和业务范围,必须根据与捐赠人、资助人约定的期限、方式和合法用途使用。”

对国家举办的事业单位占用的财产,要根据事业单位的类型、财产的特殊性对其收益和处分的权利分别处理:一是国家举办的事业单位对其占用的财产毫无处分权利,比如故宫博物院对其占用的某些财产;二是经过审批,国家举办的事业单位对其占用的财产具有部分处分权利;三是国家举办的事业单位对其占用的财产具有完全的处分权利。这就需要通过以后制定国有财产管理法对国家举办的事业单位如何有效行使、如何处分其占用的财产作出明确规定。

我国的一些法律对国家举办的事业单位的财产有占有、使用、收益和处分作了规定。如森林法第二十七条第一款规定:“国有企业事业单位、机关、团体、部队营造的林木,由营造单位经营并按照国家规定支配林木收益。”第三十九条规定:“国家保护国防资产不受侵害,保障国防资产的安全、完整和有效。禁止任何组织或者个人破坏、损害和侵占国防资产。未经国务院、中央军事委员会或者国务院、中央军事委员会授权的机构批准,国防资产的占有、使用单位不得改变国防资产用于国防的目的。国防资产经批准不再用于国防目的的,依照有着法律、法规的规定管理。”教育法第二十八条中规定:“学校及其他教育机构行使下列权利:……(七)管理、使用本单位的设施和经费。”高等教育法第三十八条规定:“高等学校对举办者提供的财产、国家财政性资助、受捐赠财产依法自主管理和使用。高等学校不得将用于教学和科学研究活动的财产挪作他用。”第六十一条规定:“高等学校的举办者应当保证稳定的办学经费来源,不得抽回其投入的办学资金。”第六十四条规定:“高等学校收取的学费应当按照国家有关规定管理和使用,其他任何组织和个人不得挪用。”科学技术进步法第三十四条第二款规定:“研究开发机构依照国家有关规定享有研究开发、生产经营、经费使用、机构设置、人员聘用等方面的自主权。”

国家举办的事业单位应当依法对其直接支配的财产行使占有、使用、收益和处分的权利，不得擅自处置国有财产。本条对国家举办的事业单位对其直接支配的国有财产行使占有、使用、收益和处分的权利作出了规定，加强了对国家举办的事业单位直接占有的国有财产的保护。

第五十五条　国家出资的企业，由国务院、地方人民政府依照法律、行政法规规定分别代表国家履行出资人职责，享有出资人权益。

【释义】　本条是关于国有出资的企业出资人制度的规定。

国有企业是我国国民经济的支柱。改革开放以来，特别是党的十四大提出建立社会主义市场经济体制、十四届三中全会提出建立现代企业制度以来，国有企业迅速地发展，继续在国民经济中发挥着主导作用。但是，随着国有企业改革的不断深化，国有资产管理体制改革不断推进，国有资产管理面临的体制性障碍还未得到真正解决，政府的社会公共管理职能与国有资产出资人职能没有完全分开，一方面造成国有资产出资人不到位，国有资产监管职能分散，权利、义务和责任不统一，管资产和管人、管事相脱节；另一方面导致政府对企业进行行政干预，多头管理，影响了政企分开，制约了国有企业建立现代企业制度。为此，十五届四中全会的决定指出：“政府对国家出资兴办和拥有股份的企业，通过出资人代表行使所有者职能，按出资额享有资产受益、重大决策和选择经营管理者等权利，对企业的债务承担有限责任，不干预企业日常经营活动。”党的十六大做出改革国有资产管理体制的重大决策，提出：“继续调整国有经济的布局和结构，改革国有资产管理体制，是深化经济体制改革的重大任务。在坚持国家所有的前提下，充分发挥中央和地方两个积极性。国家要制定法律法规，建立中央政府和地方政府分别代表国家履行出资人职责，享有所有者权益，权利、义务和责任相统一，管资产和管人、管事相结合的国有资产管理体制。关系国民经济命脉和国家安全的大型国有企业、基础设施和重要自然资源等，由中央政府代表国家履行出资人职责。其他国有资产由地方政府代表国家履行出资人职责。”

本条根据党的有关国有资产管理体制改革的政策，对国有企业出资人制度做了规定，即“国家出资的企业，由国务院、地方人民政府依照法律、行政法规规定分别代表国家履行出资人职责，享有出资人权益”。为了更好地理解本条的含义，有以下四个问题需要解释：

第一，什么是国家出资的企业。国家出资的企业，不仅仅包括国家出资兴办的企业，如国有独资公司，也包括国家控股、参股有限责任公司和股份有限公司等。当然国家出资的企业不仅仅是以公司形式，也包括未进行公司制改造的其他企业。

第二，谁来代表履行国有企业的出资人职权。本条根据党的十六大有关国有资产管理体制改革的政策，规定了由国务院和地方人民政府分别代表国家履行出资人职责，享有出资人权益。我国是一个大国，地域辽阔，国有企业众多，即使经过调整、改制，目前还有十几万户分布在各地。为了实现有效管理，都由中央政府直接管理这么多企业是困难的。因此，适宜的做法就是通过资产的划分和权利的划分，由中央政府和地方政府分别代表国家履行出资人的职责。十六大明确规定了，关系国家经济命脉和国家安全的大型国有企业、基础设施和重要自然资源等，由中央政府代表国家履行出资人职责。其他国有资产由地方政府代表国家履行出资人职责。根据《企业国有资产监督管理暂行条例》的规定，国务院和地方人民政府的具体分工是：国务院代表国家对关系国民经济命脉和国家安全的大型国有及国有控股、国有参股企业，重要基础设施和重要自然资源等领域的国有及国有控股、国有参股企业，履行出资人职责。国务院履行出资人职责的企业,由国务院确定、公布。省、自治区、直辖市人民政府和设区的市、自治州级人民政府分别代表国家对由国务院履行出资人职责以外的国有及国有控股、国有参股企业,履行出资人职责。其中,省、自治区、直辖市人民政府履行出资人职责的国有及国有控股、国有参股企业,由省、自治区、直辖市人民政府确定、公布,并报国务院国有资产监督管理机构备案;其他由设区的市、自治州级人民政府履行出资人职责的国有及国有控股、国有参股企业,由设区的市、自治州级人民政府确定、公布,并报省、自治区、直辖市人民政府国有资产监督管理机构备案。本条的规定是党的有关政策的法律化,目的是充分调动中央和地方两个积极性,使社会生产力得到进一步解放。同时中央政府和地方政府合理分工分别代表国家履行出资人职责,这就界定了各级政府的管理国有资产的权利和责任,改变了过去中央统一管理,地方责、权、利不明确的弊端。这有助于强化管理上的激励和约束机制,克服"出资人主体虚位"的现象。

需要明确的是,国家实行国有企业出资人制度的前提是国家统一所有,国家是国有企业的出资人。中央政府与地方政府都只是分别代表国家履行出资人职责,享有出资人权益。不能把国家所有与政府所有等同起来,更不能把国家所有与地方政府所有等同。

第三,履行出资人职责的法律依据。虽然中央政府和地方政府分别代表国家履行出资人职责,享有所有者权益,但它们都必须在国家统一制定法律法规的前提下行事。有关的法律主要有宪法、公司法等。行政法规主要有 2003 年 5 月 27 日公布施行《企业国有资产监督管理暂行条例》。

第四,出资人职责和权益内容是什么。简单地说,出资人职责就是股东的职能,中央政府和地方政府通过各自设立的国有资产管理委员会,代表国家享有公司法规定的资产收益、重大决策和选择管理者等出资人权益;对国有资产保值、防止国有资产流失负监管责任。需要注意的是,中央政府和地方政府代表国家履行出资人职责时,要尊重、维护国有及国有控股企业经营自主权。宪法第十六条中规定:“国有企业在法律规定的范围内有权自主经营。”根据宪法的规定和国有资产管理改革所遵循的政企分开的原则,中央政府和地方政府以及其设立的国有资产管理机构不能干预国家出资的企业依法行使自主经营权。

第五十六条　国家所有的财产受法律保护,禁止任何单位和个人侵占、哄抢、私分、截留、破坏。

【释义】 本条是关于国有财产保护的规定。

国有财产属全民所有,是国家经济、政治、文化、社会发展的物质基础。加大对国有财产的保护力度,切实防止国有财产流失,是巩固和发展公有制经济的重要内容。宪法第十二条规定:“社会主义的公共财产神圣不可侵犯。”“国家保护社会主义的公共财产。禁止任何组织或者个人用任何手段侵占或者破坏国家的和集体的财产。”民法通则第七十三条规定:“国家财产属于全民所有。”“国家财产神圣不可侵犯,禁止任何组织和个人侵占、哄抢、私分、截留、破坏。”在草案修改过程中,有的认为,物权法既然要体现平等保护的原则,那就不宜强调对国有财产的保护。我们研究认为,物权法应当坚持平等保护的原则;同时,从实际情况看,目前经济领域中受侵害最严重的恰恰是国有财产,物权法就加强对国有财产的保护、切实防止国有财产流失做出有针对性的规定,是必要的。因此,本条根据宪法和民法通则的规定,针对国有财产的特点,从物权的角度做出了保护国有财产的一般原则性规定,即:“国家所有的财产受法律保护,禁止任何单位和个人侵占、哄抢、私分、截留、破坏。”

这里的“国家所有的财产”是指依法属于全民所有的财产,不仅包括国家拥有所有权的财产,如矿藏、水流、海域,国有的土地以及森林、山岭、草原、荒地、滩涂等自然资源,野生动植物资源,无线电频谱资源,依法属于国家所有的文物,国有的铁路、公路、电力设施、电信设施和油气管道等基础设施,国家机关和国家举办的事业单位依法直接支配的国有财产,而且包括国家依法投入到企业的动产和不动产。还有,国家的财政收入、外汇储备和其他国有资金也属于国家所有的财产。

这里的“侵占”是指以非法占有为目的,将其经营、管理的国有财产非法占为己有。侵占的客体是国有财产。侵占的主体一般是经营、管理国有财产的单位或者个人,如国有企业、国家举办的事业单位等。构成侵占,还有一个要件是侵占主体要有主观故意,即以非法占有国有财产为目的。

这里的“哄抢”是指以非法占有为目的,组织、参与多人一起强行抢夺国有财产的行为。哄抢的客体是国有财产。哄抢的主体可以是任何的单位和个人,并且还需具备非法占有国有财产的主观故意。

这里的“私分”是指违反国家关于国有财产分配管理规定,以单位名义将国有财产按人头分配给单位内全部或者部分职工的行为。如,违反国家关于国有资金与企业资金的分账比例管理制度,由单位领导班子集体决策或者由单位负责人决定并由直接责任人员经手实施,擅自将国有资金转为企业资金,进而以单位分红、单位发奖金、单位下发的节日慰问费等名义私分国有财产。私分的主体只是单位,一般指负有经营、管理国有财产的国家机关、国有公司、企业、事业单位、人民团体等单位。

这里的“截留”是指违反国家关于国有资金等国有财产拨付、流转的决定,擅自将经手的有关国有财产据为己有或者挪作他用的行为。如有的政府部门将其经手的,应当向农村集体支付的土地征收补偿费不及时支付或者留下挪作他用。截留的主体一般是指经手国有财产的单位或者相关责任人员。

这里的“破坏”是指故意毁坏国有财产，影响其发挥正常功效的行为，如采取爆破的方式毁坏国有铁路，影响国家正常交通运输的行为。破坏的主体可以是任何的单位和个人，而且需有主观上的毁坏国有财产的故意。

侵占、哄抢、私分、截留、破坏国有财产的，应当承担返还原物、恢复原状、赔偿损失等民事责任；触犯治安管理处罚法和刑法的，还应当承担相应的法律责任。有关单位的责任人也要依法追究行政责任甚至是刑事责任。

第五十七条　履行国有财产管理、监督职责的机构及其工作人员，应当依法加强对国有财产的管理、监督，促进国有财产保值增值，防止国有财产损失；滥用职权，玩忽职守，造成国有财产损失的，应当依法承担法律责任。

违反国有财产管理规定，在企业改制、合并分立、关联交易等过程中，低价转让、合谋私分、擅自担保或者以其他方式造成国有财产损失的，应当依法承担法律责任。

【释义】　本条是关于国有财产管理法律责任的规定。

加大对国有财产的保护力度，切实防止国有财产流失，是巩固和发展公有制经济的重要内容。从国有财产流失的主要情形看，加大对国有财产的保护力度，切实防止国有财产流失，一方面要加强对国有财产的管理、监督；另一方面要明确规定造成国有财产流失的应承担的法律责任。关于国有财产的管理、监督，以及造成国有财产流失的法律责任，公司法、刑法等法律以及国有财产监管的行政法规和部门规章已经有规定。物权法着重从其调整范围对加大国有财产的保护力度，切实防止国有财产流失做出规定，并与有关国有财产监管的法律做出衔接性的规定。因此，本条第一款对履行国有财产管理、监督职责的机构及其工作人员切实履行职责做了规定，同时第二款针对现实中存在的国有财产流失的突出问题做了规定。

（一）关于国有财产管理、监督机构及其工作人员的职责

根据党的十六大和十六届二中全会关于深化国有资产管理体制改革和设立专门国有资产管理监督机构的精神，经十届人大一次会议批准，设立了国务院国有资产监督管理委员会。地方政府也组建了相应的国有资产监督管理机构。十六届三中全会决定提出："国有资产管理机构对授权监管的国有资本依法履行出资人职责，维护所有者权益，维护企业作为市场主体依法享有的各项权利，督促企业实现国有资本保值增值，防止国有资产流失。"根据上述要求，国务院国有资产监督管理委员会除了根据国务院授权，依照公司法等法律和行政法规履行出资人职责外，还负有以下主要职责：（1）指导推进国有企业改革和重组；对所监管企业国有资产的保值增值进行监督，加强国有资产的管理工作；推进国有企业的现代企业制度建设，完善公司治理结构；推动国有经济结构和布局的战略性调整。（2）代表国家向部分大型企业派出监事会；负责监事会的日常管理工作。（3）通过法定程序对企业负责人进行任免、考核并根据其经营业绩进行奖惩；建立符合社会主义市场经济体制和现代企业制度要求的选人、用人机制，完善经营者激励和约束制度。（4）通过统计、稽核对所监管国有资产的保值增值情况进行监管；建立和完善国有资产保值增值指标体系，拟订考核标准；维护国有资产出资人的权益。（5）起草国有资产管理的法律、行政法规，制定有关规章制度；依法对地方国有资产管理进行指导和监督。还有三点需要注意：一是，履行国有资产管理、监督职责的机构不仅仅是中央政府和地方政府设立的国有财产监督管理委员会（局），而且包括其他机构，如财政部门、审计部门、水利部门、外汇管理部门、银行业监督委员会等，还有国家机关和国家举办事业单位内部设立的国有财产管理部门等，都负有一定的国有财产

管理、监督职责。二是，国有财产监督管理机构应当支持企业依法自主经营，除履行出资人职责以外，不得干预企业的生产经营活动。三是，本条强调了国有财产管理、监督职责的机构的工作人员的责任。如果滥用职权，玩忽职守，造成国有财产损失的，还要依法承担行政责任、刑事责任等。如刑法第三百九十七条规定，国家机关工作人员滥用职权或者玩忽职守，致使公共财产遭受重大损失的，处三年以下有期徒刑或者拘役。

（二）违反国有财产管理规定造成国有财产损失的法律责任

据了解，造成国有财产流失的，主要发生在国有企业改制、合并分立、关联交易的过程中。

国有企业改制，是指国有企业通过重组、联合、兼并、租赁、承包经营、合资、转让国有产权和股份制、股份合作制等多种形式，建立符合市场经济规律的以产权为核心的现代企业制度。而今，国有企业的公司化改革已经基本完成，除了部分带有政府职能性质或者占据垄断资源的机构还保留全资国有的产权结构外，绝大部分国有企业均已实现投资主体的多元化，并建立起以股东会、董事会、监事会为主要标志的现代企业管理体系。国有企业改制过程中，必须依法进行清产核资、财务审计、资产评估、公开信息。涉及国有产权转让的，应当采取拍卖、招投标等竞价转让方式以及国家法律法规规定的其他方式。

国有企业的分立是指一个国有企业法人分成两个或者两个以上企业法人。因分立而保留的企业应申请变更登记；因分立而新开办的企业应申请开业登记。国有企业的合并是指两个或两个以上的国有企业法人，合并为一个企业法人或合并为一个新的企业法人。因合并而保留的企业，应申请变更登记，因合并而终止的企业，应申请注销登记；因合并而新开办的企业，应申请开业登记。企业法人分立、合并，它的权利和义务，由分立、合并后法人享有和承担。

本条中的关联交易，就是指企业关联方之间的交易。根据财政部1997年颁布的《企业会计准则——关联方关系及其交易的披露》的规定，在企业财务和经营决策中，如果一方有能力直接或间接控制、共同控制另一方或对另一方施加重大影响，则视其为关联方；如果两方或多方受同一方控制，也将其视为关联方。这里的控制，是指有权决定一个企业的财务和经营政策，并能据以从该企业的经营活动中获取利益。所谓重大影响，是指对一个企业的财务和经营政策有参与决策的权力，但并不决定这些政策。参与决策的途径主要包括：在董事会或类似的权力机构中派有代表，参与政策的制定过程，互相交换管理人员等。凡以上关联方之间发生转移资源或义务的事项，不论是否收取价款，均被视为关联交易。由于关联交易方可以运用行政力量撮合交易的进行，从而有可能使交易的价格、方式等在非竞争的条件下出现不公正情况，形成对股东或部分股东权益的侵犯。

在上述的国有企业改制、合并分立、关联交易中，造成国有资产损失的常见有以下情形：(1)低价转让。有的不按规定进行国有资产评估或者压低评估价格。有的不把国家划拨的土地计入国有股；有的对专利、商标等无形资产不作评估；有的将国有资产无偿转让或者低价折股、低价出售给非国有单位或者个人；有的在经营活动中高价进、低价出。(2)违反财务制度，合谋私分侵占国有资产。有的将应收账款做成呆账、坏账，有的私设“小金库”或者设立“寄生公司”，以后再提取侵占私分。(3)擅自担保。有的根本不认真调查被担保人的资信情况，未经法定程序和公司章程规定，擅自向非国有单位或者个人担保，造成国有财产损失。此外，还包括以下情形：(1)通过管理层持股非法牟利；(2)低估企业财产，虚构企业债务，以降低持股所需资金；有的实际未出资，以拟收购的企业财产作为其融资担保；(3)贪污、挪用国有财产；虚假破产，逃避债务；(4)利用分立重组方式，把债务留在原企业，使原企业变成空壳企业,侵害银行的国有财产;(5)直接负责的主管人员玩忽职守,造成企业破产或者严重亏损等。

本条第二款针对上述现实中造成国有财产流失的主要情形,规定上述违反国有财产管理的行为,应当依法承担法律责任,包括赔偿损失等民事责任,纪律处分等行政责任,构成犯罪的,依法追究刑事责任。根据《企业国有资产监督管理暂行条例》第四十一条的规定,对企业国有资产损失负有责任受到撤职以上纪律处分的国有及国有控股企业的企业负责人,5 年内不得担任任何国有及国有控股企业的企业负责人;造成企业国有资产重大损失或者被判处刑罚的,终身不得担任任何国有及国有控股企业的企业负责人。

第五十八条　集体所有的不动产和动产包括:

(一)法律规定属于集体所有的土地和森林、山岭、草原、荒地、滩涂;

(二)集体所有的建筑物、生产设施、农田水利设施;

(三)集体所有的教育、科学、文化、卫生、体育等设施;

(四)集体所有的其他不动产和动产。

【释义】　本条是关于集体财产范围的规定。

宪法第六条规定,中华人民共和国的社会主义经济制度的基础是生产资料的社会主义公有制,即全民所有制和劳动群众集体所有制。集体所有根据所有人身份不同,可以分为农村集体所有和城镇集体所有。集体财产是广大人民群众多年来辛勤劳动积累的成果,是发展集体经济和实现共同富裕的重要物质基础。确认集体财产的范围,对保护集体的财产权益,维护广大集体成员的合法财产权益都具有重要意义。宪法和民法通则等法律已经对集体财产的范围做了规定,如宪法第九条第一款规定:“矿藏、水流、森林、山岭、草原、荒地、滩涂等自然资源,都属于国家所有,即全民所有;由法律规定属于集体所有的森林和山岭、草原、荒地、滩涂除外。”第十条第二款规定:“农村和城市郊区的土地,除由法律规定属于国家所有的以外,属于集体所有;宅基地和自留地、自留山,也属于集体所有。”民法通则第七十四条第一款规定:“劳动群众集体组织的财产属于劳动群众集体所有,包括:(一)法律规定为集体所有的土地和森林、山岭、草原、荒地、滩涂等;(二)集体经济组织的财产;(三)集体所有的建筑物、水库、农田水利设施和教育、科学、文化、卫生、体育等设施;(四)集体所有的其他财产。”物权法保护集体所有权,首先要确定集体所有权的客体,即集体财产的范围,这是维护我国基本经济制度的重要内容,也是物权法的重要内容。因此,本条依据宪法和民法通则等有关法律的规定,以列举加概括的方式,对集体所有的不动产和动产的范围做出了规定。

(一)这里首先要明确集体财产所有权主体是集体

在物权法起草过程中,曾有意见认为,集体所有的财产可以适用本法关于共有的规定。我们研究认为,集体所有和共有是不同的。共有是两个以上自然人、法人对一项财产享有权利,如两人出资购买一辆汽车,子女共同继承一栋房子等。共有人对共有的财产都享有占有、使用、收益和处分的权利,都有权要求分割共有财产。集体所有是公有制的一部分,集体的成员不能独自对集体财产行使权利,离开集体时不能要求分割集体财产。

(二)集体所有财产主要包括

1.法律规定属于集体所有的土地和森林、山岭、草原、荒地、滩涂。土地是人类社会生产和生活的物质基础。对广大农民来说,土地是其可以利用的一切自然资源中最基本、最宝贵的资源,是其安身立命的根本。在我国,土地公有制是我国土地制度的基础和核心,我国土地公有制的法律表现形式是国有土地所有权和集体土地所有权。宪法第十条第二款规定:“农村和城市郊区的土地,除由法律规定属于国家所有的以外,属于集体所有;宅基地和自留地、自留山,也属于集体所有。”土地管理法也做了相同的规定。

关于集体所有的土地,有两点需要说明一下:一是集体所有的土地的所有者只有农民集体,城镇集体没有土地的所有权。二是集体所有的土地主要包括耕地,也包括宅基地和自留地、自留山。除了土地外,根据宪法第九条第一款规定,森林、山岭、草原、荒地、滩涂等自然资源,根据法律规定,也可以属于集体所有。如森林法第三条规定,森林资源属于国家所有,由法律规定属于集体所有的除外。草原法第九条规定,草原属于国家所有,由法律规定属于集体所有的除外。

2. 集体所有的集体企业的厂房、仓库等建筑物;机器设备、交通运输工具等生产设施;水库、农田灌溉渠道等农田水利设施;以及集体所有的教育、科学、文化、卫生、体育等公益设施。需要说明的是,这里集体所有的财产主要有两个来源:一是集体自己出资兴建、购置的财产;二是国家拨给或者捐赠给集体的财产。

3. 除上述几种常见的集体财产外,集体财产还包括集体企业所有的生产原材料、半成品和成品,村建公路、农村敬老院等,本条不可能一一列举,因此还规定了一个兜底条款,即集体所有的其他不动产和动产,以对上述规定的补充。

第五十九条　农民集体所有的不动产和动产,属于本集体成员集体所有。

下列事项应当依照法定程序经本集体成员决定:

(一)土地承包方案以及将土地发包给本集体以外的单位或者个人承包;

(二)个别土地承包经营权人之间承包地的调整;

(三)土地补偿费等费用的使用、分配办法;

(四)集体出资的企业的所有权变动等事项;

(五)法律规定的其他事项。

【释义】　本条是关于农民集体所有财产归属以及重大事项

集体决定的规定。

本条主要有以下几个含义：

（一）本集体成员集体所有

农民集体所有的特征就是集体财产集体所有、集体事务集体管理、集体利益集体分享。只有本集体的成员才能享有这些权利。农村集体成员有两个特征：一是平等性，即不分加入集体时间长短，不分出生先后，不分贡献大小，不分有无财产投入等，其成员资格都一律平等。二是地域性和身份性。一般来说农村集体成员往往就是当地的村民，他们所生子女，自出生后自动取得该集体成员资格。此外，也有的成员是通过婚姻或收养关系迁入本集体取得成员资格。也有因是因移民迁入本集体而取得成员资格。

因下列情形，丧失农村集体成员资格：一是死亡，包括自然死亡和宣告死亡。二是因婚姻、收养关系以及因法律或政策的规定迁出本农村集体而丧失。如出嫁城里，取得城市户籍而丧失原集体经济组织成员资格。又如因被录用为国家公务员、全家户口迁入设区的市而丧失原集体成员资格。三是因国家整体征收农民集体土地或者整体移民搬迁等原因，原集体失去继续存在的条件而终止，其成员资格亦当然丧失。需要说明的是，农民只能在一个农民集体内享有成员权利，不能同时享有两个或者多个集体成员权利。

（二）农民集体所有的不动产和动产的范围

本条规定的农民集体所有的财产应当在上一条规定的集体财产范围内，最主要的就是本集体所有的土地，以及法律规定属于集体所有的森林、山岭、草原、荒地、滩涂，集体所有的建筑物、生产设施、农田水利设施以及教育、科学、文化、卫生、体育设施等不动产和动产。

（三）重大事项须依法定程序经本集体成员决定

集体所有的特征就要求了民主管理集体事务，涉及集体成员重大利益的事项,必须依照法定程序经本集体成员决定。现实中,往往发生少数村干部擅自决定涉及全体村民利益的大事的情况,群众对此反映十分强烈。为了维护集体成员的合法权益,促进社会的和谐和稳定,本条明确规定了须经集体成员决定的事项:

1. 土地承包方案以及将土地发包给本集体以外的单位或者个人承包。土地承包方案以及将土地发包给本集体以外的单位或者个人承包,直接关系到本集体成员的切身利益,直接关系到以家庭承包经营为基础的双层经营体制的长期稳定。根据农村土地承包法的规定,土地承包应当按照下列程序进行:首先,由本集体经济组织成员的村民会议选举产生承包工作小组;再由该承包工作小组依照法律、法规的规定拟订并公布承包方案;然后依法召开本集体经济组织成员的村民会议,讨论承包方案。承包方案必须经本集体经济组织成员的村民会议三分之二以上成员或者三分之二以上村民代表同意。按照土地管理法的规定,农民集体所有的土地由本集体经济组织以外的单位或者个人承包经营的,必须经村民会议三分之二以上成员或者三分之二以上村民代表的同意,并报乡(镇)人民政府批准。

2. 个别土地承包经营权人之间承包地的调整。原则上,在承包期内,发包方不得调整承包地。如果因自然灾害严重毁损承包地等特殊情形需要适当调整的,按照土地管理法、农村土地承包法的规定,必须经本集体经济组织成员的村民会议三分之二以上成员或者三分之二以上村民代表的同意,并报乡(镇)人民政府和县级人民政府农业等行政主管部门批准。

3. 土地补偿费等费用的使用、分配办法。根据本法第四十二条的规定,为了公共利益的需要,依照法律规定的权限和程序,可以征收农村集体所有的土地。征收集体所有的土地,应当支付土地补偿费、安置补助费、土地附着物补偿费等费用。现实中,这部分费用一般支付给被征地的农村集体经济组织,其中大部分费用分配给本集体成员、补偿受影响的土地承包经营权人。因为征收集体土地直接影响被征地农民的生产生活，这部分费用的使用和分配办法必须经集体成员通过村民会议等方式决定。

4. 集体出资的企业的所有权变动等事项。实践中，很多农村集体经济组织都投资兴办企业，一方面实现共同致富，另一方面也解决了大量农业人口的就业问题。集体出资的企业收益属集体成员集体所有。如果将该企业出让或者抵押的，也要经过本集体成员讨论决定，不能由该企业负责人或者本集体管理人擅自做主。

5. 法律规定的其他事项。村民委员会组织法规定，乡统筹的收缴方法，村提留的收缴及使用；村集体经济项目的立项、承包方案及村公益事业的建设承包方案；宅基地的使用方案等涉及村民利益的事项，必须提请村民会议讨论决定，方可办理。

第六十条　对于集体所有的土地和森林、山岭、草原、荒地、滩涂等，依照下列规定行使所有权：

（一）属于村农民集体所有的，由村集体经济组织或者村民委员会代表集体行使所有权；

（二）分别属于村内两个以上农民集体所有的，由村内各该集体经济组织或者村民小组代表集体行使所有权；

（三）属于乡镇农民集体所有的，由乡镇集体经济组织代表集体行使所有权。

【释义】　本条是关于由谁来代表农民集体行使所有权的规定。

根据我国广大农村集体所有权基本形式，本条规定相应的主体来代表集体行使所有权，这样规定与民法通则、土地管理法、农村土地承包法等现行法律的相关规定保持一致，也使得党在农村的政策具有连续性和稳定性，进而保护和调动广大农民的积极性。

关于谁来行使集体所有权，本条的规定分为三种情况：

1. 属于村农民集体所有的,由村集体经济组织或者村民委员会代表集体行使所有权。这里的“村”是指行政村,即设立村民委员会的村,而非自然村。该行政村农民集体所有的土地等集体财产,就由该行政村集体经济组织或者村民委员会来代表集体行使所有权。“村民委员会”就是指村民委员会组织法中所规定的村民委员会(村委会)。村民委员会是在人民公社进行政社分开、建立乡政权的过程中,在全国农村逐步建立起来的农村基层群众性自治组织。农村实行家庭承包经营等责任制形式后,对以“三级所有,队为基础”的人民公社体制进行改革。在改革过程中,在原来生产大队,有的在生产小队的基础上建立了村民委员会。1985年2月,生产大队管理体制的改革在全国全部完成,村民委员会在农村普遍建立起来。到目前,全国共有90多万个村民委员会。

还有一点在这里需要说明一下,在物权法起草过程中,曾有意见认为,村民委员会是农村基层群众性自治组织,不能代表集体行使所有权。经研究认为,在实践中,许多村的集体经济组织已不存在或者不健全,难以履行集体所有土地的经营、管理等行使所有权任务,需要由行使自治权的村民委员会来代表行使集体所有权。因此,如果有以村为单位的农村集体经济组织,就由该村集体经济组织经营、管理;如果没有以村为单位的农村集体经济组织,则由村民委员会经营、管理。而且,民法通则、土地管理法和农村土地承包法都从法律上赋予了村民委员会对村集体所有土地等财产进行经营、管理的经济职能。所以,村民委员会行使村集体所有权,不但与农村经济发展的实际情况相适应,而且也符合多年来的法律实践。

2. 分别属于村内两个以上农民集体所有的,由村内各该集体经济组织或者村民小组代表集体行使所有权。这里“分别属于村内两个以上农民集体所有”主要是指该农民集体所有的土地和其他财产在改革开放以前就分别属于两个以上的生产队,现在其土地和其他集体财产仍然分别属于相当于原生产队的各该农村集体经济组织或者村民小组的农民集体所有。这里的“村民小组”是指行政村内的由村民组成的自治组织。根据村民委员会组织法的规定，村民委员会可以根据居住地区划分若干个村民小组。目前，全国多数农村地区在原来的生产大队一级设村委会，在原来的生产队一级设村民小组。土地管理法和农村土地承包法都赋予了村民小组对集体土地等财产经营、管理的职能。本条也因此做了类似的规定。根据上述规定，如果村内有集体经济组织的，就由村内的集体经济组织行使所有权；如果没有村内的集体经济组织，则由村民小组来行使。

3. 属于乡镇农民集体所有的，由乡镇集体经济组织代表集体行使所有权。这种情况包括：一是指改革开放以前，原来以人民公社为核算单位的土地，在公社改为乡镇以后仍然属于乡镇农民集体所有；二是在人民公社时期，公社一级掌握的集体所有的土地和其他财产仍然属于乡镇农民集体所有。上述两种情况下，由乡镇集体经济组织来行使所有权。

还需要解释的是“行使所有权”。一是，行使集体所有权的客体，不但包括集体所有的土地和森林、山岭、草原、荒地、滩涂，也包括集体所有的建筑物、生产设施、农田水利设施；集体所有的教育、科学、文化、卫生、体育等设施；以及集体所有的其他不动产和动产。二是，行使所有权的内容就是对集体所有的财产享有占有、使用、收益和处分的权利，例如，对集体所有的土地进行发包，分配宅基地等。三是，农村集体经济组织、村委会和村民小组不是集体财产的所有人，只是依法代表集体行使所有权，并且向所属集体负责，接受其监督。

第六十一条　城镇集体所有的不动产和动产，依照法律、行政法规的规定由本集体享有占有、使用、收益和处分的权利。

【释义】 本条是关于城镇集体财产权利的规定。

集体所有制经济是公有制的重要组成部分,而城镇集体经济是集体所有制经济的重要形式之一。根据宪法第八条第二款的规定,城镇中的手工业、工业、建筑业、运输业、商业、服务业等行业的各种形式合作经济,都是社会主义劳动群众集体所有制经济。根据《城镇集体所有制企业条例》第四条的规定,城镇集体所有制企业是财产属于劳动群众集体所有、实行共同劳动、在分配方式上以按劳分配为主体的社会主义经济组织。劳动群众集体所有,依照《城镇集体所有制企业条例》的规定,是指本集体企业的劳动群众集体所有;或者是集体企业的联合经济组织范围内的劳动群众集体所有;或者是投资主体有两个或者两个以上的集体企业,并且劳动群众集体所有的财产占主导地位。

城镇集体经济在我国社会主义经济长期发展中,发挥了举足轻重的作用。新中国成立后,国家对农业、手工业、资本主义工商业进行了改造,实行了合作,到了1956年年底,新中国的集体经济基本形成,当时手工业合作社集体经济的总量就达到了136亿元,为我国建立比较完整的社会主义工业体系起到了重要的支撑作用。长期以来,城镇集体经济在满足市场需求等方面做出了积极的贡献,尤其是在我国就业压力比较大的时候,解决了大批工人的就业,比如,20世纪60年代组织社会闲散人员的上岗就业,70年代末安排回城知青和知青的子女就业,为扩大就业做出了巨大贡献。近几年来,通过调整重组、改革、改制等多种形式,新型的集体经济应该成为安置下岗职工和社会就业的重要组织。据全国经济普查结果显示,到2004年年底,拥有500万元以上资产的城镇集体企业占了4万多个。由此可见,在我国社会主义初级阶段,城镇集体经济仍然是我国经济发展的重要力量,对巩固社会主义经济基础,建设社会主义市场经济发挥至关重要的作用。因此,党的十六大报告再次肯定:“集体经济是公有制经济的重要组成部分,对实现共同富裕具有重要作用。”并提出“深化集体企业改革，继续支持和帮助多种形式的集体经济的发展”。十届全国人大四次会议批准的国民经济和社会发展第十一个五年规划纲要也指出：“继续深化集体企业改革，发展多种形式的集体经济。”物权法考虑到城镇集体经济在我国社会主义经济建设中所发挥的历史作用和现实作用，依据宪法、相关法律和法规，按照党的十六大以来关于发展集体经济的精神，做出了本条的规定。

在物权法草案审议和征求意见过程中，有的同志提出，物权法应当明确规定，城镇集体财产属于本集体成员集体所有。经反复研究认为，我国的城镇集体企业是在计划经济条件下逐步形成的。在几十年的进程中，几经变化，有些集体企业是由国有企业为安排子女就业、知青回城设立的，有些集体企业是国有企业在改制中为分离辅业、安置富余人员设立的。从在北京、上海、江苏和湖南等地调研的情况看，城镇集体企业产生的历史背景和资金构成十分复杂，有些企业最初是由个人现金入股或者实物折价入股的，后来有的退还了原始股，有的未退原始股；有的企业的资金来源主要是借贷，国家和其他方面都没有投资，但国家提供了政策支持。近几年来，城镇集体企业通过改制又发生了很大变化，有的改制为股份有限公司，有的改制为职工全体持股，有的实际上已经成为私人企业。目前按照党的十六大以来的精神，城镇集体企业改革还在继续深化。鉴于这种历史和现实的情况，而且城镇集体财产不像农村集体财产属于本集体成员所有那样清晰、稳定，城镇集体企业成员也不像农村集体经济组织成员那样相对固定，因而难以不加区别地规定为“属于本集体成员集体所有”。因此，本条从物权的角度做了原则规定，即“城镇集体所有的不动产和动产，依照法律、行政法规的规定由本集体享有占有、使用、收益和处分的权利”。

为了更好地理解本条的含义，有几点需要说明一下：

第一，本条规定的集体财产权行使的主体是本集体。集体所有、集体管理、集体经营是集体所有制的应有之义，因此，行使城镇集体财产权的只能是该集体，而不能由个别集体成员独断专行。

第二，集体财产权的客体只能是属于该城镇集体所有的不动产和动产。如果城镇集体企业已经改制了，如成为有限责任公司或者股份有限公司、个人独资企业或者合伙企业的，就不适用本条，而分别适用公司法、个人独资企业法或者合伙企业法的有关规定。

第三，城镇集体财产权的内容，包括对本集体所有财产所享有的占有、使用、收益和处分的权利。作为本集体所有财产的所有人，当然享有所有权的“占有、使用、收益和处分”四项权能，全面支配本集体所有的财产。

第四，行使财产权应当依照法律、行政法规的规定。现行法律方面主要是宪法、民法通则和本法等有关规定。行政法规目前主要是《城镇集体所有制企业条例》。今后，随着城镇集体企业改革的不断深入，在实践经验比较成熟时，还会制定或者修改相关的法律、行政法规。

第六十二条　集体经济组织或者村民委员会、村民小组应当依照法律、行政法规以及章程、村规民约向本集体成员公布集体财产的状况。

【释义】　本条是关于公布集体财产状况的规定。

集体所有的财产关系到每一个集体成员的切身利益，因此，每一个集体成员有权参与对集体财产的民主管理和民主监督。尊重集体成员的民主权利，保障集体成员的财产权益，才能调动劳动群众的积极性，推动集体经济向前发展。现实中，有的集体经济组织的管理人为政不勤、不是尽职尽责地为集体办事，而是以权谋私，挥霍浪费，造成了集体财产巨大的损失，损害了广大集体成员的权益。解决这一问题的根本在于必须建立健全民主管理、监督制度，形成有效的激励、约束、监督机制,充分调动广大集体成员的劳动积极性和创造性,促进集体经济的发展走上规范化和制度化的轨道。因此,本条从广大集体劳动群众普遍关心的和涉及群众切身利益的实际问题入手,规定了集体经济组织等行使集体财产所有权的组织应当向本集体成员公布集体财产的状况,这是完善集体事务民主监督和民主管理的基础。

1. 本条规范的主体是行使集体财产所有权的组织,包括农村集体经济组织、城镇集体企业,也包括代表集体行使所有权的村民委员会、村民小组。

2. 公布的内容是本集体的财产状况,包括集体所有财产总量的变化(如集体财产的收支状况、债权债务状况),所有权变动的情况(如转让、抵押),集体财产使用情况(如农村集体土地承包),集体财产分配情况(征收补偿费的分配)等涉及集体成员利益的重大事项。

3. 公布的要求。本条规定,向本集体成员公布集体财产状况,应当依照法律、行政法规、章程和村规民约。如根据村民委员会组织法第二十二条的规定,下列事项及其实施情况,村民委员会至少六个月向本村村民公布一次,接受村民的监督:村集体经济所得收益的使用;村办学校、村建道路等村公益事业的经费筹集方案;村集体经济项目的立项、承包方案及村公益事业的建设承包方案;村民的承包经营方案;宅基地的使用方案等。此外,公布集体财产状况,还要做到以下几点:一是公布内容简洁明了,便于集体成员了解。公布的形式和方法可根据实际情况因地制宜、灵活多样,如采用张榜公布、召开集体成员大会或者代表大会等。二是公布要做到及时。可以采取定期的形式,也可以根据集体财产重大变动事项,可以根据进展的不同阶段随时公布。三是公布要做到内容真实。公布的内容要真实可靠,有凭有据,不得谎报、虚报、瞒报。本集体成员对于公布的内容,有权进行查询,集体经济组织或者村民委员会、村民小组应当自觉接受查询。

集体经济组织或者村民委员会、村民小组没有依照法律、行政法规、章程、村规民约向本集体成员公布集体财产状况的，或者不及时公布、公布内容不真实的，本集体成员可以依照上述的规定，更换有关负责人，并可以依法向有关部门反映。根据村民委员会组织法第二十二条的规定，村民委员会不及时公布应当公布的事项或者公布的事项不真实的，村民有权向乡、民族乡、镇人民政府或者县级人民政府及其有关主管部门反映。接到反映意见的乡镇人民政府或者县级人民政府及其有关主管部门，如民政局等政府机关，应当负责调查核实有关情况，责令村民委员会公布，对于经查证核实确有弄虚作假等违法行为的，应当依法追究有关人员的责任。

第六十三条　集体所有的财产受法律保护，禁止任何单位和个人侵占、哄抢、私分、破坏。

集体经济组织、村民委员会或者其负责人作出的决定侵害集体成员合法权益的，受侵害的集体成员可以请求人民法院予以撤销。

【释义】　本条是关于集体财产权保护的规定。

集体经济是社会主义公有制的重要组成部分。集体所有的财产是劳动群众集体多年来通过辛苦劳动创造、积累的物质财富，是发展集体经济、实现共同富裕的物质基础。近年来，集体经济发展迅速，集体资产存量迅速增长，但由于集体资产的管理还相当薄弱等原因，造成集体资产的严重流失，不仅使集体经济遭受了损失，集体生产力受到破坏，而且直接损害劳动群众的切身利益，影响了社会的和谐发展。因此，依法保护集体财产是巩固和发展公有制经济的现实需要，也是物权法应有之义。我国有宪法和民法通则等法律对集体财产的保护已经有所规定。如宪法第十二条规定：

“社会主义的公共财产神圣不可侵犯。”“国家保护社会主义的公共财产。禁止任何组织或者个人用任何手段侵占或者破坏国家的和集体的财产。”民法通则第七十三条规定：“国家财产属于全民所有。”“国家财产神圣不可侵犯，禁止任何组织和个人侵占、哄抢、私分、截留、破坏。”本条第一款根据集体财产保护的特点，依据上述法律做了规定：“集体所有的财产受法律保护，禁止任何单位和个人侵占、哄抢、私分、破坏。”

本条规定的集体所有的财产，从内容上，主要是指本法所规定的集体所有的不动产和动产，包括法律规定属于集体所有的土地和森林、山岭、草原、荒地、滩涂；集体所有的建筑物、生产设施、农田水利设施；集体所有的教育、科学、文化、卫生、体育等设施；以及集体所有的其他不动产和动产。从所有者来讲，既包括农民集体所有的财产，也包括城镇集体所有的财产。

针对损害集体财产的主要行为，本条强调了禁止任何单位和个人侵占、哄抢、私分、破坏集体财产。所谓的“侵占”是指以非常占有为目的，将其经营、管理的集体财产非法占为己有。侵占的客体是集体所有的资产。侵占的主体一般是经营、管理集体资产的单位或者个人。构成侵占，还必须是有非法占有集体资产的主观注意。“哄抢”是指以非法占有为目的，组织、参与多人一起强行抢夺集体财产的行为。哄抢的客体是集体财产。哄抢的主体可以是任何的单位和个人，并且还需具备非法占有集体财产的主观故意。“私分”是指违反集体财产分配管理规定，擅自将集体财产按人头分配给部分集体成员的行为，如有少数村委会干部将应分配给全体村民的征收补偿款擅自分掉据为己有。“破坏”是指故意毁坏集体财产，致使其不能发挥正常功效的行为。如故意毁坏集体企业的机器设备或者农村集体所有的水利设施，影响集体经济组织生产经营的行为。破坏的主体可以是任何的单位和个人，而且需有毁坏集体财产的主观故意。

侵占、哄抢、私分、破坏集体所有财产的,应当承担返还原物、恢复原状、赔偿损失等民事责任;触犯治安管理处罚法和刑法的,还应当承担相应的法律责任。有关单位的责任人也要依法承担行政甚至是刑事责任。

本条第二款规定了集体成员的诉权。因为集体成员往往众多,集体所有的财产一般要由集体经济组织经营管理,在村农民集体所有的情况下,村民委员会也可以代表集体经营管理村集体所有的财产。因为“集体所有”的性质,集体所有的财产应当采取民主管理的模式,涉及集体成员重大利益的事项,应当依照法定程序或者章程规定,由本集体成员(或者其代表)来共同决定。本集体成员有权参与集体经济组织的民主管理,监督集体经济组织的各项活动和管理人员的工作。现实中,有的集体的负责人违反法定程序或者章程规定,擅自决定或者以集体名义做出决定低价处分、私分、侵占集体所有的财产,严重侵害集体成员的财产权益。针对这种情况,本条第二款赋予了集体成员请求人民法院撤销集体经济组织、村民委员会或者其负责人做出的不当决定的权利。关于集体成员诉权,主要有以下几个内容:一是,每个集体经济组织成员都可以针对集体经济组织(或者村民委员会)及其负责人做出的损害其权益决定,向人民法院请求撤销该决定。本条规定的集体经济组织不仅包括农村集体经济组织,也包括城镇集体经济组织。二是,提起诉讼的事由,是集体经济组织、村民委员会及其负责人做出的决定,侵害了该集体成员的合法财产权益。三是,提起诉讼的时间,本条没有明确限制。根据民法通则的规定,除法律另有规定外,向人民法院请求保护民事权利的诉讼时效期间为 2 年。诉讼时效期间从知道或者应当知道权利被侵害时起计算。但是,从权利被侵害之日起超过 20 年的,人民法院不予保护。有特殊情况的,人民法院可以延长诉讼时效期间。因此,集体成员从知道或者应当知道其权利被侵害时起 2 年内向人民法院提起诉讼,请求撤销集体经济组织、村民委员会及其负责人做出的不当决定。

第六十四条 私人对其合法的收入、房屋、生活用品、生产工具、原材料等不动产和动产享有所有权。

【释义】 本条是关于私有财产范围的规定。

改革开放以来,随着经济发展,人民生活水平不断提高,私有财产日益增加,迫切要求切实保护他们通过辛勤劳动积累的合法财产。宪法第十一条规定,在法律规定范围内的个体经济、私营经济等非公有制经济,是社会主义市场经济的重要组成部分。国家保护个体经济、私营经济等非公有制经济的合法的权利和利益。国家鼓励、支持和引导非公有制经济的发展,并对非公有制经济依法实行监督和管理。第十三条规定,公民的合法的私有财产不受侵犯。十六届三中全会的决定指出:“大力发展和积极引导非公有制经济。个体、私营等非公有制经济是促进我国社会生产力发展的重要力量。”因此,依法保护私有合法财产,既是宪法的规定和党的主张,也是人民群众普遍愿望和迫切要求。完善保护私有财产的法律制度,首先要明确私有财产的范围。本条依据宪法的精神,参照民法通则等法律,规定了:“私人对其合法的收入、房屋、生活用品、生产工具、原材料等不动产和动产享有所有权。”本条的内容主要有以下几点:

(一)所有权的主体——私人

这里的“私人”是对国家、集体相对应的物权主体,不但包括我国的公民,也包括在我国合法取得财产的外国人和无国籍人。不仅包括自然人,还包括个人独资企业、个人合伙等非公有制企业。

(二)私有财产的范围

民法通则第七十五条第一款规定:“公民的个人财产,包括公民的合法收入、房屋、储蓄、生活用品、文物、图书资料、林木、牲畜和法律允许公民所有的生产资料以及其他合法财产。”本条根据上述规定，列举了收入、房屋等最常见、最重要的几类私有的不动产和动产。

1. 收入。是指人们从事各种劳动获得的货币收入或者有价物。主要包括：(1)工资，指定期支付给员工的劳动报酬，包括计时工资、计件工资、职务工资、级别工资、基础工资、工龄工资、奖金、津贴和补贴、加班加点工资和特殊情况下支付的报酬等；(2)从事智力创造和提供劳务所取得的物质权利，如稿费、专利转让费、讲课费、咨询费、演出费等；(3)因拥有债权、股权而取得的利息、股息、红利所得；(4)出租建筑物、土地使用权、机器设备、车船以及其他财产所得；(5)转让有价证券、股权、建筑物、土地使用权、机器设备、车船以及其他财产取得的所得；(6)得奖、中奖、中彩以及其他偶然所得；(7)从事个体经营的劳动收入、从事承包土地所获得的收益等。

2. 房屋。房屋是我国公民最主要最基本的生活资料，包括依法购买的城镇住宅，也包括在农村宅基地上依法建造的住宅，也包括商铺、厂房等建筑物。根据我国土地管理法、城市房地产管理法以及本法的规定，房屋仅指在土地上的建筑物部分，不包括其占有的土地，城镇房屋占用的土地属于国家所有，农村宅基地属于农民集体所有。私人可以对房屋享有所有权，对该房屋占用的土地只能依法享有建设用地使用权或者宅基地使用权。

3. 生活用品。这是指用于生活方面的物品，包括家用电器、私人汽车、家具和其他用品。

4. 生产工具和原材料。生产工具是指人们在进行生产活动时所使用的器具，如机器设备、车辆、船舶等运输工具。原材料是指生产产品所需的物质基础材料，如矿石、木材、钢铁等。生产工具和原材料是重要的生产资料，是生产所必需的基础物质。

5. 除上述外，私人财产还包括其他的不动产和动产，如图书、个人收藏品、牲畜和家禽等。

（三）合法

这里必须强调的是，私人只能对其合法获得的财产才能享有所有权，换句话说，物权法和其他法律只保护私人的合法财产权，对贪污、侵占、抢夺、诈骗、盗窃、走私等方式非法获取的财产，不但不能受到法律的保护，而且行为人还要依法承担没收、返还原物、赔偿损失等法律责任，构成犯罪的，还要依法追究刑事责任。

第六十五条　私人合法的储蓄、投资及其收益受法律保护。

国家依照法律规定保护私人的继承权及其他合法权益。

【释义】　本条是关于保护私人合法储蓄、投资和财产继承权等合法权益的规定。

私有财产不仅包括上一条规定的不动产和动产，也包括私人合法储蓄、投资及其收益的财产权以及上述财产的继承权等其他合法权益。

（一）储蓄

这里的储蓄主要是指日常生活中所讲的存款储蓄，即指公民个人将合法拥有的、暂时不用的货币存入银行、信用合作社、邮政储蓄机构等信用机构，当存款到期或客户随时兑付时，由信用机构保证支付利息和归还本金的一种信用行为。按存款期限分，储蓄分为活期储蓄和定期储蓄之分；按存款机构，储蓄一般分为银行储蓄、信用社储蓄和邮政储蓄。储蓄不论是对个人还是对国家都具有重要的意义。对个人来说，储蓄存款作为一种金融资产，是私人财富的一种存在形式。个人将货币存放到银行，一方面可以保障现金的安全；另一方面通过银行支付利息和归还本金，可以增加财富，改善生活。通过储蓄行为，也利于培养科学合理的生活习惯。对国家而言，储蓄是国民收入扣除最终消费的剩余，是投资活动所需资本赖以形成的源泉，是经济增长的制约因素。据有关部门统计我国经济发展的资金有70%依靠银行信贷，而银行信贷资金来源中，居民储蓄存款居第一位，所以，从某种意义上说，是居民的储蓄存款支撑了我国经济的快速发展。另外，通过储蓄，国家可以保持适当的货币流通量，从而维持市场供求平衡、物价稳定，人民生活水平及社会的安定。

据中国人民银行2006年12月公布的数据显示，截至2006年10月末，人民币储蓄存款余额为15.8万亿元。由此，可见储蓄已经成为私有财产的重要组成部分。根据宪法和民法通则关于保护私有合法财产的规定，本条明确规定了储蓄受法律保护。需要强调的是，只有合法的储蓄才受法律保护。所谓合法的储蓄，一是存款的来源合法，二是存款的机构是依法批准可以从事储蓄业务的机构。

（二）投资

投资是指将现有的资金或者可用于消费的价值投入到未来可以获取更大价值的经济活动。投资活动主体与范畴非常广泛，这里是指私人投资，主要的方式通过购买股票、基金、债券、期货以获取更高的资本收益，也包括将资金投入到企业中以扩大再生产或者获得资产收益等行为。对国家而言，投资活动是决定经济增长的最基本因素，投资使得生产得以在扩大了的规模上进行，成为经济不断持续增长的推动力。对私人而言，投资是个人财富增长的重要手段。因此，依法保护合法的投资及其收益是保护私人财产的重要内容，也是鼓励、支持和引导个体经济、私营经济等非公有制经济发展的必然要求。需要强调的是，违反国家法律、政策规定的投资行为以及以此获得投资收益不受法律保护。

（三）继承权

继承权是指在自然人死亡后，根据遗嘱或者法律规定而承受死者遗留财产（遗产）的权利。继承遗产也是私人获得财富的重要手段之一，尤其是近几年，随着经济的发展，个人拥有的财富不断增加，个人对其合法的财产可以依法自由地支配，当然有权决定自己死后财产的归属，这是私人财产权的重要内容之一。宪法第十三条就明确规定了，国家依照法律规定保护公民的私有财产权和继承权。因此，本条依据宪法做了同样的规定。需要进一步说明的是，继承权的主体只能是自然人。继承权发生的根据是法律的规定或者合法有效的遗嘱的指定。根据我国继承法、婚姻法的规定，我国继承权取得的根据有：(1)基于婚姻关系而相互取得配偶财产的继承权。(2)基于血缘关系而取得继承权，即子女、父母、祖父母、外祖父母、兄弟姐妹基于血缘关系而取得继承权。(3)基于扶养关系而在养子女与养父母之间，有扶养关系的继子女与继父母之间取得的继承权。自然人在生前可以依法自由支配自己所有的财产，其中就包括了通过遗嘱的方式来决定自己死后财产的归属。根据继承法第二条的规定，遗产是自然人死亡时遗留的个人合法财产，包括：(1)公民的收入；(2)公民的房屋、储蓄和生活用品；(3)公民的林木、牲畜和家禽；(4)公民的文物、图书资料；(5)法律允许公民所有的生产资料；(6)公民的著作权、专利权中的财产权利；(7)公民的其他合法财产。根据本法的规定，私人所有的合法财产都可以作为遗产，因此，私人所有的一切合法的不动产、动产以及金钱、投资收益等都可以作为遗产。

除了上述的规定，本条还规定了国家依照法律规定保护私人的其他合法权益，如依照专利法保护私人的专利权，依照著作权法保护私人的著作权等。

第六十六条　私人的合法财产受法律保护，禁止任何单位和个人侵占、哄抢、破坏。

【释义】　本条是关于私有财产保护的规定。

改革开放以来，随着整个国民经济高速发展，私人的财富也相应日益增长，同时个体经济、私营经济等非公有制经济也迅速发展,在社会主义市场经济建设中发挥了重要的作用。广大人民群众迫切要求保护他们获得的合法财产。

在法律上明确保护私有财产,不仅可以使财产所有人产生一种制度预期,对自己的财产产生安全感,一方面可以激励人们依法创造财富的积极性;另一方面可以起到鼓励交易,并形成稳定有序的市场秩序,推动市场经济向前发展。我国1982年的宪法第十三条就明确规定了,国家保护公民的合法的收入、储蓄、房屋和其他合法财产的所有权,在2004年宪法修正案将该规定做了修改,对私有财产的保护做了进一步的规定:“公民的合法的私有财产不受侵犯。”“国家依照法律规定保护公民的私有财产权和继承权。”民法通则第七十五条也明确规定了,公民的合法财产受法律保护,禁止任何组织或者个人侵占、哄抢、破坏或者非法查封、扣押、冻结、没收。物权法依据宪法和民法通则的规定,根据平等保护的原则,在规定“国家所有的财产受法律保护,禁止任何单位和个人侵占、哄抢、私分、截留、破坏”“集体所有的财产受法律保护,禁止任何单位和个人侵占、哄抢、私分、破坏”的同时,按照私有财产保护的特点做了本条规定:“私人的合法财产受法律保护,禁止任何单位和个人侵占、哄抢、破坏。”

本条的内容主要包括以下几个方面:

(一)私有财产的范围

这里的私有财产,是指私人拥有所有权的财产,不但包括合法的收入、房屋、生活用品、生产工具、原材料等不动产和动产,也包括私人合法的储蓄、投资及其收益,以及上述财产的继承权。

(二)合法

私有财产受到法律保护的前提是这些财产是合法的财产,非法取得的财产不受法律保护。例如,通过侵占、贪污、盗窃国有、集体资产而取得财产,法律不但不予以保护,而且还要依法追缴。行为人构成犯罪的,还要承担刑事责任。

（三）保护内容

保护私有财产的重要内容是私人的合法财产所有权不受侵犯，如非经依照法律规定的权限和程序，不得征收个人的房屋和其他不动产，也不得非法查封、扣押、冻结、没收私人合法的财产。任何单位和个人不得侵占、哄抢、破坏私人合法的财产。所谓的“侵占”是指以非法占有为目的，将其保管、管理的私人财产非法占为己有。侵占的客体是私人合法的财产。侵占的主体一般是保管、管理他人财产的单位或者个人，并且具有非法占有该财产的主观故意。“哄抢”是指以非法占有为目的，组织、参与多人一起强行抢夺他人财产的行为。哄抢的客体是他人财产。哄抢的主体可以是任何的单位和个人，并且还需具备非法占有他人财产的主观故意。“破坏”是指故意毁坏他人所有的合法财产，致使其不能发挥正常功效的行为。如故意毁坏他人的车辆、毁坏他人房屋等行为。破坏的主体可以是任何的单位和个人，而且需有主观上有毁坏他人财产的故意。侵占、哄抢、破坏私人合法财产的，应当承担返还原物、恢复原状、赔偿损失等民事责任；触犯治安管理处罚法和刑法的，还应当承担相应的行政责任、刑事责任。

第六十七条　国家、集体和私人依法可以出资设立有限责任公司、股份有限公司或者其他企业。国家、集体和私人所有的不动产或者动产，投到企业的，由出资人按照约定或者出资比例享有资产收益、重大决策以及选择经营管理者等权利并履行义务。

【释义】　本条是关于企业出资人权利的规定。

本条的含义主要有以下几项内容：

（一）出资人与出资形式

所谓出资人，就是向企业投入资本的人。在计划经济体制下，我国的所有制结构比较单一，即只存在两种形式的公有制：一是国家所有制；二是集体所有制。在这种情况下，企业的出资主体只是国家和集体。同时,计划经济体制下的企业,投资结构也很单一,都是由国家和集体投资的独资企业。随着计划经济体制向市场经济体制的转变,社会投资结构发生了重大变化,由单一的国家、集体投资变为包括国家、集体、私人等多种所有制经济的投资;对企业的投资也由独资变为主体多元化的投资。

根据本条的规定,出资人可以是国家、集体,也可以是私人。国家作为出资人的,由国务院、地方人民政府依照法律、行政法规规定分别代表国家履行出资人的职责。《企业国有资产监督管理暂行条例》的规定,国务院代表国家对关系国民经济命脉和国家安全的大型国有及国有控股、国有参股企业,重要基础设施和重要自然资源等领域的国有及国有控股、国有参股企业,履行出资人职责。省、自治区、直辖市人民政府和设区的市、自治州级人民政府分别代表国家对由国务院履行出资人职责以外的国有及国有控股、国有参股企业,履行出资人职责。以集体资产设立企业的,由本集体作为出资人。随着国家鼓励、支持和引导非公有制经济的发展,私有资本也大量地投资到企业中。作为出资人,私人包括中国的公民,也包括外国的自然人和法人。

国家、集体和私人出资设立企业的主要形式是公司。我国改革开放以来,特别是党的十四大提出建立社会主义市场经济体制、十四届三中全会提出建立现代企业制度以来,许多国有企业进行了公司制改造,由单一投资主体改组为独资公司,多个投资主体依法改组为有限责任公司或者股份有限公司。非国有企业也相当多地采用了公司制的组织形式。根据公司法的规定,公司是企业法人,包括有限责任公司和股份有限公司。有限责任公司是指公司股东对公司以其认缴的出资额承担有限责任的公司;股份有限公司是指公司的资本划分为等额股份,公司股东以其认购的股份为限承担有限责任的公司。由国家单独出资形成的国有独资公司也是一种有限责任公司。

（二）出资人的权利和义务

出资人作为股东，按照公司法的规定，依法享有资产收益、参与重大决策和选择经营管理者等权利，本条也从出资人的角度做了同样的规定。

1. 享有资产收益，就是指出资人有权通过企业盈余分配从中获得红利。获得红利是出资人投资的主要目的，只要出资人按照章程或者其他约定，如期、足额地履行了出资义务，就有权向企业请求分配红利。一般而言，出资人应当按照其实缴出资比例或者股东协议、章程等约定分取红利。

2. 参与重大决策。出资人通过股东会或者股东大会等做出决议的方式决定企业的重大行为。企业的重大行为包括：企业资本的变化，如增加或者减少注册资本、利润分配和弥补亏损、公司的预算和决算事项；企业的融资行为，如发行公司债券；企业的对外投资，向他人提供担保、购置或者转让主要资产，变更主要业务等；企业的合并、分立、变更组织形式、解散、清算等；修改企业章程等。上述权利，由出资人按照章程或者法律规定的方式行使。按照公司法的规定，有限责任公司的股东会对公司增加或者减少注册资本、分立、合并、解散或者变更公司形式，必须经代表三分之二以上表决权的股东通过。企业经营管理者必须尊重和保证出资人决定重大决策的权利，如在国家出资的企业里，国家作为出资人的，享有资产收益、重大决策以及选择经营管理者等权利，企业经营管理者无权决定依照有关法律和企业章程的规定应当由国家作为出资人决定的事项，不得擅自处分企业财产。

3. 选择经营管理者。出资人有权通过股东会或者股东大会做出决议选举或者更换公司的董事或者监事，决定董事或者监事的薪酬，通过董事会来聘任或者解聘经理等企业高级管理人员。

当然以上只是出资人享有的主要权利，除此之外，出资人还享有其他权利，如根据公司法的规定，有限责任公司的股东有权查阅本公司的章程、股东会会议记录、董事会会议决议、财务会计报告；董事、高级管理人员违反法律、行政法规或者章程的规定，损害股东利益的，股东可以向人民法院提起诉讼。

作为出资人，不但享有上述权利，还要履行相应的义务。如按照约定或者章程的规定，按期、足额地缴纳出资；不得滥用出资人的权利干涉企业正常的经营活动等。

第六十八条　企业法人对其不动产和动产依照法律、行政法规以及章程享有占有、使用、收益和处分的权利。

企业法人以外的法人，对其不动产和动产的权利，适用有关法律、行政法规以及章程的规定。

【释义】　本条是关于法人财产权的规定。

本条是从企业法人作为市场主体的角度，对不同市场主体之间的关系做出的规定。企业法人包括国有企业作为市场主体，应当有独立的财产，独立承担民事责任。同时，企业法人应当依照法律和章程的规定，对其财产行使占有、使用、收益和处分的权利，不能损害国家等作为出资人依法享有的权益。

根据民法通则的规定，法人是指具有民事权利能力和民事行为能力，依法独立享有民事权利和承担民事义务的组织。法人应当具备以下条件：(1)依法成立；(2)有必要的财产或者经费；(3)有自己的名称、组织机构和场所；(4)能够独立承担民事责任。因此，企业法人应当是依法成立的，有法定的独立财产，有健全的组织机构、组织章程和固定场所，能够独立承担民事责任、享有民事权利和承担民事义务的经济组织。具备法人条件的企业成为企业法人后，取得法律上独立的民事主体资格，真正成为自主经营、自负盈亏的生产者和经营者。出资人将其不动产或者动产投到企业法人后，即构成了企业法人独立的财产，企业法人享有法人财产权，即依照法律、行政法规以及章程的规定对该财产享有占有、使用、收益和处分的权利，出资人个人不能直接对其投入的资产进行支配，这是企业法人实现自主经营、自负盈亏，独立承担民事责任的物质基础。如根据国有企业财产监督管理条例的规定，国有企业享有法人财产权，依法独立支配国家授予其经营管理的财产。政府和监督机构不得直接支配企业法人财产，不得以任何形式抽取注入企业的资本金，不得调取企业财产，不得以任何名义向企业收取任何费用。国家对企业承担的财产责任以投入企业的资本额为限，企业以其全部法人财产独立承担民事责任。

本条第二款规定，企业法人以外的法人对其不动产和动产权利，适用有关法律、行政法规以及章程的规定。企业法人之外的法人包括机关法人、事业单位法人、社团法人等。其中机关法人和国家举办的事业单位法人，其财产属于国家所有，对其直接支配的不动产和动产的收益权和处分权也要受到法律和国务院有关规定的限制。如按照《事业单位登记管理暂行条例》的规定，事业法人开展活动按照国家有关规定取得的合法收入，必须用于符合其宗旨和业务范围的活动；事业法人接受捐赠、资助，必须符合该事业法人的宗旨和业务范围，必须根据与捐赠人、资助人约定的期限、方式和合法用途使用。

第六十九条　社会团体依法所有的不动产和动产，受法律保护。

【释义】　本条是关于保护社会团体财产的规定。

本条的规定主要包括以下几个内容：

（一）社会团体

社会团体是指我国公民行使结社权利自愿组成的，为实现会员的共同意愿，按照其章程开展活动的非营利性社会组织，主要包括人民群众团体（如共青团、工会、妇联）、社会公益团体（如希望工程基金会）、专业团体（如律师协会）、学术研究团体（如法学会）、宗教团体（如佛教协会）。社会团体可以是法人，也可以不是法人，但必须都是依法成立的。根据民法通则第五十条的规定，具备法人条件的社会团体，依法不需要办理法人登记的，从成立之日起，具有法人资格；依法需要办理法人登记的，经核准登记，取得法人资格。民法通则第三十七条规定，法人应当具备以下条件：（1）依法成立；（2）有必要的财产或者经费；（3）有自己的名称、组织机构和场所；（4）能够依法独立承担民事责任。因此，成立社会团体法人需具备以下条件：

1. 依法成立。成立方式有两种：一种是依法不需要办理法人登记而又具备了法人应具备的条件的，这种社会团体从成立之日起，即具备了法人资格，如共青团、妇联、工会等。工会法规定，中华全国总工会、地方总工会、产业工会具有社会团体法人资格。基层工会组织具备民法通则规定的法人条件的，依法取得社会团体法人资格。另一种是需要经核准登记后才能取得法人资格的，这种社会团体必须在经过核准登记后，才能取得法人资格，如根据《社会团体登记管理条例》规定登记的各种协会、学会等。全国性的社会团体，由国务院的登记管理机关负责登记管理；地方性的社会团体，由所在地人民政府的登记管理机关负责登记管理；跨行政区域的社会团体，由所跨行政区域的共同上一级人民政府的登记管理机关负责登记管理。

2. 有必要的财产和经费。社会团体要开展活动，就要有相应的财产和经费。这种财产和经费可以是国家拨给的，也可以是其他组织或公民个人捐赠的，还可以是募集得来的。按照社会团体登记管理条例的规定，成立社会团体法人的，全国性的社会团体有10 万元以上活动资金，地方性的社会团体和跨行政区域的社会团体有 3 万元以上活动资金。

3. 有自己的名称、组织机构和场所。社会团体为了开展工作，必须要有自己的名称、有自己的组织机构和与其业务活动相适应的专职工作人员，还要有固定的场所，如果不具备上述条件，该社会团体可能只是附属于其上级单位或是某机构的一部分，不具备法人资格。

4. 能够独立承担民事责任。社会团体还要独立承担民事责任，才完全符合法人的条件，如果不能独立承担民事责任，就不具备法人资格，而必须由具有法人资格的上级单位或者机关来承担民事责任。

此外，成立社会团体还需要有一定数量的成员。如社会团体登记管理条例规定，成立社会团体要具有50个以上的个人会员或者30个以上的单位会员；个人会员、单位会员混合组成的，会员总数不得少于50个。

（二）社会团体的财产

包括社会团体依法所有的不动产和动产。社会团体的财产主要有以下来源：（1）成员的出资；（2）成员缴纳的会费；（3）国家拨付的资产和补助；（4）接受捐赠的财产；（5）社会团体积累的财产等。社会团体的财产来源必须合法。

（三）社会团体财产的保护

社会团体对其依法所有的财产，享有直接的支配权，不受他人非法干涉。任何单位和个人都不得侵占、挪用、哄抢、破坏和任意调拨社会团体依法所有的财产。非经法律规定的权限和程序，不得征收、征用。任何单位或者个人侵害社会团体财产的，该社会团体有权向人民法院提起诉讼，要求侵害人承担返还财产、赔偿损失等法律责任。

第六章　业主的建筑物区分所有权

本章对业主的建筑物区分所有权做了规定，共十四条，主要针对业主对建筑物专有部分的专有权、对专有部分以外的共有部分的共有权和共同管理权的享有与行使，建筑区划内道路、绿地、公用设施物业服务用房、车位、车库等的归属，改变住宅原有用途、业主大会、业主委员会的设立、职责与权限，维修基金的归属、筹集与使用，建筑物共有部分及其附属设施的费用分摊、收益分配，对建筑物及其附属设施的管理，业主、业主大会、业主委员会、物业服务企业之间的关系，业主的有关义务以及对建筑区划内损害他人合法权益行为的管理等内容做出了规定。

第七十条　业主对建筑物内的住宅、经营性用房等专有部分享有所有权，对专有部分以外的共有部分享有共有和共同管理的权利。

【释义】　本条是对建筑物区分所有权基本内容的规定。

第二次世界大战后，不少国家和地区发生了严重的住宅危机，为解决广大市民的居住问题，各地政府纷纷兴建高层或者多层建筑物，由此产生一栋建筑物存在多个所有权人的情形，对此，各地相继制定建筑物区分所有权的法律或者修改民法典以调整不同所有权人之间的关系。有关国家和地区现行调整建筑物区分所有权关系的法律是：法国的住宅分层所有权法、日本的建筑物区分所有法、奥地利的区分所有权法、德国的住宅所有权长期居住权的法律（简称住宅所有权法）、美国的公寓大厦所有权创设之形态法、英国的住宅法,意大利、瑞士在民法典中规定了建筑物共有的内容。我国香港地区制定了多层大厦(业主立案法团)条例,台湾地区“民法”第七百九十九条、第八百条及“公寓大厦管理条例”、“土地登记规则”等对建筑物区分所有权的问题分别作了规定。

在我国,随着住房制度的改革和高层建筑物的大量出现,住宅小区越来越多,业主的建筑物区分所有权已经成为私人不动产物权中的重要权利。对此,物权法在本章对业主的建筑物区分所有权做了规定。

根据本条的规定,业主的建筑物区分所有权包括对其专有部分的所有权、对建筑区划内的共有部分享有的共有权和共同管理的权利。

第一,业主对专有部分的所有权。即本条规定的,业主对建筑物内的住宅、经营性用房等专有部分享有所有权,有权对专有部分占有、使用、收益和处分。

第二,业主对建筑区划内的共有部分的共有权。即本条规定的,业主对专有部分以外的共有部分如电梯、过道、楼梯、水箱、外墙面、水电气的主管线等享有共有的权利。本法规定,建筑区划内的道路,属于业主共有,但属于城镇公共道路的除外。建筑区划内的绿地,属于业主共有,但属于城镇公共绿地或者明示属于个人的除外。建筑区划内的其他公共场所、公用设施和物业服务用房,属于业主共有。占用业主共有的道路或者其他场地用于停放汽车的车位,属于业主共有。

第三,业主对建筑区划内的共有部分的共同管理权。即本条规定的,业主对专有部分以外的共有部分享有共同管理的权利。本法规定,业主可以自行管理建筑物及其附属设施,也可以委托物业服务企业或者其他管理人管理。业主可以设立业主大会,选举业主委员会,制定或者修改业主大会议事规则和建筑物及其附属设施的管理规约,选举业主委员会和更换业主委员会成员,选聘和解聘物业服务企业或者其他管理人，筹集和使用建筑物及其附属设施的维修资金，改建和重建建筑物及其附属设施等。业主大会和业主委员会，对任意弃置垃圾、排放大气污染物或者噪声、违反规定饲养动物、违章搭建、侵占通道、拒付物业费等损害他人合法权益的行为，有权依照法律、法规以及管理规约，要求行为人停止侵害、消除危险、排除妨害、赔偿损失。

第七十一条　业主对其建筑物专有部分享有占有、使用、收益和处分的权利。业主行使权利不得危及建筑物的安全，不得损害其他业主的合法权益。

【释义】 本条是关于业主对专有部分行使所有权的规定。

物权法第七十条规定，业主对建筑物内的住宅、经营性用房等专有部分享有所有权。本条则对这一所有权的具体权能做出规定，即业主对其建筑物专有部分享有占有、使用、收益和处分的权利。按照这一规定，业主对建筑物内属于自己所有的住宅、经营性用房等专有部分可以直接占有、使用，实现居住或者营业的目的；也可以依法出租，获取收益；还可以出借，解决亲朋好友居住之难，加深亲朋好友间的亲情与友情；或者在自己的专有部分上依法设定负担，例如，为保证债务的履行将属于自己所有的住宅或者经营性用房抵押给债权人，或者抵押给金融机构以取得贷款等；还可以将住宅、经营性用房等专有部分出售给他人，对专有部分予以处分。国外也有相关之规定，例如，瑞士民法典第七百一十二条 a 第一款第（一）项规定，建筑物区分所有人对建筑物的特定部分享有独占使用和内部改造的特别权利。法国 1965 年建筑物区分所有权法第九条规定，区分所有权人对于建筑物中的专有部分享有自由使用的权利。

业主的专有部分是建筑物的重要组成部分，但与共有部分又不可分离，例如没有电梯、楼道、走廊，业主就不可能出入自己的居室、经营性用房等专有部分;没有水箱、水、电等管线,业主就无法使用自己的居室、经营性用房等专有部分。因此,建筑物的专有部分与共有部分具有一体性、不可分离性,故业主对专有部分行使专有所有权应受到一定限制,这与建筑物区分所有权的特殊性是分不开的。对此,本条规定,业主行使专有部分所有权时,不得危及建筑物的安全,不得损害其他业主的合法权益。例如,业主在对专有部分装修时,不得拆除房屋内的承重墙,不得在专有部分内储藏、存放易燃易爆危险等物品,危及整个建筑物的安全,损害其他业主的合法权益。国外立法例在这方面也有很多规定,例如,日本建筑物区分所有法第六条第(一)项规定,区分所有权人不得为对建筑物之保存有害的行为,或其他有关建筑物之管理或使用违反区分所有权人共同利益的行为。德国住宅所有权法第十三条第(一)项规定,各住宅所有权人于不违反法律或第三人权利的范围内,得自由处理特别所有权内的建筑物部分,如予以居住、使用、租赁或以其他方式予以利用,并排除他人之干涉。专有所有权的行使须受以下限制:(1)保护建筑物的使用目的;(2)保护建筑物的基础、结构、牢固及安全;(3)保护建筑物美学上的外观;(4)保护其他住宅所有权人的安全、安静及住宅环境秩序;(5)维护善良风俗、习惯及住宅居民的作息和名誉。瑞士民法典第七百一十二条a第二款第(二)项规定,区分所有权人有自由管理、利用并装饰自己房间的权利,但不得妨碍其他区分所有人行使相同的权利,并不得以任何方式破坏建筑物的公用设施,或影响其使用及外观。

除以法律的形式规定建筑物区分所有权人行使所有权要受到限制外,有些国家在实务中也规定建筑物区分所有权人不得为之的违反共同利益的行为,如日本公寓大厦管理规约一般都规定建筑物区分所有权人不得有下列行为:(1)将专有部分供作居住或所定用途以外之使用;(2)搬入重量物、肮脏恶臭物、危险物等妨害他人之物品;(3)带有噪音、振动或其他令人厌恶之使用行为;

(4)变更建筑物专有部分之基本结构或外观;(5)饲养有危害或困扰他人之虞的动物;(6)体育用品或较重物品之任意投掷;(7)共用部分之不法占有或任意堆放物品;(8)新设、附加或变更电气、瓦斯、给水排水等设施,致影响其容许量;(9)私自设置专用庭院、阳台或停车场等构造物;(10)违反公序良俗之行为。

第七十二条　业主对建筑物专有部分以外的共有部分,享有权利,承担义务;不得以放弃权利不履行义务。

业主转让建筑物内的住宅、经营性用房,其对共有部分享有的共有和共同管理的权利一并转让。

【释义】 本条是关于业主对专有部分以外的共有部分权利义务的规定。

业主专有部分以外的共有部分通常是指,除建筑物内的住宅、经营性用房等专有部分以外的部分,既包括建筑物内的走廊、楼梯、过道、电梯、外墙面、水箱、水电气管线等部分,也包括建筑区划内,由业主共同使用的物业管理用房、绿地、道路、公用设施以及其他公共场所等,但法律另有规定的除外。目前我国城镇居民住房情况复杂,仅所有权就有不同的情形。有的是在住房制度改革后,将原租住的公有住房,依照房改价购买为自己所有;有的是按照市场价格购买的商品房;有的是享受国家优惠政策购买的经济适用房;还有集资建房的。而农民因征地迁入高层或者多层建筑物居住的情况就更为复杂,因此,建筑区划内哪些部分为业主共有,还须根据具体情况具体确定。

业主对专有部分以外的共有部分享有权利,承担义务包括两部分内容:一是业主对专有部分以外的共有部分享有共有权;二是业主对专有部分以外的共有部分享有共同管理的权利。

业主对专有部分以外的共有部分享有共有权,即每个业主在法律对所有权未作特殊规定的情形下,对专有部分以外的走廊、楼梯、过道、电梯、外墙面、水箱、水电气管线等共有部分，对物业管理用房、绿地、道路、公用设施以及其他公共场所等共有部分享有占有、使用、收益或者处分的权利。但是，如何行使占有、使用、收益或者处分的权利，还要依据物权法及相关法律、法规和建筑区划管理规约的规定。例如，物权法第八十条规定，建筑物共有部分的费用分摊、收益分配等事项，有约定的，按照约定；没有约定或者约定不明确的，按照业主专有部分占建筑物总面积的比例确定。业主对专有部分以外的共有部分的共有权，还包括对共有部分共负义务。同样，业主对共有部分如何承担义务，也要依据物权法及相关法律、法规和建筑区划管理规约的规定。例如，依据物权法第八十三条的规定，业主对共有部分承担的义务有，不得在共有部分任意弃置垃圾、违章搭建，不得随意侵占通道等。又如，《物业管理条例》第五十五条规定，利用物业共用部位、共用设施进行经营的，应当在征得相关业主、业主大会、物业管理企业的同意后，按照规定办理有关手续。

业主对专有部分以外的共有部分不仅享有共有的权利，还享有共同管理的权利，有权对共用部位与公用设备设施的使用、收益、维护等事项行使管理的权利，同时对共有部分的管理也负有相应的义务。

由于业主对专有部分以外的共有部分既享有权利，又负有义务，有的业主就可能以放弃权利为由，不履行义务。对此，本条明确规定，业主不得以放弃权利为由不履行义务。例如，业主不得以不使用电梯为由，不交纳电梯维修费用；在集中供暖的情况下，不得以冬季不在此住宅居住为由，不交纳暖气费用。

业主的建筑物区分所有权是一个集合权，包括对专有部分享有的所有权、对建筑区划内的共有部分享有的共有权和共同管理的权利，这三种权利具有不可分离性。在这三种权利中，业主对专有部分的所有权占主导地位，是业主对专有部分以外的共有部分享有共有权以及对共有部分享有共同管理权的前提与基础。没有业主对专有部分的所有权，就无法产生业主对专有部分以外共有部分的共有权，以及对共有部分的共同管理的权利。如果业主丧失了对专有部分的所有权，也就丧失了对共有部分的共有权及对共有部分的共同管理的权利。因此本条规定，业主转让建筑物内的住宅、经营性用房，其对共有部分享有的共有和共同管理的权利一并转让。

第七十三条　建筑区划内的道路，属于业主共有，但属于城镇公共道路的除外。建筑区划内的绿地，属于业主共有，但属于城镇公共绿地或者明示属于个人的除外。建筑区划内的其他公共场所、公用设施和物业服务用房，属于业主共有。

【释义】 本条是关于建筑区划内的道路、绿地、其他公共场所、公用设施和物业服务用房归属的规定。

在物权法起草、审议和征求意见中，多数意见反映，目前建筑区划内的道路、绿地、其他公共场所、公用设施和物业服务用房的所有权归属不明，导致业主与开发商、业主与物业公司纠纷多，矛盾大，物权法应当对建筑区划内的道路、绿地、其他公共场所、公用设施和物业服务用房的归谁做出明确规定。但在物权法中如何规定，存在着不同意见。有的认为，道路是市政设施，应当属于国家所有，业主享有使用权。有的认为，绿地是土地的一种使用功能，其实质就是土地，城市土地属于国家所有，业主只有使用权，没有所有权。有的认为，城市的土地是国有的，无论是道路还是绿地，所有权只能归国家。有的认为，现实中，业主购房通常不支付物业管理用房的价款，对物业管理用房没有权利。有的认为，业主购房后对所购房屋拥有的所有权包括两部分：一部分是对建筑物内住宅、经营性用房等专有部分享有的专有的、独立的所有权；另一部分是对专有部分以外的道路、绿地、其他公共场所、公用设施和物业服务用房等共有部分以及建筑物的附属设施享有的共有权。有的认为,建筑区划内的道路、绿地、其他公共场所、公用设施和物业服务用房所有权的归属,应当本着谁投资归谁所有的原则确定。开发商在售楼时明确将小区的绿地、道路、物业管理用房等费用分摊给买房人的,就归业主共有。没有分摊,归开发商所有。

现实的情况是,建筑区划内的绿地基本归业主所有。道路有的归业主所有,有的归市政所有。例如,有的地方规定,建筑区划内四米以下宽的道路归业主,四米以上宽的道路归市政。有些大的建筑区,如北京的天通苑,主干线道路产权归政府。物业管理用房的归属,《物业管理条例》第三十八条规定,物业管理用房的所有权依法属于业主。未经业主大会同意,物业管理企业不得改变物业管理用房的用途。

立法部门经调查研究认为,道路、绿地、其他公共场所、公用设施和物业服务用房作为建筑物的附属设施原则归业主共有。因此本条规定,建筑区划内的道路,属于业主共有,但属于城镇公共道路的除外。建筑区划内的绿地,属于业主共有,但属于城镇公共绿地或者明示属于个人的除外。建筑区划内的其他公共场所、公用设施和物业服务用房,属于业主共有。需要说明的是,本条规定的绿地、道路归业主所有,不是说绿地、道路的土地所有权归业主所有,而是说绿地、道路作为土地上的附着物归业主所有。

第七十四条　建筑区划内,规划用于停放汽车的车位、车库应当首先满足业主的需要。

建筑区划内,规划用于停放汽车的车位、车库的归属,由当事人通过出售、附赠或者出租等方式约定。

占用业主共有的道路或者其他场地用于停放汽车的车位,属于业主共有。

【释义】　本条是关于车位、车库的规定。

业主的建筑物区分所有权中,争议较大的是车位、车库的所有权归属问题。这个问题涉及广大业主的切身利益,社会普遍关注。在征求意见过程中,主要有两种意见,一种意见认为,车位、车库应当归业主共有。主要理由是:(1)车位、车库已经摊入建筑成本,开发商将其再次买卖或者出租,侵害了业主的利益;(2)在房屋销售过程中,开发商处于强势,如果车位、车库的所有权以有约定的按照约定的原则确定归属,对业主不利。另一种意见认为,车位、车库的归属,业主与开发商有约定的,按照约定;没有约定或者约定不明确的,属于业主共有。主要理由是:(1)从我国目前多数地方商品房销售的实际做法看,对车位、车库的归属,在商品房买卖合同中都有约定;从其他国家和地区看,车位、车库一般也归业主个人所有。(2)车位、车库不像电梯、走廊、水箱、道路、绿地等应当共用,规定业主共有很难操作。(3)开发商是否把车位、车库摊入成本,和商品房销售价格的高低没有必然联系,而且,也很难证明车库、车位的价值是否包括在建筑成本之中;目前对价格管理部门是否应当公开开发商的建筑成本仍有不同意见。(4)对车位、车库的建造比例和车位、车库首先满足小区业主需要,应当做出行政管理的强制性规定,但地下车库和地面上的停车场,作为独立设施,如果不允许开发商销售或者出租,可能影响开发商建造车位、车库的积极性,对业主不利。

经对我国房地产市场的实际做法和存在的问题进行调查研究,并借鉴国外的通常做法,立法部门认为,属于业主共有的财产,应是那些不可分割、不宜也不可能归任何业主专有的财产,如电梯等公用设施、绿地等公用场所。从房地产市场的情况看,一般来说,专门用来停放汽车的车库、车位的归属,是由当事人通过出售、附赠或者出租等方式约定归业主专有或者专用的。这样,既容易操作,也可以避免纠纷。如果规定车库、车位归业主共有,由于车库、车位和住宅的配套比例不同、业主之间享有的住宅面积不同、商品房销售的状况不同等原因，归业主共有很难操作，据此，本条第二款规定："建筑区划内，规划用于停放汽车的车位、车库的归属，由当事人通过出售、附赠或者出租等方式约定。"同时，对现实生活中有的开发商将车位、车库高价出售给小区外的人停放；不少小区没有车位、车库或者车位、车库严重不足，占用共有的道路或者其他场地作为车位的问题，本条第一款、第三款有针对性地规定："建筑区划内，规划用于停放汽车的车位、车库应当首先满足业主的需要。""占用业主共有的道路或者其他场地用于停放汽车的车位，属于业主共有。"

第七十五条　业主可以设立业主大会，选举业主委员会。

地方人民政府有关部门应当对设立业主大会和选举业主委员会给予指导和协助。

【释义】　本条是关于业主大会、业主委员会设立的规定。

业主是建筑区划内的主人。业主大会是业主的自治组织，是基于业主的建筑物区分所有权的行使产生的，由全体业主组成，是建筑区划内建筑物及其附属设施的管理机构。因此，只要是建筑区划内的业主，就有权参加业主大会，行使专有部分以外共有部分的共有权以及共同管理的权利，并对小区内的业主行使专有部分的所有权做出限制性规定，以维护建筑区划内全体业主的合法权益。故本条第一款首先规定，"业主可以设立业主大会。"如果建筑区划内业主人数众多的，可以设立本建筑物或者建筑区划内所有建筑物的业主委员会，故本条第一款接着规定，业主可以"选举业主委员会"。业主委员会是本建筑物或者建筑区划内所有建筑物的业主大会的执行机构，按照业主大会的决定履行管理的职责。业主委员会履行的职责主要有：(1)召集业主大会会议；(2)代表业主与业主大会选聘的物业管理企业签订物业服务合同；(3)及时了解业主、物业使用人的意见和建议，监督和协助物业管理企业履行物业服务合同;(4)监督业主公约的实施;(5)业主大会赋予的其他职责。业主委员会委员应当由热心公益事业、责任心强、具有一定组织能力的业主担任。业主委员会主任、副主任在业主委员会委员中推选产生。物业管理条例规定,业主委员会应当自选举产生之日起三十日内,向物业所在地的区、县人民政府房地产行政主管部门备案。

由于业主大会是业主的自治组织,其成立应由业主自行筹备,自主组建。但是,一个建筑区划内,业主从不同的地方入住,互不相识,而入住的时间又有先有后,有的相差几年,因此,成立业主大会对于业主来说有一定的难度。据调查了解,北京市目前成立业主大会的,仅占已有物业小区的三分之一左右。河南省已成立业主大会的占物业小区的10%左右。业主大会的成立关系着业主如何行使自己的权利,维护自身的合法权益,关系到广大业主的切身利益,关系到建筑区划内的安定团结,甚至关系到社会的稳定,对此,本条第二款规定,地方人民政府有关部门应当对设立业主大会和选举业主委员会,给予指导和协助。地方人民政府有关部门应当向准备成立业主大会的业主予以指导,提供相关的法律、法规及规章,提供已成立业主大会的成立经验,帮助成立筹备组织,提供政府部门制定的业主大会议事规则、业主管理公约等示范文本,协调业主之间的不同意见,为业主大会成立前的相关活动提供必要的活动场所,积极主动参加业主大会的成立大会等。

第七十六条　下列事项由业主共同决定:

(一)制定和修改业主大会议事规则;

(二)制定和修改建筑物及其附属设施的管理规约;

(三)选举业主委员会或者更换业主委员会成员;

(四)选聘和解聘物业服务企业或者其他管理人;

(五)筹集和使用建筑物及其附属设施的维修资金;

（六）改建、重建建筑物及其附属设施；

（七）有关共有和共同管理权利的其他重大事项。

决定前款第五项和第六项规定的事项，应当经专有部分占建筑物总面积三分之二以上的业主且占总人数三分之二以上的业主同意。决定前款其他事项，应当经专有部分占建筑物总面积过半数的业主且占总人数过半数的业主同意。

【释义】　本条是关于业主决定建筑区划内重大事项及表决权的规定。

本条规定，建筑区划内的下列事项需由业主共同决定：

1. 制定和修改业主大会议事规则。业主大会议事规则是业主大会组织、运作的规程，是对业主大会宗旨、组织体制、活动方式、成员的权利义务等内容进行记载的业主自律性文件。业主大会通过业主大会议事规则建立大会的正常秩序，保证大会内业主集体意志和行为的统一。制定和修改业主大会议事规则，需要由业主共同决定。

2. 制定和修改建筑物及其附属设施的管理规约。建筑物及其附属设施的管理规约是业主自我管理、自我约束、自我规范的规则约定，规定建筑区划内有关建筑物及其附属设施的使用、维护、管理等事项，是业主对建筑物及其附属设施的一些重大事务的共同约定，涉及每个业主的切身利益，对全体业主具有约束力，应当由业主共同制定和修改。

3. 选举业主委员会或者更换业主委员会成员。业主委员会是业主大会的执行机构，具体执行业主大会决定的事项，并就建筑区划内的一般性日常事务做出决定。业主通过业主大会选举能够代表和维护自己利益的业主委员会委员，成立业主委员会。对不遵守管理规约，责任心不强，不依法履行职责的委员予以更换。

4. 选聘和解聘物业服务企业或者其他管理人。物业服务涉及建筑物及其附属设施的使用、维护、修理、更换，公共秩序、环境卫生、小区治安等诸多方面,物业服务企业或者其他管理人的物业管理水平如何,与业主利益有直接关系,需要通过业主大会集体决策选聘和解聘。

5. 筹集和使用建筑物及其附属设施的维修资金。建筑物及其附属设施的维修资金主要用于业主专有部分以外的共有部分的共用部位、共用设施设备保修期满后的维修、更新、改造、维护等,涉及业主的切身利益,应当由业主共同决定。

6. 改建、重建建筑物及其附属设施。建筑物及其附属设施的改建、重建,涉及业主建筑物区分所有权的行使,费用的负担,事情重大,需要业主共同决定。

7. 有关共有和共同管理权利的其他重大事项。除上述所列事项外,对建筑区划内有关共有和共同管理权利的其他重大事项,也需要由业主共同决定。例如,如何对物业服务企业的工作予以监督,如何与居民委员会协作,维护好建筑区划内的社会治安等。

筹集、使用建筑物及其附属设施的维修资金,改建、重建建筑物及其附属设施,是建筑区划内较为重大的事情,关系到每个业主的切身利益。为了保证对这两项事情决策的慎重,保证决策能够获得绝大多数业主的支持,本条第二款规定,决定筹集、使用建筑物及其附属设施的维修资金,改建、重建建筑物及其附属设施,应当经专有部分占建筑物总面积三分之二以上的业主且占总人数三分之二以上的业主同意。这一规定表明,筹集、使用建筑物及其附属设施的维修资金,或者改建、重建建筑物及其附属设施的决定的做出,必须同时具备两个条件,才为有效的决定。第一个条件是,必须获得专有部分占建筑物总面积三分之二以上的业主的同意;第二个条件是,必须获得占业主总人数的三分之二以上的业主的同意。假如,一栋大楼的建筑面积总计为 9999 平方米,专有部分占建筑物总面积三分之二以上的业主,是指若干个业主的建筑面积之和要达到 6666 平方米以上的业主。如果,某一建筑区划内共有 99 户业主,占总人数三分之二以上的业主是指业主数要达到 66 户以上。

除筹集、使用建筑物及其附属设施的维修资金,改建、重建建筑物及其附属设施外的其他事项,属于建筑区划内的一般性、常规性事务,其决定的做出,可以采取普通多数同意的方式。对此,本条第二款规定,决定前款其他事项,应当经专有部分占建筑物总面积过半数的业主且占总人数过半数的业主同意。这一规定表明,建筑区划内的一般性、常规性事务,虽然可以采取普通多数同意的方式做出,但也必须同时符合如下两个条件:一是必须获得专有部分占建筑物总面积过半数的业主的同意;二是必须获得占总人数过半数的业主同意。

第七十七条　业主不得违反法律、法规以及管理规约,将住宅改变为经营性用房。业主将住宅改变为经营性用房的,除遵守法律、法规以及管理规约外,应当经有利害关系的业主同意。

【释义】 本条是关于将住宅改变为经营性用房的规定。

将住宅改变为歌厅、餐厅等,使原本用于居住的房屋改为用于经营的房屋,住宅的性质、用途由居住变为商用。这一改变带来许多弊端,危害性大,主要表现有:(1)干扰业主的正常生活,造成邻里不和,引发社会矛盾,这是当前物业小区主要矛盾之一;(2)造成小区车位、电梯、水、电等公共设施使用的紧张;(3)容易产生安全隐患,例如,来往小区人员过多,造成楼板的承重力过大,外来人员流动快且杂,增加了小区不安全、不安定的因素,防火防盗压力大,隐患多;(4)使城市规划目标难以实现。本来某个地区的住宅原规划是用来居住的,但由于将住宅大量改为经营性用房,用于商业目的,结果造成该地区交通拥堵、人满为患;(5)造成国家税费的大量流失。因此,物权法颁布前已有法规、规章对业主是否可以将住宅改变为经营性用房做了规定,例如《物业管理条例》第五十条规定，物业管理区域内按照规划建设的公共建筑和共用设施，不得改变用途。业主依法确需改变公共建筑和共用设施用途的，应当在依法办理有关手续后告知物业管理企业；物业管理企业确需改变公共建筑和共用设施用途的，应当提请业主大会讨论决定同意后，由业主依法办理有关手续。随着这方面实践经验的不断积累和完善，国家有关部门还将对这一问题做出具体的规定。另外，作为业主自我管理、自我约束、自我规范的建筑区划内有关建筑物及其附属设施的管理规约也可以依法对此问题做出规定。

物权法作为规范业主建筑物区分所有权的基本法律，在本条中明确规定，业主不得违反法律、法规以及管理规约，将住宅改变为经营性用房。据此，业主不得随意改变住宅的居住用途，是业主应当遵守的最基本的准则，也是业主必须承担的一项基本义务。如果业主确实因生活需要，如因下岗无收入来源，生活困难，将住宅改变为经营性用房，必须遵守法律、法规以及管理规约的规定。如要办理相应的审批手续，要符合国家卫生、环境保护要求等。在遵守法律、法规以及管理规约的前提下，还必须征得有利害关系的业主同意。这两个条件必须同时具备，才可以将住宅改变为经营性用房，二者缺一不可。如何确定业主为有利害关系的业主，因改变住宅为经营性用房的用途不同，影响的范围、程度不同，要具体情况具体分析。总之，不论是否为隔壁的业主，还是相邻或者不相邻的业主，凡是因住宅改变为经营性用房受到影响的业主，均是本条所说的有利害关系的业主。

第七十八条　业主大会或者业主委员会的决定，对业主具有约束力。

业主大会或者业主委员会作出的决定侵害业主合法权益的，受侵害的业主可以请求人民法院予以撤销。

【释义】 本条是关于业主大会、业主委员会决定效力的规定。

业主大会是由建筑区划内的全体业主参加,依法成立的自治组织,是建筑区划内建筑物及其附属设施的管理机构。业主大会依据法定程序做出的决定,反映了建筑区划内绝大多数业主的意志与心声。业主委员会是由业主大会从热心公益事业、责任心强、具有一定组织能力的业主中选举产生出来的,作为业主的代表履行对建筑物及其附属设施的具体管理职责,为全体业主服务的组织。业主委员会作为业主大会的执行机构,具体实施业主大会做出的决定。业主大会或者业主委员会作为自我管理的权力机关和执行机关,其做出的决定,对业主应当具有约束力。

对业主具有约束力的业主大会或者业主委员会的决定,必须是依法设立的业主大会、业主委员会做出的,必须是业主大会、业主委员会依据法定程序做出的,必须是符合法律、法规及规章,不违背社会道德,不损害国家、公共和他人利益的决定,上述三点必须同时具备,否则业主大会、业主委员会的决定对业主没有约束力。《物业管理条例》第十九条第二款规定,业主大会、业主委员会做出的决定违反法律、法规的,物业所在地的区、县人民政府房地产行政主管部门,应当责令限期改正或者撤销其决定,并通告全体业主。

业主大会、业主委员会主要对建筑区划内,业主的建筑物区分所有权如何行使,业主的合法权益如何维护等事项做出决定,涉及许多方面,例如可以对制定和修改业主大会议事规则做出决定,对制定和修改建筑物及其附属设施的管理规约做出决定,对选举、更换业主委员会做出决定,对选聘、解聘物业服务企业或者其他管理人做出决定,对筹集、使用建筑物及其附属设施的维修资金做出决定,对改建、重建建筑物及其附属设施做出决定。无论业主大会、业主委员会做出的哪一项决定,对业主都具有约束力。

现实中,有可能有的业主大会或者业主委员会不遵守法律、法规、管理规约,或者不依据法定程序做出某些决定,侵害业主的合法权益，针对这一情形，为了切实保护业主的合法权益，本条第二款规定："业主大会或者业主委员会做出的决定侵害业主合法权益的，受侵害的业主可以请求人民法院予以撤销。"这一规定，赋予了业主请求人民法院撤销业主大会或者业主委员会做出的不当决定的权利。业主在具体行使这一权利时，还要依据民法通则、民事诉讼法等法律的规定。例如，除法律另有规定外，应当在知道权益被侵害之日起二年内向人民法院提出撤销的请求，要向有管辖权的人民法院提出，要有明确的诉讼请求和事实、理由等。

第七十九条　建筑物及其附属设施的维修资金，属于业主共有。经业主共同决定，可以用于电梯、水箱等共有部分的维修。维修资金的筹集、使用情况应当公布。

【释义】 本条是关于建筑物及其附属设施的维修基金的归属、用途以及筹集与使用的规定。

随着我国住房制度改革的不断深入，人民群众的生活水平不断提高，居民个人拥有住宅的比例越来越高，住宅房屋的维修管理责任也相应地由过去的国家、单位承担转移到居民个人承担；而我国的住宅多为高层或者多层的群体建筑，又往往以住宅小区的形式开发建设，这样，建筑物及其附属设施的维修问题就日益彰显出来。建筑物及其附属设施能否正常、及时、顺利地维修，关系到建筑物及其附属设施能否正常使用及业主的安全，关系到全体业主的切身利益，关系到社会的和谐与稳定。因此，有必要对建筑物及其附属设施的维修资金做出规定。

1998 年下发的《国务院关于进一步深化城镇住房制度改革加快住房建设的通知》明确提出，要建立住房专项维修资金制度。1998 年 12 月，建设部和财政部联合印发的《住宅共用部位共用设施设备维修基金管理办法》规定，商品住房和公有住房出售后都应当建立维修基金。同时，对维修资金如何交纳做出了具体的规定。例如，商品住房在销售时，购房者与售房单位应当签订有关维修基金缴交约定。购房者应当按购房款2%～3%的比例向售房单位缴交维修基金。售房单位代为收取的维修基金属全体业主共同所有，不计入住宅销售收入。2000年建设部发布的《关于进一步深化国有企业住房制度改革加快解决职工住房问题的通知》指出，出售公有住房，应当按照有关规定建立住宅共用部位共用设施设备维修基金，并健全维修基金使用与管理制度，实施有效监督。2003年国务院颁布的《物业管理条例》对建立健全维修资金制度做出了进一步规定。条例规定，业主应当按照国家有关规定交纳专项维修资金，有权对专项维修资金的管理和使用予以监督。专项维修资金属业主所有，专项用于物业保修期满后物业共用部位、共用设施设备的维修和更新、改造，不得挪作他用。专项维修资金收取、使用、管理的办法由国务院建设行政主管部门会同国务院财政部门制定。

针对实践中，业主疑问较多的有关建筑物及其附属设施的维修资金所有权归属、维修资金的用途以及如何使用等问题，本条规定，建筑物及其附属设施的维修资金属于业主共有。经业主共同决定，可以用于电梯、水箱等共有部分的维修。维修资金的筹集、使用情况应当公布。

这一规定首先明确了建筑物及其附属设施的维修资金是属于业主共有的。维修资金的使用涉及共有部分、共用设施设备的维修、更新、改造、维护等，涉及业主能否正常使用建筑物及其附属设施，关系着每个业主的切身利益，因此，本条规定维修资金的使用应当经业主共同决定。至于业主如何决定维修资金的使用，要依据物权法第七十六条作出决定。

关于维修资金的用途，本条规定主要用于业主专有部分以外的共用部分的维修。例如电梯、水箱等的维修。至于业主专有部分以外的哪些部分为共有部分，哪些设施为建筑物的附属设施，要根据每一栋建筑物、每一个建筑区划的不同情况具体分析。建设部和财政部联合印发的《住宅共用部位共用设施设备维修基金管理办法》规定，共用部位，是指住房主体承重结构部位(包括基础、内外承重墙体、柱、梁、楼板、屋顶等)，户外墙面、门厅、楼梯间、走廊通道等。共用设施设备，是指住宅小区或单幢住房内，建设费用已分摊进入住房销售价格的共用的上下水管道、落水管、水箱、加压水泵、电梯、天线、供电线路照明、锅炉、暖气线路、煤气线路、消防设施、绿地、道路、路灯、沟渠、池、井、公益性文体设施和共用设施设备使用的房屋等。

为便于业主及时了解建筑物及其附属设施维修资金的筹集情况，依法监督维修资金的使用，本条还规定，维修资金的筹集、使用情况应当予以公布。

第八十条　建筑物及其附属设施的费用分摊、收益分配等事项，有约定的，按照约定；没有约定或者约定不明确的，按照业主专有部分占建筑物总面积的比例确定。

【释义】　本条是关于建筑物及其附属设施费用分摊、收益分配的规定。

为保障业主的居住安全，保证建筑物及其附属设施能够正常运转和使用，保证业主的正常生活，有必要及时对建筑物及其附属设施进行养护和维修。

对建筑物及其附属设施进行养护、维修，就带来了费用如何产生，业主如何负担的问题。《城市异产毗连房屋管理规定》第九条规定，异产毗连房屋发生自然损坏(因不可抗力造成的损坏，视同自然损坏)，所需修缮费用依下列原则处理：(1)共有房屋主体结构中的基础、柱、梁、墙的修缮，由共有房屋所有人按份额比例分担。(2)共有墙体的修缮(包括因结构需要而涉及的相邻部位的修缮)，按两侧均分后，再由每侧房屋所有人按份额比例分担。

(3)楼盖的修缮,其楼面与顶棚部位,由所在层房屋所有人负责;其结构部位,由毗连层上下房屋所有人按份额比例分担。(4)屋盖的修缮:①不上人房盖,由修缮所及范围覆盖下各层的房屋所有人按份额比例分担;②可上人屋盖(包括屋面和周边护栏),如为各层所共用,由修缮所及范围覆盖下各层的房屋所有人按份额比例分担;如仅为若干层使用,使用层的房屋所有人分担一半,其余一半由修缮所及范围覆盖下层房屋所有人按份额比例分担。(5)楼梯及楼梯间(包括出屋面部分)的修缮:①各层共用楼梯,由房屋所有人按份额比例分担;②为某些层所专用的楼梯,由其专用的房屋所有人按份额比例分担。(6)房屋共用部位必要的装饰,由受益的房屋所有人按份额比例分担。(7)房屋共有、共用的设备和附属建筑(如电梯、水泵、暖气、水卫、电照、沟管、垃圾道、化粪池等)的修缮,由所有人按份额比例分担。

建筑物及其附属设施不仅存在着养护、维修的问题,还存在着经营收益如何分配的问题。例如,业主大会决定,将建筑物楼顶出租给企业做广告,广告收入如何分配,是居住顶层的业主多拿一些,还是业主平均分配;是作为业主大会、业主委员会的活动经费,还是作为维修资金用于建筑物及其附属设施的维修。《物业管理条例》第五十五条规定,利用物业共用部位、共用设施设备进行经营的,应当在征得相关业主、业主大会、物业管理企业的同意后,按照规定办理有关手续。业主所得收益应当主要用于补充专项维修资金,也可以按照业主大会的决定使用。

如何规定业主对建筑物及其附属设施的费用负担、收益分配的问题,立法过程中有不同的看法。有的认为,应当按照业主所有的专有部分的面积占建筑物总面积的比例确定;有的认为,应当按照业主专有部分占建筑物的价值比例确定,还有的提出,这一比例应当考虑业主专有部分的面积、楼层、朝向、购买时的价钱等综合因素。鉴于现实中情况复杂,各地及每个建筑区划的具体情况不同。业主如何负担建筑物及其附属设施的费用，如何分配建筑物及其附属设施的收益，是业主行使建筑物区分所有权的问题，业主可以依法处分，故本条规定，建筑物及其附属设施的费用分摊、收益分配等事项，有约定的，按照约定。对建筑物及其附属设施的费用分摊、收益分配等事项，没有约定或者约定不明确的，本条做了原则性、指导性规定，即按照业主专有部分占建筑物总面积的比例确定。

第八十一条　业主可以自行管理建筑物及其附属设施，也可以委托物业服务企业或者其他管理人管理。

对建设单位聘请的物业服务企业或者其他管理人，业主有权依法更换。

【释义】　本条是对建筑物及其附属设施管理的规定。

实践中，对建筑物及其附属设施进行管理主要有两种形式：一是业主委托物业服务企业或者其他管理人管理；二是业主自行管理。故本条规定，业主可以自行管理建筑物及其附属设施，也可以委托物业服务企业或者其他管理人管理。

物业服务企业通常是指符合法律规定，依法向业主提供物业服务的民事主体（市场主体），包括物业公司以及向业主提供服务的其他组织。物业公司，是指依法设立、具有独立法人资格，从事物业管理服务活动的企业。《物业管理条例》第三十二条规定，从事物业管理活动的企业应当具有独立的法人资格。国家对从事物业管理活动的企业实行资质管理制度。具体办法由国务院建设行政主管部门制定。《城市新建住宅小区管理办法》第八条规定，物业管理公司需向工商行政管理部门申请注册登记，领取营业执照后，方可开业。

我国对物业管理企业实施资质管理，有关部门对符合不同条件的企业授予不同的资质等级。不同资质等级的物业管理企业只能依据自己的资质水平承接不同的物业管理项目，例如，《物业管理企业资质管理办法》第八条规定，一级资质物业管理企业可以承接各种物业管理项目。二级资质物业管理企业可以承接30万平方米以下的住宅项目和8万平方米以下的非住宅项目的物业管理业务。三级资质物业管理企业可以承接20万平方米以下住宅项目和5万平方米以下的非住宅项目的物业管理业务。同时，国家有关主管部门还制定了一系列的规章制度，规范物业公司的行为，如国务院颁布的《物业管理条例》，建筑部颁布的《物业管理企业资质管理办法》、《城市新建住宅小区管理办法》、《物业管理企业财务管理规定》、《前期物业管理招标投标管理暂行办法》等，因此，目前业主多选择委托物业公司管理建筑物及其附属设施。

对建筑物及其附属设施进行管理，除委托物业公司外，也有业主自行管理的。这主要发生在只有一个业主或者业主人数较少的建筑区划。随着经济的发展、科技的进步，建筑领域不断出现新技术、新产品，建筑物及其附属设施的科技含量也越来越高，管理更为复杂，业主自行管理有一定难度，所以还是提倡选择专业化、市场化、社会化的物业管理公司对建筑物及其附属设施进行管理为好。《城市新建住宅小区管理办法》第四条规定，住宅小区应当逐步推行社会化、专业化的管理模式。由物业管理公司统一实施专业化管理。《物业管理条例》第四条规定，国家鼓励物业管理采用新技术、新方法，依靠科技进步提高管理和服务水平。

通常情况下，一栋楼或者一个住宅小区建好后，就要对建筑物及其附属设施进行管理，但业主们是陆陆续续迁入居住的，业主大会尚未成立，不能及时委托物业管理公司。在这种情况下，只能由建设单位选聘物业管理公司对建筑物及其附属设施进行管理。《城市新建住宅小区管理办法》第五条规定，房地产开发企业在出售住宅小区房屋前，应当选聘物业管理公司承担住宅小区的管理，并与其签订物业管理合同。住宅小区在物业管理公司负责管理前,由房地产开发企业负责管理。《物业管理条例》规定,国家提倡建设单位按照房地产开发与物业管理相分离的原则,通过招投标的方式选聘具有相应资质的物业管理企业。在业主、业主大会选聘物业管理企业之前,建设单位选聘物业管理企业的,应当签订书面的前期物业服务合同。《城市新建住宅小区管理办法》规定,物业管理合同应当明确:(1)管理项目;(2)管理内容;(3)管理费用;(4)双方权利和义务;(5)合同期限;(6)违约责任等。物业管理合同,应当报房地产行政主管部门备案。建设单位与业主签订的买卖合同应当包含前期物业服务合同约定的内容。建设单位在销售住宅或者经营性用房时,应当向业主明示前期物业服务合同。业主应当履行与建设单位签订的前期物业服务合同,服从物业公司的管理。业主大会成立后,可以对建设单位选聘的物业管理企业予以更换。故本条第二款规定,对建设单位聘请的物业服务企业或者其他管理人,业主有权依法更换。

第八十二条　物业服务企业或者其他管理人根据业主的委托管理建筑区划内的建筑物及其附属设施,并接受业主的监督。

【释义】　本条是关于物业服务企业或者其他管理人与业主关系的规定。

根据物权法第八十一条的规定,业主可以选择物业服务企业或者其他管理人对建筑区划内的建筑物及其附属设施进行管理。选聘物业服务企业或者其他管理人的办法、程序等,应当依据第七十六条的规定由业主共同决定。业主选好物业服务企业或者其他管理人后,应当签订物业管理合同,将自己对建筑物及其附属设施的管理权利委托给选聘的物业服务企业或者其他管理人。《物业管理条例》第三十五条规定,业主委员会应当与业主大会选聘的物业管理企业订立书面的物业服务合同。因此,业主与物业服务企业或者其他管理人之间是一种合同关系。

在物业服务合同中，业主应当将自己委托物业服务企业或者其他管理人的权限范围、双方的权利义务、合同期限、违约责任等做出规定。《物业管理条例》规定，物业服务合同应当对物业管理事项、服务质量、服务费用、双方的权利义务、专项维修资金的管理与使用、物业管理用房、合同期限、违约责任等内容进行约定。

物业服务企业或者其他管理人与业主签订委托合同后，应当按照合同的约定向业主提供相应的服务。《物业管理条例》第三十六条规定，物业管理企业未能履行物业服务合同的约定，导致业主人身、财产安全受到损害的，应当依法承担相应的法律责任。物业管理企业承接物业时，应当与业主委员会办理物业验收手续。物业管理企业可以将物业管理区域内的专项服务业务委托给专业性服务企业，但不得将该区域内的全部物业管理一并委托给他人。物业管理企业可以根据业主的委托提供物业服务合同约定以外的服务项目，服务报酬由双方约定。物业管理区域内，供水、供电、供气、供热、通讯、有线电视等单位应当向最终用户收取有关费用。物业管理企业接受委托代收上述费用的，不得向业主收取手续费等额外费用。对物业管理区域内违反有关治安、环保、物业装饰装修和使用等方面法律、法规规定的行为，物业管理企业应当制止，并及时向有关行政管理部门报告。物业管理企业应当协助做好物业管理区域内的安全防范工作。发生安全事故时，物业管理企业在采取应急措施的同时，应当及时向有关行政管理部门报告，协助做好救助工作。物业管理企业雇请保安人员的，应当遵守国家有关规定。保安人员在维护物业管理区域内的公共秩序时，应当履行职责，不得侵害公民的合法权益。

物业管理是否符合合同约定，涉及建筑区划内的建筑物及其附属设施能否正常有效的运转，建筑区划内的治安、环保、卫生、消防等许多方面，涉及每个业主的切身利益，关系着社会的和谐与安定，因此，在履行物业服务合同的过程中，物业服务企业或者其他管理人应当接受业主的监督。《城市新建住宅小区管理办法》规定，物业管理公司的义务有：(1)履行物业管理合同，依法经营；(2)接受管委会和住宅小区内居民的监督；(3)接受房地产行政主管部门、有关行政主管部门及住宅小区所在地人民政府的监督指导。《物业管理条例》规定，业主委员会应当及时了解业主、物业使用人的意见和建议，监督和协助物业管理企业履行物业服务合同。业主对物业服务企业或者其他管理人的监督具体可以采取如下不同形式，如对物业服务企业履行合同的情况提出批评、建议，查询物业服务企业在履行合同中形成的有关物业管理的各种档案材料。查询物业服务企业的收费情况等。业主对物业服务企业的监督有利于其更好地向业主提供服务，履行好合同规定的义务。

第八十三条　业主应当遵守法律、法规以及管理规约。

业主大会和业主委员会，对任意弃置垃圾、排放污染物或者噪声、违反规定饲养动物、违章搭建、侵占通道、拒付物业费等损害他人合法权益的行为，有权依照法律、法规以及管理规约，要求行为人停止侵害、消除危险、排除妨害、赔偿损失。业主对侵害自己合法权益的行为，可以依法向人民法院提起诉讼。

【释义】　本条是关于业主有关义务以及制止损害他人合法权益行为并追究其法律责任的规定。

遵守法律、法规以及管理规约是居住于建筑区划内的业主应当履行的最基本的义务，不仅物权法在此做了规定，物业管理条例等行政法规、规章也对此做了规定。例如，《物业管理条例》第七条规定，业主在物业管理活动中，履行下列义务：(1)遵守业主公约、业主大会议事规则；(2)遵守物业管理区域内物业共用部位和共用设施设备的使用、公共秩序和环境卫生的维护等方面的规章制度；(3)执行业主大会的决定和业主大会授权业主委员会做出的决定；(4)按照国家有关规定交纳专项维修资金；(5)按时交纳物业服务费用;(6)法律、法规规定的其他义务。《城市新建住宅小区管理办法》第十三条规定,住宅小区内的房地产产权人和使用人,应当遵守小区管理办法,按规定交纳管理费用,不得妨碍、阻挠管理人员履行职责,并有权参与监督住宅小区的管理。《物业管理条例》还具体对以下情形做了规定,业主不得擅自占用、挖掘物业管理区域内的道路、场地,损害业主的共同利益。因维修物业或者公共利益,业主确需临时占用、挖掘道路、场地的,应当征得业主委员会和物业管理企业的同意。业主应当将临时占用、挖掘的道路、场地,在约定期限内恢复原状。

目前,有些建筑区划内的个别业主,不遵守法律、法规以及管理规约的规定,任意弃置垃圾、排放污染物或者噪声、违反规定饲养动物、违章搭建、侵占通道、拒付物业费,损害了部分业主甚至是全体业主的合法权益,对这些侵权行为,由谁予以制止,是否可以追究其侵权的民事责任;业主大会、业主委员会是否可以提起诉讼,在哪些方面享有诉讼资格,可以成为诉讼主体。对这些问题,在物权法研究起草过程中有着不同的看法。有的提出,对建筑区划内个别业主实施的侵权行为,业主大会、业主委员会有责任也有义务予以劝阻、制止,业主大会、业主委员会还可以提起诉讼,物权法应当赋予业主大会、业主委员会诉讼主体资格。有的提出,业主大会、业主委员会提起诉讼后,如果败诉,诉讼后果应由全体业主承担,这在理论上说得通,但在实践中行不通。有的提出,业主大会、业主委员会是由业主组成的。业主大会、业主委员会对侵权行为予以处置,影响邻里关系,容易产生矛盾,宜由物业公司或者国家有关部门予以制止。物业公司提出,物业公司根据业主的要求,对建筑区划内的违法行为予以劝阻、制止,但当事人根本不听,物业公司也没有办法。物业公司是受业主委托,向业主提供服务的企业。没有政府的授权,对这些违法行为无权管,管了也没用。

立法部门经调查研究认为,为了维护业主的共同权益,应当对业主大会、业主委员会的起诉和应诉资格做出规定,对此物权法草案三次审议稿第八十七条曾规定:“对侵害业主共同权益等行为,业主会议经三分之二以上业主同意,可以以业主会议的名义提起诉讼、申请仲裁。”对此,有的提出,这一条的规定对于切实维护业主权益是必要的,但需经三分之二以上业主同意规定的比例过高,建议降低比例。有的提出,现实生活中维护业主共同权益的许多工作是由业主委员会承担的,经业主授权,业主委员会也可以提起诉讼、申请仲裁。对此,立法部门将这一条修改为:“对侵害业主共同权益的行为,对物业服务机构等违反合同发生的争议,经专有部分占建筑物总面积过半数的业主或者占总人数过半数的业主同意,可以以业主大会或者业主委员会的名义提起诉讼、申请仲裁;业主也可以以自己的名义提起诉讼、申请仲裁”(草案四次审议稿第八十六条)。对这一修改,有的常委会委员和业主委员会提出,业主大会或者业主委员会没有独立的财产,难以承担败诉后的民事责任,建议删去这一规定。立法部门经调查研究认为,业主大会是业主的自治性组织,业主委员会是业主大会的执行机构,业主大会或者业主委员会享有的权利、承担的义务都要落在业主身上,目前许多小区没有成立业主大会或者业主委员会,对业主大会或者业主委员会提起诉讼、申请仲裁的权利以暂不作规定为妥;对侵害业主共同权益的纠纷,可以通过民事诉讼法规定,推选代表人进行诉讼。

对任意弃置垃圾、排放污染物或者噪声、违反规定饲养动物、违章搭建、侵占通道、拒付物业费等损害他人合法权益的行为如何处置,本条规定了以下几种办法:一是,业主大会、业主委员会依照法律、法规以及管理规约的规定,要求其停止侵害、消除危险、排除妨碍、赔偿损失;二是,受到侵害的业主个人依据民事诉讼法等法律的规定,向人民法院提起诉讼;三是,共同受到侵害的业主,推选代表人,依据民事诉讼法等法律的规定,向人民法院提起诉讼。

第七章 相邻关系

本章共九条。对处理相邻关系的原则、用水与排水、通行、通风、采光和日照等相邻关系做了规定。

相邻关系是指不动产的相邻各方因行使所有权或者用益物权而发生的权利义务关系。

相邻关系与地役权的重要区别之一是相邻关系的“必需”性，即不动产权利人必须借助相邻不动产，才能对自己的不动产正常使用，因此，他有权要求相邻的不动产一方提供必要的便利。很多教科书把这种权利称为“相邻权”。例如甲承包的土地不能直接通到公路，甲要到自己的土地上进行耕作或运输种子、化肥、农作物等，必须要经过乙的承包地才能到达公路。按照相邻关系的规定，甲有权通行于乙的土地，乙无权阻拦。地役权则是不动产的权利人之间，就一方使用另一方的不动产签订许可使用的合同。

按照相邻关系的规定，不动产权利人在对自己的不动产行使权利时，要克制自己对权利的任意使用，以避免给相邻不动产造成损害。例如，在建造建筑物时，要注意避免损害相邻建筑物的通风、采光和日照；再例如，在使用自己的不动产时，要控制废水、废气、噪声等给相邻不动产造成损害；还例如，在自己的土地上开掘地基时，要避免邻地及建筑物发生动摇。

相邻关系与地役权是互相联系而又有区别的两个概念。相邻关系是指两个以上相互毗邻的不动产所有人，在行使所有权时，因相邻各方给予便利或者接受限制而发生的权利义务关系。相邻关系不是一种单独的物权，而是所有权的延伸和扩展，是所有权权能的体现。但也有学者认为，相邻关系从权利角度来讲可以称为相邻权，它是为调节在行使不动产所有权中的权益冲突而产生的权利。地役权是指土地所有权人使用别人土地的权利。地役权发生在两个不同归属的土地之间。为他人利用而提供便利的土地叫供役地，接受便利而得以使用或者经营的土地叫需役地。所以，地役权是存在于他人土地之上的物权，属于他物权。

相邻关系和地役权区别主要体现在：(1)两者的设立方式不同。相邻关系是法定的，而地役权通常是由当事人各方通过合同设立的。(2)两者受到损害后的救济请求权不同。相邻关系受到侵害后，一般提起所有权的行使受到妨害之诉。地役权受到损害之后，受害人可以直接提起地役权受损害的请求之诉。(3)两者提供便利的内容不同。地役权的设立是为了使所有权人的权利得到更好的行使，是一个比较高的标准。而相邻关系的规定是为了维持生产、生活的必备条件，对他们的各自权利给予一定限制，这是为了达到权利正常使用的最低标准。

第八十四条　不动产的相邻权利人应当按照有利生产、方便生活、团结互助、公平合理的原则，正确处理相邻关系。

【释义】　本条是关于处理相邻关系原则的规定。

本条首先要回答的是“不动产的相邻权利人”的范围。这里有以下几个问题：

第一，相邻的不动产不仅指土地，也包括附着于土地的建筑物。相邻土地权利人之间的相邻关系的内容是非常丰富的，例如通行、引水、排水，以及临时占用邻人土地修建建筑物等。但相邻的建筑物权利人之间的相邻关系也是同样内容丰富的，无论是在农村还是在城市，建筑物之间的通风、采光等相邻关系直接关系到人们的生活。特别是随着城市化的进一步发展，建筑物区分所有人之间的相邻关系迫切需要法律做出调整。

第二，不动产的相邻关系一般指相互毗邻的不动产权利人之间的关系，但也并不尽然。例如河流上游的权利人排水需要流经下游的土地，当事人之间尽管土地并不相互毗邻，但行使权利是相互邻接的。

第三，相邻的不动产权利人，不仅包括不动产的所有人，而且包括不动产的用益物权人和占有人。

法律设立不动产相邻关系的目的是尽可能确保相邻的不动产权利人之间的和睦关系，解决相邻的两个或者多个不动产所有人或使用人因行使权利而发生的冲突，维护不动产相邻各方利益的平衡。在现代社会，世界各国的立法取向更加注重不动产所有权的"社会性义务"，给不动产所有权提出了更多的限制性要求。人们逐渐认识到对不动产所有权的行使不能是绝对的，为避免所有权人绝对行使权利而妨碍社会的进步和公共利益的需要，有必要对所有权的行使，特别是不动产物权的行使加以必要的限制。基于相邻关系的规定，如果我是一个不动产权利人，这种限制来自两个方面：一是，我不能在我的一亩三分地内胡作非为，从而影响邻人对其不动产的正常使用及安宁。很多国家、地区对此均有规定，例如，瑞士民法典第六百八十四条第一项规定："任何人在行使其所有权时，特别是在其土地上经营工业时，对邻人的所有权有不造成过度侵害的注意义务。"我国台湾地区"民法"第七百七十四条规定："土地所有人经营工业及行使其他权利，应注意防免邻地之损害。"二是，我对我的一亩三分地行使所有权时，要为邻人对其不动产的使用提供一定的便利，即容忍邻人在合理范围内使用自己的不动产。邻人对我的一亩三分地的使用前提是：邻人如果不使用我的土地，就不能对其土地进行正常的经营和管理。例如，邻人的土地属于"袋地"，非通行于我的土地就不能到达其地。此种情况下，按照相邻关系的规定，我必须为邻人通行于我的土地，或者从我的土地上引水、排水提供必要的便利。

我国早在1986年通过的民法通则就规定了处理不动产相邻关系的原则。民法通则第八十三条规定："不动产的相邻各方，应当按照有利生产、方便生活、团结互助、公平合理的精神，正确处理截水、排水、通行、通风、采光等方面的相邻关系。给相邻方造成妨碍或者损失的，应当停止侵害，排除妨碍，赔偿损失。"虽然民法通则对相邻关系的规定仅此一条，但却揭示了相邻关系的本质特征。首先，相邻关系是法定的，一是体现在不动产权利人对相邻不动产权利人的避免妨害之注意义务；二是体现在不动产权利人在非使用邻地就不能对自己的不动产进行正常使用时，有权在对邻地损害最小的范围内使用邻地，邻地权利人不能阻拦。这就是"团结互助、公平合理"的原则要求。

处理相邻关系的原则，不仅是人们在生产、生活中处理相邻关系应遵从的原则，也是法官审理相邻关系纠纷案件应遵从的原则。特别是在法律对相邻关系的某些类型缺乏明确规定的情况下，需要法官以处理相邻关系的一般原则评判是非。例如我国物权法对树木根枝越界的相邻关系问题没有做出规定。在我国农村此类纠纷还是常见的。例如甲家树木的枝蔓越界到乙家，乙家认为该越界枝蔓影响了其家采光，从而起诉到法院，要求甲家砍断越界的枝蔓。法官在审理此案时，首先要看当地的习惯对此类纠纷如何处理。如果当地也没有相应的习惯，法官要依我国法律规定的处理相邻关系的一般原则审理此案。法官要查证越界枝蔓是否对乙家的生活造成了严重影响，也要查明砍断越界枝蔓对甲家的生产会产生多少影响，因为该树可能是经济价值较高的果树。如果法官认定越界枝蔓严重妨害了乙家的采光，同时砍断越界枝蔓对甲家的生产损失不大，则判决甲家砍断越界枝蔓；反之，如果法官认定越界枝蔓对乙家的生活影响不大，但砍断越界枝蔓可能对甲家的生产造成较大损失，可以判决保留越界枝蔓，而由甲家给乙家一定补偿。总之，判决要体现公平合理的原则，保持邻里团结友爱的和睦关系。

第八十五条 法律、法规对处理相邻关系有规定的，依照其规定；法律、法规没有规定的，可以按照当地习惯。

【释义】 本条是关于处理相邻关系依据的规定。

需要用法律调整的相邻关系的种类很多，随着社会经济的发展，其范围还在不断扩大。因此，物权法不可能对需要调整的相邻关系一一列举，只能择其主要，做出原则性规定。世界各国对相邻关系种类的规定也是有繁有简。但是在现实生活中，基于相邻关系发生的纠纷的种类很多，人民法院或者其他有权调解、处理的机关在处理纠纷时，又必须依据一定的规范，所以本条规定：法律、法规对处理相邻关系有规定的，依照其规定；法律、法规没有规定的，可以按照当地习惯。

我国有些法律、法规对处理相邻关系做出了规定。例如我国建筑法对施工现场对相邻建筑物的安全、地下管线的安全，以及周围环境的安全都提出了要求。该法第三十九条第二款规定："施工现场对毗邻的建筑物、构筑物和特殊作业环境可能造成损害的，建筑施工企业应当采取安全防护措施。"第四十条规定："建设单位应当向建筑施工企业提供与施工现场相关的地下管线资料，建筑施工企业应当采取措施加以保护。"第四十一条规定："建筑施工企业应当遵守有关环境保护和安全生产的法律、法规的规定，采取控制和处理施工现场的各种粉尘、废气、废水、固体废物以及噪声、振动对环境的污染和危害的措施。"

处理民事关系，首先应当依照民事法律的规定。在民事法律未作规定的情况下，法官在处理民事纠纷时，依习惯做出判断。很多大陆法系国家或地区都有类似的规定。例如瑞士民法典第一条第二款规定："如本法无相应规定时，法官应依据惯例；如无惯例时，依据自己作为立法人所提出的规则裁判。"再例如我国台湾地区"民法"第一条规定:"民事,法律所未规定者,依习惯;无习惯者,依法理。"

平等主体之间的财产关系和人身关系的种类和内容极其广泛和复杂,调整这些关系的民法是难以涵盖全部的。因此,有的民事关系在没有相应法律进行调整时,适用当地风俗习惯或者交易惯例是一种必然要求。在法制社会里,民事主体之间发生了某种纠纷,不能说由于没有相应法律作为依据,法院就拒绝审理,这不利于社会的和谐与稳定。

作为审案依据的"习惯"必须是当地多年实施且为当地多数人所遵从和认可的习惯,这种习惯已经具有"习惯法"的作用,在当地具有类似于法律一样的约束力。同时,这种习惯以不违背社会公共利益和善良风俗为限。因此,当邻里因为不动产的使用而发生纠纷时,如果没有相应的民事法律进行调整,在是否适用习惯作为审案的依据,以及适用何种习惯作为审案的依据问题上,法官具有自由裁量权。

在整个民法体系中,处理相邻关系需要以习惯作为依据所占的比例是比较大的。理由就是相邻关系的种类繁多且内容丰富。由于我国物权法对相邻关系的规定比较原则和抽象,因此,更是大量需要以习惯作为标准来判决基于相邻关系而产生的纠纷的是与非。例如,本章没有规定果实自落于邻地的归属问题。果树的枝蔓越界在邻里之间是常有的事,但越界枝蔓上的果实自落于邻地上,该果实的所有权到底归谁所有,我国物权法没有做出明确规定。很多国家或地区的民法规定了"邻地人的果实取得权",例如德国、法国、意大利和我国台湾地区"民法"规定,"果实自落于邻地的,视为属于邻地的权利人所有。但邻地为公用地的除外。"在我国民间,因果实自落于邻地后的归属问题,可能会产生大量纠纷。鉴于我国物权法和其他法律对此没有明确做出规定,法官在审理此类案件,只能以当地习惯作为判断的标准。如果当地习惯允许果树的所有人取回果实，则法院应当支持果树所有人的主张；反之，从世界各国的通例来看，果实自落于邻地的，应当属于邻地人所有。这应当是绝大多数地方的习惯，因为成文法也多是从习惯法演变而来。

第八十六条　不动产权利人应当为相邻权利人用水、排水提供必要的便利。

对自然流水的利用，应当在不动产的相邻权利人之间合理分配。对自然流水的排放，应当尊重自然流向。

【释义】　本条是关于用水、排水相邻关系的规定。

相邻的不动产权利人基于用水、排水而发生的相邻关系的内容非常丰富，我国水法第二十八条规定："任何单位和个人引水、截（蓄）水、排水，不得损害公共利益和他人的合法权益。"根据水法并参考国外或地区立法例，关于水的相邻关系的内容大概有以下几项：

1. 对自然流水的规定

（1）尊重自然流水的流向及低地权利人的承水、过水义务。例如，法国、意大利、瑞士、日本和我国台湾地区"民法"规定，从高地自然流至之水，低地权利人不得妨阻。

（2）水流地权利人变更水流或者宽度的限制。例如，日本和我国台湾地区"民法"规定，水流地权利人，如对岸的土地属于他人时，不得变更水流或者宽度。两岸的土地均属于一个权利人时，该权利人可以变更水流或者宽度，但应给下游留出自然水路。当地对此有不同习惯的，从其习惯。

（3）对自然流水使用上的合理分配。我国对跨行政区域的河流实行水资源配置制度。我国水法第四十五条规定："调蓄径流和分配水量，应当依据流域规划和水中长期供求规划，以流域为单元制定水量分配方案。"法国、意大利、瑞士和我国台湾地区"民法"规定，自然流水为低地所必需的，高地权利人纵因其需要，也不得妨堵其全部。

2. 蓄水、引水、排水设施损坏而致邻地损害时的修缮义务

例如，日本和我国台湾地区"民法"规定，土地因蓄水、引水、排水所设置的工作物破溃、阻塞，致损及他人的土地，或者有损害发生的危险时，土地权利人应以自己的费用进行必要的修缮、疏通和预防。但对费用的承担另有习惯的，从其习惯。

3. 排水权

日本和我国台湾地区"民法"规定，高地权利人为使其浸水之地干涸，或者排泄家用、农工业用水至公共排水通道时，可以使其水通过低地。但应选择于低地损害最小的处所和方法为之。在对低地仍有损害的情况下，应给予补偿。

日本和我国台湾地区"民法"规定，水流因事变在低地阻塞时，高地权利人为保障自己的排水，有权以自己的费用在低地建造疏通流水的必要工事。但对费用的承担另有习惯的，从其习惯。

4. 土地权利人为引水或排水而使用邻地水利设施的权利

日本和我国台湾地区"民法"规定，土地权利人为引水或排水，可以使用邻地的水利设施。但应按其受益的程度，负担该设施的设置及保存费用。

5. 用水权

由于我国法律规定水资源属于国家所有，所以我国水法第四十八条第一款规定："直接从江河、湖泊或者地下取用水资源的单位和个人，应当按照国家取水许可制度和水资源有偿使用制度的规定，向水行政主管部门或者流域管理机构申请领取取水许可证，并缴纳水资源费，取得取水权。但是，家庭生活和零星散养、圈养畜禽饮用等少量取水的除外。"

法国和我国台湾地区"民法"规定，河流两岸、水井所在地等水源地的权利人有自由用水权，但公法对水资源的利用有特别规

定的除外。

我国台湾地区“民法”规定，土地权利人因家用或者土地利用所必须，自己取水则费用、劳力过于巨大，可以通过支付偿金的方式使用邻地权利人的有余之水。

6. 水源地权利人的物上请求权

例如，瑞士和我国台湾地区“民法”规定，他人因建筑等行为而使水源地的水资源造成损害，如使水资源减少或受到污染，无论其出于故意还是过失，水源地权利人都可以请求损害赔偿。如果该水资源属于饮用水或者利用土地所必需的，并可以请求恢复原状。

7. 堰的设置与利用

日本和我国台湾地区“民法”规定，水流地权利人有设堰的必要时，如对岸土地属于他人的，可以使其堰附着于对岸。但对于因此而发生的损害，应支付偿金。对岸土地的权利人，可以使用此堰，但是应当按其受益程度，负担该堰的设置及保存费用。关于设堰，如法律另有规定或者当地另有习惯的，从其规定或习惯。

《最高人民法院关于贯彻执行〈中华人民共和国民法通则〉若干问题的意见（试行）》从审判的角度对水的相邻关系做了一些规定：

1. 关于自然流水的分配与使用。一方擅自堵截或者独占自然流水，影响他方正常生产、生活的，他方有权请求排除妨碍；造成他方损失的，受益人应负赔偿责任。

2. 关于自然流水以及生产、生活用水的排放。相邻一方必须使用另一方的土地排水的，应当予以准许；但应在必要限度内使用并采取适当的保护措施排水，如仍造成损失的，由受益人合理补偿。相邻一方可以采取其他合理的措施排水而未采取，向他方土地排水毁损或者可能毁损他方财产，他方要求致害人停止侵害、消除危险、恢复原状、赔偿损失的，应当予以支持。

3. 关于房屋滴水。处理相邻房屋滴水纠纷时，对有过错的一方造成他方损害的，应当责令其排除妨碍、赔偿损失。

第八十七条　不动产权利人对相邻权利人因通行等必须利用其土地的，应当提供必要的便利。

【释义】　本条是关于相邻关系中通行权的规定。

不动产权利人原则上有权禁止他人进入其土地，但他人因通行等必须利用或进入其土地的，不动产权利人应当提供必要的便利。这些情形是：

第一，他人有通行权的。不动产权利人必须为相邻袋地的权利人提供通行便利。从国外某些规定来看，土地被他人土地包围，与公路没有适宜的联络，致使不能正常使用的，土地权利人可以通行周围的土地以到达公路。但应选择损害最小的处所及方法通行，仍有损害的，应支付偿金。例如法国民法典第六百八十二条规定："土地被他人土地包围，且在为工业、农业或商业利用其土地或为进行建筑或小块土地上的建筑作业而无任何出路或出路不足通至公共道路时，其所有人得要求在其邻人土地上取得足够的通道，以保证其土地的完全通达，但应负担与通道所造成的损害相当的赔偿。"

袋地的形成如是因土地的分割或者一部的让与而至不通公路时，袋地的权利人只能通行受让人或者让与人的土地，而且无须支付偿金。例如法国民法典第六百八十四条规定："如因出卖、交换、分割或其他任何契约所产生的土地划分而造成被他人土地的包围，其通道仅得在作为此类行为的客体的土地上要求取得。但在划分的土地上不能建立足够的通道时，适用第六百八十二条的规定。"

日本和我国台湾地区"民法"还规定，袋地的权利人于必要时，还可以在周围的土地上开设道路。但对于周围土地所造成的损害，应支付偿金。

《最高人民法院关于贯彻执行〈中华人民共和国民法通则〉若干问题的意见（试行）》，从审判的角度对相邻关系中的通行权做了一些规定：

1. 一方必须在相邻一方使用的土地上通行的，应当予以准许；因此造成损失的，应当给予适当补偿。

2. 对于一方所有的或者使用的建筑物范围内历史形成的必经通道，所有权人或者使用权人不得堵塞。因堵塞影响他人生产、生活，他人要求排除妨碍或者恢复原状的，应当予以支持。但有条件另开通道的，可以另开通道。

第二，依当地习惯，许可他人进入其未设围障的土地刈取杂草，采集枯枝、枯干，采集野生植物，或放牧牲畜等。例如瑞士民法典第六百九十九条规定："任何人得于地方习惯容许的范围内，进入森林及牧场，并取得野生浆果、香菇（草）及其他出产物；但主管官署为耕作的利益，个别限定范围禁止之者，不在此限。关于为狩猎及捕鱼之必要而进入他人所有地，州法得为详细的规定。"

第三，他人物品或者动物偶然失落于其土地时，应允许他人进入其土地取回。例如瑞士民法典第七百条规定："物因水、风、雪崩或其他自然力或偶然事件而被移至他人地内，或大小牛仔、蜂群、鸟类及鱼类等偶至他人地内者，土地所有人应许权利人入其地内巡查取回。"德国民法典第九百六十二条规定："蜂群的所有人，在追踪之际，得进入他人之土地。蜂群移住他人的空虚蜂房时，蜂群所有人，为捕获蜂群，得开启蜂房，取出蜂窝或破坏而消除之。在此情形，所有人应赔偿所生的损害。"

第八十八条　不动产权利人因建造、修缮建筑物以及铺设电线、电缆、水管、暖气和煤气管线等必须利用相邻土地、建筑物的，该土地、建筑物的权利人应当提供必要的便利。

【释义】　本条是关于利用相邻土地的规定。

本条规定的使用邻地包括两种情形，一是因建造、修缮建筑物而临时使用邻地；二是在邻地上安设管线。

（一）因建造、修缮建筑物而临时使用邻地

土地权利人因建造、修缮建筑物暂时而且有必要使用相邻的土地、建筑物的，相邻的土地、建筑物的权利人应当提供必要的便利。例如甲要在自己的建设用地使用权范围内建筑自己的房屋，有必要将脚手架临时搭在相邻的乙的土地范围内，乙不能阻拦，而应提供必要的便利。很多国家对这种基于建筑而临时使用相邻土地的相邻关系做了规定，例如日本民法典第二百零九条规定："（一）土地所有人，于疆界或疆界附近建造、修缮墙壁或建筑物时，于必要范围内，可以使用邻地。但是，未经邻人允许，不得进入其住宅；（二）于前款情形，邻人受损害时，可以请求偿金。"

为了解决因施工而临时占用邻人土地而产生的纠纷，《最高人民法院关于贯彻执行〈中华人民共和国民法通则〉若干问题的意见（试行）》规定：相邻一方因施工临时占用他方使用的土地，占用的一方如未按照双方约定的范围、用途和期限使用的，应当责令其及时清理现场，排除妨碍，恢复原状，赔偿损失。

（二）在邻地上安设管线

从建筑工程学角度上讲，土地权利人，非经过邻人的土地而不能安设电线、水管、煤气管等管线，而此等管线又为土地权利人所必需，该土地权利人有权通过邻人土地的上下安设，但应选择损害最小的处所及方法安设，仍有损害的，应支付偿金。

很多国家或地区对在相邻土地上安设管线的问题做出了规定。例如瑞士民法典第六百九十一条第一款规定："土地所有人已取得全部损害赔偿时，有许可水道、疏水管、煤气管等类似管道及地上、地上电缆在其土地安设的义务。但以非经其土地不能安设，或需过大费用始能安设的为限。"我国台湾地区"民法"专设"管线安设权"一条，其第七百八十六条规定："土地所有人，非通过他人之土地,不能安设电线、水管、煤气管或其他筒管,或虽能安设而需费过巨者,得通过他人土地之上下而安设。但应择其损害最少之处所及方法为之,并应支付偿金。依前项规定,安设电线、水管、煤气管或其他筒管后,如情事有变更时,他土地所有人得请求变更其安设。前项变更安设之费用,由土地所有人负担,但另有习惯者,从其习惯。”

第八十九条 建造建筑物,不得违反国家有关工程建设标准,妨碍相邻建筑物的通风、采光和日照。

【释义】 本条是关于通风、采光和日照的规定。

通风、采光和日照是衡量一个人居住质量的重要标准之一。随着城市化的发展,在现代都市,建筑物的通风、采光和日照问题日益成为社会关注的问题之一。由于城市土地价值的提升,导致建筑物之间的距离比过去缩小,高层建筑进一步普及,这些变化使得建筑物之间通风、采光和日照的矛盾越来越多,因此,物权法有必要在民法通则规定的基础上,对通风、采光和日照的问题作进一步规定。

有些国家在民法中规定建造建筑物的一些具体标准,例如,意大利、瑞士和日本民法规定,不动产权利人建造建筑物时,应与相邻建筑物保持适当的距离,并且限制其适当的高度,不得妨碍相邻建筑物的通风和采光。意大利民法规定,相邻土地上的建筑物不是一体的,应保持不少于 3 米的距离。日本民法规定,土地权利人在冬至这一天应享有不少于 4 小时的日照时间。

由于我国地域辽阔,各地经济发展很不平衡,所以在物权法中很难规定具体的标准。又由于以某个社会发展阶段,对建设工程标准的要求也有所不同,因此不宜在物权法中规定具体的标准。所以我国物权法第八十九条只是原则规定,“建造建筑物,不得违反国家有关工程建设标准,妨碍相邻建筑物的通风、采光和日照。”2001 年 7 月 31 日,建设部颁布《建筑采光设计标准》。2002

年8月30日,建设部专门就房屋建筑部分发布《工程建设标准强制性条文》。2002年3月1日,建设部发布《城市居住区规划设计规范》。按照该规范规定,旧区改造住宅日照标准按照大寒日的日照不低于1小时执行。

第九十条　不动产权利人不得违反国家规定弃置固体废物,排放大气污染物、水污染物、噪声、光、电磁波辐射等有害物质。

【释义】　本条是关于相邻不动产之间排放、施放污染物的规定。

在现代社会,人们生活环境的质量日益受到社会的重视,各国政府都在加大环境保护的力度,其中重要的举措就是加强有关环境保护方面的立法。但是保护环境不能只靠环境保护法,在与环境有关的相邻关系,以及侵害环境的民事责任等方面,则是民法的重要任务之一。此次我国制定的物权法是进入21世纪后制定的重要民事法律之一,应充分体现对人文的关怀,因此,非常有必要对相邻不动产之间基于环境而产生的相邻关系问题做出规定。

大陆法系多数国家都把“不可称量物质侵入”的禁止性规定作为相邻关系一章的重要内容。所谓“不可称量物质侵入”是指煤气、蒸汽、热气、臭气、烟气、灰屑、喧嚣、振动,以及其他类似物质侵入相邻不动产。大陆法系多数国家或地区的民法中都规定了不可称量物质侵入相邻不动产时,如何调整、处理双方的相邻关系,只不过论述的角度有所不同。德国规定,在不损害或仅轻微损害的前提下,土地权利人不得禁止相邻不动产的煤气、蒸汽、臭气、烟气、煤烟、热气、噪声、振动或其他类似物质侵入自己的土地,但是如果此种妨害超出预期的程度时,可以向造成损害的相邻土地权利人请求相当数额的金钱作为赔偿(德国民法典第九百零六条)。我国台湾地区“民法”第七百九十三条规定:“土地所有人,于他人之土地有煤气、蒸汽、热气、臭气、烟气、灰屑、喧嚣、振动及其他相类者侵入时，得禁止之。但其侵入轻微，或按土地形状、地方习惯，认为相当者，不在此限。”

通过德国民法典和我国台湾地区“民法”的规定来看，明确规定了相邻关系中的容忍义务，即遭受来自于相邻不动产的污染物侵害时，此种侵害如果是轻微的，或者按地方习惯认为不构成损害的，则应当容忍，不能阻止相邻不动产排放或施放污染物。只有此种侵害超过必要的限度或者可容忍的限度时，就可以通过法律途径要求相邻不动产权利人停止侵害、消除危险、排除妨害，以及赔偿损失。这样规定的目的是维持相邻不动产之间的和睦关系，因为一个人不可能生活在真空里，来自于相邻不动产的污染物的侵入是不可避免的，但这种侵害不能超过一个合理的度。例如一群人共同居住在一栋建筑物，甲在装修时释放的噪音势必对其邻居造成一定的侵害，但其上下左右的邻居为维持和睦的邻里关系，应当负容忍义务，因为谁家都可能需要装修，并且装修总是能在一段时间之内完成的，此种噪音侵害并不是永久的，所以应当是可以容忍的。但是甲也应当遵守建筑物的管理规约，不得在邻居晚上休息时释放施工噪音。

我国物权法第九十条虽然没有明确规定相邻不动产权利人之间排放污染物的容忍义务，但按照第八十四条规定的处理相邻关系的“有利生产、方便生活、团结互助、公平合理”的原则，已经包含了相邻不动产权利人之间应当互负容忍义务。但互负容忍义务是有限度的，在国家规定的标准以内应当容忍，如果超过国家规定的标准，受害的不动产权利人有权要求侵害人停止侵害、消除危险、排除妨害，以及赔偿损失。

本条规定的大气污染物，主要包括燃煤的煤烟污染；废气、粉尘和恶臭污染；机动车船的尾气污染等。我国大气污染防治法第七条规定，国务院环境保护行政主管部门制定国家大气污染物排放标准。省、自治区、直辖市人民政府对国家大气污染物排放标准中未作规定的项目,可以制定地方排放标准;对国家大气污染物排放标准中已作规定的项目,可以制定严于国家排放标准的地方排放标准。例如目前我国北方城市大气总悬浮颗粒物的50%来自扬尘,其中建筑施工是扬尘的重要来源。如果某一居民区的旁边是一个施工现场,该居民区的居民认为该施工现场的粉尘超过国家规定的标准的,可以要求其停止侵害、消除危险、排除妨害,以及赔偿损失。

水是一种基本的环境因素,也是重要的资源。它的开发、利用和保护的情况如何,不仅直接关系到农业生产和工业生产的发展,而且直接关系到人民生活和整个国民经济的发展。水污染是我国环境保护中的一个突出问题。随着工业生产的增长和城市的发展,排向江河、湖泊的污水量不断增加,特别是未经处理的工业废水带入大量的有毒、有害污染物质,排放到自然水体,造成了水体污染,破坏了生态平衡。我国水污染防治法第七条规定,国务院环境保护部门制定国家水污染物排放标准。省、自治区、直辖市人民政府对国家水污染物排放标准中未作规定的项目,可以制定地方水污染物物排放标准;对国家水污染物排放标准中已作规定的项目,可以制定严于国家水污染物排放标准的地方水污染物排放标准。在相邻关系中,我国的一个突出的纠纷是上游向下游排污,导致下游污染,影响下游人民的生活和工农业生产。按照本条和水污染防治法的规定,上游企业向河道排放污水,必须符合国家规定的排污标准。

随着我国工业化、城市化的发展以及人民生活水平的提高,固体废物污染防治工作面临着许多新的情况和问题,主要表现在以下几个方面:一是固体废物产生量持续增长,工业固体废物每年增长7%,城市生活垃圾每年增长4%;二是固体废物处置能力明显不足,导致工业固体废物(很多是危险废物)长年堆积,垃圾围城的状况十分严重;三是固体废物处置标准不高,管理不严,不少工业固体废物仅仅做到简单堆放,城市生活垃圾无害化处置率仅达到20%左右;四是农村固体废物污染问题日益突出,畜禽养殖业污染严重,大多数农村生活垃圾没有得到妥善处置;五是废弃电器产品等新型废物不断增长,造成新的污染。我国固体废物污染环境防治法第十一条规定,国务院环境保护行政主管部门会同国务院有关行政主管部门根据国家环境质量标准和国家经济、技术条件,制定国家固体废物污染环境防治技术标准。在相邻关系中,不动产权利人不得违反国家规定的标准,向相邻不动产倾倒、堆放、丢弃、遗撒固体废物。

我国环境保护法第二十四条规定,产生环境污染和其他公害的单位,必须采取有效措施,防治在生产建设或者其他活动中产生的噪声、振动、电磁波辐射等对环境的污染和危害。

在相邻关系中,不动产向相邻不动产施放噪声是难免的,但是要控制施放噪声的分贝以及施放噪声的时间,不得影响相邻不动产正常的生产、生活;随着城市化的发展,高层建筑的玻璃幕墙造成的光污染,以及霓虹灯等造成的光污染越来越多。解决此类纠纷,一是要求建筑单位在建筑物设计上,要考虑相邻不动产可能遭受的损害,二是要给受损害的相邻不动产充分、合理的补偿。随着近代无线电技术的发展,电磁波污染日益受到社会的重视。我国《广播电视设施保护条例》第十一条规定:“广播电视信号发射设施的建设,应当符合国家有关电磁波防护和卫生标准;在已有发射设施的场强区内,兴建机关、工厂、学校、商店、居民住宅等设施的,除应当遵守本条例有关规定外,还应当符合国家有关电磁波防护和卫生标准。”

第九十一条　不动产权利人挖掘土地、建造建筑物、铺设管线以及安装设备等,不得危及相邻不动产的安全。

【释义】 本条是关于维护相邻不动产安全的规定。

不动产权利人有权在自己具有使用权的土地范围内进行工程建设,但是要注意相邻不动产的安全,避免使相邻不动产造成不应有的损害。

所谓“不得危及相邻不动产的安全”主要包括以下几个方面:

第一,在自己的土地上开挖地基时,要注意避免使相邻土地的地基发生动摇或动摇之危险,致使相邻土地上的建筑物受到损害。很多国家或地区对此有规定,例如瑞士民法典第六百八十五条第一款规定:“所有人在挖掘或建筑时,不得使邻人的土地发生动摇,或有动摇的危险,或使其土地上的设施受到危害。”我国台湾地区“民法”第七百九十四条规定:“土地所有人开掘土地或为建筑时,不得因此使邻地之地基动摇或发生危险,或使邻地之工作物受其损害。”

第二,在与相邻不动产的疆界线附近处埋设水管时,要预防土沙崩溃、水或污水渗漏到相邻不动产。日本民法典第二百三十八条对此有规定。

第三,不动产权利人在自己的土地范围内种植的竹木根枝伸延,危及另一方建筑物的安全和正常使用时,应当消除危险,恢复原状。《最高人民法院关于贯彻执行〈中华人民共和国民法通则〉若干问题的意见(试行)》规定:“相邻一方在自己使用的土地上挖水沟、水池、地窖等或者种植的竹木根枝伸延,危及另一方建筑物的安全和正常使用的,应当分别情况,责令其消除危险,恢复原状,赔偿损失。”

第四,不动产权利人在相邻土地上的建筑物有倒塌的危险从而危及自己土地及建筑物安全时,有权要求相邻不动产权利人消除危险。例如德国民法典第九百零八条规定,因与邻地相关的建筑物或其他工作物有倒塌的危险,或因建筑物或工作物的一部分有崩离的危险,致土地有受损害之虞时,所有人对发生的损害可能应负责的人,得请求采取为防止危险发生所必要的措施。我国台湾地区“民法”第七百九十五条规定：“建筑物或其他工作物之全部，或一部有倾倒之危险，致邻地有受损害之虞者，邻地所有人，得请求为必要之预防。”

我国建筑法对施工现场对相邻建筑物的安全、地下管线的安全提出了明确要求。该法第三十九条第二款规定：“施工现场对毗邻的建筑物、构筑物和特殊作业环境可能造成损害的，建筑施工企业应当采取安全防护措施。”第四十条规定：“建设单位应当向建筑施工企业提供与施工现场相关的地下管线资料，建筑施工企业应当采取措施加以保护。”

第九十二条　不动产权利人因用水、排水、通行、铺设管线等利用相邻不动产的，应当尽量避免对相邻的不动产权利人造成损害；造成损害的，应当给予赔偿。

【释义】　本条是关于在使用相邻不动产时避免造成损害的规定。

本法第八十六条第一款规定：“不动产权利人应当为相邻权利人用水、排水提供必要的便利。”第八十七条规定：“不动产权利人对相邻权利人因通行等必须利用其土地的，应当提供必要的便利。”第八十八条规定：“不动产权利人因建造、修缮建筑物以及铺设电线、电缆、水管、暖气和煤气管线等必须利用相邻土地、建筑物的，该土地、建筑物的权利人应当提供必要的便利。”这三条都是从义务的角度写的，即不动产权利人应当按照有利生产、方便生活、团结互助、公平合理的原则，为相邻不动产权利人因用水、排水、通行、铺设管线等而使用自己的不动产负容忍义务，即提供必要的便利。但从使用一方来讲，在行使相邻权的同时，也要负尽量避免对被使用的相邻不动产的权利人造成损害的义务，在无法避免造成损害的情况下，要给予赔偿，这也是公平合理原则的体现。

利用相邻土地引水、排水可能无法避免给相邻土地的权利人造成损失，但应选择损害最小的处所或方法进行引水或者排水，仍有损害的情况下，要给予相邻土地的权利人以补偿。参照我国台湾地区“民法”的规定，关于用水、排水的补偿有以下几项：

一是，高地所有人，因使浸水之地干涸，或排泄家用、农工业用之水，以至河渠或沟道，得使其水通过低地。但应择于低地损害最少之处所及方法为之。前项情形，高地所有人，对于低地所受之损害，应支付偿金（我国台湾地区“民法”第七百七十九条）。

二是，土地所有人，因使其土地之水通过，得使用高地或低地所有人所设之工作物。但应按其受益之程度，负担该工作物设置及保存之费用（我国台湾地区“民法”第七百八十条）。

三是，水源地或井之所有人，对于他人因工事杜绝、减少或污秽其水者，得请求损害赔偿。如其水为饮用，或利用土地所必要者，并得请求回复原状；但不能回复原状者，不在此限（我国台湾地区“民法”第七百八十二条）。

四是，土地所有人因其家用或利用土地所必要，非以过巨之费用及劳力不能得水者，得支付偿金，对邻地所有人，请求给予有余之水（我国台湾地区“民法”第七百八十三条）。

利用相邻土地通行，一般都会对相邻土地的权利人造成损害，特别是在相邻土地上开路的情况下，损害是避免不了的，享有通行权的人必须给予补偿。我国《最高人民法院关于贯彻执行〈中华人民共和国民法通则〉若干问题的意见（试行）》规定：“一方必须在相邻一方使用的土地上通行的，应当予以准许；因此造成损失的，应当给予适当补偿。”参照我国台湾地区“民法”关于通行补偿的规定：一是，土地因与公路无适宜之联络，致不能为通常之使用者，土地所有人得通行周围地以至公路，但对于通行地因此所受之损害，应支付偿金（我国台湾地区“民法”第七百八十七条）。二是，有通行权人，于必要时，得开设道路。但对于通行地因此所受之损害，应支付偿金（我国台湾地区“民法”第七百八十八条）。

关于必须利用相邻不动产铺设管线的，应选择相邻不动产损害最小之处所或方法进行，并按照损害的大小，给予补偿。我国台湾地区“民法”第七百八十六条规定：“土地所有人，非通过他人之土地，不能安设电线、水管、煤气管或其他筒管，或虽能安设而需费过巨者，得通过他人土地之上下而安设。但应择其损害最少之处所及方法为之，并应支付偿金。”

关于在自己的土地上进行建筑活动，而有必要临时使用相邻土地、建筑物，如有损害，应当对相邻土地、建筑物的权利人给予补偿。我国台湾地区“民法”第七百九十二条规定：“土地所有人，因邻地所有人在其疆界或近旁，营造或修缮建筑物或其他工作物有使用其土地之必要，应许邻地所有人使用其土地，但因而受损害者，得请求偿金。”

第八章　共　　有

本章是关于共有的规定,共十三条。区分按份共有和共同共有,对共有物的管理及费用负担、共有物的处分及重大修缮、共有物的分割、共有的内部关系和外部关系等内容做了规定。

第九十三条　不动产或者动产可以由两个以上单位、个人共有。共有包括按份共有和共同共有。

【释义】　本条是关于共有概念和共有形式的规定。

(一)关于共有的概念

共有是指多个权利主体对一物共同享有所有权。共有的主体称为共有人,客体称为共有财产或共有物。各共有人之间因财产共有形成的权利义务关系,称为共有关系。

财产的所有形式可分为单独所有和共有两种形式。单独所有是指财产所有权的主体是单一的,即一个人单独享有对某项财产的所有权。所谓共有,是指某项财产由两个或两个以上的权利主体共同享有所有权,换言之,是指多个权利主体对一物共同享有所有权。例如,两个人共同所有一艘船舶。我国海商法第十条规定:"船舶由两个以上的法人或者个人共有的,应当向船舶登记机关登记;未经登记的,不得对抗第三人。"

在共有的概念中要区分共有与公有的关系问题。共有和公有不同。"公有"是指社会经济制度,即公有制。就公有财产权来说,它和共有在法律性质上的不同,主要表现在:第一,共有财产的主体是多个共有人,而公有财产的主体是单一的,在我国为国家或集体组织。全民所有的财产属于国家所有，集体所有的财产则属于某集体组织成员集体所有。第二，公有财产已经脱离个人而存在，它既不能实际分割为个人所有，也不能由个人按照一定的份额享有财产权利。在法律上，任何个人都不能成为公有财产的权利主体。所以，有人认为集体所有是一种共同共有的观点是不对的，集体所有是一种抽象的概念，集体所有的财产不能量化到集体经济组织的成员。而在共有的情况下，特别是在公民个人的共有关系中，财产并没有脱离共有人而存在。共有财产在归属上为共有人所有，是共有人的财产。所以，单个公民退出或加入公有组织并不影响公有财产的完整性，但是，公民退出或加入共有组织（如合伙），就会对共有财产发生影响。

（二）关于共有的形式

在德国民法，共有指"按份共有"，没有提出"共同共有"的概念，但事实上规定了共同共有的法律关系。如德国民法典第七百一十八条规定的合伙，德国商法典第一百零五条、第一百零六条规定的合伙公司、夫妻共同财产和尚未分割的共同继承财产的所有权等。这种共有关系并没有规定在德国民法典物权编中的"共有"一节中，而是在它的第二编即债务关系编的第十四节"团体"和第十五节"共同关系"之内。而我国台湾地区"民法"，共有事实上包括按份共有、"公同共有"（共同共有）及"准共有"。我国民法通则虽然也把共有分为按份共有与共同共有，但哪些是按份共有，哪些是共同共有，并无明确规定。

第九十四条　按份共有人对共有的不动产或者动产按照其份额享有所有权。

【释义】　本条是关于按份共有的规定。

按份共有，又称分别共有，是与共同共有相对应的一项制度。指数人按应有份额（部分）对共有物共同享有权利和分担义务的共有。

在按份共有中,各共有人对共有物享有不同的份额。各共有人的份额,又称应有份,其具体数额一般是由共有人约定明确的。例如,甲、乙合购一辆汽车,甲出资 3 万元,乙出资 2 万元,甲、乙各按出资的份额对汽车享有权利、分担义务。在按份共有中,各共有人的应有份必须是明确的,如果按份共有人对共有的不动产或者动产享有的份额,没有约定或者约定不明确的,依照本法第一百零三条规定,按照出资额确定;不能确定出资额的,视为等额享有。

在按份共有中,每个共有人对共有财产享有的权利和承担的义务,是依据其不同的份额确定的。共有人的份额决定了其权利义务的范围。共有人对共有物持有多大的份额,就对共有物享有多大权利和承担多大义务,份额不同,共有人对共有财产的权利义务也不同。例如,甲乙二人共同出资购买一处房屋,甲出资 6 万元,乙出资 4 万元。甲乙二人共同决定将该房屋出租获取收益。在租金的分配上,甲有权获得租金总额的 60%,乙则获得租金总额的 40%。反之,在对该房屋维修费用的负担上,甲应负担 60%,而乙则承担 40%。

按份共有与分别所有是不同的。在按份共有中,各个共有人的权利不是局限在共有财产的某一部分上,或就某一具体部分单独享有所有权,而是各共有人的权利均及于共有财产的全部。当然,在许多情况下,按份共有人的份额可以产生和单个所有权一样的效力,如共有人有权要求转让其份额,但是各个份额并不是一个完整的所有权,如果各共有人分别单独享有所有权,则共有也就不复存在了。

第九十五条　共同共有人对共有的不动产或者动产共同享有所有权。

【释义】 本条是关于共同共有的规定。

共同共有是指两个或两个以上的民事主体，根据某种共同关系而对某项财产不分份额地共同享有权利并承担义务。共同共有的特征是：第一，共同共有根据共同关系而产生，以共同关系的存在为前提，例如夫妻关系、家庭关系；第二，在共同共有关系存续期间内，共有财产不分份额。这是共同共有与按份共有的主要区别；第三，在共同共有中，各共有人平等地对共有物享受权利和承担义务。

关于共同共有的形式，我国学界普遍认为共同共有包括"夫妻共有"、"家庭共有"和"遗产分割前的共有"。

（一）夫妻共有

共同共有最典型的形式就是夫妻共有。我国婚姻法第十七条规定，夫妻在婚姻关系存续期间所得的下列财产，归夫妻共同所有：一是工资、奖金；二是生产、经营的收益；三是知识产权的收益；四是继承或赠与所得的财产，但遗嘱或赠与合同中确定只归夫或妻一方的财产除外；五是其他应当归共同所有的财产。夫妻对共同所有的财产，有平等的处理权。例如，夫妻双方出卖、赠与属于夫妻共有的财产，应取得一致的意见。夫妻一方明知另一方处分财产而未作否定表示的，视为同意。

（二）家庭共有

家庭共有财产是指家庭成员在家庭共同生活关系存续期间，共同创造、共同所得的财产。例如，家庭成员交给家庭的财产，家庭成员共同受赠的财产，以及在此基础上购置和积累起来的财产等。概言之，家庭共有财产是家庭成员的共同劳动收入和所得。家庭共有财产和家庭财产的概念是不同的。家庭财产是指家庭成员共同所有和各自所有的财产的总和，包括家庭成员共同所有的财产、夫妻共有财产和夫妻个人财产、成年子女个人所有的财产、其他家庭成员各自所有的财产等。家庭共有财产则不包括家庭成员各自所有的财产。

区分家庭共有财产与家庭成员个人财产的主要意义在于：(1)我国继承法第二十六条第二款规定："遗产在家庭共有财产之中的，遗产分割时，应当先分出他人的财产。"家庭共有财产的某一共有人死亡，财产继承开始时，必须把死者在家庭共有财产中的应有部分分出，作为遗产继承，而不能把家庭共有财产都作为遗产继承。(2)我国个人独资企业法第十八条规定："个人独资企业投资人在申请企业设立登记时明确以其家庭共有财产作为个人出资的，应当依法以家庭共有财产对企业债务承担无限责任。"《个人独资企业登记管理办法》第十条规定："个人独资企业投资人以个人财产出资或者以其家庭共有财产作为个人出资的，应当在设立申请书中予以明确。"(3)《最高人民法院关于贯彻执行〈中华人民共和国民法通则〉若干问题的意见(试行)》规定："民法通则第三十五条第一款中关于'以各自的财产承担清偿责任'，是指合伙人以个人财产出资的，以合伙人的个人财产承担；合伙人以其家庭共有财产出资，以其家庭共有财产承担；合伙人以个人财产出资，合伙的盈余分配所得用于其家庭成员生活的，应先以合伙人的个人财产承担，不足部分以合伙人的家庭共有财产承担。"

(三)遗产分割前的共有

我国台湾地区"民法"第一千一百五十一条规定："继承人有数人时，在分割遗产前，各继承人对于遗产全部为公同共有。"所谓"公同共有"即我们所说的"共同共有"。我国继承法第二十四条规定："存有遗产的人，应当妥善保管遗产，任何人不得侵吞或者争抢。"

(四)关于合伙的共有性质

我国内地很多学者把我国台湾地区"民法"中归入共同共有的"合伙"认为是按份共有。经查我国台湾地区"民法"第六百六十八条规定：各合伙人之出资，及其他合伙财产，为合伙人全体之公同共有。第六百八十二条第一款规定：合伙人于合伙清算前，不得请求合伙财产之分析。第六百八十三条规定：合伙人非经他合伙人全体同意，不得将自己之股份转让于第三人。从我国台湾地区"民法"的规定看，其对合伙财产的规定符合共同共有的某些特征，首先是共同管理，个人不得处分，其次是在共有关系解除前，不得分割共有财产。我国多数学者认为合伙财产属于按份共有的理由是：首先，共同共有是不能划分份额的，而在合伙财产中，实际是按投资比例划分份额。其次，按份共有是按照自己的份额享有共有财产的收益，而合伙人对收益的分配主要也是以投资比例确定。我国台湾地区"民法"第六百七十七条第一款规定：分配损益之成数，未经约定者，按照各合伙人出资额之比例定之。反观，共同共有人对共有财产的收益则是不分份额的共同享有。因此，"合伙财产"是归入按份共有，还是归入共同共有，是一个值得研究的问题。

第九十六条　共有人按照约定管理共有的不动产或者动产；没有约定或者约定不明确的，各共有人都有管理的权利和义务。

【释义】　本条是关于共有物管理的规定。

多人共有一物的，对共有物的管理是事关各共有人的大事，所以也是关于共有的法律规范中的重要内容。

本条规定的对共有物的"管理"是一个外延宽泛的大概念。包括共有人对共有物的保存、使用方法和简易修缮。对共有物的处分和重大修缮则不属于对共有物管理的内容，在本章中另条规定。另外，本条没有区分按份共有、共同共有而对共有物的管理分别做出规定，应当说按份共有人与共同共有人对共有物的管理的权利、义务上还是略有区别的。在对本条的释义里有必要分述如下：

（一）按份共有人对共有物的管理

1. 按份共有人对共有物的保存

对共有物的保存是指以维持共有物的现状为目的，保持共有物的完好状态,通过相应的管理措施,避免共有物的毁损、灭失。例如,甲乙二人共购一辆出租汽车并获得运营权。甲乙二人在共同经营这辆出租汽车时,可以就如何维护、保养这辆汽车进行约定,如该车每跑5000公里必须做保养;每晚停止营运后要置放于某安全地点以避免被盗等内容。甲乙二人应当遵守双方关于保存该车的规定。如果甲乙二人没有就该车如何保存做出约定,那么甲和乙各自应尽自己妥善保存的义务。

2. 按份共有人对共有物的使用方法

按份共有人对共有物的使用与按份共有人决定对共有物的使用方法是两个性质不同的问题。按份共有人对共有物的使用及收益分配是本法第九十四条调整的内容,即各共有人按照其份额对共有物享有所有权。例如,甲乙二人共同出资购买一处房屋,甲出资6万元,乙出资4万元。甲乙二人共同决定将该房屋出租获取收益。在租金的分配上,甲有权获得租金总额的60%,乙则获得租金总额的40%。而按份共有人商定对共有物的使用方法则属于对共有物管理的内容。因为对共有物的使用方法决定着共有物的状态及使用寿命。例如,全体共有人可以约定以下几种对共有物的使用方法:一是各共有人对共有物分部分或者分时间使用;二是将共有物交个别共有人使用,由使用的共有人对不使用的共有人给予补偿;三是将共有物出租,租金在共有人中按各自的份额分配。

3. 按份共有人对共有物的简易修缮

对共有物的简易修缮与对共有物的重大修缮不同。对共有物的简易修缮是出于对共有物的保存目的,即保持共有物现有的状态。例如给共有的房屋破损的玻璃换上好的玻璃等。而对共有物作重大修缮,目的往往是增加共有物的效用或价值。例如将共有居住房屋改造成商业用房出租。对共有物的重大修缮,往往需费过巨,依照本法第九十七条的规定,需要在按份共有人中间实行多数决定通过。而对共有物的简易修缮,往往需费甚少,按本条规定,只需共有人按约定办理。如果没有约定或者约定不明确的,各共有人都有义务对共有物作简易修缮。例如我国台湾地区“民法”第八百二十条规定:“共有物,除契约另有订定外,由共有人共同管理之。共有物之简易修缮,及其他保存行为,得由各共有人单独为之。”

(二)共同共有人对共有物的管理

共同共有人对共有物享有共同的权利,承担共同的义务。在对共有物的管理上,也主要体现在以下三个方面:

第一,在对共有物的保存上,有约定的按约定办理。没有约定或者约定不明确的,各共有人都有妥善保存的权利和义务。所谓对共有物保存的约定,主要是对共有物保存方式的约定,使共有物处于良好状态,以至于共有物对全体共有人发挥更大的功效。例如夫妻可以对共有的汽车商定如何保养、存放,以避免汽车毁损、灭失。有约定的依约定,没有约定的,夫妻当中主要使用汽车的一方要妥善保存。

第二,在对共有物的使用方法上,也要遵循有约定的依约定,没有约定的,共有人在各自使用时,要尽合理的注意义务,以避免共有物毁损。例如夫妻在使用共有的洗衣机问题上,几乎不可能约定使用方法,那么夫妻各自使用时,要按照产品的操作规程,以防洗衣毁损。

第三,在对共有物简易修缮问题上,共有人要商量确定。商量不通的,各共有人都有权利和义务进行修缮。因为共有物的有些小毛病如不及时修理,可能导致损失进一步扩大,对全体共有人都是不利的。

第九十七条 处分共有的不动产或者动产以及对共有的不动产或者动产作重大修缮的,应当经占份额三分之二以上的按份共有人或者全体共同共有人同意,但共有人之间另有约定的除外。

【释义】 本条是关于共有物处分或者重大修缮的规定。

我国物权法第九十六条区分按份共有和共同共有,对共有物的处分或者重大修缮问题做出了不同的规定。

(一)对按份共有物的处分

我国物权法在对按份共有物的处分问题上兼顾效益原则和公平原则,实行"多数决"原则,即占份额三分之二以上的按份共有人同意,即可处分共有物。传统民法从公平原则出发,规定只有在全体按份共有人同意的前提下,才能对共有物进行处分。例如德国民法典第七百四十七条第二款规定:"整个共有物仅得由全体共有人共同处分。"我国台湾地区"民法"第八百二十条第二款规定:"共有物之处分、变更及设定负担,应得共有人全体之同意。"在我国物权法起草过程中,经过对此问题深入细致地研究,认为传统民法的规定存在一定弊端,并不能适应新时代对物尽其用的要求。全体同意原则不仅使按份共有人间易滋生矛盾,丧失合作信心,也阻碍物之及时有效的利用。在当今社会,机会稍纵即逝,很多情况下,等到每个共有人都首肯,机会早已丧失,使物不能尽其用。因此,我国物权法在对按份共有的共有物处分问题上采用"多数决"的原则。但如果按份共有人约定对共有物的处分应经全体共有人一致同意,则应当依照约定行事。

为了提高共有物的使用效率,按份共有人可以转让其在共有物上的财产份额,当然可以用自己在共有物上的份额设定负担。例如甲乙丙兄弟三人各出资30万元购置一套房屋。甲乙二人因生意缺钱,可以以二人在该房屋上的份额向银行质押并获得贷款60万元。如果甲乙二人到期不能归还银行借款,丙对甲乙二人在该房屋上的份额有优先购买权,丙可以向甲乙二人各支付30万元,甲乙二人在向银行还贷的同时,也消灭了与丙的按份共有关系。

(二)对按份共有物的重大修缮

按份共有人对共有物的重大修缮,在我国台湾地区被称为对共有物的改良。对共有物的重大修缮或称改良行为,是在不改变共有物性质的前提下,提高共有物的效用或者增加共有物的价值。例如甲乙丙兄弟三人决定将共有的房屋重建。由于对共有物的重大修缮较对共有物的保存而言需费较大,需要各共有人按照自己所占共有物份额的比例支付重大修缮费用,因此为维护多数共有人的利益,我国物权法对共有物作重大修缮的行为规定实行“绝对多数决”的原则,即占共有物三分之二以上份额的共有人同意,才能对共有物作重大修缮。

经查大陆法系有些国家或地区的立法,对共有物的改良实行“相对多数决”原则。例如我国台湾地区“民法”第八百二十条第三款规定:“共有物之改良,非经共有人过半数,并其应有部分合计已过半数者之同意不得为之。”由此可以看出,我国台湾地区立法对共有物的改良实行“相对多数决”原则,但是其强调不但份额过半数,共有人的人数也要过半数的前提下,才能对共有物进行改良。我国物权法第九十六条只是规定占份额三分之二以上共有人同意,即可对共有物进行重大修缮。应当说这样规定是有其合理性的。因为既能体现物尽其用的原则,又能兼顾多数共有人的利益,可以说是兼顾了效率原则与公平原则。

(三)对共同共有物的处分

共同共有根据共同关系而产生,以共同关系的存在为前提。共同共有最重要的特征之一就是各共有人平等地对共有物享受权利和承担义务。因此,处分共有物必须经全体共同共有人同意。例如,甲乙二人为夫妻关系,甲乙二人共同共有一辆汽车。在对这辆汽车的转让问题上,必须在甲乙二人一致同意转让的前提下,才能将该车转让。

对共同共有物的处分须经全体共有人“一致决”的原则是传统民法的通例,例如瑞士民法典第六百五十三条第二款规定:“行使所有权,特别是对物的处分,除有特别约定外,须经全体共同共有人一致同意。”我国台湾地区“民法”第八百二十八条规定：“公同共有人之权利义务，依其公同关系所由规定之法律或契约另有规定外，公同共有物之处分及其他之权利行使，应得公同共有人全体之同意。”

我国在司法实践中也坚持对共有物的处分须经全体共同共有人一致决的原则。《最高人民法院关于贯彻执行〈中华人民共和国民法通则〉若干问题的意见（试行）》规定：共同共有人对共有财产享有共同的权利，承担共同的义务。在共同共有关系存续期间，部分共有人擅自处分共有财产的，一般认定无效。其他共有人明知而未提出异议的，可以认定有效。

法律规定对共有物的处分须经全体共同共有人同意，但共有人另有约定的除外。例如，甲乙二人为夫妻关系，甲乙二人可以对共有财产约定一个各自可以处分的财产范围，如对价值 100 元以下的共有财产的处分，可以不经过另一共有人的同意。如果双方有此约定，则依约定行事。

（四）对共同共有物的重大修缮

无论是夫妻共有财产，还是家庭共有财产，对共有财产作重大修缮，特别是对价值较大的共有财产作重大修缮，往往事关各共有人的利益，一般需要从共有财产中支付费用，还可能基于修缮而使共有人在一段时间内不能使用，或者影响共有物所创造的价值。所以本条规定，在对共有物作重大修缮的，须经全体共同共有人一致同意，但共有人另有约定的除外。

（五）关于对共同共有物规定“一致决”的理论基础

共同共有以法律规定的或者合同约定的共同关系为前提，而这种共有关系的当事人之间在多数情况下具有一定的人身关系，如婚姻关系或者亲属关系。家庭是社会的细胞，家庭成员之间除具有人身关系之外，还具有一定的财产关系，而共同共有则属于家庭财产的一个常态。法律为了维护家庭关系的稳定，有必要对夫妻共有、家庭共有等共有形式的共有人之间的权利义务做出明确规定，在保护各共有人利益的同时，同时也维护共有人之间的和睦。

共同共有最重要的特征之一就是各共有人平等地对共有物享受权利和承担义务。我国婚姻法第十七条第二款规定："夫妻对共同所有的财产，有平等的处理权。"平等地对共有物行使所有权是共同共有的本质特征。我国是一个具有两千多年封建历史的国家，封建的父权主义、夫权主义在一些家庭中还有所表现。在对共同共有物的处分及行使其他权利的问题上，侵害妇女或其他共有人利益的情况仍然很多。男女平等是我国婚姻法的基本原则，在对夫妻共同财产或者家庭共同财产的处分等权利方面，也必须贯彻平等的原则。

第九十八条　对共有物的管理费用以及其他负担，有约定的，按照约定；没有约定或者约定不明确的，按份共有人按照其份额负担，共同共有人共同负担。

【释义】　本条是关于共有物管理费用负担的规定。

对共有物的管理费用主要包括以下几项：

第一，对共有物的保存费用，即为保持共有物免于毁损、灭失，处于良好安全状态或使用状态而支付的费用。例如对共有的汽车在一年中支付的保险费、养路费、车船使用税、保养费、存放费等。

第二，对共有物作简易修缮或者重大修缮所支出的费用，如修理共有的电视机所支付的修理费；装修共有的房屋所支付的费用。

对共有物的其他负担，例如因为共有物对共有人以外的人造成损害，而向受害人支付的偿金。如共有的房屋倒塌造成他人损害，而向受害人赔偿的医疗费、误工损失费等。

在按份共有中，对共有物的管理费用以及其他负担，有约定的，按照约定；没有约定或者约定不明确的，按份共有人按照其份额负担。

在共同共有中，对共有物的管理费用以及其他负担，原则上由共同共有人共同负担，即由其他的共有财产，如共有的积蓄中支付。但是共同共有人另有约定的，依照其约定。我国婚姻法允许夫妻约定财产制，夫妻可以把家庭财产，部分约定为共同所有，部分约定为各自所有。例如，甲乙二人为夫妻，双方在结婚之时约定婚后各自的工资收入为各自所有，奖金收入为共同共有。同时约定对家庭生活所必需的生活用品的购买实行 AA 制。婚后甲乙二人商定共买一辆汽车，约定双方各出资 10 万元，同时约定所购汽车为夫妻共同财产。在购买汽车后，在对汽车的费用支出问题上，如果甲乙二人有约定，则依约定行事。如甲乙二人约定对该车的所有管理费用支出也实行 AA 制，则依此约定。如果甲乙二人没有对该车的管理费用支出做出约定，则由二人共同负担，即从二人共有的奖金中支付该车的管理费用。

第九十九条　共有人约定不得分割共有的不动产或者动产，以维持共有关系的，应当按照约定，但共有人有重大理由需要分割的，可以请求分割；没有约定或者约定不明确的，按份共有人可以随时请求分割，共同共有人在共有的基础丧失或者有重大理由需要分割时可以请求分割。因分割对其他共有人造成损害的，应当给予赔偿。

【释义】　本条是关于共有财产分割原则的规定。

分割共有财产的基本原则本条规定有三：

（一）依据共有人约定分割的原则

无论是按份共有，还是共同共有，共有人对共有财产的分割有约定的依其约定。共有人约定不得分割共有的不动产或者动产，以维持共有关系的，应当按照约定，但共有人有重大理由需要分割的，可以请求分割。例如，没有经济收入的某个共有人的父亲病重,需要分割共有财产,获得给父亲看病的钱。在这种情形下,虽然共有人有不能分割共有财产的约定,但共有人的父亲患病属于本条规定的有重大理由需要分割共有财产的情形。

(二)依法分割的原则

共有人对共有财产是否可以分割,在什么情况下可以分割没有约定,或者约定不明确的,应当依据物权法的规定予以分割。即本条规定的,按份共有人可以随时请求分割,共同共有人在共有的基础丧失或者有重大理由需要分割时可以请求分割。

1. 按份共有人可以随时请求分割。按份共有是各共有人按照确定的份额对共有财产享有权利承担义务的共有。按份共有人对其应有份额享有相当于分别所有的权利。因此,按份共有关系存续期间,按份共有人有权请求从共有财产中分割出属于自己的份额。这种请求不需要征得其他共有人的同意,只要共有人提出请求,就会产生分割的后果。

2. 共同共有人在共有的基础丧失或者有重大理由需要分割时可以请求分割。共同共有是共有人对全部共有财产不分份额地享有权利承担义务的共有。在共有关系存续期间,各共有人对共有财产没有确定的份额,无论在权利的享有上还是在义务的负担上都无份额比例之分。那么,在共有人对共有财产的分割没有约定的情况下,通常共有人只有在共同共有关系消灭时才能协商确定各自的财产份额,对共有财产予以分割。因此,本条规定共同共有人在共有的基础丧失或者有重大理由需要分割时可以请求分割共有财产。共同共有人共有的基础丧失,如夫妻财产的共同共有,因婚姻关系的解除而失去了共有的基础,在这种情况下,夫或者妻一方可以请求分割共有的财产。有重大理由需要分割,如在婚姻关系存续期间,夫妻二人约定由原来的夫妻共同财产制,改变为夫妻分别财产制,在这种情况下,夫或者妻一方也可以请求分割共有的财产。

（三）损害赔偿的原则

共有财产关系的客体为一项特定的统一的财产，如图书馆，其功能、作用、价值是确定的。因某些法定的特殊原因，共有人分割共有财产，会使共有财产的功能丧失或者削弱，降低它的价值，有可能给其他共有人造成损害，因此本条规定，因分割对其他共有人造成损害的，应当给予赔偿。

第一百条　共有人可以协商确定分割方式。达不成协议，共有的不动产或者动产可以分割并且不会因分割减损价值的，应当对实物予以分割；难以分割或者因分割会减损价值的，应当对折价或者拍卖、变卖取得的价款予以分割。

共有人分割所得的不动产或者动产有瑕疵的，其他共有人应当分担损失。

【释义】　本条是关于共有物分割方式的规定。

分割共有的不动产或者动产，可以采取各共有人间协商确定的方式。协商的内容，由共有人自由决定，当然须得共有人全体的同意。当无法达成协议时，共有人可提请法院进行裁判分割。裁判分割应遵循本条关于实物分割、变价分割或者折价赔偿的原则规定：(1)实物分割。在不影响共有物的使用价值和特定用途时，可以对共有物进行实物分割。例如，甲乙二人共有房屋两间，或甲乙共有粮食若干吨，即可采取实物分割的方式，每人分得一间房屋或数吨粮食。(2)变价分割。如果共有物无法进行实物分割，例如，甲乙共有一头牛或者一辆汽车，实物分割将减损物的使用价值或者改变物的特定用途时，应当将共有物进行拍卖或者变卖，对所得价款进行分割。还有一种情形，也适用变价分割的方式，即各共有人都不愿接受共有物，这时也可采取将共有物出卖，分割价金的方式。例如，甲乙二人共有奶牛 50 头，实物分割是可行的，但甲乙二人都不愿接受，因此只能先将 50 头奶牛变卖，对所得价金进行分割。(3)折价赔偿。折价赔偿的分割方式主要存在于以下情形,即对于不可分割的共有物或者分割将减损其价值的,如果共有人中的一人愿意取得共有物,可以由该共有人取得共有物,并由该共有人向其他共有人作价赔偿。

本条第二款规定,共有人分割所得的不动产或者动产有瑕疵的,其他共有人应当分担损失,即所谓瑕疵担保责任,包括权利的瑕疵担保责任和物的瑕疵担保责任。前者指共有人应担保第三人就其他共有人分得之物不得主张任何权利;后者指共有人对其他共有人应担保其分得部分于分割前未隐含瑕疵。本款的规定是为了防止共有物分割后,共有人发现权利或者利益受到侵害而得不到赔偿的情况发生。此种瑕疵担保责任,应同于合同法中出卖人对买受人所负的瑕疵担保责任。关于共有人瑕疵担保责任,境外立法如德国民法典、日本民法典及我国台湾地区“民法”均有明确规定,即解除共有关系时,各共有人对于其他共有人分割而得的物,按其份额负与出卖人同一的担保责任。

第一百零一条　按份共有人可以转让其享有的共有的不动产或者动产份额。其他共有人在同等条件下享有优先购买的权利。

【释义】　本条是关于共有人的优先购买权的规定。

(一)按份共有人可以转让其享有的共有份额

本条第一句规定了在共有关系存续期间,按份共有人有权转让其享有的共有的不动产或者动产份额。民法通则第七十八条中规定:“按份共有财产的每个共有人有权要求将自己的份额分出或者转让。”规定各共有人有权处分其份额的原因如下:(1)按份共有中各共有人的所有权可划分为份额,各共有人拥有其份额,自然有权将其份额进行处分,这是买卖自由原则的体现,也是所有权的本质所决定的。(2)我国现行法的规定也未限制共有人处分其份额的权利。(3)其他国家和地区有同样的立法例。如德国民法典第七百四十七条规定:“1. 各共有人得自由处分其份额。2. 整个共有物仅得由全体共有人共同处分。”意大利民法典第一千一百零三条规定:“每个共有人都可以在自己享有的财产份额范围内处分自己的权利、允许他人享用自己的财产。”瑞士民法典第六百四十六条规定:“各共有人对其应有份额享有所有人的全部权利及义务。对其应有份额可转让、质押或供债权人扣押。”我国台湾地区“民法”第八百一十九条规定:“各共有人,得自由处分其应有部分。共有物之处分、变更及设定负担,应得共有人全体之同意。”

共有人转让共有份额后,受让人可能继续与其他原共有人共有,或者分割共有份额。共有人请求分割共有物的行为是一种单方法律行为,一经做出即生效力。分割共有物的方法依据当事人约定,如果当事人没有约定或约定不明时,则按照以下方法加以分割:(1)如果共有物能够分割,则将共有物按照共有人各自的份额加以分配;(2)如果共有物不适合分割,如分割会减少共有物的价值,则可以将共有物拍卖或变卖而分割其价金,或者共有人之一人取得共有物,向其他共有人按照各自的份额支付相应的对价。

在一般情况下,按份共有人转让其享有的共有份额,无须得到其他共有人同意。但各共有人不得侵害其他共有人的利益,并受法律的限制。法律有特别规定的,共有人处分其份额应遵守法律的规定。如海商法第十六条规定:“船舶共有人就共有船舶设定抵押权,应当取得持有三分之二以上份额的共有人的同意,共有人之间另有约定的除外。”城市房地产管理法第三十七条规定,共有房地产,未经其他共有人书面同意的,不得转让。此外,在共有关系中有禁止共有人出让其份额的约定的,对共有人应当具有约束力。共有人之一不按照约定处分自己应有份额的,应当无效。但是这种约定是对所有关系的特别限制,不能对抗善意第三人,如果第三人受让其份额为善意无过失,发生共有份额所有权转移的后果。

（二）共有人转让其份额时其他共有人享有优先购买权

本条第二句规定了共有人转让其份额时其他共有人在同等条件下享有优先购买权。此处"同等条件下"是指其他共有人就购买该份额所给出的价格等条件与欲购买该份额的非共有人相同。即当其他共有人与此外的其他人出价相同时，其他共有人有优先购买的权利。法律规定其他共有人优先购买权，是为了简化共有关系，防止因外人的介入而使共有人内部关系趋于复杂。此处优先购买权是共有人相对于非共有人而言的，在共有人之间并无优先的问题，当数个共有人均欲行使其优先购买权时，应由出卖人自行决定。此种优先购买权仅具有债的效力，不得对抗善意第三人。而且共有人有相反的约定的，依其约定。关于共有人的优先购买权，我国现行法律、其他国家和地区法律都有类似规定。如民法通则第七十八条中规定："按份共有财产的每个共有人有权要求将自己的份额分出或者转让。但在出售时，其他共有人在同等条件下，有优先购买的权利。"合同法第三百四十条中规定："合作开发完成的发明创造，除当事人另有约定的以外，申请专利的权利属于合作开发的当事人共有。当事人一方转让其共有的专利申请权的，其他各方享有以同等条件优先受让的权利。"俄罗斯民法典第二百五十条中规定："在向他人出售共有财产份额时，按份共有财产的其他共有人有按出售价格和其他同等条件优先购买所售份额的权利，但公开拍卖的情况除外。"我国台湾地区"土地法"第三十四条规定："共有人出卖其应有部分时，其他共有人得以同一价格共同或单独优先承买。"

第一百零二条　因共有的不动产或者动产产生的债权债务，在对外关系上，共有人享有连带债权、承担连带债务，但法律另有规定或者第三人知道共有人不具有连带债权债务关系的除外；在共有人内部关系上，除共有人另有约定外，按份共有人按照份额享

有债权、承担债务，共同共有人共同享有债权、承担债务。偿还债务超过自己应当承担份额的按份共有人，有权向其他共有人追偿。

【释义】 本条是关于因共有财产产生的债权债务关系的对外以及对内效力的规定。

（一）因共有财产产生的债权债务关系的对外效力

本条第一句中规定了因共有财产产生的债权债务关系的对外效力。按照本条规定，不论是按份共有还是共同共有，只要是因共有的不动产或者动产产生的债权债务，在对外关系上，共有人对债权债务享有连带债权、承担连带债务，但法律另有规定或者第三人知道共有人不具有连带债权债务关系的除外。连带的方法，是共有人享有连带债权时，任一共有人都可向第三人主张债权，共有人承担连带债务时，第三人可向任一共有人主张债权。我国法律对此有类似规定，民法通则第三十五条中规定："合伙的债务，由合伙人按照出资比例或者协议的约定，以各自的财产承担清偿责任。合伙人对合伙的债务承担连带责任，法律另有规定的除外。"合伙企业法第三十九条规定："合伙企业对其债务，应先以其全部财产进行清偿。合伙企业财产不足清偿到期债务的，各合伙人应当承担无限连带清偿责任。"

本条对因共有财产产生的债权债务关系的对外效力不区分按份共有和共同共有，是为了保护善意第三人的权益，对于第三人来说，很难获知共有人的共有关系的性质，此种情形下若不使各共有人承担连带义务，很容易发生共有人推托履行义务的可能，对债权人不利。在第三人不知道共有人内部关系的情况下，法律规定共有人对其享有连带债权、承担连带债务，第三人即可向共有人中的任何一共有人主张其债权，保护了善意第三人的权利。

但是，当法律另有规定或者第三人知道共有人不具有连带债权债务关系时，共有人不用承担连带责任而是按照约定或者共有人享有的份额各自享有债权、承担债务。

（二）因共有财产产生的债权债务关系的对内效力

本条第一句还规定了因共有财产产生的债权债务关系的对内效力。按照本条规定，因共有财产产生的债权债务关系，在共有人内部关系上，除共有人另有约定外，按份共有人按照份额享有债权、承担债务，共同共有人共同享有债权、承担债务。

按份共有人按照其份额对共有的物享有所有权，在内部关系上，除共有人另有约定外，按份共有人按照其份额享有权利，承担义务。共同共有人共同对共有的物享有所有权。在内部关系上，共同共有人共同享有权利、承担义务。

（三）共有人的追偿权

偿还债务超过自己应当承担份额的按份共有人，有权向其他共有人追偿。这样规定的理论基础是按份共有人在内部关系上是按照其份额承担义务的。民法通则第三十五条中规定："偿还合伙债务超过自己应当承担数额的合伙人，有权向其他合伙人追偿。"合伙企业法第四十条第二款规定："合伙人由于承担连带责任，所清偿数额超过其应当承担的数额时，有权向其他合伙人追偿。"其他国家也有类似的立法例。意大利民法典第一千一百一十五条第三款规定："清偿了连带债务又没有得到补偿的共有人，在共有财产的分割中，除取得自己的份额以外，还应当取得与本应获得的补偿相适应的份额作为补偿。"

第一百零三条　共有人对共有的不动产或者动产没有约定为按份共有或者共同共有，或者约定不明确的，除共有人具有家庭关系等外，视为按份共有。

【释义】　本条是关于共有关系不明时对共有关系性质推定的规定。

在征求意见过程中，有的认为，按照传统民法共有人对共有的不动产或动产没有约定为按份共有或者共同共有，或者约定不明确的，应视为共同共有。有的建议，删除本条“除共有人具有家庭关系等外”中的“等”字，不宜将推定的共同共有范围扩大到家庭关系之外的其他社会关系。

共同共有是指共有人对全部共有财产不分份额地享受权利和承担义务的共有。共同共有的共有人只有在共有关系消灭时才能协商确定各自的份额。当共有人对共有的不动产或动产没有约定为按份共有或者共同共有，或者约定不明确的，如果推定为共同共有，共有人对共有财产的份额还是不明确的。因此，本法规定：共有人对共有的不动产或者动产没有约定为按份共有或者共同共有，或者约定不明确的，除共有人具有家庭关系等外，视为按份共有。这样规定，在共有人对共有的不动产或者动产没有约定为按份共有或者共同共有，或者约定不明确时，就能很明确地确定各共有人享有的份额。

第一百零四条　按份共有人对共有的不动产或者动产享有的份额，没有约定或者约定不明确的，按照出资额确定；不能确定出资额的，视为等额享有。

【释义】　本条是关于按份共有人份额不明时份额的确定原则的规定。

按份共有，是指数人按照各自的份额，对共有财产分享权利，分担义务。按份共有的主体须为二人以上，称为共有人；客体须为物，称为共有物；共有人所享有的权利，为所有权。但此处的所有权不是数个，而是一个。即数个所有权人对一个物共同享有一个所有权。

所谓份额，在我国台湾地区“民法”中称作应有部分，在日本称作持分，即各共有人对其所有权在分量上应享有的比例。这个份额是抽象的，并不是指共有物具体的或实体的部分，它既不是对共有物在量上的划分，也不是就共有物划分使用部分。份额是对共有物的所有权在观念上的划分，只是确定各共有人行使权利的比例或者范围而已。各按份共有人有权依其应有份额，对共有物的全部行使权利。如两人共同出资购买了一套房屋，每人的应有份额为二分之一，并非每人对这套房屋享有所有权，而是在这套房屋上只有一个所有权，每人对这套房屋都享有二分之一的所有权。又如A、B二人共有一头羊，二者的份额相等，不能说羊头和腿属于A，羊的其他部分属于B，只能是在对羊的利用上，二者享有同等权利，或平均分配卖羊所得的价金。

按份共有人对共有的不动产或者动产享有的份额，有约定时，按照其约定确定份额，没有约定或者约定不明确时，首先按照出资额确定按份共有人享有的份额，在不能确定出资额的情况下，推定为等额享有。按份共有依共有人意思而成立，共有人应有份额依共有人的约定而定；没有特别约定，但共有关系基于有偿行为而发生的，按其出资比例而确定。既然共有关系的成立是当事人意思自治的结果，那么各共有人应有份额也应贯彻同样原则，即由当事人约定，当事人没有约定应有份额时则依出资比例确定共有份额，在不能确定出资额的情况下，推定为等额享有，不仅易于操作，且能简化当事人之间的法律关系，符合社会生活中最基本的公平正义。

很多国家和地区都有类似的立法例。德国民法典第七百四十二条规定："在发生疑问时，应认为各共有人享有均等的份额。"意大利民法典第一千一百零一条规定："推定共有人按均等份额享有共有财产。共有人根据各自享有的财产份额按比例享有利益，承担负担。"瑞士民法典第六百四十六条规定："(1)一物按份额为数人所有，且该物外部又不能分割的，该所有人为共有人。(2)除另有约定外，共有人对该物的应有份额为均等。"日本民法典第二百五十条规定："各共有人的应有部分不明时，推定为均等。"我国台湾地区"民法"第八百一十七条规定："数人按其应有部分，对于一物有所有权者，为共有人。各共有人之应有部分不明者，推定其为均等。”俄罗斯民法典第二百四十五条中规定：“如果按份共有人的份额不能依照法律确定，而且共有人的协议也未做出规定，则所有份额均等。”阿尔及利亚民法典第七百十三条规定：“两人或数人对一项财产享有所有权而未划分各人的份额，他们为共有人，除有相反证据外，他们每人的份额被视为相等。”

第一百零五条　两个以上单位、个人共同享有用益物权、担保物权的，参照本章规定。

【释义】　本条是关于用益物权和担保物权的准共有的规定。

物权法中的共有制度是专为所有权的共有而规定的，但实际生活中，并非只有所有权才能共有，其他财产权，如他物权、知识产权等财产权均可共有。比如二人以上共同享有一块土地的建设用地使用权。此种情况就是两个以上的主体共同享有用益物权。如甲、乙、丙三人分别借款给债务人丁，三人同时就丁所有的房屋设定一个抵押权，份额为均等，并办理一个抵押权登记时，就发生抵押权的准共有。此种情况就是两个以上的主体共同享有担保物权。本条对用益物权和担保物权的准共有做出了规定。两个以上的主体共同享有用益物权和担保物权的按份共有或共同共有，在性质上与对所有权的共有没有差别，为了条文的简约以及对实践中这种情况的处理，本条规定两个以上单位、个人共同享有用益物权、担保物权的，参照本章规定。

所谓准共有是指数人按份共有或者共同共有数人共同共有所有权以外的财产权。准共有有以下特征：(1)准共有的标的物是所有权之外的财产权，包括用益物权、担保物权等。(2)准共有即准用共有的有关规定，各人就所有权之外的财产究竟是准用共同共有还是按份共有，应当视其共有关系而定。(3)准共有准用按份共有或共同共有的前提，是规范该财产权的法律没有特别规定。

如果有,则应首先适用该特别规定。

关于准共有,很多国家和地区都有类似立法例。德国民法典第七百四十一条规定:"数人共同享有一权利者,除法律另有其他规定外,准用第742—758条规定。"日本民法典第二百六十四条规定:"本节规定,准用于数人有所有权以外财产权的情形。但法令另有规定时,不在此限。"我国台湾地区"民法"第八百三十一条规定:"本节规定,于所有权以外之财产权,由数人共有或公同共有者准用之。"

第九章 所有权取得的特别规定

所有权取得可分为一般取得和特别取得,善意取得、拾得遗失物等财产取得方式是所有权的特别取得。本章规定善意取得、拾得遗失物等所有权取得的特别方式。

讲所有权的特别取得需先讲物权的取得。物权的取得又作物权的发生,物权的取得可分为原始取得和继受取得,原始取得指非基于他人的权利和意志取得物权,继受取得指基于他人的权利和意志取得物权。继受取得又分为移转取得和创设取得,移转取得指按原状取得他人物权,创设取得指于他人所有权上设定用益物权。

物权的取得可细分为不动产物权的取得、动产物权的取得、用益物权的取得。某些法律事实能够引起这三种物权的发生,某些法律行为仅能引起其中一种或两种物权的发生。

能够取得不动产物权、动产物权、用益物权的法律事实主要有以下行为和事实:(1)合同。通过买卖、互易、赠与取得物权。(2)善意取得。受让人基于对不动产登记、动产占有的信赖,以对价善意受让不动产、动产的物权,纵使出让人无转让的权利,受让人依然能够取得该不动产、动产的物权。(3)继承、遗赠。公民死亡后,继承人、受遗赠人取得遗产的物权。公民死亡的时间,是继承人、受遗赠人取得遗产物权的时间。(4)赔偿、补偿。通过获得赔偿、补偿取得物权。(5)判决、裁决。通过人民法院判决、仲裁庭裁决取得物权。判决、裁决生效的时间是当事人取得物权的时间。(6)划拨。通过划拨取得物权。(7)时效。通过取得时效取得物权。

能够取得一种或两种物权的法律事实主要有以下行为和事实:(1)生产。通过生产劳动取得物的所有权。产品成就的时间是当事人取得产品所有权的时间。(2)先占。通过先占取得动产所有权。(3)添附。通过添附取得动产所有权。(4)收归。将无主物、无人认领的遗失物等、无人继承又无人受遗赠的遗产收归国有,将无人继承又无人受遗赠的遗产收归集体所有。(5)征收。通过征收税费和政府有偿征收,取得物的所有权。(6)没收。通过没收从事违法活动的财产,取得物的所有权。(7)罚款。通过罚款取得金钱所有权。

财产权的取得还可分为合法取得和违法取得。财产权的合法取得,指财产权的取得符合法律规定。民法通则第七十二条第一款规定:“财产所有权的取得,不得违反法律规定。”所有权的取得,应当符合法律规定。

财产权的违法取得,指财产权的取得违反法律规定。对于违法取得的偷盗物、抢劫物、抢夺物、贪污物,偷盗人、抢劫人、抢夺人、贪污人不能取得物的所有权,这些物品的所有人不变。

第一百零六条　无处分权人将不动产或者动产转让给受让人的,所有权人有权追回;除法律另有规定外,符合下列情形的,受让人取得该不动产或者动产的所有权:

(一)受让人受让该不动产或者动产时是善意的;

(二)以合理的价格转让;

(三)转让的不动产或者动产依照法律规定应当登记的已经登记,不需要登记的已经交付给受让人。

受让人依照前款规定取得不动产或者动产的所有权的,原所有权人有权向无处分权人请求赔偿损失。

当事人善意取得其他物权的,参照前两款规定。

【释义】 本条是关于善意取得的规定。

善意取得,指受让人以财产所有权转移为目的,善意、对价受让且占有该财产,即使出让人无转移所有权的权利,受让人仍取得其所有权。善意取得既适用于动产,又可适用于不动产。善意取得中的受让人须是善意的,不知出让人是无处分权人,否则不构成善意取得。

善意取得是所有权特别取得的重要方式,许多立法例对此都有规定。例如,德国民法典第九百三十二条规定无权利人的善意取得:物虽不属于让与人,受让人也得因第九百二十九条规定的让与成为所有人,但在其依此规定取得所有权的当时为非善意者,不在此限。在第十二章第二十九条第三款规定的情况下,仅在受让人从让与人取得占有时,始适用本条规定。法国民法典规定:受让人明知或因重大过失而不知物不属于让与人者,视为非善意者。第二千二百七十九条规定对于动产,占有即等于所有权证书。瑞士民法典第七百一十四条规定:以所有权移转为目的善意取得动产的,依照占有的规定,其占有受保护的,即使该动产的让与人无此转让权,该善意占有人仍取得该动产的所有权。第九百三十三条规定:凡以善意受让动产所有权或有限物权的人,即使转让人未被授予让与权,亦应保护受让人取得该动产的事实。第一千一百五十三条规定:从非所有权人处取得物品转让的人可以通过占有取得所有权,但是,以实行占有之时具有善意并且持有适当的所有权转移证书为限。在权利证书未表明所有权上附有其他人的权利并且取得方具有善意的情况下,占有人无任何负担地取得所有权。可以以同样的方式取得用益权、使用权和质权。第一千一百五十四条规定:误信出让人为所有权人或者误信前占有人已经取得了物品的所有权的理由不适用于知晓原因不法仍然取得物品的人。日本民法典第一百九十二条规定即时取得:平稳而公然地开始占有动产者,如系善意且无过失,则即时取得行使于该动产上的权利。我国台湾地区“民法”第八百零一条规定:动产之受让人占有动产,而受关于占有规定之保护者,纵让与人无移转所有权之权利,受让人仍取得其所有权。第八百八十六条规定:质权人占有动产,而受关于占有规定之保护者,纵出质人无处分其质物之权利,质权人仍取得质权。第九百四十八条规定:以动产所有权,或其他物权之移转或设定为目的,而善意受让该动产之占有者,纵其让与人无让与之权利,其占有仍受法律之保护。

善意取得的条件:第一,受让人须是善意的,不知出让人是无处分权人。第二,受让人支付了合理的价款。第三,转让的财产应当登记的已经登记,不需要登记的已经交付给受让人。三项条件必须同时具备,否则不构成善意取得。

善意取得既适用于动产,又可适用于不动产。当事人出于善意,从无处分权人手中购买了房屋并登记过户,善意人取得房屋所有权。

善意取得制度常被认为仅适用于动产,其实不然,不动产也适用善意取得制度。瑞士就有不动产的善意取得,其民法典第九百七十三条中规定:出于善意而信赖不动产登记簿的登记,因而取得所有权或其他权利的人,均受保护。

善意取得与可追认的无处分权人处分财产行为有别。善意取得制度中的出让人与可追认的无处分权人处分财产行为中的出让人均是无处分权人,故善意取得是无处分权人处分财产行为的特别规定。善意取得中的受让人是善意第三人,善意取得行为自始有效,无须权利人追认。可追认的无处分权人处分财产行为中的受让人非善意第三人,其知出让人无处分权仍受让财产,故该行为是可追认的行为。权利人追认的,让与行为自始有效;权利人不追认的,让与行为自始无效。

有意见认为善意取得对所有权人保护不利。善意取得对所有权人是有一定限制,但善意取得基于占有的公信力,旨在维护交易安全,这项制度的存在是必要的。

第一百零七条　所有权人或者其他权利人有权追回遗失物。该遗失物通过转让被他人占有的,权利人有权向无处分权人请求损害赔偿,或者自知道或者应当知道受让人之日起二年内向受让人请求返还原物,但受让人通过拍卖或者向具有经营资格的经营者购得该遗失物的,权利人请求返还原物时应当支付受让人所付的费用。权利人向受让人支付所付费用后,有权向无处分权人追偿。

【释义】　本条是关于遗失物的善意取得的规定。

遗失物的善意取得是善意取得的特殊问题,有此立法例。例如,德国民法典第九百三十五条规定对丢失的物无善意取得:(1)从所有权人处盗窃的物、由所有权人遗失或者因其他原因丢失的物,不发生根据第九百三十二条到第九百三十四条的规定取得的所有权。所有权人公为间接占有人的,物为占有人所丢失时,亦同。(2)对于金钱或者无记名证券以及以公开拍卖方式出让的物,不适用上述规定。法国民法典第二千二百七十九条规定:占有物如系遗失物或盗窃物时,其遗失人或被害人自遗失或被盗之日起 3 年内,得向占有人请求回复其物;但占有人得向其所由取得该物之人行使求偿的权利。第二千二百八十条规定:现实占有人如其占有的盗窃物或遗失物系由市场、公卖或贩卖同类物品的商人处买得者,其原所有人仅在偿还占有人所支付的价金时,始得请求回复其物。瑞士民法典第九百三十四条规定:因动产被窃、丢失或因其他违反本意而丧失占有的,得在丧失的 5 年内请求返还。但前款的动产被拍卖或经市场或经专营商人转卖的,对第一位及其后的善意取得人,非经赔偿已支付的价格,不得请求返还。前款以外的返还给付,亦适用有关善意占有人请求权的规定。第九百三十五条规定:货币及不记名证券,即使系未经所有人同意而丧失占有的，所有人亦不得向善意取得人请求返还。日本民法典第一百九十三条规定：盗赃、遗失物的特则：于前条情形，占有物系盗赃或遗失物时，受害人或遗失人自被盗或遗失之时起2年间，可以向占有人请求回复其物。第一百九十四条规定：盗赃及遗失物，如系占有人由拍卖处、公共市场或出卖同种类物的商人处善意买受者时，受害人或遗失人除非向占有人清偿其支付的代价，不得回复其物。俄罗斯民法典第一百五十二条规定：如果财产是有偿取得，而取得人不知道或者不可能知道向他出让财产的人没有转让该财产的权利，所有人只有在财产由他或他交给占有的人所遗失，或者从他们二者那里被盗窃，或者由于不依赖他们意志的其他原因而丧失占有的情况下，才有权要求返还该财产。如果财产是无偿地从没有出让该财产权利的人那里取得的，则所有人在任何情况下都有权要求返还该财产。第一百五十四条规定：对于货币和不记名有价证券，不能向善意取得人要求返还。我国台湾地区“民法”第九百四十九条规定：占有物如系盗赃或遗失物，其被害人或遗失人，自被盗或遗失之时起2年以内，得向占有人请求回复其物。第九百五十条规定：盗赃或遗失物，如占有人由拍卖或公共市场，或由贩卖与其物同种之物之商人，以善意买得者，非偿还其支出之价金，不得回复其物。第九百五十一条规定：盗赃或遗失物，如系金钱或无记名证券，不得向其善意占有人请求回复。

动产的善意取得亦受限制。出让人让与的动产若是货币或者无记名有价证券之外的遗失物，遗失人有权向善意取得人请求返还原物。善意取得人应当返还，善意取得人返还后可以向让与人追偿。倘若该遗失物是由善意取得人在拍卖市场、公共市场或者在贩卖与其物同类之物的商人处购得的，遗失人须偿还其购买之价金，方能取回其物。遗失物若是货币或者无记名有价证券，遗失人无权向善意取得人请求返还原物，只能向出让人请求返还同种类物或者请求其他赔偿。

对善意取得的另一意见，是认为应当规定盗赃物的善意取得。草案不规定盗赃物的善意取得，立法考虑是，对被盗、被抢的财物，所有权人主要通过司法机关依照刑法、刑事诉讼法、治安管理处罚法等有关法律的规定追缴后退回。在追赃过程中，如何保护善意受让人的权益，维护交易安全和社会经济秩序，可以通过进一步完善有关法律规定解决，物权法对此可以不作规定。

第一百零八条　善意受让人取得动产后，该动产上的原有权利消灭，但善意受让人在受让时知道或者应当知道该权利的除外。

【释义】　本条是关于善意受让人取得动产后，该动产上的原有权利消灭的规定。

善意受让人取得动产后，该动产上的原有权利消灭，也有此立法例，例如，德国民法典第九百三十六条规定第三人权利的消灭：(1)在出让物上设定第三人权利的，该项权利因取得所有权而消灭。但在第九百二十九条第二句规定的情况下，上述规定仅在受让人从出让人处取得占有时，始得适用之。根据第九百二十九条a或者第九百三十条的规定进行出让时，或者根据第九百三十一条的规定出让的物是由出让人间接占有时，第三人的权利仅在受让人基于出让而取得物的占有时，始行消灭。(2)如果受让人于本条第一款规定的时间内，对该项权利非出于善意时，第三人的权利不消灭。(3)在第九百三十一条规定的情形下，权利属于第三占有人的，该项权利即使对善意受让人也不消灭。

善意受让人取得动产后，该动产上的原有权利消灭。例如，该动产上有抵押的权利，抵押权消灭。但是，善意受让人取得动产时，知道该动产已被抵押，抵押权不消灭。

第一百零九条　拾得遗失物，应当返还权利人。拾得人应当及时通知权利人领取，或者送交公安等有关部门。

【释义】 本条是关于拾得遗失物返还的规定。

拾得遗失物应当返还,有许多此立法例。例如,德国民法典第九百六十五条规定了拾得人的通知义务:(1)拾得并占有遗失物者,应立即通知遗失人或所有人或其他有权受领的人。(2)拾得人不认识有权受领的人或不知其所在者,应立即将遗失物及有可能对查明有权受领人有关的重要的情事报告主管官署。遗失物的价值不超过10马克者,不需要报告。第九百六十七条规定了交付义务:拾得人有权,并依主管官署的命令有义务将遗失物或其拍卖所得价金交付于主管官署。瑞士民法典第七百二十条规定了遗失物的招领及上交:(1)拾得遗失物的人应通知失主,如失主不明,应将遗失物交付警署或自行采取适宜的招领方法。(2)遗失物的价值明显超过法郎的,拾得人有将遗失物交付警署的义务。日本遗失物法第一条规定了拾得物的处置:拾得他人物品的人,应急速将其物品向遗失人、所有人或其他有物品回复请求权的人返还,或者将其物交给警察署长。但依法令的规定禁止私人所有或持有的物品,不在返还的范围。我国台湾地区“民法”第八百零三条规定:拾得遗失物者应通知其所有人。不知所有人或所有人所在不明者,应为招领之揭示,或报告警署或自治机关,报告时,应将其物一并交存。第八百零四条规定:遗失物经揭示后,所有人不于相当期间认领者,拾得人应报告警署或自治机关,并将其物交存。我国民法通则第七十九条规定:所有人不明的埋藏物、隐藏物,归国家所有。接收单位应当对上缴的单位或者个人,给予表扬或者物质奖励。拾得遗失物、漂流物或者失散的饲养动物,应当归还失主,因此而支出的费用由失主偿还。《铁路旅客运输规程》第五十五条规定:对旅客的遗失物品应设法归还原主。如旅客已经下车,应编制客运记录,注明品名、件数等移交下车站。不能判明时,移交列车终点站。

遗失物是非故意抛弃而丢失的物品。遗失物与废弃物不同,废弃物是故意抛弃之物。丢失遗失物的人,称遗失物丢失人。拾得遗失物,是发现并占有遗失物。拾得遗失物的人,称拾得人。

拾得人拾得遗失物,知道遗失物所有人的,应当在及时通知其领取,或者送交遗失物。

拾得人拾得遗失物,不知道遗失物丢失人的,可以张贴招领告示,寻找遗失物丢失人。也可以将遗失物上缴公安机关或者有关单位。例如,学生将捡到的手套交给学校。

第一百一十条　有关部门收到遗失物,知道权利人的,应当及时通知其领取;不知道的,应当及时发布招领公告。

【释义】　本条是关于有关部门收到遗失物的处理的规定。

有关部门收到遗失物的处理,也有此立法例。例如,日本遗失物法第一条第(二)项规定了拾得物的处置:将物件提交给警察署长后,警察署长应将其返还给应接受返还者。如应受返还者的姓名或居所不明,应依命令所定进行公告。

有关单位收到遗失物,应当查找遗失物丢失人,请其认领。无人认领的,上缴公安机关。

公安机关收到遗失物,应当查找遗失物丢失人,请其认领。或者存放遗失物品招领处,待人认领。自公安机关收到遗失物发布招领公告之日起6个月无人认领的,遗失物归国家所有。公安机关可以拍卖、变卖遗失物,所得价金上缴国库。

第一百一十一条　拾得人在遗失物送交有关部门前,有关部门在遗失物被领取前,应当妥善保管遗失物。因故意或者重大过失致使遗失物毁损、灭失的,应当承担民事责任。

【释义】　本条是关于遗失物保管的规定。

对遗失物的保管,有许多此立法例。例如,德国民法典第九百六十六条规定了保管义务:拾得人有保管遗失物的义务。瑞士民法典第七百二十一条规定:对遗失物应妥善保管。我国《铁路旅客运输规程》第五十六条规定:客流量较大的车站应设失物招领处。失物招领处对旅客遗失物品应妥善保管,正确交付。遗失物品需通过铁路向失主所在站转送时,物品在5公斤以内的免费转送,超过5公斤时,到站按品类补收运费;但对第五十二条中所列物品及食品不办理转送。《最高人民法院关于贯彻执行〈中华人民共和国民法通则〉若干问题的意见(试行)》第九十八条规定:拾得物灭失、毁损,非因拾得人故意造成的,不承担民事责任。拾得人将拾得物据为己有的,应当责令其返还或者承担赔偿责任。

拾得人拾得遗失物,在返还失主或者送交有关部门前,应当妥善保管遗失物。有关部门收到遗失物后在遗失物被领取前,也应当妥善保管遗失物。拾得人或者有关部门因故意或者重大过失致使遗失物损坏灭失的,应当承担民事责任。

遗失物不易保管或者保管费用过高的,公安机关可以及时拍卖、变卖,保存价金。拾得人和有关单位不能自行拍卖、变卖遗失物。

第一百一十二条　权利人领取遗失物时,应当向拾得人或者有关部门支付保管遗失物等支出的必要费用。

权利人悬赏寻找遗失物的,领取遗失物时应当按照承诺履行义务。

拾得人侵占遗失物的,无权请求保管遗失物等支出的费用,也无权请求权利人按照承诺履行义务。

【释义】 本条是关于拾金不昧的规定。

对返还遗失物是拾金不昧还是获取报酬,有不同立法例。例如,德国民法典第九百七十条规定了偿还费用:拾得人出于保管或保存遗失物的目的,或出于查明有权受领人的目的而支出拾得人依当时情况认为必要支付的费用者,得向有权受领人请求偿还之。

第九百七十一条规定了拾得人的报酬:1.(1)拾得人得向有权受领人请求拾得人的报酬。(2)遗失物价值在1000马克以下者,其报酬为5%,超过此数部分,依价值的3%,关于动物,依价值的3%。(3)如果遗失物仅对受领人有价值的,拾得人的报酬应按公平原则衡量确定之。2.拾得人违反报告义务,或在询问时隐瞒遗失物的,上述请求权即告消灭。第九百七十二条规定了拾得人的留置权:拾得人可基于费用偿还请求权与报酬请求权对遗失物实施留置。第九百七十八条规定在公共行政机关或者交通机构中拾得:拾得人为该机关或该交通机构的公务员,或拾得人违反交存义务时,无此请求权。瑞士民法典第七百二十二条规定:(1)遗失物交与失主的,拾得人有请求赔偿全部费用及适当拾得报酬的权利。(2)住户人、承租人或公共场所管理机关在其住宅内或在其管理的公共场所拾得遗失物,无拾得报酬请求权。日本遗失物法第三条规定了费用负担:遗失物的保管费、公告费及其他必要费用,由受物品返还的人或取得物品的所有权而将其领取的人负担。第四条规定了酬劳金:受物品返还的人,应向拾得者给付不少于物品价格5%、不多于物品价格20%的酬劳金。但国库或其他公法人不得请求酬劳金。第九条规定了拾得人的权利丧失:因侵占遗失物或其他准用本法规定的物品而受处罚的人,及自拾得之日起7日内不办理第一条第一项、第十一条第一项手续的人,丧失首领第三条费用及第四条酬劳金的权利及取得遗失物所有权的权利。我国台湾地区"民法"第八百零五条规定:遗失物拾得后6个月内,所有人认领者,拾得人或警署或自治机关,于揭示及保管费受偿还后,应将其物返还之。拾得人对于所有人,得请求其物十分之三之报酬。我国刑法规定:将代为保管的他人财物非法占为己有,数额较大,拒不退还的,处2年以下有期徒刑、拘役或者罚金;数额巨大或者有其他严重情节的,处2年以上5年以下有期徒刑,并处罚金。将他人的遗忘物或者埋藏物非法占为己有,数额较大,拒不交出的，依照前款的规定处罚。本条罪，告诉的才处理。

拾得人拾得遗失物，有人主张拾得人应获得报酬，遗失物所有人不支付酬金的，拾得人享有留置权。物权法未采纳这种意见。路不拾遗、拾金不昧是崇高的道德风尚，立法要有价值取向，弘扬中华传统美德。拾得人因拾得遗失物、寻找遗失物丢失人、保管遗失物而实际支付的费用，可以按无因管理请求遗失物所有人偿还。无人认领的，由公安机关在上缴国库前支付。

拾得人隐匿遗失物据为己有的，构成侵犯所有权。遗失物所有人可以请拾得人偿还，公安机关可以责令拾得人缴出。拾得人丧失报酬和费用请求权。拾得人将数额较大的遗失物占为己有，拒不交出的，构成犯罪，依刑法惩处。

第一百一十三条　遗失物自发布招领公告之日起六个月内无人认领的，归国家所有。

【释义】　本条是关于无人认领的遗失物归国家所有的规定。

无人认领的遗失物归国家所有，有许多立法例。例如，法国民法典第七百一十三条规定：无主财产属于国家。第七百一十四条规定：不属于任何人之物，得为公众共同使用。我国民事诉讼法第一百七十五条规定：人民法院受理申请后，经审查核实，应当发出财产认领公告。公告满1年无人认领的，判决认定财产无主，收归国家或者集体所有。海关法第五十一条规定：进出境物品所有人声明放弃的物品、在海关规定期限内未办理海关手续或者无人认领的物品以及无法投递又无法退回的进境邮递物品，由海关依照本法第三十条的规定处理。第三十条规定：进口货物的收货人自运输工具申报进境之日起超过3个月未向海关申报的，其进口货物由海关提取依法变卖处理，所得价款在扣除运输、装卸、储存等费用和税款后，尚有余款的，自货物依法变卖之日起1年内，经收货人申请，予以发还；其中属于国家对进口有限制性规定，应当提交许可证件而不能提供的，不予发还。逾期无人申请或者不予发还的，上缴国库。确属误卸或者溢卸的进境货物，经海关审定，由原运输工具负责人或者货物的收发货人自该运输工具卸货之日起3个月内，办理退运或者进口手续；必要时，经海关批准，可以延期3个月。逾期未办手续的，由海关按前款规定处理。前两款所列货物不宜长期保存的，海关可以根据实际情况提前处理。收货人或者货物所有人声明放弃的进口货物，由海关提取依法变卖处理；所得价款在扣除运输、装卸、储存等费用后，上缴国库。邮政法第二十三条规定：无法投递的邮件，应当退回寄件人。无法投递又无法退回的信件，在国务院邮政主管部门规定的期限内无人认领的，由地区邮政管理机构负责销毁。无法投递又无法退回的进口国际邮递物品，在国务院邮政主管部门规定的期限内无人认领的，由海关依法处理。无法投递又无法退回的其他邮件的处理办法，由国务院邮政主管部门规定。《仓库盘盈物资及无主货管理暂行办法》第四条规定了无主货的确认：盘点检查中发现的不明货主物资，自发现之日起3个月内，仓库应采取必要措施寻找货主。3个月期满后确实找不到货主时方可确认为无主货。记入无主货账。第六条规定：盘盈物资和无主货要单独存放，单独及时建账、建卡，专人保管和保养。第七条规定：盘盈物资入账后即可处理；无主货从确认之日起，半年内要继续寻找货主，半年内未找到货主，又无人认领时，可作变卖处理。

公安机关收到遗失物，应当查找遗失物丢失人，请其认领。或者存放遗失物品招领处，待人认领。自公安机关收到遗失物发布招领公告之日起6个月无人认领的，遗失物归国家所有。公安机关可以拍卖、变卖遗失物，所得价金缴国库。

第一百一十四条　拾得漂流物、发现埋藏物或者隐藏物的，参照拾得遗失物的有关规定。文物保护法等法律另有规定的，依照

其规定。

【释义】 本条是关于拾得漂流物、发现埋藏物或者隐藏物的规定。

首先，关于拾得漂流物、发现埋藏物或者隐藏物的处理，外国立法例及我国现有法律均有不少规定：

1. 其他立法例。日本遗失物法第十二条规定：准遗失物，关于因错误而占有的物品，他人遗忘的物品，或者逃逸的家畜，准用本法及民法第二百四十条的规定；但关于因错误而占有的物品，不得请求第三条的费用及第四条的酬劳金。同法第二百四十一条规定了埋藏物的发现：关于埋藏物，依特别法规定进行公告后6个月内，其所有人不明时，拾得人取得其所有权。我国台湾地区“民法”第八百一十条规定：拾得漂流物或沉没品者，适用关于拾得遗失物之规定。

2. 我国法律的现有规定。我国民法通则第七十九条规定：所有人不明的埋藏物、隐藏物归国家所有。接收单位应当对上缴的单位或个人，给予表扬或者物质奖励。《最高人民法院关于贯彻执行〈中华人民共和国民法通则〉若干问题的意见（试行）》第九十七条规定，公民、法人对于挖掘、发现的埋藏物、隐藏物，如果能够证明属其所有，而且根据现行的法律、政策又可以归其所有的，应当予以保护。《河道管理条例》第三十三条规定：在河道中流放竹木，不得影响行洪、航运和水工程安全，并服从当地河道主管机关的安全管理。在汛期，河道主管机关有权对河道上的竹木和其他漂流物进行紧急处置。《城镇国有土地使用权出让和转让暂行条例》第二条规定：国家按照所有权与使用权分离的原则，实行城镇国有土地使用权出让、转让制度，但地下资源、埋藏物和市政公用设施除外。刑法第二百七十条规定：将代为保管的他人财物非法占为己有，数额较大，拒不退还的，处2年以下有期徒刑、拘役或者罚金；数额巨大或者有其他严重情节的，处2年以上5年以下有期徒刑，并处罚金。将他人的遗忘物或者埋藏物非法占为己有，数额较大，拒不交出的，依照前款的规定处罚。本条罪，告诉的才处理。

漂流物、埋藏物和隐藏物的现实问题非常复杂，应当区别情况分别处理：

1. 拾得漂流物或者失散的饲养动物，应当归还失主，因此而支出的费用由失主偿还。拾得漂流物、失散的饲养动物，可参照拾得遗失物的相关规定。漂流物是指漂流在水上的遗失物。失散的饲养动物是指走失的他人饲养的动物。

2. 发现埋藏物。埋藏物是指埋藏于地下的物品。埋藏物品的人，称埋藏人。发现埋藏物的人，称发现人。发现人发现埋藏物，可视情况分别处理：一是能够判定埋藏人，且埋藏物不易为他人发现，发现人可以不挖取埋藏物，并将埋藏物继续掩埋好，且将发现情况告知埋藏人。二是能够判定埋藏人，且埋藏物易为他人发现，发现人可依前种情形处理，也可以将埋藏物挖出，交还埋藏人。三是不能判定埋藏人，且埋藏物不易为他人发现，发现人可以不挖取埋藏物，并将埋藏物继续掩埋好。发现人可以将发现情况告知有关单位或者公安机关。四是不能判定埋藏人，且埋藏物易为他人发现，发现人可依前种情形处理，也可以挖取埋藏物，按拾得不知遗失物丢失人的遗失物的办法处理。发现人发现的埋藏物倘若是文物，应依文物保护法处理。

3. 发现隐藏物。隐藏物是隐藏于它物之中的物品，如隐藏于夹墙中的物品。隐藏物品的人，称隐藏人，发现隐藏物的人，称发现人。发现隐藏物适用发现埋藏物的相关规定。

4. 漂流物、埋藏物、隐藏物与文物保护法的适用。由于漂流物、埋藏物和隐藏物的概念在外延上同“文物”的概念存在交叉，在如何处理埋藏物和隐藏物的问题上，有的意见认为，埋藏物和隐藏物的问题复杂，近期的埋藏物、隐藏物可视为遗失物处理，但历史上的埋藏物，属于文物。根据文物保护法的规定，中华人民共和国境内地下、内水和领海中遗存的一切文物，属于国家所有，任何单位或者个人非经报批都不得私自发掘，非以发掘为目的的基本建设工程或者农业生产活动中，任何单位或者个人发现文物，应立即报告当地文化行政管理部门。

考虑到文物保护法中对构成文物的物（包括漂流物、埋藏物和隐藏物）的权属及处理程序做了详细规定，因此对于文物的处理不宜笼统参照拾得遗失物的有关规定，所以本条规定但书“文物保护法等法律另有规定的，依照其规定”。此外，由于遗失物、漂流物、埋藏物和隐藏物的概念在外延上同“文物”的概念存在交叉，无论是遗失物、漂流物、埋藏物或者隐藏物，只要构成“文物”，文物保护法的规定将优先适用。

第一百一十五条　主物转让的，从物随主物转让，但当事人另有约定的除外。

【释义】　本条是关于从物随主物转让的规定。

主物与从物的划分规则，是指在两个以上的物发生互相附着或者聚合而且在经济上发生密切的关联之后，当物上的权利发生变动时，为确定物的归属所适用的规则。物的主从关系的划分并非人为拟制，而是经济实践的反映。现实中的物常常是由许多单一物结合在一起组成的物。当物上的权利发生变动时，必须考虑各部分是否也随之发生权利的变动，因此制定主物与从物之间的关系规则非常必要。

要准确把握本条关于主物转让的，从物随主物转让的一般规则，需要首先对主物和从物的概念进行理解。首先，主物、从物的概念不同于物的整体与其重要成分之间的关系。物的重要成分是物的组成部分，而主物和从物在聚合之前分别为独立的物，例如自行车与车锁，在聚合之前为独立的物。在聚合之后，根据它们的作用可以决定主从关系，并决定权利的变动。但物的重要成分与物的整体本身就是一个物，例如汽车与其发动机，如果没有发动机的作用，汽车就不成之为汽车，也就无法发挥物的整体的效用。因此法律上的规则是，不许可在物的整体上和该物的重要成分上分设两个独立的权利；而主物从物之间的关系却不同，在从物随主物转让的一般规则下，均承认当事人例外约定的效力。例如甲将自行车出售给乙，完全可以约定自行车车锁不售仍由甲所有。

正是基于对主物、从物仍为两物的认识，各国立法例均做出规定，许可原权利人依特别的约定对从物进行处分。这一考虑的基本原因在于：主物和从物毕竟是两个物，从物附着于主物一般也有其可分性，从物与主物的分离并不妨碍主物的经济效用的发挥。

最后一点需要说明的是，在主物和从物的关系中，必须有从物附着于主物的事实，即主物和从物必须发生空间上的联系，并且从物对主物需发挥辅助性的作用。我国台湾地区“民法”还特别强调，主从物除发生附着关系外，还必须具有同属一人的事实。此外，德国民法典和瑞士民法典中还强调，从物必须为动产。

第一百一十六条　天然孳息，由所有权人取得；既有所有权人又有用益物权人的，由用益物权人取得。当事人另有约定的，按照约定。

法定孳息，当事人有约定的，按照约定取得；没有约定或者约定不明确的，按照交易习惯取得。

【释义】　本条是关于天然孳息及法定孳息归属的规定。

孳息是与原物相对而言的，指由原物而产生的物，包括天然孳息与法定孳息：

1. 天然孳息的概念和归属。天然孳息是指依物的自然属性所产生的物。天然孳息的范围非常广，主要来源于种植业和养殖业，如耕作土地获得粮食和其他出产物，种植果树产生果实，包括竹木的枝根，养殖牲畜获得各种子畜和奶产品等。天然孳息是原物的出产物，一方面人们占有使用原物并对其进行生产劳动，其目的就是获得出产物、收获物，因此法律规定天然孳息的归属，实际上就是对劳动的保护；另一方面，日常生活中也常发生原物在脱离所有权人的情况下而产生孳息的情形，因此确定孳息的归属尤显必要。

天然孳息，自从与原物脱离后，会立即产生归属的问题，但是天然孳息的处理原则，民法中甚为复杂。对天然孳息，罗马法的处理原则是“生根的植物从属于土地”，即原物的所有权人取得孳息的权利，但是法律允许其他人提出可以对抗原物所有权人的抗辩。考察德国、日本及我国台湾地区立法例，关于天然孳息归属的基本规则，是在承认原物的所有权人有取得权利的大前提下，同时许可他人享有排斥原物所有权人的取得权利。他人的这一权利可以基于物权产生，例如基于用益物权；也可因债权产生，例如因当事人约定而取得孳息。因此，本法明确规定，天然孳息，由所有权人取得；既有所有权人又有用益物权人的，由用益物权人取得；当事人另有约定的，按照约定。

2. 法定孳息的概念和归属。法定孳息是指依一定的法律关系由原物所生的物，是原物的所有权人进行租赁、投资等特定的民事法律活动而应当获得的合法收益。如房屋出租所得的租金，依股本金所得的股息等。在德国民法中，法定孳息被称为权利的孳息，确定法定孳息的归属，是对产生法定孳息的民事法律关系的承认和保护。

法定孳息（利息、租金等），按照一般的交易规则，利息应由债权人取得，租金应由出租人取得，但也不排除其他情形的存在。如在德国民法中还有为第三人设定的专以取得孳息为目的的物权类型，即动产（特指有价证券）的用益权。因此关于法定孳息的归属，原则上更为变通。本法规定，当事人有约定的，按照约定取得；没有约定或者约定不明确的，按照交易习惯取得。

第三编 用益物权

第十章 一般规定

第一百一十七条 用益物权人对他人所有的不动产或者动产,依法享有占有、使用和收益的权利。

【释义】 本条是关于用益物权人享有的基本权利的规定。

用益物权是权利人对他人所有的不动产或者动产,依法享有占有、使用和收益的权利。用益物权是以对他人所有的物为使用、收益的目的而设立的,因而被称作"用益"物权。用益物权制度是物权法律制度中一项非常重要的制度,与所有权制度、担保物权制度等一同构成了物权制度的完整体系。

(一)用益物权人的基本权利

依照本条规定,用益物权人对他人所有的不动产或者动产,依照法律规定享有占有、使用和收益的权利。

1. 占用的权利

"占有"是对物的实际控制。用益物权作为以使用、收益为目的的物权,自当以权利人对物的实际占有为必要。利用他人之物为使用、收益,必然要对物予以实际支配。没有占有就不可能实现对物的直接利用。

2. 使用、收益的权利

"使用"是依物的自然属性、法定用途或者约定的方式,对物进行实际上的利用。“收益”是通过对物的利用而获取经济上的收入或者其他利益。用益物权的设立目的是对物的使用和收益。比如在他人的土地上自建房屋以供居住；在他人的土地上耕种、畜牧以供自用或出售而获得收益；在他人土地上建造楼宇用以出售、出租以取得收益等。

（二）用益物权的特征

作为物权体系的重要组成部分，用益物权具备物权的一般特征，同时还具有自身的特性，除了以对物的实际占有为前提、以使用、收益为目的以外，还有以下几个方面的特征：

1. 用益物权是由所有权派生的物权

所有权是权利人对自己的不动产或者动产，依法享有占有、使用、收益和处分的权利，包括在自己的财产上设立用益物权或担保物权的权利。用益物权则是在他人所有的财产上设立的权利，即对他人的财产享有占有、使用和收益的权利。因此，用益物权被作为“他物权”，以相对于所有权的“自物权”。

2. 用益物权是受限制的物权

相对于所有权而言，用益物权是不全面的、受一定限制的物权。因此，用益物权属于“定限物权”，以区别于所有权的“完全物权”。其一，所有权是物权权利种类中最完全、也是最充分的权利。所有权的权利人对自己的财产，依法享有完全的直接支配力，包括占有、使用、收益和处分。而用益物权只具有所有权权能的一部分权能，其权利人享有的是对财产占有、使用和收益的权利。虽然权利人依法可以将其享有的用益物权予以转让、抵押等，但不具有对财产的所有权进行处分的权利。其二，所有权具有恒久性，只要所有物存在，所有权人对所有物便享有永久的权利。而用益物权则具有期限性。虽然设定的期限往往较长，但不是永久期限，期限届满时，用益物权人应将占有、使用之物返还于所有权人。其三，用益物权人必须根据法律的规定及合同的约定正确行使权利。

用益物权人应当保护和合理利用所有权人的不动产或者动产，按照设定权利时约定的用途和使用方法利用所有权人的财产，不得损害所有权人的权益。

3. 用益物权是一项独立的物权

用益物权是对所有权有所限制的物权。用益物权虽由所有权派生，以所有权为权源，并属于"他物权""定限物权"，但用益物权一经设立，便具有独立于所有权而存在的特性。所有权对物的支配力受到约束，对物占有、使用和收益的权能由用益物权人行使，所有权人不得干涉。所有权人不得随意收回其财产，不得妨碍用益物权人依法行使权利。用益物权具有对物的直接支配性和排他性，可以对抗所有权人的干涉。同时，用益物权的义务人包括任何第三人，用益物权可以对抗所有第三人的侵害，包括干预、占有和使用客体物等。因此，用益物权是一项独立的物权。

4. 用益物权一般以不动产为客体

用益物权多以不动产尤其是土地为使用收益的对象。由于不动产特别是土地的稀缺性、不可替代性且价值较高，以及土地所有权依法不可移转性，使在土地等不动产上设立用益物权成为经济、社会发展的必然要求。而动产的特性决定了通常可以采用购买、租用等方式获得其所有权和使用权。

（三）建立用益物权制度的意义

用益物权制度的建立，对社会、经济发展有着重要意义。归结起来，一是促进资源的有效利用，二是维护资源的有序利用。

1. 促进资源的有效利用

随着社会、经济的发展，人们对物质尤其是对土地等资源的需求不断扩大，而土地等资源相对稀缺、不可替代。为了社会和经济的持续发展，必然要提高对土地等资源的有效利用，充分发挥其效用。在对资源的利用过程中，通过建立对物的利用予以保障的机制，以实现资源有效、充分利用的目的，便成为物权尤其是用益物权法律制度的任务之一。用益物权法律制度,可以在不能取得土地等资源的所有权或不必取得他人之物的所有权时,使得用益物权人可以通过对他人所有之物的占有、使用而获得收益,同时为社会提供财富。而对于所有人,也可以通过设定用益物权,将其所有的土地等资源交由他人使用收益,由此所有人可以不必直接使用其所有物也能获得收益。所有权人和用益物权人都可取得相应利益,表明资源的使用价值得到了更为有效、充分的实现。对整个社会而言,社会的资源得到有效利用,社会的整体利益也就得到了最大程度的实现和满足。

2. 维护资源的有序利用

维护资源的有序利用,有以下四层含义:

首先,通过用益物权制度,确定所有权人与用益物权人之间的权利义务,以达到权利人之间的利益平衡。用益物权制度并非是单纯为维护用益物权人的利益而建立的制度,而是在维护用益物权人权利的同时,兼顾所有权人利益的制度。所以说,用益物权制度是平衡用益物权人和所有权人之间利益保障的法律制度。

其次,用益物权制度所规定的所有权人与用益物权人之间的权利义务,是法定的权利义务,当事人不得随意变更。这样就避免了一方利用其社会或者经济上的优势地位,迫使对方放弃权利,或者无端地增加本不应由对方履行的义务。以此来保障双方权利义务关系的长久与稳定。

再次,用益物权一般需要通过登记的公示方法将土地等资源上的权利状态昭示社会。通过公示来保障用益物权人的权利不为他人所侵害,并保障交易的安全。同时,通过对用益物权的设立目的、土地等资源的用途等进行登记,防止用益物权人任意改变土地等资源的原有用途。

最后,用益物权制度赋予了权利人对土地等资源的占有、使用和收益的权利。同时,还要求权利人在行使权利时,应当承担保护和合理开发利用资源的义务。这对保护和合理开发利用土地等资源,促进社会经济的可持续发展有重要意义。

(四)用益物权的权利类型

用益物权的权利类型,在不同的国家有不同的制度安排,这主要是根据一国的政治、经济、历史和文化的不同背景而决定的。通常来说以传统民法上的地上权、地役权和永佃权最具代表性。我国的用益物权制度,是根据我国的社会主义基本经济制度决定的。物权法专章规定的用益物权种类有土地承包经营权、建设用地使用权、宅基地使用权和地役权。

第一百一十八条　国家所有或者国家所有由集体使用以及法律规定属于集体所有的自然资源,单位、个人依法可以占有、使用和收益。

【释义】 本条是关于国有和集体所有的自然资源,单位和个人可以取得用益物权的规定。

在我国,国家对土地等资源实行公有制,它是我国生产资料社会主义公有制的重要组成部分。我国宪法第十条第一款、第二款规定:"城市的土地属于国家所有。农村和城市郊区的土地,除由法律规定属于国家所有的以外,属于集体所有;宅基地和自留地、自留山,也属于集体所有。"根据宪法的规定,土地公有制有两种形式:一是国家所有;二是集体所有。城市市区的土地属于国家所有即全民所有。随着社会主义建设事业的不断发展,城市作为政治、经济和文化的中心,在国家和社会生活中具有突出作用。城市中各种形式的用地十分重要和宝贵。因此,城市的土地属于国家所有。在农村和城市郊区,土地是从事农业生产的主要生产资料,是农村劳动群众集体所有制的重要物质基础。为了促进农村各项事业的发展,保障农村和城市郊区劳动者的合法权益,农村和城市郊区的土地除法律规定属于国家所有的以外,一律属于集体所有。

宅基地和自留地、自留山，虽然由农民个人使用，但也属于农民集体所有。

土地等自然资源的公有制，决定了单位、个人利用土地等资源，必然要在国家所有或者集体所有的土地等资源上取得用益物权。

物权法具有较强的本土性，与一国的基本经济制度密切相关。用益物权制度也概莫能外。从国外的法律规定看，凡实行计划经济体制的国家，其民法典上没有物权法编，没有用益物权制度，仅规定所有权制度且非常简单。这是因为，实行计划经济体制的国家，一般运用行政手段组织经济运行。国有土地的使用关系采取无偿的划拨方式，作为国有土地所有者的国家将国有土地划拨给国有企业无偿使用。农村土地则由作为所有者的集体自己使用，农户在集体所有的土地上进行生产劳动，按劳取酬，不发生所有权与使用权的分离。无论是国有土地还是集体所有的土地的使用，都不采取设立用益物权的方式，因而不需要用益物权制度。实行市场经济体制的国家，其民法典上都有物权法编，都规定了完备的所有权制度和用益物权制度。建立较为完备的所有权、用益物权等物权制度，也是实行社会主义市场经济的基本法律保障。

物权法上的用益物权，是土地所有权与土地使用权分离的法律形式。凡实行市场经济体制的国家，均有用益物权制度。但用益物权制度所发挥的作用及其意义，又因实行土地公有制或者土地私有制，而有程度的差别。在资本主义的市场经济国家，土地归私人所有，土地所有者自己使用土地，是土地使用关系的主要形式；土地所有者自己不使用而交给他人使用，是土地使用关系的次要形式。我国是在土地公有制基础上实行社会主义市场经济，城市土地归国家所有，农村土地归集体所有。作为土地所有者的国家自己不使用土地而交给各类企业等使用，是国有土地使用关系的主要形式；作为土地所有者的农民集体自己不使用土地而交给农户使用,是农村土地使用关系的主要形式。因此,用益物权制度,对于实行社会主义市场经济的我国所具有的意义和所发挥的作用,要远远超过对于实行资本主义市场经济的国家所具有的意义和所发挥的作用。

物权法根据我国的基本经济制度,以及建立和完善社会主义市场经济体制的要求,在用益物权编中设专章分别规定了土地承包经营权、建设用地使用权、宅基地使用权等用益物权。

土地承包经营权是指权利人依法对农民集体所有和国家所有由农民集体使用的耕地、林地、草地等享有占有、使用和收益的权利,有权从事种植业、林业、畜牧业等农业生产。物权法明确将农村土地承包经营权规定为用益物权,赋予了农民长期而有保障的土地使用权。本法对承包经营权人的基本权利、承包经营权的期限和期满后的继续承包、承包经营权的流转、承包地的调整和收回、承包地被征收的补偿等做了规定。

建设用地使用权是指权利人依法对国家所有的土地享有占有、使用和收益的权利,有权利用该土地建造建筑物、构筑物及其附属设施。建设用地使用权是用益物权中的一项重要权利。建设用地使用权人通过出让或者划拨的方式取得对国家所有的土地使用和收益的权利,有权利用该土地建造建筑物、构筑物及其附属设施。本法对建设用地使用权的取得方式、分层设立建设用地使用权、建设用地使用权的转让和出资或者抵押、建设用地使用权期满后的续期等做了规定。

宅基地使用权是指权利人依法对集体所有的土地享有占有和使用的权利,有权依法利用该土地建造住宅及其附属设施。本法对宅基地使用权的取得、行使和转让等做了原则性的规定。

第一百一十九条　国家实行自然资源有偿使用制度,但法律另有规定的除外。

【释义】　本条是关于我国自然资源使用制度的规定。

对他人所有的土地等不动产的使用和收益一直是世界各国用益物权制度的主要内容。随着社会经济的发展，土地资源、矿产资源、水资源等自然资源的使用和收益问题日益成为现代物权法用益物权制度的重要课题。

土地等自然资源一方面是整个社会赖以存续的共同物质基础，具有社会性；另一方面又只能在具体的使用中实现价值，使用权属必须确定。在资本主义制度下，通过用益物权制度，所有权人之外的权利人也可以就土地等自然资源进行使用和分享收益，这在一定程度上克服了私有制的狭隘局限，有利于物尽其用。我国是社会主义公有制国家，自然资源主要归国家所有即全民所有。国家通过自然资源的有偿使用制度，适应社会主义市场经济发展的客观要求，为合理利用资源打下了基础。

（一）我国的自然资源使用制度

我国的自然资源使用制度是建立在社会主义公有制基础上，适应社会主义市场经济发展的，按照土地管理法、矿产资源法、水法等法律以及国务院的有关规定，对自然资源实行有偿使用为原则、无偿利用为例外的制度。

1. 自然资源的有偿使用制度

自然资源有偿使用制度，是指国家以自然资源所有者和管理者的双重身份，为实现所有者权益，保障自然资源的可持续利用，向使用自然资源的单位和个人收取自然资源使用费的制度。目前，法律规定了土地资源、矿产资源、水资源等自然资源的有偿使用制度，例如，土地管理法第二条第五款规定："国家依法实行国有土地有偿使用制度。但是，国家在法律规定的范围内划拨国有土地使用权的除外。"矿产资源法第五条规定："国家实行探矿权、采矿权有偿取得的制度；但是，国家对探矿权、采矿权有偿取得的费用，可以根据不同情况规定予以减缴、免缴。具体办法和实施步骤由国务院规定。开采矿产资源,必须按照国家有关规定缴纳资源税和资源补偿费。”水法第七条规定:“国家对水资源依法实行取水许可制度和有偿使用制度。但是,农村集体经济组织及其成员使用本集体经济组织的水塘、水库中的水的除外。”

之所以对于土地资源、矿产资源、水资源等自然资源实行有偿使用制度,是因为:(1)在社会主义公有制条件下,只有实行自然资源有偿使用制度,才能使自然资源所有权在经济上更充分地得到实现,从而真正保障社会主义公有制的主体地位。自然资源是巨大的社会财富,随着经济和社会的发展,其价值日益上升。只有收益归公有,才能充分体现自然资源的社会主义公有制。在自然资源使用制度改革前,国家曾长期以行政手段无偿提供土地资源、水资源等自然资源给企业、事业单位使用。本应归公有的大量资源收益留在使用者手中,国家缺乏调剂余缺的力量,难以实现自然资源在社会化生产中的优化配置,自然资源的公有制在很大程度上被虚化。通过改革,推行自然资源的有偿使用制度,国家代表全体人民掌握了自然资源的收益,就有了足够的财力进行宏观调控,组织社会生产。(2)在社会主义市场经济条件下,只有实行自然资源有偿使用制度,才能充分发挥市场对经济发展的积极作用。社会主义市场经济是一个包括了生产资料市场、消费品市场以及资金、劳动力、自然资源等生产要素使用权市场的完整体系。重要自然资源作为基本的生产要素,其使用权不进入市场流通,社会主义市场体系就不完善,难以充分发挥市场优化配置、公平竞争的作用。在过去的使用制度下,自然资源使用者既没有压力,也没有动力,多占少用,早占晚用,占优用劣、占而不用甚至乱占滥用,严重浪费了宝贵的自然资源。同时,占有资源较多且质量优越的企业,与占有较少、质量较差的企业实际上处于不平等竞争的地位。通过有偿、能流动的自然资源使用制度,将自然资源的使用权作为生产要素交市场调节,才能合理配置自然资源,实现最大的资源利用效益。

2. 自然资源的无偿使用

土地管理法、水法等法律同时规定了自然资源的无偿使用作为有偿使用基本原则的例外。例如土地管理法第二条，水法第七条的例外条款。

之所以在自然资源使用制度改革后仍然保留无偿使用自然资源的例外情况，主要是因为：(1)通过划拨等方式无偿取得土地等自然资源的使用权的情况仍然有存在的必要性。一些公益事业、公共建设仍然需要有相应的扶持。(2)农村集体经济组织和农民已有的使用水资源等自然资源的权益应当得到维护，以避免增加农民负担。这也是促进农业和农村持续、稳定、健康发展，实现全面建设小康社会的目标以及构建和谐社会所必需的。

无偿使用作为自然资源使用制度中的例外和补充，其适用范围和条件是受到严格限制的。以划拨取得土地使用权为例：土地管理法第五十四条，对划拨土地明确规定为四种情形。城市房地产管理法第三十九条，对划拨取得土地使用权的房地产的转让规定了限制条件。对自然资源的无偿使用必须严格遵守法律规定的范围和条件，发挥对自然资源有偿使用制度的有益补充作用。

（二）自然资源使用制度和用益物权制度的关系

以有偿使用为基本原则，以无偿使用为例外和补充的自然资源使用制度是物权法用益物权制度的重要基础。物权法用益物权编中，对建设用地使用权、探矿权、采矿权、取水权等用益物权的规定与已经颁布实施多年的土地管理法、矿产资源法、水法等法律中有关自然资源使用制度的规定是一致的。要准确把握自然资源使用制度和用益物权制度的关系还应当注意以下几点：

1. 自然资源使用制度与用益物权制度的基础是一致的。它们都建立在社会主义公有制基础上，并且服务于社会主义市场经济的发展。

2. 尽管自然资源使用制度和用益物权制度是相通的，但是他们各自属于不同的法律部门，有各自独特的领域。自然资源使用制度属于经济法的范畴，物权法用益物权制度中除了与自然资源使用制度相关的权利，还有地役权这样独有的权利类型。自然资源使用制度和用益物权制度在各自的领域内，按照各自的内在规律发挥作用并且互相协调，才能全面调整相应的社会关系。

第一百二十条　用益物权人行使权利，应当遵守法律有关保护和合理开发利用资源的规定。所有权人不得干涉用益物权人行使权利。

【释义】　本条是关于用益物权人应当保护和合理开发利用资源，以及所有权人不得干涉用益物权人行使权利的规定。

本条分别从用益物权人和所有权人的角度，规定了两个方面的内容。一是用益物权人行使权利，应当遵守法律有关保护和合理开发利用资源的规定；二是所有权人不得干涉用益物权人行使权利。

（一）用益物权人行使权利，应当遵守法律有关保护和合理开发利用资源的规定

用益物权是在他人所有的不动产或者动产上享有的占有、使用和收益的权利。在我国，多为在国家所有或者集体所有的土地上设立建设用地使用权、农村土地承包经营权和宅基地使用权，以及行使对国家所有的矿产资源、水资源等自然资源开发利用的权利。用益物权人在行使权利的同时，应当履行遵守法律有关保护和合理开发利用土地等资源的规定的义务。

土地、矿产、水资源等自然资源，具有不可再生性或者稀缺匮乏性。拿土地资源来说，土地是人类可利用的一切自然资源中最基本、最宝贵的资源，是人类最基本的生产资料。我国人多地少，特别是耕地少，是我国的基本国情。我国国土总面积约 960 万平

方公里,居世界第三位。但人均占有国土面积不到世界人均占有量的1/3。而在我国国土总面积中,不能或者难以利用的沙漠、戈壁等又占去相当大一部分。我国目前的可耕地为18.4亿亩,人均1.4亩。耕地资源还存在着几个突出的问题:一是人均占有耕地的数量少;二是耕地总体质量差,生产水平低,抗自然灾害的能力差;三是耕地退化严重;四是耕地后备资源匮乏。我国每年因各项建设占用以及自然灾害毁损等还在造成耕地不断减少,而我国的人口却还在不断增长。人增地减的趋势已经成为我国经济社会发展中的一个重大问题和严峻挑战。因此,十分珍惜、合理利用土地和切实保护土地特别是耕地,是我国的基本国策。合理开发土地,保护土地资源是促进社会经济可持续发展的基本要求。强化土地等资源的保护,保证对土地等资源的永续利用,是资源利用中一个特别重要的问题。因此,本条明确要求:用益物权人行使权利,应当遵守法律有关保护和合理开发利用资源的规定。

对保护和合理开发利用资源,我国相关法律都做出了明确规定。比如土地管理法规定,十分珍惜、合理利用土地和切实保护耕地是我国的基本国策。各级人民政府应当采取措施,全面规划,严格管理,保护、开发土地资源,制止非法占用土地的行为。使用土地的单位和个人必须严格按照土地利用总体规划确定的用途使用土地。国家保护耕地,严格控制耕地转为非耕地。非农业建设必须节约使用土地,可以利用荒地的,不得占用耕地;可以利用劣地的,不得占用好地。禁止占用耕地建窑、建坟或者擅自在耕地上建房、挖砂、采石、采矿、取土等。禁止占用基本农田发展林果业和挖塘养鱼。

又如农村土地承包法规定,农村土地承包应当遵守法律、法规,保护土地资源的合理开发和可持续利用。未经依法批准不得将承包地用于非农建设。国家鼓励农民和农村集体经济组织增加对土地的投入,培肥地力,提高农业生产能力。承包人承担维持土地的农业用途，不得用于非农建设；依法保护和合理利用土地，不得给土地造成永久性损害的义务。

再如矿产资源法规定，国家保障矿产资源的合理开发利用。禁止任何组织或者个人用任何手段侵占或者破坏矿产资源。各级人民政府必须加强矿产资源的保护工作。开采矿产资源，必须采取合理的开采顺序、开采方法和选矿工艺。矿山企业的开采回采率、采矿贫化率和选矿回收率应当达到设计要求。在开采主要矿产的同时，对具有工业价值的共生和伴生矿产应当统一规划，综合开采，综合利用，防止浪费；对暂时不能综合开采或者必须同时采出而暂时还不能综合利用的矿产以及含有有用成分的尾矿，应当采取有效的保护措施，防止损失破坏。开采矿产资源，应当节约用地。耕地、草原、林地因采矿受到破坏的，矿山企业应当因地制宜地采取复垦利用、植树种草或者其他利用措施。

作为相关的用益物权人，在享有权利的同时，应当严格遵守有关法律，积极保护和合理开发利用自然资源。

（二）所有权人不得干涉用益物权人行使权利

所有权人不得干涉用益物权人行使权利，是由所有权与用益物权、所有权人与用益物权人之间的关系决定的。用益物权虽由所有权派生，但它是一项独立的物权，当事人依法取得用益物权后对所有人的不动产或动产享有占有、使用、收益和依法转让该用益物权的权利。用益物权具有直接支配性和排他性，可以依法直接行使权利，不受第三人的侵害和所有权人的干涉。比如农村土地承包经营权人依法享有承包地使用、收益和土地承包经营权流转的权利，有权自主组织生产经营和处置产品。发包人应当尊重承包人的生产经营自主权，不得干涉承包人依法进行正常的生产经营活动。土地承包经营权流转的主体是承包人，承包人有权依法自主决定土地承包经营权是否流转和流转的方式。承包期内发包人不得调整承包地。因自然灾害严重毁损承包地等特殊情形，需要适当调整承包的耕地和草地的，应当依照农村土地承包法等法律规定办理。承包期内发包人不得收回承包地。农村土地承包法等法律另有规定的依照其规定。

所有权人不得干涉用益物权人行使权利，是用益物权人正常行使权利的基本保障。当然，如果用益物权人在行使权利时存在违背法律规定、未合理利用和保护资源等损害所有权人权益的行为，所有权人有权依法制止，并要求其赔偿损失。

第一百二十一条　因不动产或者动产被征收、征用致使用益物权消灭或者影响用益物权行使的，用益物权人有权依照本法第四十二条、第四十四条的规定获得相应补偿。

【释义】　本条是关于用益物权人因征收、征用有权获得补偿的规定。

用益物权是当事人依照法律规定，对他人所有的不动产享有占有、使用和收益的权利。用益物权虽由所有权派生出来，但它是一项独立的物权。用益物权人是对他人所有的物享有占有、使用和收益的权利人，虽然不是物的所有权人，但也是具有独立物权地位的权利人。在他人的不动产或者动产被征收、征用，致使所有权消灭或者影响所有权行使的，应当依法给予所有权人补偿。同时，因他人的不动产或者动产被征收、征用致使用益物权消灭或者影响用益物权行使的，用益物权人也有权依法获得相应的补偿。

我国宪法第十条规定："国家为了公共利益的需要，可以依照法律规定对土地实行征收或者征用并给予补偿。"这一规定表明征收和征用，应当遵循三个原则：

一是公共利益需要的原则。实施征收、征用，必须是出于公共利益的需要，这是征收、征用的前提条件。公共利益通常是指全体社会成员的共同利益和社会的整体利益。

二是依照法定程序的原则。征收、征用在一定程度上限制了他人的财产权。为了防止这种手段的滥用,平衡他人财产保护和公共利益需要的关系,征收、征用必须严格依照法律规定的程序进行。

三是依法给予补偿的原则。尽管征收和征用是为了公共利益需要,但都不能采取无偿剥夺的方式,必须依法给予补偿。补偿的方式应视财产的类别而加以区别对待。在征收过程中,征收的对象一般都是不动产,并且是所有权的改变,一般都要给予金钱补偿、相应的财产补偿或者其他形式的补偿。在征用过程中,如果是非消耗品,使用结束后,原物还存在的,应当返还原物,对于物的价值减少的部分要给予补偿;如果是消耗品,通常要给予金钱补偿。

征收主要是针对不动产,而不动产中又以征收集体所有的土地最具代表性,因此,对征收集体土地,如何对所有权人即农民集体和用益物权人即承包经营权人给予补偿,就显得尤为重要。

物权法第四十二条第二款规定,征收集体所有的土地,应当依法足额支付土地补偿费、安置补助费、地上附着物和青苗补偿费等费用,安排被征地农民的社会保障费用,保障被征地农民的生活,维护被征地农民的合法权益。该款明确规定了要给予集体所有土地的用益物权人给予补偿。而具体补偿范围和标准,则要根据土地管理法的规定办理。在适用土地管理法第四十七条的规定时,应当把握以下几点:

(1)征地补偿和安置补助的原则是保证被征地农民的生活水平不因征收土地而降低。征收土地后通过补偿和采取各项安置措施,要使被征地农民的生活水平达到征地前的生活水平。如果达不到,应当采取相应的措施,包括提高补偿标准。

(2)按照被征收土地的原用途给予补偿。原来是耕地的按耕地的标准补偿,原来是林地的按林地补偿,原来是草地的按草地补偿。

(3)征收耕地的补偿费用包括土地补偿费、安置补助费、地上附着物补偿费和青苗补偿费。

（4）依据前述标准支付的土地补偿费和安置补助费不能保证被征地农民的原有生活水平的，经省级人民政府批准，可以提高补偿标准。根据社会、经济发展水平，在特殊情况下，国务院可以提高征收耕地的土地补偿费和安置补助费标准。

（5）征收其他土地的土地补偿费和安置补助费，是指征收耕地以外其他土地，如林地、草地、建设用地等应当给予的补偿。其具体标准由各省、自治区、直辖市参照征收耕地的土地补偿费和安置补助费的标准规定。

物权法第四十四条规定，因抢险、救灾等紧急需要，依照法律规定的权限和程序可以征用单位、个人的不动产或者动产。被征用的不动产或者动产使用后，应当返还被征用人。单位、个人的不动产或者动产被征用或者征用后毁损、灭失的，应当给予补偿。根据这一规定，单位、个人的不动产或者动产被征用或者征用后毁损、灭失，致使用益物权消灭，或者影响用益物权行使的，应当对用益物权人给予补偿。

第一百二十二条　依法取得的海域使用权受法律保护。

【释义】　本条是关于海域使用权的规定。

海洋被称为“蓝色国土”，在人类文明的发展史上起着重要的作用。根据本法第四十六条的规定，海域属于国家所有。国家是海域所有权的唯一主体。海域与土地具有相同的属性，随着海洋科学技术的发展，海域可以通过技术手段加以区分并进行排他性的使用，海域越来越成为被人类利用的重要资源。1993 年财政部和国家海洋局颁布的《国家海洋使用管理暂行条例》第一次规定了海域使用权制度。此后，一些沿海省市也先后出台了有关海域使用权方面的地方性政府规章。2001 年我国颁布了海域使用管理法，从法律上确立了海域使用权制度。该法规定的海域是指我国内水、领海的水面、水体、海床和底土,范围从海岸线开始到领海外部界线为止。我国海域的面积达38万平方公里。

海域使用权是指单位或者个人依法取得对国家所有的特定海域排他性使用权。单位和个人使用海域,必须依法取得海域使用权。海域使用权取得的方式主要有三种:一是单位和个人向海洋行政主管部门申请;二是招标;三是拍卖。有关单位和个人使用海域的申请被批准或者通过招标、拍卖方式取得海域使用权后,海域使用权人应当办理登记手续。依照法律规定属于国务院批准用海的,由国务院海洋行政主管部门登记造册,向海域使用权人颁发海域使用权证书;属于地方人民政府批准用海的,由地方人民政府登记造册,向海域使用权人颁发海域使用权证书。根据使用海域不同的用途,海域使用权最高期限分别为:养殖用海15年;拆船用海20年;旅游、娱乐用海25年;盐业、矿业用海30年;公益事业用海40年;港口、修造船厂等建设工程用海50年。海域作为国家重要的自然资源实行有偿使用制度。单位和个人使用海域,应当按照国务院的规定缴纳海域使用金。为了切实保护养殖用海渔民的利益,目前海域主管部门在实际工作中对有争议的海域、海洋自然保护区、渔业资源保护区、传统赶海区等涉及公共利益的海域不进行招标和拍卖。同时,对于专业渔民使用海域从事养殖生产的,可以在规定的面积内减缴或者免缴海域使用金。海域使用权作为一项重要的财产权利,可以依法转让、继承。

海域使用管理法颁布后,海域使用权制度日趋完善。截至2006年年底,全国累计发放海域使用权证书39395本,确权海域面积113万公顷。海域使用权制度在维护海域使用权人的合法权益,规范海洋开发利用秩序,促进海域的合理开发和海洋产业的健康发展等方面取得了良好的效果。海域使用权已成为与建设用地使用权等性质相同的用益物权。

在物权法起草过程中,有人提出,海域使用权应与建设用地使用权等并列为用益物权,建议专章规定海域使用权,强化海域使用权的物权特点,增加海域使用权抵押以及设立海域使用权时优先考虑渔民利益等内容。物权法没有对海域使用权专章规定,主要是考虑到海域使用权是一个综合性的权利,包括利用海域从事建设工程、海水养殖、海底探矿采矿、旅游等多种活动。物权法有关用益物权的规定,是根据土地的不同用途产生的不同法律关系分别规定为土地承包经营权、建设用地使用权和宅基地使用权,没有综合规定为土地使用权。因此,如果将海域使用权专章规定,会造成物权法用益物权编体系的不平衡。所以,强化海域使用权的物权特点,弥补现行海域使用管理法不足的问题,还是应当留待修改海域使用管理法时一并解决。因此,本条只是对海域使用权做了原则性的规定,确立了海域使用权用益物权的属性,任何单位和个人使用海域必须依法取得海域使用权,依法取得的海域使用权受法律保护。根据特别法优先于普通法的原则,海域使用权首先应当适用海域使用管理法的规定;海域使用管理法没有规定的,适用物权法的有关规定。

第一百二十三条　依法取得的探矿权、采矿权、取水权和使用水域、滩涂从事养殖、捕捞的权利受法律保护。

【释义】　本条是关于探矿权、采矿权,取水权、使用水域和滩涂从事养殖、捕捞权利的规定。

我国对自然资源实行有偿使用制度。矿产资源法、水法、渔业法分别对单位和个人利用自然资源的权利做出了规定。探矿权、采矿权、取水权和从事养殖、捕捞的权利具有自身的特点,与一般的用益物权有所不同。用益物权一般是通过合同设立,探矿权、采矿权、取水权和从事养殖、捕捞的权利是经行政主管部门许可设立。考虑到探矿权、采矿权、取水权和从事养殖、捕捞的权利主要是对国家自然资源的利用,权利人取得这些权利后,即享有占有、使用和收益的权利，其权能与用益物权是一致的，同时也需要办理登记并进行公示，符合物权的公示的原则。因此，物权法对这些权利做了原则性、衔接性的规定。

（一）探矿权、采矿权

民法通则规定，国家所有的矿藏，可以依法由全民所有制单位和集体所有制单位开采，也可以依法由公民采挖。1986 年颁布的矿产资源法规定，“勘查矿产资源，必须依法登记。开采矿产资源，必须依法申请取得采矿权”，但是在当时计划经济体制下，探矿权人、采矿权人是无偿取得探矿权和采矿权的。1996 年修改的矿产资源法规定国家实行探矿权、采矿权有偿使用的制度。根据矿产资源法的规定，勘查、开采矿产资源，必须依法分别申请、经批准取得探矿权、采矿权，并办理登记。国家对探矿权、采矿权有偿取得的费用，可以根据不同情况规定予以减缴、免缴。开采矿产资源，必须按照国家有关规定缴纳资源税和资源补偿费。

关于探矿权、采矿权的转让问题，1986 年颁布的矿产资源法曾明确规定，采矿权不得买卖、出租，不得用作抵押。买卖、出租采矿权或者将采矿权用作抵押的，没收违法所得，处以罚款，吊销采矿许可证。修改后的矿产资源法虽然仍规定禁止将探矿权、采矿权倒卖牟利，但是已经允许探矿权、采矿权进行有条件的转让，探矿权、采矿权财产权的特征得到了进一步的明确。根据矿产资源法的规定，探矿权、采矿权的转让应当符合以下条件：（1）探矿权人有权在划定的勘查作业区内进行规定的勘查作业，有权优先取得勘查作业区内矿产资源的采矿权。探矿权人在完成规定的最低勘查投入后，经依法批准，可以将探矿权转让他人。（2）已取得采矿权的矿山企业，因企业合并、分立，与他人合资、合作经营，或者因企业资产出售以及有其他变更企业资产产权的情形而需要变更采矿权主体的，经依法批准可以将采矿权转让他人采矿。

（二）取水权

1988 年颁布的水法对取水权做出了规定。当时主要是从资源配置和行政管理的角度规范取水权制度的。2002 年水法进行了修改，进一步明确了国家对水资源实行有偿使用制度，并完善了取水许可制度。对水利用的方式主要有三种：一是单位和个人直接从江河、湖泊或者地下取用水资源的，应当按照国家取水许可制度和水资源有偿使用制度的规定，向水行政主管部门或者流域管理机构申请领取取水许可证；二是农村集体经济组织及其成员使用本集体经济组织的水塘、水库中的水的，不需要申请取水许可；三是家庭生活和零星散养、圈养畜禽饮用等少量取水，不需要申请取水许可。国务院水行政主管部门负责全国取水许可制度和水资源有偿使用制度的组织实施。

申请取水权应当按照以下程序：在建设项目立项前，应当先提出取水许可预申请，经审批后才能立项。在建设项目经批准后，再提出取水许可申请。提取地下水的，在打水前应当提出取水许可预申请，然后根据抽水试验，批准取水权。取水权有优先顺序的规定。首先应当满足城乡居民生活用水，并兼顾农业、工业、生态环境用水以及航运等需要。在干旱和半干旱地区开发、利用水资源，应当充分考虑生态环境用水需要。取水许可证有效期限一般为 5 年，最长不超过 10 年。有效期届满，需要延续的，取水单位或者个人应当在有效期届满 45 日前向原审批机关提出申请，原审批机关应当在有效期届满前，做出是否延续的决定。

目前我国法律对取水权能否转让未作规定。实践中正对取水权转让的问题进行研究和探索。

（三）从事养殖、捕捞的权利

我国渔业法对从事养殖和捕捞的权利做出了规定。根据渔业法的规定，国家对水域利用进行统一规划，确定可以用于养殖业的水域和滩涂。单位和个人使用国家规划确定用于养殖业的全民所有的水域、滩涂的,使用者应当向县级以上地方人民政府渔业行政主管部门提出申请,由本级人民政府核发养殖证,许可其使用该水域、滩涂从事养殖生产。县级以上地方人民政府在核发养殖证时,应当优先安排当地的渔业生产者。

我国对于捕捞业实行捕捞许可证制度。渔业捕捞许可证是国家批准从事捕捞生产的证书。从事捕捞生产的单位和个人,必须向县级以上主管部门提出申请,取得渔业捕捞许可证后,方准进行作业。县级以上渔业行政主管部门,按不同作业水域、作业类型、捕捞品种和渔船马力大小,实行分级审批发放。捕捞许可证也有一定的期限,比如,内陆水域捕捞许可证的有效期限为5年。需要指出的是,物权法规定的捕捞活动应当是发生在国家享有所有权的水域进行的,对于在公海、经济毗连区等我国不享有国家所有权的水域从事的捕捞行为,渔业法可以对此进行调整,但不属于物权法调整的范畴。

从以上规定可以看到,矿产资源法、水法、渔业法等单行法律对相关的权利都做了较为全面的规定。但是,由于这些法律多是从行政管理的角度对权利进行规范的,这些权利的物权属性并不明确,财产权利的内容并不完善,更缺少对这些权利相应的民事救济措施。因此实践中也出现了一些侵犯权利人合法权益的行为,比如内水的传统捕捞区被改变用途后,从事捕捞的渔民无法得到相应的补偿和安置。所以,物权法有必要做出衔接性的规定,明确这些权利受物权法以及相关法律的保护。至于进一步完善这些权利的问题,可以通过修改相关法律加以解决。根据特别法优于普通法适用的原则,探矿权、采矿权,取水权,利用水域、滩涂从事养殖、捕捞的权利,应当首先适用矿产资源法、水法和渔业法等法律的规定;矿产资源法、水法和渔业法等法律没有规定的,适用本法的有关规定。

第十一章 土地承包经营权

第一百二十四条 农村集体经济组织实行家庭承包经营为基础、统分结合的双层经营体制。

农民集体所有和国家所有由农民集体使用的耕地、林地、草地以及其他用于农业的土地,依法实行土地承包经营制度。

【释义】 本条是对农村集体经济组织实行家庭承包经营为基础、统分结合的双层经营体制的规定。

农村集体经济组织实行家庭承包经营为基础、统分结合的双层经营体制,是我国宪法确立的农村集体经济组织的经营体制。长期稳定和不断完善以家庭承包经营为基础、统分结合的双层经营体制,是党在农村的基本政策。“双层经营”包含了两个经营层次:一是家庭分散经营层次;二是集体统一经营层次。

二十多年来的农村改革的实践证明,实行家庭承包经营,符合生产关系要适应生产力发展要求的规律,使农户获得了充分的经营自主权,充分调动了亿万农民的生产积极性,极大地解放和发展农村生产力。实现了我国农业的巨大发展和农村经济的全面繁荣,使广大农民的生活从温饱迈向小康。实行家庭承包经营,符合农业生产的特点,可以使农户根据市场需求和效益原则确定农业生产的品种和结构,使农民成为了独立的市场主体。家庭承包经营是集体经济组织内部的一个经营层次,是双层经营体制的基础。集体经营层次具有生产服务、组织协调和资产积累等功能。农村集体经济组织的主要任务是管理好集体资产,协调好利益关系,组织好生产服务和集体资源开发,壮大经济实力,特别是要增强服务功能,解决一家一户难以解决的困难。这种双层经营体制,不仅适应以手工劳动为主的传统农业,也能适应采用先进科学技术和生产手段的现代农业,具有广泛的适应性和旺盛的生命力,必须长期坚持。

稳定完善双层经营体制,关键是稳定完善土地承包关系。土地是农业最基本的生产要素,又是农民最基本的生活保障。稳定土地承包关系,是引导农民珍惜土地,增加投入的需要;是保持农业发展、促进农民增收的需要;是保持农村稳定的需要。稳定土地承包关系是党的农村政策的基石,绝不能动摇。

物权法做出"农村集体经济组织实行家庭承包经营为基础、统分结合的双层经营体制"的规定,正是为了稳定和完善以家庭承包经营为基础、统分结合的双层经营体制,赋予农民长期而有保障的土地使用权,维护农村土地承包当事人的合法权益,促进农业、农村经济发展和农村社会稳定。

依法实行土地承包经营制度的农村土地,包括农民集体所有和国家所有依法由农民集体使用的耕地、林地、草地以及其他依法用于农业的土地。其中既包括农民集体所有的农业用地,也包括国家所有依法由农民集体使用的农业用地。本条"用于农业的土地",主要有耕地、林地和草地,还有一些其他用于农业的土地,如荒山、荒丘、荒沟、荒滩等"四荒地"。上述这些用于农业的土地中数量最多,涉及面最广,与每一个农民利益最密切的是耕地、林地和草地,对此本法做了重点表述。其他农村土地如"四荒地"等则包含在本条规定的"其他用于农业的土地"之中。

根据农村土地承包法的规定,农村土地承包采取农村集体经济组织内部的家庭承包方式,不宜采取家庭承包方式的荒山、荒沟、荒丘、荒滩等农村土地,可以采取招标、拍卖、公开协商等方式承包。可见,农村土地承包经营制度包括两种承包方式,即家庭承包和以招标、拍卖、公开协商等方式的承包。

农村土地承包一般采取农村集体经济组织内部的家庭承包方式。家庭承包方式是指，以农村集体经济组织的每一个农户家庭全体成员为一个生产经营单位，作为承包人与发包人建立承包关系，承包耕地、林地、草地等用于农业的土地。家庭承包中的承包人是农村集体经济组织的农户。发包人将土地发包给农户经营时，应当按照每户所有成员的人数来确定承包土地的份额，也就是通常所说的“按户承包，按人分地”，也叫“人人有份”。由于每个集体经济组织成员在本集体经济组织中均享有成员权，也由于农村土地是农民的基本生产资料，也是他们的基本生活保障，因此，每个农村集体经济组织的成员，不论年长年幼、是男是女都享有土地承包权。凡是本集体经济组织的成员应当人人有份的农村土地，尤其是耕地、林地、草地，都应当依法实行家庭承包。

有些用于农业的土地如果园，在本集体经济组织内做不到人人有份，只能由少数农户来承包；对于“四荒地”，本集体经济组织成员有的不愿承包，有的根据自己的能力承包的数量不同。这些不宜采取家庭承包方式的农村土地，可以采取招标、拍卖、公开协商等方式承包。这些承包方式都是以自愿、公开、公正的原则进行承包的，能够更合理地利用这些农村土地。

第一百二十五条　土地承包经营权人依法对其承包经营的耕地、林地、草地等享有占有、使用和收益的权利，有权从事种植业、林业、畜牧业等农业生产。

【释义】　本条是土地承包经营权人享有的基本权利的规定。

这一条进一步明确了土地承包经营权的物权性质，明确规定了土地承包经营权人依法对其承包经营的耕地、林地、草地等享有占有、使用和收益的权利，有权从事种植业、林业、畜牧业等农业生产。

（一）承包经营权人的基本权利

本条规定了承包人对承包地享有的占有、使用和收益这几项最基本、最重要的权利。这些权利都是法定权利,即使在承包合同中没有约定,承包人也依法享有这些权利,任何组织和个人不得剥夺和侵害。

1. 依法享有对承包地占有的权利。占有的权利是土地承包经营权人对本集体所有的土地直接支配和排他的权利。土地承包经营权是在集体或国家所有由集体使用的土地上使用、收益的权利,为实现其使用、收益的目的,必然以对土地占有为前提。

2. 依法享有对承包地使用的权利。农村土地承包经营权设立的目的,就在于由承包人在集体的土地上从事种植业、林业、畜牧业等农业生产。因此,承包人对其承包的土地进行合理且有效的使用是其重要权能之一。至于从事农业生产的种类、方式等均由承包人按照土地用途自主决定,承包人享有生产经营自主权,发包人和其他任何第三人都无权进行干涉。对承包土地的使用不仅仅限于传统意义上的种粮植树、放牛养羊等,对于因进行农业生产而修建必要的附属设施,如建造沟渠、修建水井等,也应是对承包土地的一种使用。

3. 依法获取承包地收益的权利。收益权是承包人获取承包地上产生的收益的权利,这种收益主要是从承包地上种植的农林作物以及畜牧中所获得的利益。例如,粮田里产出的粮食,果树产生的果实等。承包人还有权自由处置产品,可以自由决定农林牧产品是否卖、如何卖、卖给谁等。承包人对承包地享有的收益权是承包经营权中的重要权利。对承包人的收益权应当依法保护,使其得到充分的实现。

(二)承包经营权人的其他权利

承包经营权人的上述权利,体现了作为用益物权的承包经营权的最基本的权利,还有一些权利内容也体现了承包经营权的物权性质。

1. 较长的承包期及承包期满后可以继续承包。耕地的承包期为30年。草地的承包期为30～50年。林地的承包期为30～70年;特殊林木的林地承包期,经国务院林业行政主管部门批准可以延长。承包期届满,由土地承包经营权人按照国家规定继续承包。

2. 依法享有土地承包经营权流转的权利。通过家庭承包取得的土地承包经营权可以依法采取转包、出租、互换、转让或者其他方式流转。通过招标、拍卖、公开协商等方式承包农村土地,经依法登记取得土地承包经营权证或者林权证等证书的,其土地承包经营权可以依法采取转让、出租、入股、抵押或者其他方式流转。土地承包经营权流转的收益归承包人所有。

3. 承包期内,发包人不得收回承包地。承包期内,承包人全家迁入小城镇落户的,应当按照承包人的意愿,保留其土地承包经营权或者允许其依法进行土地承包经营权流转。承包期内,承包人全家迁入设区的市,转为非农业户口的,应当将承包的耕地和草地交回发包人。

4. 承包期内,发包人不得调整承包地。承包期内,因自然灾害严重毁损承包地等特殊情形对个别农户之间承包的耕地和草地需要适当调整的,必须经本集体经济组织成员的村民会议2/3以上成员或者2/3以上村民代表的同意,并报乡(镇)人民政府和县级人民政府农业等行政主管部门批准。承包合同中约定不得调整的,按照其约定。

5. 承包地被征收的,土地承包经营权人有权依照本法第四十二条第二款的规定获得相应补偿。

(三)物权化的承包经营权有利于对权利的保护

物权法明确将农村土地承包经营权规定为用益物权,体现了党的十五届三中全会"要抓紧制定确保农村土地承包关系长期稳定的法律法规,赋予农民长期而有保障的土地使用权"的要求。

在农村土地承包法颁布之前,人们对土地承包经营权大多是从债权的角度即承包合同的角度来认识的。2002年颁布的农村土地承包法将土地承包经营权作为用益物权，但未明确使用“用益物权”的概念。根据物权的特征和土地承包经营权的实际状况，将土地承包经营权确立为用益物权，更有利于保护土地承包经营权人的利益。

1. 土地承包经营权中的各项权利为法定权利，不得随意变更。而合同权利依双方当事人约定，难以避免因发包人违反合同等行为对土地承包经营权造成侵害。

2. 土地承包经营权作为用益物权，期限较长，比较稳定。而合同的期限一般较短也容易发生变化。

3. 承包人享有经营自主权，发包人不得干涉。而合同可以变更，难以避免发包人强令承包人不变更就解除合同的现象发生。

4. 承包人作为用益物权人，可以对抗发包人的侵害，土地承包经营权不能被任意剥夺，承包地被违法收回后，可以要求返还。而合同有可能随意解除，承包地被违法收回的，承包人虽有可能获得金钱赔偿，但返还承包地并不必然。

5. 承包人可以以用益物权人的地位直接对抗第三人的侵害，包括政府的违法干预。比如，承包人可以据此抵制“一乡一品”等干预经营自主权的政府决定。

6. 承包人依用益物权享有自主将土地承包经营权流转的权利基础，任何人不得强迫或者阻碍。而依合同关系难以形成流转的基础，而且往往受到对方的限制。

7. 在征地补偿时，承包人可以作为独立的权利主体，土地承包经营权可以作为独立的财产权利获得相应的补偿，而不是仅作为合同一方当事人被忽视。

第一百二十六条　耕地的承包期为三十年。草地的承包期为三十年至五十年。林地的承包期为三十年至七十年；特殊林木的林地承包期，经国务院林业行政主管部门批准可以延长。

前款规定的承包期届满，由土地承包经营权人按照国家有关规定继续承包。

【释义】 本条是关于土地承包期的规定。

土地承包期是农村土地承包经营权存续的期间。在这个期间内，承包人享有土地承包经营权，依照法律的规定和合同的约定，行使权利，承担义务。土地承包期是土地承包制度的一项重要内容，享有较长的承包期也是承包经营权中的一项重要权利。本法规定的承包期是法定期限，不得随意变更。这一点关系到农民是否可以得到长期而有保障的承包经营权，关系到以家庭承包经营为基础、统分结合的双层经营体制的稳定和完善，关系到农业、农村经济发展和农村社会稳定。

本条根据农村土地承包法的规定，对不同用途的农用地的承包期做了规定。

（一）耕地的承包期

耕地是指种植农作物的土地，包括灌溉水田、望天田（又称天水田）、水浇地、旱地等。我国耕地总面积约为 18.4 亿亩，人均 1.4 亩。实行家庭承包经营的耕地一直占耕地总面积的 97% 左右。

在我国农村实行家庭联产承包责任制之初，承包期一般都比较短。承包期限过短，难以调动承包人增加投入、合理开发土地的积极性，甚至可能导致短期行为和对土地的掠夺式经营。这样，国家实行土地承包经营制度就失去了积极意义。因此，1984 年，国家有关政策要求土地承包期应当适当延长，一般应在 15 年以上。1993 年，一些较早实行家庭承包经营的地方，第一轮土地承包即将到期。为了及时指导，国家提出，在原定的耕地承包期到期之后，再延长 30 年不变。此后，1998 年修改的土地管理法明确规定，土地承包经营期限为 30 年。2002 年颁布的农村土地承包法进一步明确规定，耕地的承包期为 30 年。

土地承包期限的长短，应考虑到我国农村的实际情况，根据农业生产经营的特点和农业经济的发展趋势等因素确定。如果期限过短，不利于土地承包经营权的稳定和农业的发展。耕地的承包期为 30 年的规定，符合农村耕地承包的现实要求。

（二）草地、林地的承包期

草地是指以生长草本植物为主，用于畜牧业的土地，包括天然草地、改良草地和人工草地。草原是草地的主体。从 1984 年开始，在全国推广草原承包工作。一些地方对草地实行 50 年的承包期。

林地是指生长乔木、竹类、灌木、沿海红树林的土地，包括有林地、灌木林地、疏林地、未成林造林地以及迹地和苗圃等。在农村土地承包法颁布之前，实践中林地的承包期一般确定为 30～50 年。

对于草地、林地的承包期限，我国法律的规定有一个发展过程。土地管理法规定，农民集体所有的土地由本集体经济组织的成员承包经营，从事种植业、林业、畜牧业、渔业生产。土地承包经营期限为 30 年。国家政策曾原则要求，土地承包期再延长 30 年不变，营造林地和“四荒”地等开发性生产的承包期可以更长。农村土地承包法根据草地和林地承包的特殊性，明确规定，草地的承包期为 30～50 年。林地的承包期为 30～70 年；特殊林木的林地承包期，经国务院林业行政主管部门批准可以延长。

同耕地相比，草地和林地有其特殊性。以林地为例：

首先，耕地主要用于种植农作物，一般是一年一季或者两季，有的是三季，很少种植多年生植物。而林地上一般生长着多年生的乔木、竹类、灌木等。

其次，从事林业开发投资大，林木生长期、收益期长，风险也比较高。如榉木、水青冈、红豆杉、柚木的采伐或经营期限至少在 50～60 年。再如我国特有的银杏树的生长极为缓慢，所以又称

“公孙树”，形容祖辈种树到孙辈才结果实。浙江东阳地区种植的香榧树，15 年开始结果，100 年才进入丰产期，并可延续四五百年，有的可达上千年。

第三，我国对森林实行限额采伐制度，林地上种植的林木不能任意采伐。采伐必须申请采伐许可证并按照要求完成更新造林。承包人的生产经营和处置产品的权利受到一定的限制。

鉴于草地和林地的特殊性，农村土地承包法对草地和林地的承包期做出了上述规定。物权法的规定与农村土地承包法的规定是一致的。

本条第二款规定，前款规定的承包期届满，由土地承包经营权人按照国家规定继续承包。这一规定符合用益物权的基本特征，符合以家庭承包经营为基础、统分结合的双层经营体制必须长期坚持的要求，进一步体现了赋予农民长期而有保障的土地使用权的立法精神。有利于保障广大承包经营权人的利益，更好地鼓励承包人在承包期即将届满时，继续向承包地进行资金、劳力和农田基本建设等方面的投入，促进农业、农村经济的发展和农村社会的稳定。

第一百二十七条　土地承包经营权自土地承包经营权合同生效时设立。

县级以上地方人民政府应当向土地承包经营权人发放土地承包经营权证、林权证、草原使用权证，并登记造册，确认土地承包经营权。

【释义】　本条是关于土地承包经营权设立和登记的规定。

依本条规定，土地承包经营权自土地承包经营权合同生效时设立。

合同生效是指合同产生法律约束力。对于合同的生效时间，合同法规定，依法成立的合同，自成立时生效。合同的生效，除了附条件、附期限的合同,以及法律、行政法规规定应当办理批准、登记等手续生效的以外,在通常情况下,与合同的成立是一致的。农村土地承包法规定,承包合同自成立之日起生效。本法对承包合同的生效做出的规定与合同法、农村土地承包法的规定是一致的,即承包合同自成立之日起生效。

土地承包经营权作为用益物权的一种,它的设立以土地承包合同生效为前提。同时,承包合同生效时承包经营权即设立虽为特例,但符合我国农村的实际情况。一是承包方案经村民会议或村民代表会议讨论同意,集体经济组织成员相互熟悉,承包的地块人所共知,能够起到相应的公示作用。二是承包证书的发放和登记造册,往往滞后于承包合同的签订,不能因此而否定农户的承包经营权。因此,土地承包经营权自承包合同生效时设立,登记造册是作为对承包经营权予以确认的程序。

物权法上的登记制度,是土地等不动产物权公示的方法。其功能是对物权的设立、变更、转让或者消灭产生公示作用。登记不仅可以表彰物权的设立、明确归属而且有助于解决物权的冲突。关于物权登记的效力,一般有两种做法:一是登记是不动产物权变动的必要条件,未经登记,不生效力。二是登记是当事人在物权变动后未经登记,在当事人之间也可有效成立,但是不能对抗善意第三人。对土地承包经营权的设立,考虑到我国农村土地承包的实际情况,本条规定,土地承包经营权自土地承包经营权合同生效时设立。可见,土地承包经营权的设立,不以登记为生效的要件。同时,为了进一步确认和保护承包经营权人的合法权利,对已经设立的土地承包经营权,县级以上地方人民政府应当向承包人颁发土地承包经营权证、林权证、草原使用权证,并进行登记造册,确认土地承包经营权。

土地承包经营权证、林权证、草原使用权证,是承包人享有土地承包经营权的法律凭证。为了稳定土地承包关系,更好地保障土地承包经营权人的合法权益,县级以上地方人民政府应当积极地向承包人颁发相应的土地承包经营权证书,并登记造册,确认土地承包经营权。此外,颁发土地承包经营权证等证书,应当按照农村土地承包法的规定,除按规定收取证书工本费外,不得收取其他费用。以减轻农民负担,维护农民的合法权益。

第一百二十八条 土地承包经营权人依照农村土地承包法的规定,有权将土地承包经营权采取转包、互换、转让等方式流转。流转的期限不得超过承包期的剩余期限。未经依法批准,不得将承包地用于非农建设。

【释义】 本条是关于家庭承包的土地承包经营权流转的规定。

土地承包经营权属于用益物权,具备流转的法律基础。在稳定家庭承包经营的基础上,允许土地承包经营权的合理流转,是农业发展的客观要求,是农村经济发展、农村劳动力转移的必然结果。同时,承包地是农民最基本的生活资料,是农民最基本的生活保障。只有第二、第三产业发达、大多数农民实现非农就业并有稳定的工作岗位和收入来源的地方,才有可能出现较大范围的土地流转,发展适度规模经营。土地承包经营权的流转应当遵循一定的原则,具备一定的条件,限于一定的方式。

(一)土地承包经营权流转的原则

根据农村土地承包法的规定,土地承包经营权流转应当遵循以下原则:(1)平等协商、自愿、有偿,任何组织和个人不得强迫或者阻碍承包人进行土地承包经营权流转;(2)不得改变土地所有权的性质和土地的农业用途;(3)流转的期限不得超过承包期的剩余期限;(4)受让方须有农业经营能力;(5)同等条件下,本集体经济组织成员享有优先权。农村土地承包法还规定,土地承包经营权流转的主体是承包人。承包人有权依法自主决定土地承包经营权是否流转和流转的方式。土地承包经营权流转的转包费、租金、转让费等,应当由当事人双方协商确定。流转的收益归承包人所有。

(二)土地承包经营权流转的方式和条件

根据本法和农村土地承包法的规定,通过家庭承包取得的土地承包经营权可以依法采取转包、出租、互换、转让或者其他方式流转。

1. 转包、出租

根据农村土地承包法的规定,承包人可以在一定期限内将部分或者全部土地承包经营权转包或者出租给第三方,承包人与发包人的承包关系不变。

转包是指土地承包经营权人把自己承包期内承包的土地,在一定期限内全部或者部分转交给本集体经济组织内部的其他农户耕种。在通常情况下,受转包人要向转包人即土地承包经营权人支付转包费。

出租是指土地承包经营权人作为出租人,将自己承包期内承包的土地,在一定期限内全部或者部分租赁给本集体经济组织以外的单位或者个人耕种,并收取租金的行为。

转包和出租后,虽然土地不再由土地承包经营权人耕种,但土地承包经营权的主体并没有发生变化。承包关系并不是发包人与受转包人或者承租人之间的关系,而仍然是发包人与原承包人的关系。由此可见,承包经营权转包或者出租存在三方当事人、两方面的法律关系。从转包看,发包人与承包人之间存在土地承包经营权关系,承包人(也即转包人)与受转包人之间存在转包的合同关系。从出租看,发包人与承包人之间存在土地承包经营权关系,承包人(也即出租人)与承租人之间存在租赁合同关系。发包人与承包人之间的关系,属于土地的用益物权关系,是承包法律关系的基础。转包人与受转包人的关系,以及出租人与承租人的关系,属于债权关系。在转包和出租承包地时，承包人应当与受转包人或者承租人签订书面转包或者租赁合同，明确双方的权利义务。采取转包、出租方式流转承包经营权的，应当报发包人备案。

2. 互换

农村土地承包法规定，承包人之间为方便耕种或者各自需要，可以对属于同一集体经济组织的土地承包经营权进行互换。

土地承包经营权互换，是土地承包经营权人将自己的土地承包经营权交换给他人行使，自己行使从他人处换来的土地承包经营权。互换从表面上看是地块的交换，但从性质上看，是由交换承包的土地引起的权利本身的交换。权利交换后，原有的发包人与承包人的关系，变为发包人与互换后的承包人的关系，双方的权利义务同时做出相应的调整。互换土地承包经营权，是在同一集体经济组织内部，对人人有份的承包经营权进行的交换。该种交换改变了原有的权利分配，涉及承包义务的履行，因此，应当报发包人备案。

需要注意的是：第一，土地承包经营权互换只是土地承包经营权人的改变，不是原地块承包义务的改变，互换后的土地承包经营权人要履行互换后地块原来负担的义务。第二，互换土地承包经营权，要避免因此而打乱不同农民集体的土地权属。所以，承包人不能与其他集体经济组织的农户互换土地承包经营权。

3. 转让

农村土地承包法规定，承包人有稳定的非农职业或者有稳定的收入来源的，经发包人同意，可以将全部或者部分土地承包经营权转让给其他从事农业生产经营的农户，由该农户同发包人确立新的承包关系，原承包人与发包人在该土地上的承包关系即行终止。

土地承包经营权的转让，是指土地承包经营权人将其拥有的未到期的土地承包经营权移转给他人的行为。土地承包经营权的受让对象可以是本集体经济组织的成员,也可以是本集体经济组织以外的农户。

土地承包经营权转让不同于转包、出租和互换。转包和出租,转包人和出租人与发包人的承包关系没有发生变化,转包人与出租人也不失去土地承包经营权。互换土地承包经营权,承包人与发包人的关系虽有变化,但互换土地承包经营权的双方只不过是对土地承包经营权进行了置换,并未丧失该权利。而转让土地承包经营权,承包人与发包人的土地承包关系即行终止,转让人也不再享有该土地承包经营权。

根据农村土地承包法的规定,转让土地承包经营权应当符合以下条件:

(1)转让人有稳定的非农职业或者有稳定的收入来源。土地承包经营权是农民最基本的生活保障,因此,有稳定的非农职业或者有稳定的收入来源的,才可以转让土地承包经营权。如何判断"有稳定的非农职业或者有稳定的收入来源",实践中可根据具体情况确定。比如已成为国家机关工作人员等。

(2)经发包人同意。转让土地承包经营权要经发包人同意,而不像转包、出租、互换只需向发包人备案。一是,转让土地承包经营权,使得原有的承包关系终止,发包人与受让方要确定新的承包关系。尤其是将土地承包经营权向本集体组织以外的农户转让,发包人与受让方的关系也不再是集体经济组织与其成员的关系。同时还关系到受让方是否符合法律规定的主体资格,是否具有承包经营的能力。二是,转让土地承包经营权,将使承包人失去土地承包经营权,也即失去在农村的生活保障。如果由承包人随意转让,就可能出现某些人为了欠债还钱或者游手好闲将土地承包经营权转让。因此,转让土地承包经营权,经发包人同意是必要的。同时,对符合法律规定的条件转让的,发包人应当准许。

(3)受让方是从事农业生产经营的农户。一是,受让方必须从事农业生产。从事工业、商业等生产经营的人不得成为土地承包经营权的受让方。二是,受让方是农户。企业、城镇居民等非农户不能成为受让方。要求受让人是从事农业生产经营的农户,可以保证土地的农业生产用途,满足其他农户对土地这一生产资料的需求。

承包人转让的土地承包经营权,可以是全部也可以是部分。对于已经转让的,不论是全部转让还是部分转让,受让方都应与发包人确立新的承包关系。对于未转让的部分,原承包人与发包人应重新调整承包关系,变更原有的承包合同。

4. 入股从事农业合作生产

农村土地承包法规定,承包人之间为发展农业经济,可以自愿联合将土地承包经营权入股,从事农业合作生产。

对土地承包经营权入股的问题,需要对人人有份的家庭承包和其他方式的承包区别对待。对于前者,以土地承包经营权入股,涉及入股成立的公司破产后,农户可能失去承包经营的土地。对以土地承包经营权入股的情况,也需要区别对待。对入股组成公司从事经营的,如果公司破产,农民会失去承包经营的土地,影响农民的生产生活和农村稳定。对农户之间自愿合作,将土地承包经营权入股,共同发展农业生产的,应当允许。以土地承包经营权入股应当把握以下界线:第一,入股应在承包人之间进行,不包括将土地承包经营权量化为股份,投入到从事农业生产的工商企业或者公司,也不包括将土地承包经营权作为投资成立农业经营公司。第二,土地承包经营权入股是农户以入股形式组织在一起,从事农业合作生产,收益按照股份分配,而不是将土地承包经营权入股作为赚取经营回报的投资。

5. 土地承包经营权的转让和抵押能否放开

关于土地承包经营权的转让和抵押能否放开的问题,在物权法起草过程中有不同意见。现行法律和国家有关加强土地调控的文件中对土地承包经营权的转让和抵押区别不同情况做了不同规定。我国地少人多,应当实行最严格的土地管理制度。目前,我国农村社会保障体系尚未全面建立,土地承包经营权是农民安身立命之本,从全国范围看,现在放开土地承包经营权的转让和抵押的条件尚不成熟。农民一旦失去承包地,将会丧失基本生存条件,影响社会稳定。为了维护现行法律和现阶段国家有关农村土地政策,也为今后修改有关法律或者调整有关政策留有余地,物权法对土地承包经营权流转做了原则性规定。

(三)流转的期限

土地承包经营权是有期限的用益物权。本法第一百一十六条规定,耕地的承包期为30年。草地的承包期为30~50年。林地的承包期为30~70年;特殊林木的林地承包期,经国务院林业行政主管部门批准可以延长。根据本条规定,土地承包经营权流转的期限不能长于土地承包经营权的期限。比如耕地的承包期限为30年,承包人耕种了20年后将该土地转包,那么转包的期限不能长于10年。转包合同签订的转包年限长于土地承包经营权的剩余年限的,超过部分无效。

(四)未经依法批准,不得将承包地用于非农建设

土地承包经营权流转,应当按照土地的原有用途使用土地,不得借流转而改变承包地的原有用途。承包地应当用于种植业等农业生产,不得改变农用土地的用途,将其用于非农业建设。比如不得在承包地上建窑、建坟或者擅自在承包地上建房、挖砂、采石、取土等。违法将承包地用于非农建设的,应当承担法律责任。

第一百二十九条　土地承包经营权人将土地承包经营权互换、转让,当事人要求登记的,应当向县级以上地方人民政府申请土地承包经营权变更登记;未经登记,不得对抗善意第三人。

【释义】　本条是关于互换、转让土地承包经营权进行登记的

规定。

对互换、转让土地承包经营权进行登记,目的在于将土地承包经营权变动的事实予以公示,使他人明确知晓土地承包经营权的权利人变动的情况。本条对于土地承包经营权的互换、转让,采用登记对抗主义,即不登记不得对抗善意第三人。也就是说,当事人签订土地承包经营权的互换、转让合同,并经发包人备案或者同意后,该流转行为在当事人双方之间即发生法律效力,而不强求当事人登记。这样规定,符合中国农村的实际。一是,农民承包的是本集体的土地,聚集而居的农户对承包地的情况相互了解;二是,互换限于本集体组织内部,农户向本集体经济组织以外的人转让的情况也比较少;三是,变更土地承包经营权登记要履行一定的法律手续,并交纳相应的费用,会增加农民的负担。与此同时,考虑到土地承包经营权互换、转让后,如果未将权利变动的事实通过登记的方法予以公示,他人可能因不了解权利变动的情况而受到损害。因此,本法将登记与否的决定权交给了当事人。未经登记的,不能对抗善意第三人。也就是说,不登记将产生不利于土地承包经营权受让人的法律后果。比如承包人甲将土地承包经营权转让给乙,但没有办理变更登记。此后,甲又将同一块地的承包经营权转让给丙,同时办理了变更登记。如果乙与丙就该块土地的承包经营权的归属发生纠纷,由于丙取得的土地承包经营权进行了登记,他的权利将受到保护。乙将不能取得该地块的土地承包经营权。因此,土地承包经营权的受让人为了更好地维护自己的权益,要求办理土地承包经营权流转登记比较妥当。

根据本条规定,将土地承包经营权以互换、转让方式流转,当事人要求登记的,应当向县级以上地方人民政府申请土地承包经营权变更登记。登记部门对符合变更登记条件的,予以变更登记,换发或者更改土地承包经营权证书。

土地承包经营权流转有转包、出租、互换、转让等方式,但本条规定的变更登记只列明了互换与转让两种形式。互换与转让，是将土地承包经营权换由或者转给他人行使，承包经营权的主体发生了变更；而转包和出租，原有的承包人与发包人的承包关系不变，承包人仍享有原来的承包经营权。由于变更登记的主要目的是向社会公示权利主体的变化，以保护善意第三人，而转包和出租不发生权利主体的更迭，因此不要求对转包和出租进行变更登记。

第一百三十条　承包期内发包人不得调整承包地。

因自然灾害严重毁损承包地等特殊情形，需要适当调整承包的耕地和草地的，应当依照农村土地承包法等法律规定办理。

【释义】 本条是关于承包地能否调整的规定。

赋予农民长期而有保障的土地使用权，保持农村土地承包关系的长期稳定，是将承包经营权物权化的立法宗旨和指导思想。在相当长的时期内，土地不仅是农民的基本生产资料，而且是农民最主要的生活保障。以家庭承包经营为基础、统分结合的双层经营体制是我国农村经济的一项基本制度。稳定土地承包关系，是党在农村政策的核心内容。对承包土地的频繁调整，一是不利于土地承包关系的稳定，不符合承包经营权物权化的要求。二是不利于农民对土地的长期投入，容易造成短期效应，导致对土地生产力的破坏。本条第一款及农村土地承包法第二十七条第一款，对承包土地的调整问题做了明确的规定：承包期内发包人不得调整承包地。在法律中明确规定发包人在承包期内不得随意调整承包地，维护了土地承包关系的长期稳定，给农民吃了定心丸。

同时也应当看到，耕地的承包期为 30 年，草地的承包期为 30 ~ 50 年，在这样长的承包期内，如果情况发生特殊变化，完全不允许调整承包地也不尽合理。如出现个别农户因自然灾害严重毁损承包地等特殊情形，不允许对承包地进行必要的调整，将使一部分农民失去土地，在目前农村的社会保障制度尚不健全、实现非农就业尚有困难的情况下,将使这部分农民失去最基本的生活来源,既有悖社会公平,也不利于社会稳定。因此,在特殊情形下,应当允许按照法律规定的程序对个别农户之间的承包地进行必要的调整。

考虑到实践中对个别农户之间承包的土地需要适当调整的特殊情形,本条第二款及农村土地承包法第二十七条第二款对承包地的调整做出了严格限制的规定:承包期内,因自然灾害严重毁损承包地等特殊情形对个别农户之间承包的耕地和草地需要适当调整的,必须经本集体经济组织成员的村民会议三分之二以上成员或者三分之二以上村民代表的同意,并报乡(镇)人民政府和县级人民政府农业等行政主管部门批准。承包合同中约定不得调整的,按照其约定。

关于在哪些情况下可以调整承包地,这一款的规定是"因自然灾害严重毁损承包地等特殊情形",即只有在特殊情形下,才可以适当调整承包地,而在一般情形下,不应当采取调整承包地的方法,而应当主要通过土地流转、发展第二、第三产业等途径,用市场的办法解决。这里的"特殊情形",主要包括以下几个方面:(1)部分农户因自然灾害严重毁损承包地的;(2)部分农户的土地被征收或者用于乡村公共设施和公益事业建设,丧失土地的农户不愿意"农转非",不要征地补偿等费用,要求继续承包土地的;(3)人地矛盾特别突出的。关于人地矛盾突出的,一般是指因出生、婚嫁、户口迁移等原因导致人口变化比较大,新增人口比较多,而新增人口无地少地的情形比较严重,又没有其他生活来源,不调整会直接影响农民基本生活的。能否调整,还要看三分之二以上的村民或者村民代表是否同意调整,不同意的,也不能调整。

在此还有几点需要注意:第一,调整指的是对个别农户之间承包的土地进行小范围适当调整,调整只限于个别农户,不能对所有农户进行普遍调整。

第二，在承包人发生了因自然灾害严重毁损承包地等特殊情形需要调整土地时，并不必然发生对个别农户之间承包的耕地和草地进行调整，如果集体经济组织依法预留了机动地，或者有通过依法开垦等方式增加的土地，或者有承包人依法、自愿交回的土地，应当先用这些土地解决无地农民的承包地问题，只有在没有上述土地的情况下，才可以对个别农户之间承包的耕地和草地进行适当调整。

第三，允许进行必要的调整的土地仅限于耕地和草地，对于林地，即使在上述特殊情形下，也不允许调整。因为林地的承包经营与耕地、草地的承包经营相比有其特殊性。林业生产经营周期长，收益慢，风险大，承包期也较长。稳定林地承包经营权，有利于调动承包人植树造林的积极性，鼓励对林地的长期投入，防止乱砍滥伐，保护生态环境。林地一般作为农民增收的手段，不像耕地那样，属于农民基本的生活保障。因此，对林地承包经营权不适用耕地和草地有关调整的规定，应当确保林地承包经营权的长期稳定。否则会导致林权不稳，出现林地纠纷，引发乱砍滥伐，破坏森林资源。因此，林地不能调整。

第四，调整还应当经过法定程序，未经法定程序不得进行调整。农村土地承包法规定的法定程序是："必须经本集体经济组织成员的村民会议三分之二以上成员或者三分之二以上村民代表的同意，并报乡（镇）人民政府和县级人民政府农业等行政主管部门批准。"这样规定是为了体现多数农民的意愿，防止随意调整承包地。由于土地所有者及发包主体的不同，"本集体经济组织成员的村民会议"的含义是，如果土地是由村集体经济组织或者村民委员会发包的，这里的"村民会议"应当指村集体范围内的村民会议，即由村集体经济组织成员组成的村民会议；如果土地是由村内各集体经济组织或者村民小组发包的，这里的"村民会议"应当指村民小组范围内的村民会议，即由村民小组成员组成的村民会议。村民会议 2/3 以上成员，应当指组成村民会议的全体成员的 2/3 以上成员；2/3 以上村民代表，应当指由村民代表组成的村民会议的全体代表的 2/3 以上代表。

因特殊情形需要对个别农户之间的承包地进行调整，而承包合同中又约定不得调整的怎么办？对此，农村土地承包法规定："承包合同中约定不得调整的，按照其约定。"即如果承包合同中约定不得调整的，也不得调整。这样规定既符合承包人的意愿，也有利于维护承包关系的长期稳定。当然，如果发包人和承包人尤其是承包人自愿协商变更的，可以按照变更后的承包合同办理。

第一百三十一条　承包期内发包人不得收回承包地。农村土地承包法等法律另有规定的，依照其规定。

【释义】　本条是关于承包地能否收回的规定。

属于用益物权的土地承包经营权，赋予了农民长期而有保障的土地使用权，为维护农村土地承包关系的长期稳定提供了法律保障。我国农村人多地少，大部分地区经济还比较落后，二、三产业不够发达，大多数农民一时难以实现非农就业，仍然从事农业生产。农民对土地的依赖性较强，在相当长的时期内，土地仍是农民的基本生产资料和最主要的生活保障。因此，必须保持土地承包关系的长期稳定，不得随意收回承包地。

本条的规定对稳定土地承包关系具有重要意义，体现了用益物权的特征。根据这一规定，除法律对承包地的收回有特别规定外，在承包期内，无论承包人发生什么样的变化，只要作为承包人的家庭还存在，发包人都不得收回承包地。比如承包人家庭中的一人或者数人死亡的；子女升学、参军或者在城市就业的；妇女结婚，在新居住地未取得承包地的；承包人在农村从事各种非农产业的；承包人进城务工的等。只要作为承包人的农户家庭没有消亡，发包人都不得收回其承包地。但因承包人死亡，承包经营的家庭消亡的，为避免已有承包地的承包人的继承人因继承而获得两份承包地，允许发包人收回承包的耕地和草地。

随着我国城乡经济结构的调整和城镇化的发展，农村剩余劳动力向城镇的转移会不断增加，对于承包人全家离开农村，迁入小城镇或者设区的市，转为非农业户口的，其承包地能否收回的问题，农村土地承包法区别不同的情况分别做了规定，以避免发包人随意收回承包地。

这里所称的“小城镇”，包括县级市市区、县人民政府驻地镇和其他建制镇。关于承包人全家迁入小城镇落户，其承包地能否收回的问题，中央有关文件曾指出，要积极探索适合小城镇特点的社会保障制度。对进镇落户的农民，可根据本人意愿，保留其承包土地的经营权，也允许依法有偿转让。这是从我国当前加快小城镇健康发展的政策出发的。国家逐步制定和完善了促进小城镇健康发展的政策措施，加快了小城镇户籍管理制度的改革。为促进小城镇的健康发展，鼓励农民进入小城镇，自 1997 年开始试点，到 2001 年正式在全国推行的小城镇户籍管理制度改革，从允许一定条件的城镇暂住人口正式取得城镇户口，演变到基本解除对小城镇的迁移限制，小城镇居民基本实现了迁徙自由。从目前我国发展小城镇的政策出发，对承包人全家迁入小城镇落户的，如果允许收回其承包的土地，将会影响农民进入小城镇的积极性，使其产生后顾之忧，不利于实现我国加快城镇化进程的政策目标。

同时，对这一问题，还应当考虑到农民迁入小城镇后的社会保障问题。目前，我国的社会保障体系还不够健全和完善，特别是在小城镇，由于各地的社会经济发展不平衡，许多小城镇还没有建立健全社会保障体系。在这种情况下，进入小城镇落户的农民一旦失去非农职业或者生活来源，那么他在农村享有的土地承包经营权仍将是其基本的生活保障。根据我国目前小城镇的社会经济发展状况，农村土地承包法规定：“承包期内，承包方全家迁入小城镇落户的,应当按照承包方的意愿,保留其土地承包经营权或者允许其依法进行土地承包经营权流转。”

根据这一规定,承包人全家迁入小城镇落户的,应当按照承包人的意愿,保留其土地承包经营权,承包人可以按照农业生产季节回来耕作;也允许承包人依法将土地承包经营权采取转包、出租、互换、转让或者其他方式进行流转。当然,如果承包人自愿将承包地交回发包人,也是允许的。

随着城市化的进程,有一部分农村剩余劳动力向设区的城市转移。目前全家进城落户的人数较少,以后随着社会经济的发展和城市户口的逐步放开会有所增加。承包人全家迁入设区的市,转为非农业户口的,他们已经不属于农村集体经济组织的成员,不宜再享有在农村作为生产生活基本保障的土地承包经营权。同时,相对于小城镇而言,在设区的市,社会保障制度比较健全,承包人即使失去了稳定的职业或者收入来源,一般也可以享受到城市居民最低生活保障等社会保障。如果允许承包人保留其承包地,就会使其既享有土地承包经营权,又享有城市社会保障,有悖社会公平。此外,在设区的市,就业机会相对较多,承包人可以通过多种渠道实现非农就业,获得生活保障,其在农村享有的土地承包经营权所具有的基本生活保障的功能大大弱化。而在我国农村,由于人多地少,大部分地区存在人地矛盾。为缓解农村人地矛盾,发展农村经济,在这种情况下,承包人应当将其承包的土地交回发包人,使留在农村的农民有较多的土地耕种。因此,农村土地承包法规定:“承包期内,承包方全家迁入设区的市,转为非农业户口的,应当将承包的耕地和草地交回发包方。承包方不交回的,发包方可以收回承包的耕地和草地。”根据这一规定,承包人全家迁入设区的市,转为非农业户口的,应当主动将承包的耕地和草地交回发包人,承包人不交回的,发包人可以收回承包的耕地和草地。交回的耕地和草地,应当用于调整承包土地或者承包给新增人口。

需要说明的是，承包人应当交回的承包地仅指耕地和草地，并不包括林地，这是因为林地的承包经营与耕地、草地的承包经营相比有其特殊性。林业生产经营周期和承包期比较长，投入大，收益慢，风险大。稳定林地承包经营权，有利于调动承包人植树造林的积极性，防止乱砍滥伐，保护生态环境。因此，对林地承包经营权不适用耕地和草地有关收回的规定，即使承包人全家迁入设区的市，转为非农业户口的，其承包的林地也不应当收回，而应当按照承包人的意愿，保留其林地承包经营权或者允许其依法进行林地承包经营权流转。

为鼓励农户对土地进行投入，使承包人在交回或者发包人依法收回承包地时，承包人向承包地的资产投入得到补偿，农村土地承包法规定："承包期内，承包方交回承包地或者发包方依法收回承包地时，承包方对其在承包地上投入而提高土地生产能力的，有权获得相应的补偿。"如承包人对盐碱度较高的土地或者荒漠化的土地进行治理，使其成为较为肥沃的土地，在交回承包地时，发包人应当对承包人因治理土地而付出的投入给予相应的经济补偿。

第一百三十二条　承包地被征收的，土地承包经营权人有权依照本法第四十二条第二款的规定获得相应补偿。

【释义】　本条是关于承包地被征收，土地承包经营权人有权获得补偿的规定。

土地承包经营权是在集体所有的土地上派生出来的用益物权，土地承包经营权人是享有用益物权的权利人。

承包人对承包的土地依法享有在承包期内占有、使用、收益等权利，承包地被依法征收的，承包人有权依法获得相应的补偿。我国宪法规定，国家为了公共利益的需要，可以依照法律规定对土地实行征收或者征用并给予补偿。土地管理法也做了同样的规定。

物权法第四十二条第一款、第二款规定，为了公共利益的需要，依照法律规定的权限和程序可以征收集体所有的土地和单位、个人的房屋及其他不动产。征收集体所有的土地，应当依法足额支付土地补偿费、安置补助费、地上附着物补偿费等费用，安排被征地农民的社会保障费用，保障被征地农民的生活，维护被征地农民的合法权益。农村土地承包法规定，承包地被依法征收的，承包人有权依法获得相应的补偿。根据宪法和法律的规定，在符合法律规定的条件下，农户承包的集体所有的土地可以被依法征收，同时也要按照法律的规定给予补偿。

根据土地管理法的规定，征地补偿应当按照被征用土地的原用途确定补偿标准和补偿数额。原来的土地是耕地的按耕地的标准补偿，原来是林地的按林地的标准补偿，原来是草地的按草地的标准补偿。对于补偿范围、补偿对象和补偿标准，本法规定，征收集体所有的土地，应当依法足额支付土地补偿费、安置补助费、地上附着物和青苗的补偿费等费用，安排被征地农民的社会保障费用，保障被征地农民的生活，维护被征地农民的合法权益。土地补偿费是给予土地所有人和用益物权人（承包人）的投入及造成损失的补偿，应当归土地所有人和用益物权人所有。安置补助费用于被征地的农户的生活安置，如果是农民自谋职业或自行安置的，应当为农民个人所有。地上附着物和青苗的补偿费归地上附着物、青苗的所有人（多为承包人）所有。

对于补偿标准应当按照土地管理法的规定办理。

需要提及的是，2004 年和 2006 年，国务院对征地补偿等有关问题提出了进一步的要求。2004 年国务院的有关决定指出，县级以上地方人民政府要采取切实措施，使被征地农民生活水平不因征地而降低。要保证依法足额和及时支付土地补偿费、安置补助费以及地上附着物和青苗补偿费。在征地过程中，要维护农民集体土地所有权和农民土地承包经营权的权益。在征地依法报批前,要将拟征地的用途、位置、补偿标准、安置途径告知被征地农民。省、自治区、直辖市人民政府应当根据土地补偿费主要用于被征地农户的原则,制定土地补偿费在农村集体经济组织内部的分配办法。被征地的农村集体经济组织应当将征地补偿费用的收支和分配情况,向本集体经济组织成员公布,接受监督。

2006 年国务院的有关通知指出,征地补偿安置必须以确保被征地农民原有生活水平不降低、长远生计有保障为原则。被征地农民的社会保障费用,按有关规定纳入征地补偿安置费用,不足部分由当地政府从国有土地有偿使用收入中解决。社会保障费用不落实的不得批准征地。土地出让总价款必须首先按规定足额安排支付土地补偿费、安置补助费、地上附着物和青苗补偿费、拆迁补偿费以及补助被征地农民社会保障所需资金的不足。

第一百三十三条　通过招标、拍卖、公开协商等方式承包荒地等农村土地,依照农村土地承包法等法律和国务院的有关规定,其土地承包经营权可以转让、入股、抵押或者以其他方式流转。

【释义】 本条是关于以其他方式承包的土地承包经营权流转的规定。

依照本法第一百二十四条的规定,对农民集体所有和国家所有依法由农民集体使用的耕地、林地、草地,通常实行农村集体经济组织成员人人有份的家庭承包;对不宜采取家庭承包方式的荒山、荒沟、荒丘、荒滩等“四荒地”,可以采取招标、拍卖、公开协商等方式承包。这种方式的承包,也称“其他方式的承包”。其他方式的承包并非集体经济组织成员人人有份的承包,承包人也不局限于农村集体经济组织内部成员。本集体经济组织成员的以外的农户、组织等农业生产经营者依照法律规定和承包合同的约定,都可取得对这些土地的承包经营权,从事种植业、林业、畜牧业等农业目的的生产经营。

家庭承包与其他方式的承包有所不同。家庭承包是集体经济组织人人有份的承包，主要是对耕地、林地和草地的承包，具有社会保障的功能；其他方式的承包，主要是对“四荒地”等农村土地的承包，是通过市场化的方式获得的承包经营权，是通过招标、拍卖、公开协商等方式有偿取得的，并且不涉及社会保障等因素。

取得“四荒地”等土地资源承包经营权的具体方式，主要有招标、拍卖、公开协商等。招标投标，是市场经济条件下促进效率、优化资源配置的一种交易方式。其基本原则是公开、公平、公正和诚实信用。农村“四荒地”等土地资源的承包可以采取招标投标的方式。招标方通过发布招标公告或者向有意投标承包的集体经济组织内部成员或外部农业生产者发出招标邀请等方式，发出招标信息，列出招标条件，由各有意承包的农业承包经营者作为投标方，向招标方书面提出自己响应招标要求的条件，参加投标竞争。经招标方对各投标者的条件进行审查比较后，从中择优选定中标者，并与其签订土地承包合同。采用招标投标方式发包“四荒地”，具有明显的优越性。招标方通过对各投标竞争者的条件进行综合比较，从中选择资信情况良好和经营能力强的农业经营者作为中标方，与其签订土地承包合同，有利于调动农民和社会的资金和力量，将过去闲置的“四荒地”资源重新优化配置，形成新的生产力。招标投标活动要依照法定程序公开进行，有利于集体经济组织成员的监督。

拍卖是指以公开竞价的形式，将特定物或者财产权利转让给最高应价者的买卖方式。拍卖是一种公开的竞买活动，其最大的特点是公开性和竞争性。它由竞买人提出各种标价，通过公开竞争，由拍卖人通过落槌或者以其他公开表示买定的方式接受某项出价，而一经拍定，合同便告成立。拍卖是“四荒地”资源承包形式中主要的形式。通过拍卖“四荒地”，实现了土地资源的优化配置，农村集体经济组织也由此壮大了经济实力，促进了农业生产和农村经济的可持续发展。

公开协商的方式也是取得“四荒地”承包经营权的方式之一。与一般的协商不同的是,公开协商要求发包“四荒地”公开进行。包括与谁协商公开,协商的内容公开,协商议定的结果如承包的期限、承包费的数额及支付方式等都要公开。以此接受集体经济组织成员的监督,避免“暗箱操作”,保证公开、公平、公正地发包承包。

依照本法规定,通过招标、拍卖、公开协商等方式承包荒地等农村土地,依照农村土地承包法等法律和国务院的有关规定,其土地承包经营权可以转让、入股、抵押或者以其他方式流转。以其他方式承包的承包经营权的流转,主要有以下几个特点:

第一,流转的客体一般为“四荒地”等农村土地的承包经营权。

第二,流转方式有转让、入股、抵押等。这里所说的入股,主要是指承包人将土地承包经营权量化为股份,投入到从事农业生产的公司,或者作为投资成立农业经营公司,以股份作为赚取经营回报的投资。所谓抵押,是指为担保债务的履行,债务人或者第三人不转移财产的占有,将该财产抵押给债权人,债务人不履行到期债务或者发生当事人约定的实现抵押权的情形,债权人有权就该财产优先受偿。这里主要是指承包人将承包经营权抵押给银行等金融机构,以作为偿还贷款的担保。

第三,以招标、拍卖、公开协商等方式取得的土地承包经营权,有的与发包人是债权关系,比如承包菜地,约定承包期 3 年,其间是一种合同关系。而承包“四荒地”,由于期限较长,投入又大,双方需要建立一种物权关系,以便更好地得到保护。因此应当依法登记,取得土地承包经营权证或者林权证等证书。在此前提下,承包经营权才具备流转的基础。

第四,其他方式的承包是通过市场化的行为并支付一定的对价获得的，其流转无须向发包人备案或经发包人同意。对受让方也没有特别限制，接受流转的一方可以是本集体经济组织以外的个人、农业公司等。

第一百三十四条 国家所有的农用地实行承包经营的，参照本法的有关规定。

【释义】 本条是关于国有农用地实行承包经营的法律适用的规定。

我国宪法和法律规定，森林、山岭、草原、荒地、滩涂等自然资源，属于国家所有，但法律规定属于集体所有的除外。法律规定属于国家所有的农村和城市郊区的土地，属于国家所有。土地管理法第十五条规定，国有土地可以由单位和个人承包经营，从事种植业、林业、畜牧业、渔业生产。农业法规定，国有的宜林荒山荒地可以由个人或者集体承包造林。本条规定，国家所有的农用地实行承包经营的，参照本法的有关规定。

对于国家所有用于农业的土地，有的由农民集体长期使用，实行农村土地承包经营制度；有的由单位（包括集体）或者个人承包经营；有的通过组建国有农场、林场等进行生产经营；有的还没有完全开发利用。对交由农民集体使用以外的国有农用地实行承包经营的，可以根据实际情况，在承包方式、承包期限、承包的权利义务等方面参照本法的有关规定执行，以促进国有农用地资源的合理开发利用，维护承包人的合法权益。

第十二章　建设用地使用权

本章共十七条。主要规定了建设用地使用权设立的方式，建设用地使用权出让合同的内容，建设用地使用权的登记，建设用地使用权转让、互换、出资或者赠与时当事人的权利和义务，建设用地使用权届满前收回建设用地的补偿原则，建设用地使用权届满后续期以及集体土地作为建设用地的原则等内容。

第一百三十五条　建设用地使用权人依法对国家所有的土地享有占有、使用和收益的权利，有权利用该土地建造建筑物、构筑物及其附属设施。

【释义】　本条是关于建设用地使用权概念的规定。

建设用地使用权是用益物权中的一项重要权利。出让人通过设立建设用地使用权，使建设用地使用权人对国家所有的土地享有了占有、使用和收益的权利，建设用地使用权人可以利用该土地建造建筑物、构筑物及其附属设施。建设用地包括住宅用地、公共设施用地、工矿用地、交通水利设施用地、旅游用地、军事设施用地等。本条中的建筑物主要是指住宅、写字楼、厂房等。构筑物主要是指不具有居住或者生产经营功能的人工建造物，比如道路、桥梁、隧道、水池、水塔、纪念碑等；附属设施主要是指附属于建筑物、构筑物的一些设施。

在物权法的起草过程中，有人建议，用“土地使用权”代替“建设用地使用权”的概念。本章没有采用“土地使用权”的概念，是因为根据土地管理法的规定，我国的土地分为农用地、建设用地和未利用地。“土地使用权”是一个广义的概念，包括农用地使用权、建设用地使用权等权利。如果采取“土地使用权”的概念，就需要把土地承包经营权、建设用地使用权和宅基地使用权放入一章规定，而土地承包经营权、建设用地使用权和宅基地使用权在权利的设立、利用等方面有着较大的区别，当事人的权利和义务也不尽相同，比如，建设用地使用权一般是有偿取得，宅基地使用权是无偿取得；建设用地使用权可以依法转让和抵押，宅基地使用权的转让和抵押有严格的限制。因此，物权法根据土地的用途，将土地使用权分解为土地承包经营权、建设用地使用权和宅基地使用权，并分章对这些权利做出了规定。本章主要是规定当事人如何通过出让和划拨方式取得建设用地使用权，以及取得建设用地使用权后的权利和义务，同时也对集体土地作为建设用地的问题做出了原则性规定。

建设用地使用权类似于大陆法系国家和地区民法中的地上权制度，但也有所区别。地上权主要是指在他人土地上建造建筑物而取得使用该土地的权利。一些国家和地区的地上权还包括在他人土地上种植竹木的权利。我国的建设用地使用权仅包括在国家所有的土地上建造建筑物、筑构物和其他附属物的权利。另外，在土地私有的国家，土地所有权可以进行流转，设立地上权主要是以地上权人使用为目的，而我国的土地所有权不允许流转，因此，建设用地使用权具有实现土地流转的功能。

第一百三十六条　建设用地使用权可以在土地的地表、地上或者地下分别设立。新设立的建设用地使用权，不得损害已设立的用益物权。

【释义】　本条是关于建设用地使用权分层设立的规定。

土地资源具有稀缺性和不可再生性，如何充分地发掘土地的价值，是各国共同面临的课题。随着人类社会的进步和发展，特别是现代化专业技术的进步,分层次开发土地成为了土地利用的新趋势。我国一些地区也出现利用地下空间建造地下商场、车库等设施,利用地上空间建造空中走廊、天桥等情况。对于空间利用的问题,我国有的地方在出让土地时也进行过探索:将建设用地使用权人对空间享有的权利通过出让土地的四至、建筑物的高度和深度加以确定,其中建筑物的高度根据规划确定;深度根据技术指标确定的建筑物的基底位置确定。确定范围之外的土地使用权仍属于国家,国家可以再次出让。由于我国现行法律、行政法规未对土地分层出让的问题做出过规定,实践中对于专门利用地下或者地上空间的权利性质仍不明确,造成一些土地登记机构无法办理登记手续,相关设施权利人的权利得不到确认和法律上的保护。因此,在物权法中,对土地分层次利用的权利进行规范势在必行。

如何在物权法中规定空间利用的权利,在物权法起草过程中有不同的意见。有人建议,在用益物权一编对"空间利用权"设专章,对空间利用权的设定、期限、转让、抵押等问题做出规定。有人建议,空间权可分为空间基地使用权、空间农地使用权、空间邻地利用权等,因此,应当把这些权利放入物权法相应的章节里分别规定。

罗马法中存在"谁拥有土地谁拥有土地之无限上空"的主张,但是该观点在现代社会中已经被抛弃,即使在土地私有的国家也不存在因拥有土地而当然享有该土地上下空间权利的问题。随着经济与社会的发展,对土地的需求量越来越大,土地分层次利用的问题也日益突出。为了适应土地利用由平面趋向立体化发展的趋势,增加土地分层利用的效用,有的大陆法系国家和地区在民法地上权中规定空间利用的问题,有的国家和地区单行法中也涉及空间利用权的内容,1966 年日本对民法典修改时,增加了空间地上权的内容。规定地下或者空间因定上下范围及有工作物,可以以之作为地上权的标的。我国台湾地区"民法"制定时,仅就普通地上权做了规定，未规定空间地上权。1988 年台湾地区制定的“大众捷运法”确立了空间地上权的内容，规定大众捷运系统主管机关因路线工程上之必要，可以穿越公有、私有土地之上空或者地下，其土地所有人、占有人或者使用人不得拒绝，必要时可以就其需用之空间范围协议取得地上权，协议不成时，通过征收来取得，并给予相应的补偿。据了解，台湾地区正在对“民法”进行修订，其中对于“地上权”的一项重要修正，就是明确规定“空间地上权”，即地上权得在他人土地上下之一定空间范围内设定。英美法系国家对于空间利用权也有相应的规定。19 世纪 20 年代，美国城市开始进入土地的立体开发时期，将土地上下空间的利用从土地地表分离出来，在一定高度予以分割。在此基础上以一定空间为客体允许让渡、租赁。1927 年美国伊利诺伊州制定的关于铁道上空让渡、租赁的空间权立法，是美国历史上第一部关于空间权的成文法。1973 年俄克拉荷马州也出台了空间法，使已获得承认的空间权以成文法的形式加以确认。根据该法的规定，空间权是一种不动产，可以成为所有、让渡、租赁、担保及继承的标的，并且在征税及征收上适用不动产的有关规定。

我国城市的土地属于国家所有，农村的土地属于集体所有。土地的性质决定了土地上下空间的所有权属于国家和集体，当事人只能通过设定建设用地使用权等用益物权的方式取得对土地以及上下空间的使用。目前，集体土地需要征收为国家所有后才能出让，国家在出让建设用地使用权时，只要对建筑物的四至、高度、建筑面积和深度做出明确的规定，那么该建筑物占用的空间范围是可以确定的。根据本法第一百三十八条第（四）项的规定，建设用地使用权出让时，应当在合同中明确规定建设物、构筑物以及附属设施占用的空间范围，这样建设用地使用权人对其取得的建设用地的范围就能界定清楚。比如，同一块土地地下 10 米至地上 70 米的建设用地使用权出让给甲公司建写字楼；地下 20～40 米的建设用地使用权出让给乙公司建一地下商场。在分层出让建设用地使用权时，不同层次的权利人是按照同样的规定取得土地使用权的，在法律上他们的权利和义务是相同的，只不过其使用权所占用的空间范围有所区别。所以，建设用地使用权的概念完全可以解决对不同空间土地的利用问题，物权法没有引入空间利用权的概念。因此，本条规定，建设用地使用权可以在土地的地表、地上或者地下分别设立。

那么，如何调整同一块土地不同用益物权人之间的关系呢？根据本法的规定，不动产的权利人根据相邻关系的规定，应当为相邻各权利人提供必要的便利，并在其权利受到损害时，可以请求相邻权利人补偿。不动产的权利人想提高自己土地的便利和效益，可以通过设定地役权取得对他人土地的利用。以上规定完全适用于分层设立的建设用地使用权。在土地分层出让的情况下，不同层次的建设用地使用权人之间应当适用相邻关系的规定。如果建设用地使用权人一方需要利用另一方的建设用地，同样可以通过设定地役权来解决。总之，物权法所有适用于"横向"不动产之间的相邻关系和地役权等规定都适用于"纵向"不动产之间。新设立的建设用地使用权，不得损害已设立的用益物权。

第一百三十七条　设立建设用地使用权，可以采取出让或者划拨等方式。

工业、商业、旅游、娱乐和商品住宅等经营性用地以及同一土地有两个以上意向用地者的，应当采取招标、拍卖等公开竞价的方式出让。

严格限制以划拨方式设立建设用地使用权。采取划拨方式的，应当遵守法律、行政法规关于土地用途的规定。

【释义】　本条是关于建设用地使用权出让方式的规定。

建设用地使用权出让的方式主要有两种：有偿出让和无偿划

拨。有偿出让是建设用地使用权出让的主要方式，是指出让人将一定期限的建设用地使用权出让给建设用地使用权人使用，建设用地使用权人向出让人支付一定的出让金。有偿出让的方式主要包括拍卖、招标和协议等。划拨是无偿取得建设用地使用权的一种方式，是指县级以上人民政府依法批准，在建设用地使用权人缴纳补偿、安置等费用后将该幅土地交付其使用，或者将建设用地使用权无偿交付给建设用地使用权人使用的行为。划拨土地没有期限的规定。

我国在计划经济时期，土地出让主要是采取单一的无偿划拨的方式。1988 年修改的土地管理法规定"国家依法实行国有土地有偿使用制度"。1990 年颁布的《城镇国有土地使用权出让和转让暂行条例》规定，国有土地使用权实行有偿出让和转让制度。1994 年颁布的城市房地产管理法和 1998 年修订的土地管理法基本确立了国有土地的使用采取有偿出让和无偿划拨两种方式。在物权法起草过程中，有人提出，为了保护国家的土地资源，应当取消以划拨方式出让建设用地，不论什么用途，都应当采取有偿出让的方式。那么，物权法为什么仍然将划拨作为建设用地出让的方式呢？因为我国土地管理法和城市房地产管理法对于采用划拨方式设立建设用地使用权的范围是有着严格的限制的。下列建设用地，确属必需的，可以由县级以上人民政府依法批准划拨：(1)国家机关用地和军事用地；(2)城市基础设施用地和公益事业用地；(3)国家重点扶持的能源、交通、水利等基础设施用地；(4)法律、行政法规规定的其他用地。由于国家机关用地和军事用地等情况会长期存在，完全取消以划拨方式设立建设用地使用权不现实，划拨方式还会在相当长的时期存在。但是，并不表明属于以上划拨范围的用地，就当然可以采取划拨的方式。划拨方式应当是"确属必需的"才能采取。通过划拨方式取得的建设用地使用权，没有期限的规定，但是该权利仍是一项独立的财产权利，其性质属于用益物权,应当适用“建设用地使用权”一章的规定。考虑到划拨建设用地的特殊性,有关法律对划拨建设用地的用途、转让条件和抵押等方面都有一些限制性规定。比如,城市房地产管理法规定,设定房地产抵押权的土地使用权是以划拨方式取得的,依法拍卖该房地产后,应当从拍卖所得的价款中缴纳相当于应当缴纳的土地使用权出让金的款额后,抵押权人方可优先受偿。随着我国土地管理制度的改革和深化,划拨建设用地的范围和程序更趋严格和规范。近些年来,国务院就划拨土地的问题多次做出了规定,明确要严格控制划拨用地范围,经营性基础设施用地要逐步实行有偿使用。运用价格机制抑制多占、滥占和浪费土地。经依法批准利用原有划拨土地进行经营性开发建设的,应当按照市场价补缴土地出让金。经依法批准转让原划拨土地使用权的,应当在土地有形市场公开交易,按照市场价补缴土地出让金;低于市场价交易的,政府应当行使优先购买权。为了切实加强土地调控,制止违法违规用地行为,作为民事基本法律的物权法也对划拨建设用地的问题做出了明确规定:“严格限制以划拨方式设立建设用地使用权。采取划拨方式的,应当遵守法律、行政法规关于土地用途的规定。”

招标、拍卖等公开竞价的方式,具有公开、公平和公正的特点,能够充分体现标的物的市场价格,是市场经济中较为活跃的交易方式。我国土地资源的稀缺性,决定了采取公开竞价的方式能够最大程度体现土地的市场价值。从保护土地资源和国家土地收益的大局看,采取公开竞价的方式不仅是必要的,而且其适用范围应当不断扩大。城市房地产管理法第十二条规定,土地使用权出让可以采取拍卖、招标或者双方协议的方式。商业、旅游、娱乐和豪华住宅用地,有条件的,必须采取拍卖、招标方式;没有条件,不能采取拍卖、招标方式的,可以采取双方协议的方式。近些年来,由于建设用地总量增长过快,工业用地出现的问题日益突出,低成本工业用地过度扩张，违法违规用地、滥占耕地的现象屡禁不止。2004年，国务院在颁布的“关于深化改革严格土地管理的决定”中提出，工业用地要逐步实行招标、拍卖等公开竞价的方式。2006年8月，国务院发布的“关于加强土地调控有关问题的通知”规定，国家根据土地等级、区域土地利用政策等，统一制定并公布各地工业用地出让最低价标准。工业用地出让最低价标准不得低于土地取得成本、土地前期开发成本和按规定收取的相关费用之和。工业用地必须采用招标、拍卖、挂牌方式出让，其出让价格不得低于公布的最低价标准。低于最低价标准出让土地，或以各种形式给予补贴或返还的，属非法低价出让国有土地使用权的行为，要依法追究有关人员的法律责任。本条根据现行法律的规定，并结合现实中土地出让的新情况，进一步扩大了采取公开竞价出让建设用地的范围，从“豪华住宅”扩大到“商品住宅”，并把“工业用地”纳入到公开竞价出让方式的范围，同时明确对于同一土地有两个以上意向用地者的，一律采取公开竞价的方式。该规定已发展了现行城市房地产管理的规定，符合国家利用土地的政策。

建设用地使用权有偿出让的方式中招标和拍卖都属于公开竞价的方式。协议是出让人和建设用地使用权人通过协商方式有偿出让土地使用权。协议的方式由于没有引入竞争机制，相对缺乏公开性，现实中一些地区和部门为了招商引资，将本来应当采取的公开竞价方式改为协议方式，或者压低协议出让的价格，随意减免土地出让金，造成土地资源收益的流失，严重损害国家的利益。因此，有人提出，应当取消协议方式出让土地。但是，现实中一些需要扶持的行业和大型设施用地，仍较适宜采取协议的方式出让，协议的出让方式还是有其存在的必要。为了防止协议出让土地时可能滋生的腐败行为，严格土地出让秩序，土地管理法规定，采取协议方式出让土地使用权的出让金不得低于按国家规定所确定的最低价。国务院、国土资源部也曾多次颁布相关的文件，要求各级人民政府要依照基准地价制定并公布协议出让土地最低价标准。协议出让土地除必须严格执行规定程序外，出让价格不得低于最低价标准。违反规定出让土地造成国有土地资产流失的，要依法追究责任；情节严重的，依照《中华人民共和国刑法》的规定，以非法低价出让国有土地使用权罪追究刑事责任。物权法虽然保留了协议出让方式，但是由于扩大了公开竞价出让方式的范围，因此，协议出让的适用范围已经越来越窄，程序则更趋严格。

有人提出，现实中除了招标、拍卖的方式外，还有挂牌等公开竞价出让建设用地的方式，建议增加相关的内容。挂牌出让方式是指市、县国土资源管理部门发布挂牌公告，按公告规定的期限将拟出让宗地的交易条件在指定的土地交易场所挂牌公布，接受竞买人的报价申请并更新挂牌价格，根据挂牌期限截止时的出价结果或现场竞价结果确定土地使用者的行为。挂牌方式可以说是土地主管部门将拍卖和招标的特点相结合创设的一项土地出让制度。由于现行法律还没有对挂牌出让方式做出过规定，该方式在法律上如何定性和规范，还需要根据实践经验不断完善。我国土地制度正在改革阶段，今后可能还会出现一些新的公开竞价的出让方式，因此，物权法只是列举了现行法律中已作规定的拍卖和招标两种出让方式，没有对现实中存在的公开竞价的方式一一列举，但这并不表明出让土地时不能采取挂牌或者其他公开竞价的方式。

第一百三十八条　采取招标、拍卖、协议等出让方式设立建设用地使用权的，当事人应当采取书面形式订立建设用地使用权出让合同。

建设用地使用权出让合同一般包括下列条款：

（一）当事人的名称和住所；

（二）土地界址、面积等；

（三）建筑物、构筑物及其附属设施占用的空间；

（四）土地用途；

（五）使用期限；

（六）出让金等费用及其支付方式；

（七）解决争议的方法。

【释义】　本条是对建设用地使用权出让合同内容的规定。

以出让方式设立建设用地使用权的，不论是采取拍卖、招标等公开竞价方式，还是采取协议的方式，双方当事人应当签订建设用地使用权出让合同，以明确双方当事人的权利和义务。建设用地使用权合同属于民事合同，虽然各级人民政府代表国家，以土地所有人的身份与建设用地使用权人签订出让合同，但是该合同属于国家以民事主体的身份与其他主体从事的交易行为。

建设用地使用权出让合同的内容主要包括：

（1）当事人的名称和住所。当事人的名称和住所，是合同中最基本的要件。如果不写明当事人，合同由谁履行就不明确，当事人的权利和义务更无从谈起。虽然出让的土地属于国家所有，但是在出让合同中，国家并不列为出让人。目前一般是由市、县人民政府土地行政主管部门代表国家作为出让人。在实践中曾出现过经济开发区管理委员会作为出让人的情况，根据 2005 年《最高人民法院关于审理涉及国有土地使用权合同纠纷案件适用法律问题的解释》的规定，开发区管理委员会作为出让人与受让方签订的出让合同在该司法解释实施后是无效的。

（2）土地界址、面积等。建设用地出让合同中应当明确标明出让建设用地的具体界址、面积等基本的用地状况。为了准确界定建设用地的基本数据，建设用地使用权合同一般会附“出让宗地界址图”，标明建设用地的位置、四至范围等，该附件须经双方当事人确认。

（3）建筑物、构筑物及其附属设施占用的空间。根据本法第一百三十六条的规定,建设用地使用权可以在土地的地表、地上或者地下分别设立。因此,在分层设立建设用地使用权的情况下,必须界定每一建设用地使用权具体占用的空间,即标明建设用地占用的面积和四至,建筑物、构筑物以及附属设施的高度和深度,使建设用地使用权人行使权利的范围得以确定。

(4)土地用途。土地用途是建设用地使用权合同的重要内容。土地用途可以分为工业、商业、娱乐、住宅等用途。我国对建设用地实行用途管制,不同用途的建设用地的使用期限是不同的。为了保证建设用地使用权人按照约定的用途使用建设用地,在合同期限内,建设用地使用权人不得擅自改变建设用地的用途;需要改变建设用地使用权用途的,应当征得出让人的同意并经土地行政主管部门和城市规划行政主管部门批准,重新签订或者更改原有的建设用地使用权出让合同,调整土地出让金,并办理相应的登记。

(5)使用期限。以出让方式设立的建设用地使用权都有期限的规定。比如,居住用地70年;工业用地50年;教育、科技、文化、卫生、体育用地50年;商业、旅游、娱乐用地40年;综合或者其他用地50年。建设用地使用权出让的期限自出让人向建设用地使用权人实际交付土地之日起算,原划拨土地使用权补办出让手续的,出让年限自合同签订之日起算。

(6)出让金等费用及其支付方式。以出让方式取得建设用地使用权是有偿的,建设用地使用权人应当按照约定支付出让金等费用。出让金等费用及其支付方式,土地管理法和城市房地产管理法对此都做了规定,明确应当按照国务院规定的标准和办法,缴纳土地使用权出让金等土地有偿使用费和其他费用后,方可使用土地。同时,也明确了合同双方当事人的违约责任。建设用地使用权人未按照出让合同约定支付出让金等费用的,出让人有权解除合同,并可以请求违约赔偿。建设用地使用权人按照出让合同约定支付出让金的,市、县人民政府土地行政主管部门必须按照出让合同约定,提供出让的土地;未按照出让合同约定提供出让的土地的,土地使用者有权解除合同,由土地行政主管部门返还出让金,土地使用者并可以请求违约赔偿。根据最高人民法院的司法解释的规定,经市、县人民政府批准同意以协议方式出让的土地使用权,土地使用权出让金低于订立合同时当地政府按照国家规定确定的最低价的,应当认定土地使用权出让合同约定的价格条款无效。关于出让金的支付方式,根据城镇国有土地使用权出让和转让暂行条例的规定,土地使用者应当在签订出让合同后 60 日内,支付全部土地使用权出让金。不过,目前对于采取拍卖、招标等公开竞价方式设立的建设用地使用权,其出让金的支付方式可以采取一次性支付或者分期支付的办法。逾期未全部支付的,出让人有权解除合同,并可请求违约赔偿。

(7)解决争议的方法。因履行建设用地使用权合同发生争议的,出让人和建设用地使用权人可以双方协商解决,协商不成的,提交双方当事人指定的仲裁委员会仲裁,或者依法向人民法院起诉。

第一百三十九条 设立建设用地使用权的,应当向登记机构申请建设用地使用权登记。建设用地使用权自登记时设立。登记机构应当向建设用地使用权人发放建设用地使用权证书。

【释义】 本条是关于建设用地使用权登记的规定。

建设用地使用权登记是指县级以上人民政府将土地的权属、用途、面积等基本情况登记在登记簿上,并向建设用地使用权人颁发使用权证书。设立建设用地使用权,建设用地使用权人应当向登记机构申请建设用地使用权登记。登记机构应当向建设用地使用权人发放建设用地使用权证书。建设用地使用权适用登记生效的原则,经登记生效。根据土地管理法的规定,我国目前的建设用地使用权是由县级以上人民政府登记造册，核发证书。

以划拨方式设立建设用地使用权的，根据目前的规定当事人不需要签订合同，而是通过“国有土地划拨决定书”的形式，将建设用地使用权交给建设用地使用权人使用。但是，划拨土地也应当按照以下规定办理登记手续：新开工的大中型建设项目使用划拨国有土地的，建设用地使用权人应当在接到县级以上人民政府发给的建设用地批准书之日起30日内，持建设用地批准书申请土地预告登记，建设项目竣工验收后，建设单位应当在该建设项目竣工验收之日起30日内，持建设项目竣工验收报告和其他有关文件申请建设用地使用权登记；其他项目使用划拨国有土地的，建设用地使用权人应当在接到县级以上人民政府批准用地文件之日起30日内，持批准用地文件申请建设用地使用权登记。

目前我国的土地登记是以宗地为基本单元。使用两宗以上建设用地的建设用地使用权人应当分宗申请登记。两个以上建设用地使用权人共同使用一宗建设用地的，应当分别申请登记。跨县级行政区使用土地的，应当分别向建设用地所在地县级以上地方人民政府土地管理部门申请登记。

第一百四十条　建设用地使用权人应当合理利用土地，不得改变土地用途；需要改变土地用途的，应当依法经有关行政主管部门批准。

【释义】　本条是关于土地用途的规定。

土地资源的重要性和稀缺性要求建设用地使用权人必须合理地利用土地。加强对土地用途的管制，是我国土地管理的重要内容。现行有关土地管理的法律、法规以及规范性文件，都对土地用途有着相关的规定。加强对土地用途的管制，也一直是我国土地行政主管部门对土地市场进行整治的内容之一。

我国法律对以划拨方式使用建设用地的用途有着明确的规

定，建设用地使用权人应当严格依照其用途使用土地。以出让方式设立的建设用地使用权，不同的土地用途其出让金是不同的。建设用地使用权出让合同中对土地用途都需要做出明确的规定，擅自改变约定的土地用途不仅是一种违约行为，而且也是违法行为。

建设用地使用权人以无偿或者有偿方式取得建设用地使用权后，确需改变土地用途的，应当向土地行政主管部门提出申请。土地行政主管部门经过审查后，认为改变的土地用途仍符合规划，同意对土地用途做出调整的，根据目前的规定，还需要报市、县人民政府批准，然后出让人和建设用地使用权人应当重新签订建设用地使用权出让合同或者变更合同相应的条款，并按照规定补交不同用途和容积率的土地差价。如果是将以划拨方式取得的建设用地使用权改为有偿使用方式的，在改变土地用途后，建设用地使用权人还应当补缴出让金。以变更合同条款的形式改变土地用途的，还要依法到登记机构办理变更登记，签订新的建设用地使用权合同的，应办理登记手续。

第一百四十一条　建设用地使用权人应当依照法律规定以及合同约定支付出让金等费用。

【释义】　本条是关于建设用地使用权人支付出让金等费用的义务的规定。

我国实行土地公有制，建设用地使用权人使用国家所有的土地，国家收取土地出让金等费用，是国家所有权在经济上的体现。

（一）应当支付土地出让金等费用的情形

1. 在取得建设用地使用权时，采用出让等有偿使用方式的，应当支付出让金等费用。土地管理法第二条第五款规定："国家依法实行国有土地有偿使用制度。但是，国家在法律规定的范围内划拨国有土地使用权的除外。"第五十五条规定："以出让等有偿使用方式取得国有土地使用权的建设单位,按照国务院规定的标准和办法,缴纳土地使用权出让金等土地有偿使用费和其他费用后,方可使用土地。”城市房地产管理法第三条、第十五条也有同样的规定。根据有关规定,划拨取得建设用地使用权的,在取得使用权时国家不收取出让金。

2. 在建设用地使用权转让时,通过划拨取得的建设用地使用权应当补缴出让金。城市房地产管理法第三十九条规定:“以划拨方式取得土地使用权的,转让房地产时,应当按照国务院规定,报有批准权的人民政府审批。有批准权的人民政府准予转让的,应当由受让方办理土地使用权出让手续,并依照国家有关规定缴纳土地使用权出让金。”“以划拨方式取得土地使用权的,转让房地产报批时,有批准权的人民政府按照国务院规定决定可以不办理土地使用权出让手续的,转让方应当按照国务院规定将转让房地产所获收益中的土地收益上缴国家或者作其他处理。”此外,城市房地产管理法第五十条还规定:“设定房地产抵押权的土地使用权是以划拨方式取得的,依法拍卖该房地产后,应当从拍卖所得的价款中缴纳相当于应缴纳的土地使用权出让金的款额后,抵押权人方可优先受偿。”

(二)支付土地出让金等费用的意义

出让金等费用的本质是应当归国家所有的土地收益。这一本质是由我国的土地有偿使用制度决定的。在过去很长一段时期内,国有土地是由国家以行政手段无偿交给用地单位使用的。这种土地使用制度有很多弊端:(1)土地资源配置效益差,利用效率低,土地资源浪费严重,国家却缺乏调节余缺的机制。(2)国有土地收益大量流失,土地收益留在了用地者的手中,国家的土地所有权虚置。(3)市场机制缺失,土地作为生产力要素其价值得不到正常体现,导致市场主体实际上的不平等地位。由于不同企业都从政府无偿得到不同位置和数量的土地,拥有较多土地且位置优越的企业，与缺乏土地位置较差的企业，实际上处于不平等的竞争地位。

旧体制严重的弊端，使得实行国有土地有偿使用制度，收取出让金等费用具有了重要意义。(1)土地公有制是社会主义公有制的重要组成部分，在市场经济条件下，实行国有土地有偿使用制度，通过收取出让金等费用取得土地收益，才能使国家对土地的所有权在经济上得到实现，才能真正保障社会主义公有制的主体地位。(2)土地是巨大的社会财富，而且会随着经济和社会的发展不断增值。国家掌握了国有土地的收益，就有足够的财力组织社会化大生产，更好地实现社会主义国家的经济职能。(3)土地是基本的生产要素，通过收取或者补交出让金使土地使用权进入市场，有助于形成包括消费品市场、生产资料市场和资金、劳动力、土地等生产要素市场的完整的社会主义市场体系。通过充分发挥市场调节的作用，合理配置土地资源，实现最大的土地利用效益，进而推进社会主义市场经济的健康发展。

（三）不交纳出让金等费用的法律责任

正是因为交纳出让金等费用对国家和社会意义重大，法律、行政法规对不交纳出让金等费用的行为规定了相应的法律责任。例如，城市房地产管理法第六十六条规定，违反城市房地产管理法第三十九条第一款关于划拨土地使用权转让须补缴出让金的规定的，由县级以上人民政府土地管理部门责令缴纳土地出让金、没收违法所得，可以并处罚款。在有出让合同的情况下，不支付出让金的行为同时还是一种违约行为。因此除了行政法上的责任，法律、行政法规还规定了相应的违约责任。例如，城市房地产管理法第十五条规定："土地使用者必须按照出让合同约定，支付土地使用权出让金；未按照出让合同约定支付土地使用权出让金的，土地管理部门有权解除合同，并可以请求违约赔偿。"《城镇国有土地使用权出让和转让暂行条例》第十四条规定："土地使用者应当在签订土地使用权出让合同后六十日内,支付全部土地使用权出让金。逾期未全部支付的,出让方有权解除合同,并可请求违约赔偿。"

总之,通过支付出让金等费用,向国家上缴土地收益,是国家土地有偿使用制度的重要内容,也是土地管理法、城市房地产管理法等有关法律、行政法规中规定的法定义务。物权法第一百三十八条已经将出让金等费用及其支付方式列为建设用地使用权出让合同的条款之一,按时、足额支付出让金,更是建设用地使用权人的合同义务,应当一秉诚实信用,认真履行。

第一百四十二条　建设用地使用权人建造的建筑物、构筑物及其附属设施的所有权属于建设用地使用权人,但有相反证据证明的除外。

【释义】　本条是关于建设用地使用权人建造的建筑物、构筑物及其附属设施权属的规定。

关于建筑物、构筑物及其附属设施的归属,奉行土地私有制的国家一般通过土地权利吸收地上物权利的原则来解决。例如,在德国,在地上权范围内建造的建筑物、构筑物及其附属设施被视为地上权的组成部分,在地上权消灭时,满足法定条件,建筑物、构筑物及其附属设施作为土地的添附,转归土地所有权人。我国是社会主义公有制国家,建筑物、构筑物及其附属设施的所有权具有相对独立性。建设用地使用权人依法取得国有土地的使用权后,就有权利用该土地建造建筑物、构筑物及其附属设施。根据物权法第三十条的规定,合法建造房屋的,自事实行为成就时取得建筑物的所有权。在多数情况下,建设用地使用权人建造的建筑物、构筑物及其附属设施的所有权是属于建设用地使用权人的。

建设用地使用权人建造的建筑物、构筑物及其附属设施由建设用地使用权人所有作为通常情况,仍然存在这样的例外:在现在的城市房地产建设中,一部分市政公共设施,是通过开发商和有关部门约定,由开发商在房地产项目开发中配套建设的,但是所有权归国家。这部分设施,其性质属于市政公用,其归属就应当按照有充分的证据证明的事先约定来确定,而不是当然地归建设用地使用权人。后续通过房地产交易成为建设用地使用权人的权利人也应当尊重这种权属划分。

把握本条规定还应当注意,这里规定的建筑物、构筑物及其附属设施必须是合法建造产生的。对于非法占地、违规搭建的违法行为,土地管理法第七十三条、第七十六条、第八十三条以及其他法律法规的有关规定都明确规定了制裁措施,这种违章建筑是要被没收和强制拆除的,更不会产生合法的所有权。因此,并不在本条的调整范围内。

第一百四十三条　建设用地使用权人有权将建设用地使用权转让、互换、出资、赠与或者抵押,但法律另有规定的除外。

【释义】　本条是关于建设用地使用权流转方式的规定。

(一)关于建设用地使用权流转的法律依据

同支付出让金等费用一样,建设用地使用权的依法流转,也是我国土地有偿使用制度的重要内容。有关法律、行政法规对此已经有了明确的规定,例如,土地管理法第二条第三款规定:"任何单位和个人不得侵占、买卖或者以其他形式非法转让土地。土地的使用权可以依法转让。"城市房地产管理法第三十六条规定:"房地产转让,是指房地产权利人通过买卖、赠与或者其他合法方式将其房地产转移给他人的行为。"第四十七条规定:"依法取得的房屋所有权连同该房屋占用范围内的土地使用权,可以设定抵押权。""以出让方式取得的土地使用权,可以设定抵押权。"《城镇国有土地使用权出让和转让暂行条例》第四条规定:"依照本条例的规定取得土地使用权的土地使用者,其使用权在使用年限内可以转让、出租、抵押或者用于其他经济活动。合法权益受国家法律保护。”第十九条第一款规定：“土地使用权转让是指土地使用者将土地使用权再转移的行为，包括出售、交换和赠与。”

根据这些法律、行政法规的规定，建设用地使用权可以依法转让、互换、出资、赠与或者抵押。

（二）关于对建设用地使用权流转的限制

法律、行政法规还规定了对建设用地使用权流转的限制。对于划拨取得的建设用地使用权，其流转就要受到一定限制。物权法本条规定的除外条款所指的就是这些限制性规定。

1. 关于划拨取得的建设用地的流转

根据法律、行政法规的规定，对于划拨取得的建设用地，其流转要通过行政审批，并交纳相应土地出让金或者土地收益。例如，城市房地产管理法第三十九条规定：“以划拨方式取得土地使用权的，转让房地产时，应当按照国务院规定，报有批准权的人民政府审批。有批准权的人民政府准予转让的，应当由受让方办理土地使用权出让手续，并依照国家有关规定缴纳土地使用权出让金。”“以划拨方式取得土地使用权的，转让房地产报批时，有批准权的人民政府按照国务院规定决定可以不办理土地使用权出让手续的，转让方应当按照国务院规定将转让房地产所获收益中的土地收益上缴国家或者作其他处理。”第五十条规定：“设定房地产抵押权的土地使用权是以划拨方式取得的，依法拍卖该房地产后，应当从拍卖所得的价款中缴纳相当于应缴纳的土地使用权出让金的款额后，抵押权人方可优先受偿。”担保法第五十六条规定：“拍卖划拨的国有土地使用权所得的价款，在依法缴纳相当于应缴纳的土地使用权出让金的款额后，抵押权人有优先受偿权。”此外，《城镇国有土地使用权出让和转让暂行条例》中也有相应的规定。

2. 关于以出让方式取得的建设用地使用权流转的限制

根据法律和行政法规的规定，即便是以出让方式取得的建设用地使用权，在有些情况下也是不能直接进入流转的。例如，城市房地产管理法第三十七条规定:“下列房地产,不得转让:(一)以出让方式取得土地使用权的,不符合本法第三十八条规定的条件的;(二)司法机关和行政机关依法裁定、决定查封或者以其他形式限制房地产权利的;(三)依法收回土地使用权的;(四)共有房地产,未经其他共有人书面同意的;(五)权属有争议的;(六)未依法登记领取权属证书的;(七)法律、行政法规规定禁止转让的其他情形。”第三十八条规定:“以出让方式取得土地使用权的,转让房地产时,应当符合下列条件:(一)按照出让合同约定已经支付全部土地使用权出让金,并取得土地使用权证书;(二)按照出让合同约定进行投资开发,属于房屋建设工程的,完成开发投资总额的百分之二十五以上,属于成片开发土地的,形成工业用地或者其他建设用地条件。”“转让房地产时房屋已经建成的,还应当持有房屋所有权证书。”《城镇国有土地使用权出让和转让暂行条例》第十九条第二款规定:“未按土地使用权出让合同规定的期限和条件投资开发、利用土地的,土地使用权不得转让。”总之,建设用地使用权的流转及其限制,在有关法律、行政法规中已经有了比较完备的规定。在本条的贯彻和执行中要注意吸取已有规定在贯彻实施中的成果和经验,使建设用地使用权的流转更为有序,实现地尽其利。

第一百四十四条　建设用地使用权转让、互换、出资、赠与或者抵押的,当事人应当采取书面形式订立相应的合同。使用期限由当事人约定,但不得超过建设用地使用权的剩余期限。

【释义】 本条是关于建设用地使用权人处分建设用地使用权的合同形式和期限的规定。

理解和掌握本条规定应当注意两个方面:

(一)建设用地使用权的流转应当采用书面形式

根据合同法第十条第二款的规定,法律、行政法规规定采用书面形式的,合同应当采用书面形式。城市房地产管理法第十四条以及有关法律法规中规定,土地使用权出让应当采用书面合同。

在合同法理论上,必须采取书面形式的合同属于一种要式合同,要式合同一般适用于交易复杂、涉及利益巨大的情形。建设用地使用权流转之所以必须采用书面形式的要式合同,是因为建设用地使用权涉及对土地这一重要自然资源的利用,关系到国家、社会和用地人的重大利益,要求采用书面形式可以有效地明确权利、义务,避免潜在争议。不仅我国现有法律做了这样的规定,其他国家和地区关于土地等不动产的交易也都要求采用书面形式。本条规定不但与我国的现有规定是一致的,也符合国际通行做法。

(二)建设用地使用权流转的使用期限不得超过建设用地使用权的剩余期限

这也是符合现有法律规定和国际通行做法的。城市房地产管理法第四十二条规定:"以出让方式取得土地使用权的,转让房地产后,其土地使用权的使用年限为原土地使用权出让合同约定的使用年限减去原土地使用者已经使用年限后的剩余年限。"其他国家关于地上权的规定中也有类似的时间限制。之所以做出这样的限制,是因为,建设用地使用权本身就是一种有时限的权利,从理论上说,建设用地使用权人不可能超出自己的权利范围流转权利。在我国的现实中也不允许用益物权人这样扩张权利,侵害作为所有权人的国家的利益。所以在建设用地使用权期间确定的情况下,建设用地使用权的流转也必须受到这一期间的限制。

第一百四十五条　建设用地使用权转让、互换、出资或者赠与的,应当向登记机构申请变更登记。

【释义】　本条是关于建设用地使用权流转后变更登记的规定。

本法第十四条规定:"不动产物权的设立、变更、转让和消灭,依照法律应当登记的,自记载于不动产登记簿时发生效力。”建设用地使用权作为重要的用益物权,不但其取得需要登记,其流转也需要及时变更登记。否则该流转行为就无法发生法律效力,权利人的利益就得不到充分保障。

《土地登记规则》第三十四条至第四十七条针对国有土地使用权变更的不同情况对变更登记做了规定,主要包括以下内容:

1. 国有土地使用权的转让。有下列情形之一的,土地使用权转让双方当事人应当在转让合同或者协议签订后 30 日内,涉及房产变更的,在房产变更登记发证后 15 日内,申请变更登记:(1)依法转让土地使用权的;(2)因买卖、转让地上建筑物、附着物等一并转移土地使用权的;(3)房屋所有权变更而使土地使用权变更的,在申请变更登记时,应当提交变更后的房屋所有权证书。

2. 划拨改出让。划拨土地使用权依法办理土地使用权出让手续的,土地使用者应当在缴纳土地使用权出让金后 30 日内,申请变更登记。

3. 企业入股。企业将通过出让或者国家入股等形式取得的国有土地使用权,再以入股方式转让的,转让双方当事人应当在入股合同签订之日起 30 日内,申请变更登记。

4. 单位合并、分立。因单位合并、分立、企业兼并等原因引起土地使用权变更的,有关各方应当在合同签订后 30 日内或者在接到上级主管部门的批准文件后 30 日内,申请变更登记。

5. 交换、调整。因交换、调整土地而发生土地使用权、所有权变更的,交换、调整土地的各方应当在接到交换、调整协议批准文件后 30 日内,申请变更登记。

6. 因抵押而取得土地使用权。因处分抵押财产而取得土地使用权的,取得土地使用权的权利人和原抵押人应当在抵押财产处分后 30 日内,申请变更登记。

7. 因购买房改房而获得国有土地使用权。出售公有住房,售房单位与购房职工应当在县级以上地方人民政府房产管理部门登记房屋所有权之日起 30 日内,申请变更登记。

8. 抵押合同变更,主要是合同主体变更,而使抵押的土地使用权发生变化。土地使用权抵押期间,抵押合同发生变更的,抵押当事人应当在抵押合同发生变更后 15 日内,申请变更登记。

9. 土地使用权出租合同的变更。土地使用权出租期间,租赁合同发生变更的,出租人和承租人应当在租赁合同发生变更后 15 日内,申请变更登记。

10. 因继承而获得土地使用权或者土地他项权利。依法继承土地使用权和土地他项权利的,继承人应当在办理继承手续后 30 日内,申请变更登记。

11. 其他。其他形式的土地使用权和土地他项权利变更,当事人应当在发生变更之日起 30 日内,申请变更登记。

现在,我国的不动产登记制度正在进一步发展完善中。有关建设用地使用权流转后变更登记的规定,也将随着登记制度的健全而进一步完备。

第一百四十六条　建设用地使用权转让、互换、出资或者赠与的,附着于该土地上的建筑物、构筑物及其附属设施一并处分。

【释义】 本条是关于建筑物、构筑物及其附属设施随建设用地使用权的流转而一并处分的规定。

根据法律、行政法规的规定,建设用地使用权流转时,其地上建筑物和其他附着物同时流转。城市房地产管理法第三十一条规定:“房地产转让、抵押时,房屋的所有权和该房屋占用范围内的土地使用权同时转让、抵押。”担保法第三十六条第二款规定:“以出让方式取得的国有土地使用权抵押的,应当将抵押时该国有土地上的房屋同时抵押。”《城镇国有土地使用权出让和转让暂行条例》第二十三条规定:“土地使用权转让时,其地上建筑物、其他附着物所有权随之转让。”第三十三条第一款规定：“土地使用权抵押时，其地上建筑物、其他附着物随之抵押。”

在我国，建筑物、其他附着物的归属虽然具有相对独立性，但在转让中必须实行“房地一致”原则，以避免出现“空中楼阁”的尴尬局面。实行“房随地走”，作为实现房地一致的方式之一，已经在法律实践和社会生活中得到普遍接受。本条规定与已有法律制度是一致的，也符合社会生活实际。

第一百四十七条 建筑物、构筑物及其附属设施转让、互换、出资或者赠与的，该建筑物、构筑物及其附属设施占用范围内的建设用地使用权一并处分。

【释义】 本条是关于建设用地使用权随建筑物、构筑物及其附属设施的流转而一并处分的规定。

根据法律和行政法规的规定，地上建筑物和其他附着物所有权流转时，其使用范围内的建设用地使用权随之流转。担保法第三十六条第一款规定：“以依法取得的国有土地上的房屋抵押的，该房屋占用范围内的国有土地使用权同时抵押。”第三款规定：“以乡（镇）、村企业的厂房等建筑物抵押的，其占用范围内的土地使用权同时抵押。”《城镇国有土地使用权出让和转让暂行条例》第二十四条规定：“地上建筑物、其他附着物的所有人或者共有人，享有该建筑物、附着物使用范围内的土地使用权。”“土地使用者转让地上建筑物、其他附着物所有权时，其使用范围内的土地使用权随之转让，但地上建筑物、其他附着物作为动产转让的除外。”第三十三条第二款规定：“地上建筑物、其他附着物抵押时，其使用范围内的土地使用权随之抵押。”

本条规定了实现“房地一致”的另一种方式“地随房走”，这也已被法律实践和社会生活普遍接受。在理解和适用本条规定时，要特别注意和第一百四十六条的衔接，这两条实际上做为一个整体，只要建设用地使用权和地上房屋有一个发生了转让，另外一个就要相应转让。从法律后果上说，不可能也不允许，把“房”和“地”分别转让给不同的主体。此外，本条中所讲的附属设施占用范围内的建设用地使用权有可能是一宗单独的建设用地使用权，也有可能是共同享有的建设用地使用权中的份额，特别是在建筑物区分所有的情况下。转让占用范围内的建设用地使用权不可能也不应该导致对业主共同享有的建设用地使用权的分割。在这种情况下，除了本条外，还要依据业主的建筑物区分所有权的有关规定，才能全面确定当事人的权利义务。

第一百四十八条　建设用地使用权期间届满前，因公共利益需要提前收回该土地的，应当依照本法第四十二条的规定对该土地上的房屋及其他不动产给予补偿，并退还相应的出让金。

【释义】　本条是建设用地使用权提前收回及其补偿的规定。

以出让方式设立的建设用地使用权都有期限。建设用地使用权期间届满前，出让人能否收回建设用地使用权？根据土地管理法第五十八条的规定，为了公共利益需要使用土地的，由有关政府土地行政主管部门报经原批准用地的人民政府或者有批准权的人民政府批准，可以收回国有土地使用权，并应当对土地使用权人给予适当补偿。在实践中，当事人一般也在建设用地使用权出让合同中对提前收回的情况做出约定。国土资源部和国家工商局制定的出让合同示范文本就有提前收回建设用地的内容：“根据社会公共利益需要提前收回土地使用权的，出让人应当依照法定程序报批，并根据收回时地上建筑物、其他附着物的价值和剩余年期土地使用权价格给予受让人相应的补偿。”本条对提前收回的补偿标准做了更为细化的规定。首先，对于建设用地上的房屋及其他不动产，应当依据征收的规定给予补偿。本法第四十二条规定：“为了公共利益的需要，依照法律规定的权限和程序可以征收集体所有的土地和单位、个人的房屋及其他不动产。”“征收单位、个人的房屋及其他不动产,应当依法给予拆迁补偿,维护被征收人的合法权益;征收个人住宅的,还应当保障被征收人的居住条件。”因此,有关征收的规定是补偿的依据。其次,对于房屋所占用的建设用地,不适用征收的规定。征收是国家把集体所有的土地和单位、个人的不动产变为国有的财产,是一种改变所有权的法律行为。我国城市的土地属于国家所有,建设用地使用权人取得的是对土地使用的权利,国家收回本来就属于自己的建设用地,不适用有关征收的规定。但是,为了公共利益的需要,国家可以提前收回建设用地使用权。由于建设用地使用权人是按照建设用地的使用期限交纳出让金的,因此,提前收回建设用地使用权的,出让人还应当向建设用地使用权人退还相应的出让金。比如,某商场的建设用地使用权期限是40年,该商场30年后被征收,那么对于该商场需要根据征收的规定给予补偿,同时,还应当退还该商场所有权人10年的出让金。

第一百四十九条　住宅建设用地使用权期间届满的,自动续期。

非住宅建设用地使用权期间届满后的续期,依照法律规定办理。该土地上的房屋及其他不动产的归属,有约定的,按照约定;没有约定或者约定不明确的,依照法律、行政法规的规定办理。

【释义】　本条是建设用地使用权续期及土地上的房屋及其他不动产归属的规定。

国家通过出让的方式,使建设用地使用权人获得一定期间内利用土地的权利。根据《城镇国有土地使用权出让和转让暂行条例》的规定,建设用地使用权出让的最高年限为:居住用地70年;工业用地50年;教育、科技、文化、卫生、体育用地50年;商业、旅游、娱乐用地40年、综合或者其他用50年。因此,建设用地使用权期间届满后，就面临建设用地使用权如何续期的问题。城市房地产管理法第二十一条规定："土地使用权出让合同约定的使用年限届满，土地使用者需要继续使用土地的，应当至迟于届满前一年申请续期，除根据社会公共利益需要收回该幅土地的，应当予以批准。经批准准予续期的，应当重新签订土地使用权出让合同，依照规定支付土地使用权出让金。土地使用权出让合同约定的使用年限届满，土地使用者未申请续期或者虽申请续期但依照前款规定未获批准的，土地使用权由国家无偿收回。"物权法草案曾经根据现行法律的规定，对建设用地使用权的续期做出了规定。但是，物权法草案向全社会征求意见后，一些部门和群众对建设用地使用权续期的规定提出了不同的意见。有人提出，一幢公寓多户居住，建设用地使用权期间届满，是由住户个人申请续期还是业主委员会统一申请续期，意见不一致时怎么办，需要明确。建设用地使用权续期的问题，确实和老百姓的利益息息相关，应当保障老百姓安居乐业，使有恒产者有恒心。如果规定住宅建设用地需要申请续期，要求成千上万的住户办理续期手续，不仅难以操作，加重了老百姓的负担，也增加了行政管理的成本，不利于社会的安定。在听取各方面的意见后，物权法草案对住宅建设用地使用权和非住宅建设用地使用权的续期分别做出了规定，明确规定住宅建设用地使用权期间届满的，自动续期。续期的期限、土地使用费支付的标准和办法，由国务院规定。"住宅建设用地使用权自动续期"的规定受到了普遍的赞成。同时，有人提出，住户买房时已经支付了土地出让金，续期后不应再交费。有的认为，续期的应交少量的土地使用费。考虑到住宅建设用地使用权续期后是否支付土地使用费，是关系到广大群众切身利益的问题。绝大多数住宅建设用地使用权的期限为 70 年，如何科学地规定建设用地使用权人届时应当承担的义务，目前还缺少足够的科学依据，应当慎重研究，物权法以不作规定为宜。而且物权法不作规定，也不影响国务院根据实际情况做出相关的规定。因此，本条对建设用地使用权期间届满后是否支付土地使用费的问题未作规定。

为什么非住宅建设用地使用权没有采取自动续期的规定？这是因为非住宅建设用地和住宅建设用地有较大的区别。非住宅建设用地的使用期限相对比较短，使用用途也各不相同。有的建设用地使用权人仅需要在特定的期限内使用建设用地，过了该期限，就没有使用该土地的必要。因此，不宜将自动续期作为非住宅建设用地使用权适用的一般原则，是否续期应当由建设用地使用权人自己决定。根据本条的规定，非住宅建设用地使用权的续期，按照法律规定办理，即建设用地使用权可以在建设用地使用权期间届满前一年申请续期。只要建设用地使用权人提出续期的要求，出让人就应当同意，只有在公共利益需要使用该建设用地的情况下，出让人才有权拒绝建设用地使用权人续期的要求，收回该土地。

有人担心，住宅建设用地使用权自动续期会影响城市规划和建设。物权法第一百四十八条规定，建设用地使用期间届满前，因公共利益需要提前收回该土地的，应当依照有关征收的规定对该土地上的房屋及其他不动产给予补偿。在建设用地使用权续期后，因为公共利益需要收回的，也可以适用同样的原则。

关于建设用地使用权期限届满后建筑物归属的问题，《城镇国有土地使用权出让和转让暂行条例》规定，土地使用权期间届满，土地使用权及其地上建筑物、其他附着物所有权由国家无偿取得。有人提出，建设用地使用权期间届满，应当根据公平的原则来确定建筑物等归属，而不宜一律规定归国家所有。现实中也有法律对于非住宅建设用地使用权期间届满后该土地上的厂房等不动产归属的问题做出规定。比如，中外合作经营企业法规定，中外合作者举办合作企业，应当在合作企业合同中约定“合作企业终止时财产的归属”。因此，对于非住宅建设用地到期后地上物归属的问题,解决的办法是,有约定的,应当按照约定,比如按照 BOT 合同的约定处理等;没有约定或者约定不明确的,应当按照有关法律规定办理。

第一百五十条　建设用地使用权消灭的,出让人应当及时办理注销登记。登记机构应当收回建设用地使用权证书。

【释义】 本条是对建设用地使用权注销登记的规定。

建设用地使用权消灭的情况主要包括:建设用地使用权期间届满、建设用地使用权提前收回以及因自然灾害等原因造成建设用地使用权灭失等情形。建设用地使用权消灭后,出让人应当及时办理注销登记。根据国土资源部颁布的《土地登记规则》的规定:"县级以上人民政府依法收回国有土地使用权的,土地管理部门在收回土地使用权的同时,办理国有土地使用权注销登记,注销土地证书。国有土地使用权出让或者租赁期满,未申请续期或者续期申请未获批准的,原土地使用者应当在期满之日前十五日内,持原土地证书申请国有土地使用权注销登记。因自然灾害等造成土地权利灭失的,原土地使用者或者土地所有者应当持原土地证书及有关证明材料,申请土地使用权或者土地所有权注销登记。"

考虑到出让人全面掌握建设用地使用权消灭的情形,所以,本条规定注销登记由出让人及时办理。建设用地使用权注销后,登记机构应当收回建设用地使用权证书。

第一百五十一条　集体所有的土地作为建设用地的,应当依照土地管理法等法律规定办理。

【释义】 本条是对集体所有的土地作为建设用地的规定。

我国土地管理法规定,农民集体所有土地的使用权不得出让、转让或者出租用于非农业建设。除耕地外,农民集体所有的土地只能用于乡镇村企业、乡镇村公共设施和公益事业以及农民住宅建设。因此，目前农民集体还不能直接出让自己的土地使用权，使集体所有的土地使用权直接进入土地一级市场。农民集体所有的土地必须经过征收才能变为建设用地。近些年来，我国土地制度改革不断深化，国务院先后出台了一系列涉及农村集体建设用地的规定。《国务院关于2005年深化经济体制改革的意见》中明确指出，进一步研究探索农村集体建设用地使用权进入市场。土地行政主管部门一直将加快集体建设用地使用制度改革作为工作的重点，在对集体建设用地进行严格管理的同时，也允许一些地区可以开展集体建设用地流转方面的试点。

考虑到我国土地制度改革正在深化，各地的情况差异较大，土地行政主管部门正在进行土地制度试点和研究，尚待总结实践经验，并在此基础上规范和完善。而且，集体建设用地制度如何改革，还是需要通过修改土地管理法等法律从根本上解决这个问题，目前物权法对此做出规定的时机还不成熟。但是，作为民事基本法律的物权法，还是有必要做出原则且灵活的规定，为今后土地制度改革留下空间。因此，本条对建设用地使用集体所有的土地的情况仅做了原则性规定，明确集体所有的土地作为建设用地的，应当按照土地管理法等法律规定办理。

第十三章　宅基地使用权

本章共四条，规定了宅基地使用权的权利内容，宅基地使用权的取得、行使和转让以及宅基地灭失后的重新分配等事项。

第一百五十二条　宅基地使用权人依法对集体所有的土地享有占有和使用的权利，有权依法利用该土地建造住宅及其附属设施。

【释义】　本条是关于宅基地使用权的权利内容的规定。

理解和掌握本条规定要注意下列要点：

（一）宅基地归集体所有

这是宅基地使用权能够成为用益物权的前提。根据宪法第十条的规定，宅基地和自留地、自留山一样，属于集体所有。因此，农民使用宅基地是对集体所有的土地的使用。

（二）宅基地的用途是建造住宅及其附属设施

根据土地管理法和国家的有关规定，土地的利用必须符合国家对土地的用途管制。我国人多地少，只有最严格地管制土地用途，控制建设用地总量，保护耕地，才能有效地保护资源，实现优化配置。所以农民取得宅基地，必须依法办理有关手续，不得超量多占，也不得违反有关规划，改变土地用途。在有的地方存在的多占宅基地，造成土地浪费的情况应当予以纠正。

（三）宅基地使用权是一种带有社会福利性质的权利，是农民的安身之本

宅基地使用权和土地承包经营权一样，由作为集体成员的农

民无偿取得,无偿使用。宅基地使用权是农民基于集体成员的身份而享有的福利保障。在我国社会保障体系尚无法覆盖广大农村的现实下,土地承包经营权解决了农民的基本衣食来源,宅基地使用权解决了农民的基本居住问题。这两项制度以其鲜明的福利色彩成为了维护农业、农村稳定的重要制度。正是因为保障功能依然是宅基地使用权制度的首要功能,关于宅基地使用权取得、行使和转让的问题,必须尊重这一现实,以利于保护农民利益,构建和谐社会。

第一百五十三条　宅基地使用权的取得、行使和转让,适用土地管理法等法律和国家有关规定。

【释义】 本条是关于宅基地使用权的取得、行使和转让适用法律的衔接性规定。

理解和掌握本条的立法精神,应当注意以下方面:

(一)有关宅基地使用权取得、行使和转让的规定

土地管理法和担保法对宅基地使用权做了规定。根据土地管理法的规定,农村村民一户只能拥有一处宅基地,其宅基地的面积不得超过省、自治区、直辖市规定的标准。农村村民建住宅,应当符合乡(镇)土地利用总体规划,并尽量使用原有的宅基地和村内空闲地。农村村民住宅用地,经乡(镇)人民政府审核,由县级人民政府批准;其中,涉及占用农用地的,依照土地管理法第四十四条的规定办理审批手续。农村村民出卖、出租住房后,再申请宅基地的,不予批准。担保法规定,宅基地使用权不得抵押。

此外,中共中央、国务院通过有关文件,多次强调农村居民建住宅要严格按照所在的省、自治区、直辖市规定的标准,依法取得宅基地。农村居民每户只能有一处不超过标准的宅基地,多出的宅基地,要依法收归集体所有。同时禁止城镇居民在农村购置宅基地。

（二）关于宅基地使用权取得、行使和转让的争议

在物权法的起草过程中，关于宅基地使用权的取得、行使和转让，曾经引发了热烈的讨论。主要有以下方面的争议：

1. 关于宅基地使用权取得的争议

（1）宅基地使用权是否应当有偿取得。一种意见认为，宅基地使用权是村民最基本的居住保障，集体经济组织成员应当无偿取得。另一种意见则认为，现在农村已经存在宅基地分配不均、批少占多等问题，无偿取得宅基地，既无法满足农民群众改善居住条件的需要，也影响了集体经济组织的收益。宅基地应当有偿使用。还有一种意见认为，完全实施有偿使用制度，多数农民难以承受，建议对保障基本居住的宅基地部分，继续采用无偿取得制度，而对超过基本居住范围的部分实行有偿使用制度。对超标多占的宅基地，可以采取累进制计算使用费。

（2）宅基地的取得是否坚持"一户一宅"原则。一种意见认为，农村因继承等原因拥有两处以上宅基地的情况很普遍，"一户一宅"过于绝对，难以执行。另一种意见认为，作为分配制度，应当坚持"一户一宅"的原则。

（3）还有的意见认为，现实中农村面临的土地问题很复杂，还是要通过专门的法律法规来规定，物权法不能完全解决。

2. 关于宅基地使用权转让和抵押的争议

（1）关于宅基地使用权的转让。对宅基地使用权可否放开转让，一直存有不同意见。一种意见认为，宅基地使用权和地上房屋是农民的基本生活条件，如果允许放开转让，可能导致农村土地都被转让出去，导致农民流离失所，也不利于保护土地资源。另一种意见认为，随着城市化的发展，很多农民进入城市，也有不少城镇居民下乡购房，已经出现宅基地使用权向外流转的情况，特别是在城市附近或者比较发达地区。宅基地上的房屋属于农民个人所有，应允许转让，或者对转让做出一定的限制。

(2)关于宅基地使用权可否抵押:一种意见认为,宅基地使用权是农民安身立命的基本生活保障,规定宅基地使用权可以抵押,在实现抵押权时,就面临要么使农民居无定所,要么让抵押权落空的两难境地。另一种意见认为,农民可抵押的财产有限,在保障农民基本居住的前提下,应当允许宅基地使用权抵押,以缓解农民贷款难。为了防范因此而出现的风险,可以有条件地适当放开。

(3)还有意见认为,宅基地使用权转让和抵押的问题比较复杂,不宜一概而论。物权法对这个问题可以暂不做具体规定,待各方面的认识进一步统一,有一些经验的时候,再根据实际情况,通过土地管理法等其他法律解决。

(三)物权法目前规定的主要考虑

为准确体现国家土地管理制度的有关内容,物权法关于宅基地使用权的取得和行使的规定经过了反复研究,多次修改,立法考虑主要是:

1. 关于宅基地使用权的取得。宅基地使用权的取得主要涉及国家土地管理制度。土地管理法以及有关法规中已经对宅基地使用权的取得及其必要限制做出了明确规定。实际中遇到的问题应当依照这些规定处理。有关法律法规实施中出现的问题,可以通过国家土地管理制度的进一步发展完善,逐步解决。物权法作为调整平等主体间财产关系的民事法律,对国家土地管理制度的具体内容可以不作重复规定,只做出必要的衔接性规定即可。

2. 关于宅基地使用权的转让和抵押。我国地少人多,必须实行最严格的土地管理制度。目前,我国农村社会保障体系尚未全面建立,宅基地使用权是农民基本生活保障和安身立命之本。从全国范围看,放开宅基地使用权转让和抵押的条件尚不成熟。特别是农民一户只有一处宅基地,这一点与城市居民是不同的。农民一旦失去住房及其宅基地,将会丧失基本生存条件,影响社会稳定。为了维护现行法律和现阶段国家有关农村土地政策，也为今后修改有关法律或者调整有关政策留有余地，本法的规定应当与土地管理法等法律的规定保持一致。

我国的土地管理制度正在改革，有关法律法规也在完善。对于宅基地使用权的转让和抵押问题，为适应未来发展的需要，给进一步深化改革留有空间，物权法对宅基地使用权的转让和抵押问题做出衔接性的规定是必要的。

第一百五十四条　宅基地因自然灾害等原因灭失的，宅基地使用权消灭。对失去宅基地的村民，应当重新分配宅基地。

【释义】　本条是关于宅基地灭失后重新分配问题的规定。

理解和把握本条规定需要注意以下方面：

（一）重新分配宅基地的客观原因是自然灾害导致宅基地的灭失

虽然从物理属性上讲，土地是不可能消灭的。但是从用途角度上说，自然灾害等原因可能使土地不再适用某种用途，例如由于河流改道，原来的住宅和宅基地有可能完全被淹没；又如，由于山体滑坡，原来住宅所在的土地不能再建房居住。在发生这类自然灾害，原有宅基地不可能再用于建设住宅的情况下，就必须对丧失居住条件的集体的成员提供新的宅基地以维持生计。

（二）可以享受重新分配宅基地的权利人应当是因此而丧失宅基地的集体的成员

宅基地使用权是基于集体成员身份享有的一种保障性的权利。作为基本保障，宅基地使用权不应当流转到集体之外，也不应当无限扩大，变相侵占集体土地，特别是耕地。所以因自然灾害等原因重新分配宅基地时，应当按照规定的标准分配给仍然属于本集体且丧失基本居住条件的村民。对于多占的宅基地的情况，要予以纠正，不应当把多占的宅基地也纳入到重新分配中来。

（三）重新分配宅基地应当按照国家有关规定，注意节约利用和保护耕地

根据土地管理法第六十二条和国家的有关规定，宅基地应当符合乡（镇）土地利用总体规划，尽可能利用原有的宅基地和村内空闲地。尽量珍惜每一寸土地，特别是要严格限制对耕地的占用。在重新分配宅基地的情况下，也要按照国家规定的原则，统筹安排，厉行节约，尽可能保证将适宜耕作的土地用于农业生产，严格遵守国家关于土地用途管制和耕地保护的有关规定。

第一百五十五条　已经登记的宅基地使用权转让或者消灭的，应当及时办理变更登记或者注销登记。

【释义】 本条是关于宅基地使用权的变更登记和注销登记的规定。

宅基地使用权涉及国家对土地资源的管理，更是一种重要的用益物权。从长远发展上看，对宅基地使用权的设立、变更和消灭进行登记，既有利于加强土地管理，又有利于表彰物权的状态，从而减少争端。目前有的地方的宅基地使用权的登记制度不够完善，有的宅基地使用权还没有登记。这一现状尽管还没有引发大的矛盾和纠纷，然而在宅基地使用权发生变动时就有可能带来潜在的风险。本条考虑到我国广大农村的实际情况以及登记制度的现状，虽然没有明确要求所有宅基地使用权一旦发生变更一律登记，但是对于已经登记的宅基地使用权转让或者消灭的，则明确规定了应当及时办理变更或者注销登记。本条的规定既切合了我国物权制度发展的大方向，也有利于从实际出发，未雨绸缪，防患于未然。

目前关于宅基地使用权变更登记与注销登记的规定，主要见于《土地登记规则》中。《土地登记规则》第三十七条规定："有下列情形之一的，土地使用权转让双方当事人应当在转让合同或者

协议签订后三十日内，涉及房产变更的，在房产变更登记发证后十五日内，持转让合同或者协议、土地税费缴纳证明文件和原土地证书等申请变更登记：（一）依法转让土地使用权的；（二）因买卖、转让地上建筑物、附着物等一并转移土地使用权的；”“房屋所有权变更而使土地使用权变更的，在申请变更登记时，应当提交变更后的房屋所有权证书。”第三十九条规定：“因交换、调整土地而发生土地使用权、所有权变更的，交换、调整土地的各方应当在接到交换、调整协议批准文件后三十日内，持协议、批准文件和原土地证书共同申请变更登记。”第五十六条规定：“因自然灾害等造成土地权利灭失的，原土地使用者或者土地所有者应当持原土地证书及有关证明材料，申请土地使用权或者土地所有权注销登记。”第五十八条规定：“土地使用者、所有者和土地他项权利者未按照本规则规定申请注销登记的，土地管理部门可以依照规定直接办理注销土地登记，注销土地证书。”

物权法第一百五十三条对宅基地使用权的取得、行使和转让作了与其他法律和国家有关规定的衔接性规定，已经为未来宅基地使用权制度的发展完善留下了空间。本条对宅基地使用权变更登记和注销登记的规定，将随着我国的土地使用制度和宅基地使用权制度的发展完善，逐渐发挥其应有作用。

第十四章 地 役 权

本章共十四条。对地役权的概念、设立地役权的形式及内容、地役权人和供役地权利人的权利义务、地役权的消灭等做出了规定。

地役权概念源于罗马法,是最早的他物权制度。时至今日,法国、意大利、德国、瑞士、日本等国民法典以及我国台湾地区“民法”均规定了地役权。

第一百五十六条 地役权人有权按照合同约定,利用他人的不动产,以提高自己的不动产的效益。

前款所称他人的不动产为供役地,自己的不动产为需役地。

【释义】 本条是关于地役权的规定。

地役权是传统民法用益物权中的一项重要权利,是按照合同约定利用他人的不动产,以提高自己不动产效益的权利。例如,甲乙两工厂相邻,甲工厂原有东门,甲为了解决本厂职工上下班通行方便,想开一个西门,但必须借用乙工厂的道路通行。于是,甲乙两工厂约定,甲向乙支付使用费,乙工厂允许甲工厂的员工通行,为此双方达成书面协议,在乙工厂的土地上设立了通行地役权。此时,乙地称为供役地,甲地称为需役地。地役权具有以下特点:

1. 地役权是按照合同设立的。地役权是地役权人和供役地权利人之间达成的以设立地役权为目的和内容的合同。设立地役权,当事人应当采取书面形式订立地役权合同。地役权合同一般包括下列条款:(1)当事人的姓名或者名称和住所。(2)供役地和需役地的位置。(3)利用目的和方法。(4)利用期限。(5)费用及其支付方式。(6)解决争议的方法。

2. 地役权是利用他人的不动产。在地役权关系中,需役地和供役地属于不同的土地所有权人或者土地使用权人。利用他人的不动产来提高自己不动产的效益,是地役权设立的主要目的。所谓利用他人的不动产并不以实际占有他人不动产为要件,而是对他人的不动产设置一定的负担。这种负担主要表现在:一是容忍义务。如允许他人通行于自己的土地,以使自己行使土地的权利受到某种限制。二是不妨害地役权人行使权利的义务。在某些情况下,地役权人为了使用供役地便利,需要在供役地上修建必要的附属设施,如为实现排水地役权,而要在供役地建筑一个水泵。这时,供役地权利人就不得妨害地役权人行使其权利。

3. 地役权是为了提高自己不动产的效益。地役权的设立,必须是以增加需役地的利用价值和提高其效益为前提。此种"效益"既包括生活上得到的便利,也包括经营上获得的效益,如为需役地的便利而在供役地上设立的排水、通行、铺设管线等,也包括非财产的利益,即具有精神上或者感情上的效益,如为需役地上的视野宽广而设定的眺望地役权等。

在物权法立法过程中,对物权法是否要规定地役权以及对于"地役权"的称谓,有不同意见:

(1)物权法是否要规定地役权。一种意见认为,物权法不应当规定地役权,地役权可以被相邻关系所包括。多年来我国没有地役权制度,有关地役权纠纷大多是按相邻关系处理的,这已表明地役权没有独立存在的必要。另一种意见认为,相邻关系不能替代地役权,物权法应当规定地役权。相邻关系是对不动产的利用作最低限度的调节;而地役权则必须通过双方当事人约定,对他人不动产的利用来提高自己不动产的价值。

地役权与相邻关系,作为彼此独立的法律制度,各具其内涵,二者主要区别在于:第一,产生的原则不同。相邻关系是基于法律直接规定而产生,是法律要求一方必须要为另一方提供便利,是维护正常生活和生产的最低需要。地役权是根据需役地权利人与供役地权利人自愿达成协议而产生的,是地役权人通过利用他人的不动产而使自己的不动产获得更大的效益。第二,性质不同。相邻关系是法律上对土地间利用关系的一种最小限度的调节。它不是一项独立的民事权利,更不是独立的他物权,属于所有权的内容。而地役权的主要功能在于弥补相邻权的不足,在相邻权得不到调节时,可通过约定加以弥补。地役权不仅是一项独立的民事权利,而且还是一种独立物权形式,为用益物权的一种。

考虑到相邻关系是法定的对相邻不动产权利人权利的限制,是维护正常生活和生产的最低需要;而地役权则是扩大对他人不动产的利用来提高自己不动产的价值,不能由法律强制,而应采用协商方式由当事人约定,这一制度有存在的必要性。因此,物权法设专章规定了地役权。

(2)对于"地役权"的称谓。物权法草案一审稿曾规定了"邻地利用权",对于这个概念存在着不同的意见:一种意见认为,应当将"邻地利用权"修改为"地役权",因为"邻地利用权"的概念不确切,容易与相邻关系混淆。另一种意见认为,"地役权"的概念晦涩难懂,不够通俗,不宜为一般民众所接受,建议采用"邻地利用权"或者其他老百姓易懂的名称。

考虑到"邻地利用权"与"地役权"属同一法律概念,用"邻地利用权"取代地役权并无实质意义。自罗马法以来,大陆法系国家及地区民法中都把地役权作为一项重要的物权加以规定,如德国、法国、瑞士、韩国、日本等国家及我国台湾地区,如果舍弃一个被世界各国普遍认可的概念而创立容易引起误解的新概念,从立法技术上讲是不合理的。因此,本法采用了传统民法"地役权"的概念。

第一百五十七条　设立地役权,当事人应当采取书面形式订立地役权合同。

地役权合同一般包括下列条款:

(一)当事人的姓名或者名称和住所;

(二)供役地和需役地的位置;

(三)利用目的和方法;

(四)利用期限;

(五)费用及其支付方式;

(六)解决争议的方法。

【释义】 本条是关于设立地役权的规定。

设立地役权应当采取书面形式订立。地役权合同一般包括以下条款:

1. 当事人的姓名或者名称和住所。当事人是合同的主体,如果不写明当事人,就无法确定权利的享有者和义务的承担者,发生纠纷也难以解决。按照我国土地制度,地役权合同的双方当事人可以是土地所有人、建设用地使用权人、宅基地使用权人和土地承包经营权人等权利人。因此,要将上述权利人或者使用人的姓名或者名称和住所写清楚。

2. 供役地和需役地的位置。签订地役权合同,应当标明供役地和需役地两块土地的方位、四至以及面积,尤其对供役地的位置更应记录细致,并尽可能绘图表示。

3. 利用目的和方法。其利用目的,即设立地役权是为了通行、取水、排水、铺设管线等。如何使用供役地,比如设立了排水地役权后,是用挖排水渠的方法,还是铺设排水管道的方法。

4. 利用期限。即利用供役地的具体起止时间。地役权的期限是地役权存续的依据,应有明确的约定。没有约定或者约定不明确的,地役权人可以随时终止合同。

5. 费用及其支付方式。地役权可有偿或无偿，主要取决于当事人的约定。如果是有偿的，地役权人与供役地权利人在合同中，应当明确约定费用的数额以及支付的方式，是分期支付，还是一次性付清等。

6. 解决争议的方法。解决争议的方法指合同争议的解决途径和方式。双方当事人可以通过和解、调解、仲裁、诉讼等途径解决争议。

当事人签订合同的目的，是以在特定需役地和供役地上设立具体内容的地役权。因此，合同的条款是否齐备、准确，决定了合同能否顺利地履行、实现订立合同的目的。这里规定的地役权内容，只是一般地役权合同应当包括的条款，但不限于这些内容，并不是说合同中缺了其中任何一项就会导致合同不成立或者无效。有关合同主要条款的规定只起到提示性与示范性的作用。

地役权是由双方当事人通过约定设立的。对于地役权的内容法律不作严格限制，只要双方约定的内容不违反法律的强制性规定，就尊重当事人的约定。但地役权也是受限制的，如果地役权人滥用自己的权利，那么，供役地权利人有权解除地役权。对此，物权法还规定，地役权人违反法律规定或者合同约定，滥用地役权的以及有偿利用供役地，约定的付款期间届满后在合理期限内经两次催告未支付费用的，供役地权利人都有权解除地役权合同，地役权消灭。

第一百五十八条　地役权自地役权合同生效时设立。当事人要求登记的，可以向登记机构申请地役权登记；未经登记，不得对抗善意第三人。

【释义】 本条是关于地役权效力的规定。

地役权合同自地役权人与供役地权利人自愿达成协议即为生效，地役权合同一经生效，地役权即为设立。地役权设立以地役权合同生效为要件，如果地役权人或者供役地权利人要求登记的，可以向登记机构申请，办理地役权登记；未经登记，不得对抗善意第三人。

立法过程中对是否必须登记，有不同意见：一种意见认为，地役权应当登记，如果该权利不通过登记予以公示，必然会损害第三人的利益。例如，地役权人和供役地权利人达成协议设立了地役权，这实际上是在供役地上设立了负担，供役地的价值将因此而减少。如果供役地权利人将其土地的使用权转让给第三人，第三人在受让该土地时，不知道该土地上已设立了地役权，仍然以没有负担的土地的价值购买，必然会蒙受损失。另一种意见认为，应将地役权登记生效作为基本原则，登记对抗作为例外。

随着我国人口的增长和工业化的发展，土地资源越来越缺乏，为了解决土地资源的有限性与人类日益增长的需要之间的矛盾，需要通过确认土地之上的各种物权实现土地的高效率的利用。我国农村，地役权 80% ~90% 都是不登记的。为了方便群众，减少成本，物权法对地役权实行登记对抗主义。

所谓登记对抗主义，主要指不登记不得对抗不知道也不应知道土地设有地役权，而受让了该土地使用权的第三人。例如，甲房地产开发公司从他人手中取得位于市中心广场附近一块土地使用权，以“观景”为理念设计并建造了高层观景商品住宅楼。该地前边有一所学校乙，为了防止乙今后建造高楼挡住自己的观景视野，甲以每年向乙支付 10 万元补偿费为对价，与乙约定：乙在 30 年内不得在校址兴建高层建筑。合同签订后，双方没有办理地役权登记。一年后学校乙迁址，将房屋全部转让给房地产商丙，但乙未向丙提及自己与甲之间的约定。丙购得该学校后就建起了高层住宅。甲要求丙立即停止兴建，遭到丙的拒绝后，甲便向法院提起诉讼。按照本条规定，法院不能支持甲的主张，因为本案中甲乙双方虽然订立了地役权合同，但没有登记，乙转让土地又没有告知丙该土地上设有地役权，因此，丙的合法权益应受保护，甲房地产开发公司只能基于合同，要求学校乙承担违约责任，而无权要求丙房地产商停止兴建高楼和承担责任。因此，为了更好地维护自己的地役权，地役权最好进行登记。

第一百五十九条 供役地权利人应当按照合同约定，允许地役权人利用其土地，不得妨害地役权人行使权利。

【释义】 本条是关于供役地权利人义务的规定。

地役权设立后，供役地权利人应当按照合同的约定履行自己的义务。

1. 允许地役权人利用其土地

在地役权人利用供役地时，多多少少会给供役地权利人带来不便。对于供役地权利人来说，必须要按照合同的约定，向地役权人提供土地，并要容忍供役地上的负担。这些负担包括允许他人利用自己土地，对自己行使土地的权利进行的某种限制，放弃部分使用自己土地的权利，有时甚至还必须容忍对供役地造成某种程度上的损害。但对供役地权利人诸多的约束行为，都是事先在合同中作了规定的。供役地权利人在负有容忍或者不作为义务的同时，也获得了一定的补偿。民事关系最主要的原则之一就是权利义务平等，有义务必然有权利。供役地权利人之所以允许地役权人利用自己的土地，在很大程度上也是为了获取一定的租金。

2. 不得妨害地役权人行使权利

地役权人为利用供役地，实现地役权的内容，在权利行使的必要范围内，有权在供役地上修建必要的附属设施或者从事某项必要的附属行为，比如，为通行而修建道路等。这时，供役地权利人就不得妨害地役权人行使这些权利。

在市场经济条件下，物当然应该物尽其用，对物利用的终极目标就是最大限度地发挥物的效用。土地是利用性最强、最为稀缺的资源,具有不可再生性,所以发挥土地的最大价值应该是市场经济发展的客观要求。用益物权制度的逐步完善,使得土地的利用率和经济价值得到了极大的提升。因此,具有协调土地所有人之间,土地使用人之间以及土地所有人与使用人之间利益关系的地役权制度,在土地利用关系日趋多样化、复杂化的社会环境下,衡平各方权利人的利益冲突,就显出其重要性了。

第一百六十条　地役权人应当按照合同约定的利用目的和方法利用供役地,尽量减少对供役地权利人物权的限制。

【释义】　本条是关于地役权人权利义务的规定。

设定地役权的目的在于为自己土地的使用提供便利,以增加自己土地的效益,提高土地的利用价值。

地役权人在取得地役权的同时,也应当履行以下义务:

1. 按照合同约定的利用目的和方法利用供役地

例如,约定的是通行权,地役权人就只能从供役地通行而不能从事其他的行为。如果合同约定的通行方法只能是步行通过供役地,那机动车就不得穿行。地役权人通过利用供役地达到了自己通行的目的,也就提高了自己土地的效益。

2. 尽量减少供役地权利人物权的限制

地役权的实现,是供役地权利人为了需役地的便利而承受的负担。因此,地役权人按照合同约定的利用目的和方法利用供役地时,应当采取对供役地损害最小的方法为之,在利用供役地的同时,不要过分损害其利益。在某些情况下,为了实现地役权设定的目的,地役权人在供役地上需要修筑一些必要的附属设施,比如为了取水权的实现,要在供役地上修建水泵;或者为了通行权的实现,要在供役地上设置路灯而修筑电线杆等。地役权人从事这些行为必须是必要的、不得已的,不修建附属设施,地役权就不能有效实现。尽管必要,但也要求地役权人要采取适当的方法,尽量选择对供役地损害最少的方法行之，尽可能减少对供役地权利人物权的限制。

第一百六十一条　地役权的期限由当事人约定，但不得超过土地承包经营权、建设用地使用权等用益物权的剩余期限。

【释义】　本条是关于地役权期限的规定。

设定地役权，其期限由双方当事人协商确定，当事人对地役权的期限没有约定或者约定不明确的，可以事后作出补充协议。设立地役权的双方当事人，如果是建设用地使用权人或者是土地承包经营权人，他们之间设立的地役权的期限，不得超过他们各自用益物权的剩余期限。法律对土地承包经营权和建设用地使用权的期限作了规定。对于土地承包经营权的期限，农村土地承包法和本法规定，耕地的承包期为 30 年；草地的承包期为 30 ~ 50 年；林地的承包期为 30 ~ 70 年；特殊林木的林地承包期，经国务院林业行政主管部门批准可以延长。《城镇国有土地使用权出让和转让暂行条例》对土地使用权出让的最高年限作了规定，居住用地 70 年；工业用地 50 年；教育、科技、文化、卫生、体育用地 50 年；商业、旅游、娱乐用地 40 年；综合或者其他用地 50 年。

土地承包经营权人、建设用地使用权人无论是作为地役权人还是供役地权利人，他们设立地役权的期限都是受限制的，因地役权是依附于土地所有权和土地使用权而存在的用益物权，土地所有权或者土地使用权不存在了，地役权也就失去了存在的依据。实践中可能发生需役地的土地使用权与供役地的土地使用权期限不一致的情况，比如供役地的土地使用权的剩余年限为 20 年，而需役地的土地使用权有 30 年，此种情况下地役权的期限最长为 20 年。

第一百六十二条　土地所有权人享有地役权或者负担地役权

的，设立土地承包经营权、宅基地使用权时，该土地承包经营权人、宅基地使用权人继续享有或者负担已设立的地役权。

【释义】 本条是关于在享有和负担地役权的土地上设立承包经营权、宅基地使用权的规定。

我国是实行土地公有制的国家，土地为国家或者集体所有。正常情况下，国家以国有土地所有人的身份将土地使用权通过拍卖、招标、划拨等方式让与土地使用权人。国有土地的使用权人根据自身需要可以设立地役权。因此，本条规定的享有地役权或者负担地役权的主体是集体土地的所有权人。包括两种情况：

1. 享有地役权的土地涉及承包经营权或者宅基地使用权的。例如，甲地和乙地分别属于两个不同的农村集体经济组织所有，且两地相邻，因地理位置的不同，甲地缺水干涸，乙地上因有一片湖泽而地质肥沃。甲为了给自己的土地浇灌，早在10年前，甲就与乙在乙地上设立20年的取水地役权，并进行了登记，约定在乙地上挖较宽的河道引水，并每年支付一定的费用。10年后的今天，甲将土地承包给了丙，那么，这时的丙不仅是新的土地承包经营权人，还应当是享有到乙地取水的地役权人，因此，作为新的土地承包经营权人丙仍然可以继续享有10年期限的取水地役权。

2. 负担地役权的土地涉及承包经营权或者宅基地使用权的。例如，上例中，如果供役地权利人乙将自己土地承包给丁，那么，这时的丁不仅是土地承包经营权人，还应当是提供给甲取水的供役地权利人，因此，丁继续要为甲地负担剩余10年期限的取水地役权。

第一百六十三条　土地上已设立土地承包经营权、建设用地使用权、宅基地使用权等权利的，未经用益物权人同意，土地所有权人不得设立地役权。

【释义】 本条是关于在已设立用益物权的土地上，土地所有权人设立地役权的规定。

依照物权法的规定,用益物权人对他人所有的不动产或者动产,依照法律享有占有、使用和收益的权利。用益物权包括土地承包经营权、建设用地使用权、宅基地使用权等权利。由此规定可以看出,用益物权是一种独立的物权,用益物权一旦设立,用益物权人便独立地对标的物享有占有、使用和收益的权利。用益物权人不仅对所用益的标的物享有支配的权利,而且可以排除包括土地所有权人在内的一切人的干涉,这是用益物权的本质特征之一。土地所有权人未经用益物权人同意,不得在已设立土地承包经营权、建设用地使用权、宅基地使用权的土地上设立地役权。比如,某企业的输油管线需要通过某集体所有的土地,而该土地已发包给甲,该集体不能未经土地承包经营权人甲同意,就擅自与该企业签订地役权合同。

第一百六十四条　地役权不得单独转让。土地承包经营权、建设用地使用权等转让的,地役权一并转让,但合同另有约定的除外。

【释义】　本条是关于地役权不得与需役地分离而单独转让的规定。

用益物权为独立物权。用益物权一旦设立,用益物权人便独立地享有对标的物的使用权、收益权,亦即该权利是独立存在的,依当事人之间设立用益物权的行为或者法律的直接规定而发生。用益物权是一种主权利,而不是从属其他物权的权利。因此,作为用益物权的土地承包经营权、建设用地使用权都是一种独立的权利,它不从属于其他权利。而地役权作为一种为了需役地的便利而产生的用益物权,与需役地的关系又极为密切,由此发生了主从权利的关系,即地役权从属于需役地的使用权。地役权不能与需役地分离而单独转让,它必须随着需役地的使用权转移而一同转移。当需役地的使用权发生转让时,地役权也应当随之发生转让。

国外的立法例也对此作了规定:德国民法典规定,地役权是需役地所有权的主要组成部分,不能与需役地的所有权相分离,因此,需役地转让,地役权也必须随之转让给受让人。日本民法典规定,地役权作为需役地所有权的从权利,与之一起移转,或成为需役地上存在的其他权利的标的。但设定行为另有订定时,不在此限。地役权,不得与需役地分离而让与或者成为其他权利的标的。

由于地役权的成立必须有需役地与供役地同时存在,因此在法律属性上地役权与其他物权不同。地役权虽然是一种独立的用益物权,但它仍然应当与需役地的所有权或者使用权共命运,必须与需役地所有权或者使用权一同移转,不得与需役地分离而单独让与,这就是地役权的从属性,主要表现在三种情形:第一,地役权人不得自己保留需役地的使用权,而单独将地役权转让;第二,地役权人不得自己保留地役权,而单独将需役地的使用权转让;第三,地役权人也不得将需役地的使用权与地役权分别让与不同的人。总之,地役权只能随需役地使用权的转让而转让,如果违反了地役权的从属性就被认为行为无效。例如,甲为了自己房屋采光方便,与乙房屋设定了采光地役权,约定乙的房屋不得修建二层以上建筑,并办理了登记。后来,甲将自己的房屋卖给了丙,乙就在自己的房屋上修建了三层小楼,丙请求乙去除一层,遭到乙的拒绝。乙认为:地役权乃是他与甲设定,旁人不得享有。按照本条规定,地役权与需役地共存亡,需役地既已转移至丙,为需役地所设定的地役权也当然转移至丙,除非当事人双方在设立地役权合同时另行约定。所以丙的主张应予支持,乙的主张不成立。

第一百六十五条　地役权不得单独抵押。土地承包经营权、建设用地使用权等抵押的,在实现抵押权时,地役权一并转让。

【释义】 本条是关于地役权不得单独抵押的规定。

地役权是一种财产权利，但与其他财产权不同的是，地役权不得与土地承包经营权、建设用地使用权等用益物权分离单独存在。

地役权是为了提高土地利用的便利设立的，脱离建设用地使用权、土地承包经营权等用益物权，地役权也就失去了存在的意义。对于受让地役权的主体来说，没有取得土地承包经营权和建设用地使用权，地役权也就无从发挥作用。地役权作为土地使用权的物上权利或者物上负担，与土地使用权紧紧联系在一起，因此应一并转让，否则受让的土地价值就会降低或者丧失。

第一百六十六条　需役地以及需役地上的土地承包经营权、建设用地使用权部分转让时，转让部分涉及地役权的，受让人同时享有地役权。

【释义】　本条是关于需役地上的土地承包经营权、建设用地使用权部分转让的规定。

地役权的不可分性，指地役权存在于需役地和供役地的全部，不能分割为各个部分或者仅仅以一部分而存在。即使供役地或者需役地被分割，地役权在被实际分割后的需役地和供役地的各个部分上仍然存在。

需役地以及需役地上的土地承包经营权、建设用地使用权部分转让，产生了分属不同权利人的两个或者多个用益物权时，地役权在部分转让后的需役地的各个部分上依然存续。这是因为地役权是为整个需役地提供便利，如果土地的用益物权已经部分转让为各个部分，这种为需役地的便利而使用供役地的需要与权利，也应当继续存在于已经被部分转让的需役地上。所以，地役权也应当在需役地被部分转让后的各个部分继续存在。例如，甲为取水方便，在乙地设定了取水地役权，后甲将自己的需役地一分为二，分别转让给了丙、丁，并办理了登记。丙、丁到乙地取水，遭到阻拦。本案中，需役地虽被分割为不同部分，但因地役权的不可分性，新的权利人丙、丁仍然可以在乙地上行使取水地役权；乙不得阻止丙、丁行使取水地役权。

但是，如果需役地以及需役地上的土地承包经营权、建设用地使用权被部分转让后，地役权在其性质上只与部分转让后的地块有关系时，那么，地役权就只在其有关部分继续存在。例如，甲地的东部住宅与乙地相邻，甲为了观海就与乙签订了眺望地役权，要求乙地不得修建高层建筑。后来，甲地东部分割给了丙，西部分割给丁，但甲的眺望权只与丙有关而与丁无关，此时，受让人丙继续享有地役权。

对这个问题，一些国家的民法典均作出了规定。如德国民法典规定，地役权人的土地被分割的，其地役权在各个部分继续存在；但在发生疑问时，仅在地役权的行使未对供役地所有权人造成困难时，始得准许。地役权仅对需役地的一部分有利的，地役权在其余部分消灭。法国民法典规定，如为其设定地役权的土地后来被分割，对该土地的每一部分地役权仍然存在，但是，不能因此而加重原设有地役权的土地的负担。瑞士民法典规定：(1)需役地被分割时，其地役权的通常利益部分仍然存续。(2)但在前款情形中，地役权的行使因某些情况仅限于其中一部分时，供役地所有权人可请求涂销其他部分的地役权。日本民法典规定，于土地分割或一部让与情形，地役权为其各部或于其各部之上存在。但地役权因其性质，只与土地一部有关时，不在此限。

第一百六十七条　供役地以及供役地上的土地承包经营权、建设用地使用权部分转让时，转让部分涉及地役权的，地役权对受让人具有约束力。

【释义】　本条是关于供役地上的土地承包经营权、建设用地使用权部分转让的规定。

地役权存在于需役地和供役地的全部，不能分割为各个部分或者仅仅以一部分而单独存在。就供役地而言，地役权为整个供役地的负担，而不仅仅只是为部分供役地的负担。也就是说应有部分的变化不应影响地役权的存在。

供役地以及供役地上的土地承包经营权、建设用地使用权的转让，会产生分属不同权利人的两个或者多个用益物权，地役权在转让后的供役地的各个部分上继续存在。例如，甲地在乙地设立有取水地役权，而后乙地分割为丙、丁两块地，如果丙、丁都涉及提供甲的取水地役权时，则丙、丁两地的使用人仍然要负担甲的取水地役权。那么，地役权对受让人丙和丁都具有约束力。

但是，如果供役地以及供役地上的土地承包经营权、建设用地使用权转让后，地役权在其性质上只对某部分转让后的供役地有关时，那么，地役权仅对被转让土地受让人具有约束力，这也是本条规定的内容。例如，甲和乙约定，在乙的土地上设立通行地役权。此后，作为供役地权利人的乙将自己土地的使用权转让给了丙和丁。如果只有受让人丙涉及甲的通行地役权，而与受让人丁无关时，那么丙仍然要继续向甲提供通行地役权的义务，地役权只对受让人丙有约束力。

第一百六十八条　地役权人有下列情形之一的，供役地权利人有权解除地役权合同，地役权消灭：

（一）违反法律规定或者合同约定，滥用地役权；

（二）有偿利用供役地，约定的付款期间届满后在合理期限内经两次催告未支付费用。

【释义】　本条是关于地役权消灭的规定。

物权法规定了解除地役权的条件，当条件具备时，解除权人可直接行使解除权，使地役权消灭。当地役权合同出现以下两项法定事由时，供役地权利人有权解除地役权合同，地役权随之消灭。

（一）违反法律规定或者合同约定，滥用地役权

地役权设定后，地役权人与供役地权利人的任何一方都不得擅自解除地役权合同，但如果地役权人违反法律规定或者合同约定，法律赋予了供役地权利人解除地役权合同的权利。如地役权人超越土地利用的范围不按约定的方法利用供役地等，就属于滥用地役权。

（二）有偿利用供役地，约定的付款期间届满后在合理期限内经两次催告未支付费用

地役权合同是否有偿，由地役权人和供役地权利人约定。如果地役权为有偿，那么，地役权人必须按照合同的约定履行付款义务。如果地役权人无正当理由，在合同约定的履行期间届满后，仍没有按照合同约定支付供役地权利人费用的，而且在一个合理期限内经两次催告，地役权人仍不履行付款义务的，表明地役权人没有履行合同的诚意，或者根本不可能再履行合同，供役地权利人可以解除地役权合同。否则，不仅对供役地权利人不公平，而且还会给其造成更大的损失。供役地权利人解除地役权合同的，地役权消灭。

需要强调的是，本条规定的地役权消灭的两项法定事由，是专门为供役地权利人设立的权利。

第一百六十九条　已经登记的地役权变更、转让或者消灭的，应当及时办理变更登记或者注销登记。

【释义】　本条是关于地役权变动后登记的规定。

不动产物权由于某种原因发生变动时，应当将其变更、转让或者消灭的情形记载于不动产登记簿上，以防止纠纷的发生。公示对于市场经济秩序的建立和维护具有十分重要的意义。登记制度是市场经济社会国家维护秩序，保障交易安全的重要法律手段。

地役权变更、转让或者消灭都是物权变动的内容。如果地役

权虽然已经发生了变动,但没有办理变更登记或者注销登记,则在法律上并没有真正完成物权的变动。从法律效果上来看,只要作为公示内容的物权现状没有变动,便可以视为物权变动没有发生过。例如,当地役权人取得供役地的用益物权时,因混同而导致地役权消灭时,就应当及时办理地役权的注销登记。使供役地负担的变化情况及时向公众公示。之所以要求当事人及时办理变更登记或者注销登记,是因为该供役地的用益物权很有可能会转让给第三人,有负担的不动产和没有负担的不动产在价值上是完全不同的,对受让人而言,受让了具有负担的不动产之后,将会使受让人的权利行使受到一定的限制,这样对受让人是不公平的。因此,为了维护登记簿的公示力、公信力,必须要在地役权人办理变更、转让或者注销该地役权登记后,地役权变动才能生效,否则地役权仍然存在。同时,向公众公开不动产负担的情况,对保护受让人的利益、防止纠纷都具有十分重要的作用。

第四编 担保物权

第十五章 一般规定

担保物权对保证债权实现、维护交易秩序、促进资金融通,具有重要作用。我国1995年颁布实施的担保法对抵押权、质权和留置权三种担保物权做了较为全面的规定。物权法是规范财产关系的基本民事法律制度,担保物权是物权的重要组成部分。本法在担保法的基础上,根据实践中出现的一些新情况、新问题,充分吸收国外担保物权立法的先进经验,对担保物权制度做了补充、修改和完善。与担保法相比,物权法主要增加和修改了以下内容:

(一)扩大了可用于担保的财产范围

为促进融资,发展经济,特别是为解决中小企业和农民贷款难问题,本法增加规定:1. 正在建造的建筑物、船舶、航空器可以抵押。2. 经当事人书面协议,企业、个体工商户、农业生产经营者可以现有的以及将有的生产设备、原材料、半成品、产品作抵押。3. 基金份额可以质押。4. 应收账款可以质押。

(二)增加了担保物权的实现条件

为保护担保物权人的利益,同时也充分尊重当事人对实现担保物权的条件的安排,本法规定,在两种情况下可以实现担保物权:一是债务履行期届满时,债务人不履行债务的;二是发生当事人约定的可以实现担保物权的情形的。后者是新增加的情形。

（三）修改了担保法关于物的担保与人的担保的规定

物的担保是指以不动产、动产或者权利担保债务的履行，即本法规定的抵押权、质权和留置权三种担保物权；人的担保是指以人的信誉担保债务的履行，指担保法规定的保证。对如何处理物的担保和人的担保的关系有不同意见，审判实践处理得也比较混乱。本法区分三种情况，厘清了物的担保与人的担保的关系：一是当事人对物的担保和人的担保有约定的，尊重当事人的意思，按约定实现；二是当事人没有约定或者约定不明确，债务人自己提供物的担保的，债权人应先就该担保财产受偿，担保财产不能满足债权的，再要求保证人承担保证责任；三是当事人没有约定或者约定不明确，第三人提供了物的担保，又有人的担保的，债权人既可以就物的担保实现债权，也可以要求保证人承担保证责任。

（四）简化了担保物权的实现程序

担保物权制度发展的一个重要趋势就是简化担保物权的实现程序，降低担保物权的实现成本。本法规定，债务人不履行到期债务或者发生当事人约定的实现抵押权的情形的，首先由抵押权人与抵押人协商实现担保物权；协商不成的，抵押权人可以不经诉讼，直接请求人民法院拍卖、变卖抵押财产。

（五）区分了担保合同的效力与担保物权效力

针对实践中出现的混淆担保合同的效力与担保物权效力的问题，本法规定，以建筑物、建设用地使用权等财产抵押的，抵押权自登记时设立。当事人之间订立的抵押合同，除法律另有规定或者合同另有约定外，自合同成立时生效；未办理抵押权登记的，不影响合同效力。

（六）完善了最高额抵押权的规则

考虑到是否转让债权是当事人的自由，法律没有必要限制，本法规定，最高额抵押担保的债权确定前，部分债权可以转让。此外，物权法还对最高额抵押权中确定债权的情形等问题做了规定。

（七）规定了抵押权的存续期间

为充分发挥抵押物的经济效用，促进经济的发展，也为了促使抵押权人积极行使权利，本法规定，抵押权人应当在主债权诉讼时效期间行使抵押权；未行使的，人民法院不予保护。

（八）对不同种类担保物权的实现顺序做了规定

本法规定，同一动产上既有抵押权或者质权，该动产又被留置的，留置权人优先于抵押权人或者质权人受偿。

（九）扩展了留置权的适用范围

本法修改了担保法关于留置权原则上只适用于保管、运输和加工承揽合同的规定，在同一法律关系中，只要债务人不履行到期债务，除法律另有规定或者合同另有约定外，债权人就可以留置其合法占有的债务人的动产。企业之间留置的，可以不受该动产必须与债权属于同一法律关系的限制。

此外，本法还对担保物权消灭的情形、担保合同与主债权债务合同的关系、可用于担保的财产范围、禁止用于担保的财产、担保物权的保全等问题做了较为详细的规定。

本章共八条，对担保物权的含义、主债权债务合同与担保物权合同的关系、担保物权的设立、担保物权的担保范围、担保物权的物上代位性、担保物权与保证的关系、担保物权的消灭等共同规则做了规定。

第一百七十条　担保物权人在债务人不履行到期债务或者发生当事人约定的实现担保物权的情形，依法享有就担保财产优先受偿的权利，但法律另有规定的除外。

【释义】　本条是关于担保物权含义的规定。

担保物权是以直接支配特定财产的交换价值为内容，以确保债权实现为目的而设定的物权。担保物权制度是现代民法的一项重要制度，现代各国的民法典多规定了此制度，有的国家甚至对其进行单独立法。联合国国际贸易法委员会、欧盟委员会、美洲国家经济组织等国际性组织还在酝酿将担保立法国际化、区域化。担保物权之所以受到各国及国际社会的普遍重视,是因为其在社会经济生活中发挥着以下重要作用:

第一,确保债权的实现。债权是债权人请求债务人履行一定给付行为的请求权,而债务人是否履行给付行为,完全取决于债务人的信用。如果债务人的信用较差,债权人实现债权就会面临较大的风险;如果债权人没有足够的手段规避这种风险,债权人就只有放弃某种民事活动,放弃民事活动的后果是整个社会经济生活的萧条和停滞。因此,如何规避交易风险,强化债权效力,确保债权实现是现代民商事立法的重要任务。现代立法为此设计了两种制度:一种是债的担保方式(如保证);另一种是物的担保方式(即担保物权)。这两种担保方式各有优点。担保物权制度的出现极大地强化了债权效力,减少了交易风险,可以有效确保债权实现。

第二,有利于促进社会的融资。在现代商业社会,由于商业风险的存在,往往使贷款者由于担心贷款不能得到偿还而拒绝贷款或者少贷款,这有可能导致融资活动的减少,反过来也会降低经营者发展生产的能力。对贷款者来说,担保物权制度可以减少其担心,放心贷款;对借款者来说,在其信用建立之前,通过提供担保物权可以补充其信用状况,增强融资的能力。所以,担保物权制度有利于社会融资活动的进行。我国商业银行法规定,商业银行贷款,借款人应当提供担保。商业银行应当对保证人的偿还能力,抵押物、质物的权属和价值以及实现抵押权、质权的可行性进行严格审查。这里的"抵押权和质权"就属于担保物权。

担保物权具有以下特征:

第一,担保物权以确保债权人的债权得到完全清偿为目的。这是担保物权与其他物权的最大区别。本法所规定的物权包括所有权、用益物权和担保物权。在法理上,所有权又叫自物权,强调的是权利人对特定财产的全面支配,即对该特定财产享有占有、使用、收益和处分的权利。但是担保物权的权利人对特定财产一般没有直接的使用、收益和处分的权利,而是对特定财产交换价值的支配权。担保物权与用益物权都为他物权,但用益物权和担保物权在内容、功能上不完全相同,用益物权强调的是对特定财产的直接使用和收益,权利人所享有的是对特定财产使用价值的支配权;而担保物权不强调对特定财产的使用和收益,而是强调对特定财产交换价值的支配权。之所以有这些不同,最根本原因是担保物权旨在确保债务的清偿,是为确保债务的清偿而设立的,因此在担保物权设立时,要有被担保债权事先存在,这是担保物权的一个重要属性:从属性,从属于所担保的债权。担保物权的从属性不但体现在担保物权的设立上,还体现在担保物权的转让、消灭等方面,本编的多个条文体现了担保物权的从属性,例如本法第一百七十二条第一款规定,设立担保物权,应当依照本法和其他法律的规定订立担保合同。担保合同是主债权债务合同的从合同。主债权债务合同无效,担保合同无效,但法律另有规定的除外。第一百九十二条规定,抵押权不得与债权分离而单独转让或者作为其他债权的担保。债权转让的,担保该债权的抵押权一并转让,但法律另有规定或者当事人另有约定的除外。第一百七十七条第(一)项规定,主债权消灭的,担保物权消灭。

第二,担保物权具有优先受偿的效力。优先受偿性是担保物权的最主要效力。优先受偿是指在债务人到期不清偿债务或者出现当事人约定的实现担保物权的情形时,债权人可以对担保财产进行折价或者拍卖、变卖担保财产,以所得的价款优先实现自己的债权。担保物权的优先受偿性主要体现在两方面:一是优先于其他不享有担保物权的普通债权;二是有可能优先于其他物权,如后顺位的担保物权。但需要注意的是,担保物权的优先受偿性并不是绝对的,如果本法或者其他法律有特别的规定,担保物权的优先受偿效力会受到影响，如我国海商法明确规定，船舶优先权人优先于担保物权人受偿；我国新修订的破产法明确规定，一定比例的职工工资优先于担保物权受偿。基于此，本法规定，担保物权人在债务人不履行到期债务或者发生当事人约定的实现担保物权的情形，依法享有就担保财产优先受偿的权利，但法律另有规定的除外。这里的"但法律另有规定的除外"就是指这些特殊情形。

第三，担保物权是在债务人或者第三人的财产成立的权利。债务人既可以以自己的财产，也可以第三人的财产为债权设立担保物权。根据本法的规定，可以用于担保的财产范围比较广，既包括现在的财产，也包括将来的财产；既包括不动产，也包括动产，在特定情形下还可用权利进行担保，如本法规定的权利质权。

第四，担保物权具有物上代位性。债权人设立担保物权并不以使用担保财产为目的，而是以取得该财产的交换价值为目的，因此，担保财产即使灭失、毁损，但代替该财产的交换价值还存在的，担保物权的效力仍存在，但此时担保物权的效力转移到了该代替物上。这就是担保物权的物上代位性。对此，本法第一百七十四条明确规定，担保期间，担保财产毁损、灭失或者被征收等，担保物权人可以就获得的保险金、赔偿金或者补偿金等优先受偿。被担保债权的履行期未届满的，也可以提存该保险金、赔偿金或者补偿金等。

这里需要对三个问题作特别说明：

一是关于担保物权的实现条件。根据担保法的规定，只有债务人不履行到期债务时，担保物权人可以实现担保物权。为保护担保物权人的利益，同时也充分尊重当事人对实现担保物权的条件的安排，本法增加了担保物权的实现条件。本法规定，担保物权人在两种情况下可以实现担保物权：一是债务履行期届满时，债务人不履行债务的；二是发生当事人约定的可以实现担保物权的情形的。后者是新增加的情形。

二是关于担保物权的性质。在立法中,对担保物权的性质曾有不同意见,对是否在物权法中规定担保物权制度也有不同看法。一种观点认为,担保物权本质是一种债权,不是物权,不应当放入物权法中。本法规定担保物权,主要基于以下考虑:

1. 担保物权具有物权的特点。物权的本质特点是支配性,支配性不仅体现在对物的占有和处分上,还体现在对物的交换价值的支配和对物的处分行为的控制。担保物权人对担保财产的交换价值具有支配性,他可以在没有义务人配合的情况下,拍卖、变卖担保财产。而且,未经担保物权人同意,担保人不能擅自处分担保财产,本法对此做了明确规定,例如第一百九十条第二款规定,抵押期间,抵押人未经抵押权人同意,不得转让抵押财产,但受让人代为清偿债务消灭抵押权的除外。也就是说,担保财产仍在担保物权人的控制之下。这就如在所有权与使用权分离的情况下,并不因为分离而否认所有权人对物的权利是物权。这恰恰体现了物权的重要特点。此外,将担保物权作为一种物权对待,是对其功能和作用的认可,是对债权保护的加强。

2. 担保物权依附于主债权,但从功能上讲,又独立于主债权。最能体现这一点的就是担保物权具有优先受偿性,优先于一般债权或者其他权利受偿,这就是物权对于债权的优先效力。

3. 基于现实的考虑。理论是为实践服务的,任何理论都不能脱离现实。国内民法学说通识及司法实践均认可了担保物权是物权。立法如不认识到这一点,而是另起炉灶,推倒大多数的共识,将浪费立法资源,降低立法效率,对于物权法通过后的普法和执法都是不利的。

4. 从国外的立法例看,确实有的国家没有将担保物权放于物权编,例如法国将担保物权放在保护权利的各种方法中,但需注意的是,法国民法典立法时,并没有严格意义上的物权和债权区分。之后的其他国家民法典立法,基本上都将担保物权放于物权编中。

三是是否规定让与担保。让与担保指为了担保债权的实现，债务人或第三人将自己财产的所有权转让给债权人，但不转移财产的占有，债务人履行债务后，债权人将该财产的所有权返还给债务人或第三人，不履行债务的，债权人有权就该财产优先受偿。这种制度的核心是债权人以取得担保财产的所有权来担保自己的债权受偿。在立法中，对是否规定让与担保有不同意见。有的认为，在物权法中规定让与担保可以为当事人提供更多的担保选择方式，有利于融资，也有利于交易。有的认为，不应规定让与担保制度，主要理由是：(1)让与担保是早期的担保形式，随着经济发展的需要，出现了抵押和质押担保。我国立法已规定了动产抵押和质押制度，让与担保的社会功能可通过这些制度替代，不必设立让与担保制度；(2)以动产设立让与担保，其公示问题难以解决，有可能损害第三人的利益；(3)在设立让与担保时，债务人与债权人之间可能存在共同欺诈行为，债务人有可能利用这种方式逃避债务；(4)目前，银行为普通的购房人提供住房分期贷款，购房人只有在偿还了所有的贷款之后，开发商才根据银行的要求为购房人办理产权过户手续；有的地方在购房人没有偿还贷款之前，开发商也为他们办理产权手续，但该产权证明必须质押在银行处，只有在全部贷款清偿完毕后，购房人才能得到产权证明。上述做法中都没有事先移转房屋的所有权。还有的认为，大陆法系国家的民法典通常只规定基本的、普遍的担保物权，新出现的或特殊的担保方式规定于民事特别法中。让与担保不属于基本的担保物权。而且，随着社会经济的不断发展，各种特殊的、非典型的担保形式将不断出现，将变动性和开放性较大的担保方式规定在物权法中，难以应付不断变动带来的修改难题。因此，宜以民事特别法规定让与担保，不宜由物权法规定。

物权法没有规定让与担保制度。主要考虑是：让与担保主要涉及动产担保，而物权法对动产担保已经做了较为全面的规定，如动产抵押、质押和留置,可以解决动产担保的需要。从国外的情况看,大多数国家没有在民法典物权法编中规定让与担保。因此,目前物权法暂不规定让与担保为宜。今后随着社会经济的不断发展,人们需要使用让与担保这种方式的,可以先进行实践加以摸索和完善,积累经验,将来以制定民事特别法的方式专门进行规范较为妥当。

第一百七十一条　债权人在借贷、买卖等民事活动中,为保障实现其债权,需要担保的,可以依照本法和其他法律的规定设立担保物权。

第三人为债务人向债权人提供担保的,可以要求债务人提供反担保。反担保适用本法和其他法律的规定。

【释义】　本条是关于担保物权适用范围及反担保的规定。

本条第一款明确了担保物权的适用范围。担保物权的适用范围是指本法规定的担保物权可以适用的领域。本款将担保物权的适用范围限定在借贷、买卖等民事活动中发生的债权债务关系。我国担保法第二条第一款规定,在借款、买卖、货物运输、加工承揽等经济活动中,可以设定担保。与担保法的规定相比,本法对担保物权适用范围的规定要宽一些,不仅可以适用于经济活动,还可以扩展到产生债权债务关系的其他民事活动中。

正确理解本条第一款对适用范围的规定,应当注意以下几点:第一,担保物权适用于民事活动,不适用因国家行政行为(如税款)、司法行为(如扣押产生的费用)等不平等主体之间产生的关系。这是由担保物权本身的性质所决定的,担保物权是平等主体之间为确保债权的实现而设定的。第二,为了引导当事人设定担保物权,本法列举了借贷、买卖两种典型的可以设定担保物权的民事活动,但可以设定担保物权的民事活动很广泛,并不仅限于这两种民事活动。在其他民事活动中,如货物运输、加工承揽、无因管理、补偿贸易等都可以设定担保物权。第三，在立法中，对是否允许设定担保物权担保因侵权行为产生的债权有不同意见。我们认为，因侵权行为产生的债权不能用事先设定担保物权的方式加以保障，但因侵权行为已经产生的债权，属于普通债权的范围，可以用设定担保物权的方式确保债权的实现。第四，本条第一款规定，可以依照本法和其他法律设立担保物权。这里的"其他法律"主要指担保法、海商法、民用航空法等法律，担保法对担保物权做了较为全面的规定，海商法、民用航空法也对船舶抵押权、航空器抵押权等做了规定。因此，设立担保物权还应当依据这些特别法。为妥善处理担保法与物权法的关系，本法第一百七十八条明确规定，担保法与本法的规定不一致的，适用本法。

本条第二款对反担保做了规定。反担保是指替债务人提供担保的第三人，为了保证自己的追偿权得到实现，可以要求债务人为自己追偿权的实现提供担保。反担保是第三人保护自己合法权益的必要手段，是担保活动中普遍使用的方法。在由第三人提供担保物权的债权债务关系中，在债务人未清偿到期债务或者出现当事人约定的可以实现担保物权的情形时，提供担保财产的第三人应当承担担保责任，债权人可以就第三人提供的担保财产实现自己的债权。第三人则成为债务人的新债权人，其有权向债务人追偿。第三人为保障自己追偿权的实现，可以要求债务人向自己提供担保，这里的担保可以是债务人或者其他人提供的担保物权，也可以是其他人提供的保证。比如，甲为债务人乙向债权人丙提供担保物权，同时要求乙提供反担保，以确保自己追偿权的实现。需要强调一点，第三人替债务人向债权人提供的担保物权是为了实现债权而设立，反担保也是为了实现债权而设立，只不过在同一法律关系中，第三人承担担保责任后，成为债务人的新债权人而已。反担保的设立程序实质与设立担保物权一样，因此，本款规定，反担保适用本法和其他法律的规定。

第一百七十二条　设立担保物权，应当依照本法和其他法律的规定订立担保合同。担保合同是主债权债务合同的从合同。主债权债务合同无效，担保合同无效，但法律另有规定的除外。

担保合同被确认无效后，债务人、担保人、债权人有过错的，应当根据其过错各自承担相应的民事责任。

【释义】　本条是关于担保合同从属性以及担保合同无效后法律责任的规定。

担保物权的一个重要特点就是其附随于主债权债务关系，没有主债权债务关系的存在，担保关系也就没有了存在以及实现的可能和价值。体现主债权债务关系的主要是主债权债务合同，体现担保关系的主要是担保合同。担保合同关系必须以主债权债务合同关系的存在为前提。从这个意义上讲，担保合同是主债权债务合同的从合同。对于担保物权的附随性，许多国家都做了规定。我国担保法第五条也明确规定，担保合同是主合同的从合同。物权法的规定基本继承了担保法的规定。

根据民法通则第五十八条、合同法第五十六条的规定，无效的合同从订立时就失去法律效力，当事人在合同中约定的权利义务关系自然就归于无效。同样的道理，在担保物权中，主债权债务关系无效后，其约定的权利义务关系就不存在了。根据担保关系的附随性，作为从合同的担保合同自然也归于无效。我国担保法第五条对此明确规定，担保合同是主合同的从合同，主合同无效，从合同无效。本条第一款在担保法的基础上规定，设立担保物权，应当依照本法和其他法律的规定订立担保合同。担保合同是主债权债务合同的从合同。主债权债务合同无效，担保合同无效，但法律另有规定的除外。需要指出的是，担保合同随主债权债务合同无效而无效只是一般规则，并不是绝对的，在法律另有规定的情况下，担保合同可以作为独立合同存在，不受主债权债务合同效力的影响。例如,在本法规定的最高额抵押权中,最高额抵押合同就具有相对的独立性。在连续的交易关系中,其中一笔债权债务无效,并不影响整个最高额抵押合同的效力。主债权债务合同无效后,担保人仍应对无效后债务人所应承担的法律后果承担担保责任。基于此,本条第一款专门规定“但法律另有规定的除外”。这样规定既是为了适应现实的需要,也为以后担保物权制度的发展留下一定的空间。

在立法中,对是否允许当事人约定主债权债务合同无效,担保合同仍有效的问题,有不同意见。有的认为,应当允许。主要理由是:一是尊重当事人意思自治,尊重合同自由的需要;二是根据我国担保法第五条的规定,当事人可以约定,主债权债务合同无效的,担保合同有效。在没有特别理由的情况下,物权法应当尽量与担保法的规定一致。有的认为,担保合同严格附随于主债权债务合同,允许当事人作这样的约定就破坏了这一原则。建议禁止当事人作这样的约定。我们认为,担保物权依附于主债权债务而存在,没有主债权债务,就没有担保物权。法律如果允许当事人做出主债权债务合同无效,担保合同仍有效的约定,那么,即使不存在主债权债务,担保人也要承担担保责任。这不但对担保人不公平,而且可能导致欺诈和权利的滥用,还可能损害其他债权人的利益。我国担保法调整的范围除了包括抵押权等物权性担保方式外,还包括保证、定金等非物权性担保方式,担保法允许约定的情形是针对国际贸易中通行的见索即付、见单即付的保证合同。物权法只调整抵押权等物权性担保,不在物权法中作这样的规定是合适的。

在主债权债务合同无效导致担保合同无效的情形下,虽然不存在履行担保义务的问题,但债务人、担保人或者债权人并非不承担任何法律后果。根据民法通则第六十一条、合同法第五十八条的规定,合同无效后,因该合同取得的财产,应当予以返还;不能返还或者没有必要返还的,应当折价补偿。有过错的一方应当赔偿对方因此受到的损失,双方都有过错的,应当各自承担相应的责任。同样的道理,在主债权债务合同无效,担保合同被确认无效的情况下,如果债务人、担保人或者债权人对合同的无效有过错的,应当根据其过错各自承担相应的民事责任。这里的"相应的民事责任"指当事人只承担与其过错程度相当的民事责任。例如,担保合同无效完全是由于债务人的欺诈行为导致主债权债务合同无效造成的,则过错完全在债务人,责任应完全由债务人自己承担。

需要特别强调的是,导致担保合同无效的原因很多,主债权债务合同无效导致担保合同无效只是原因之一。在主债权债务合同有效的情况下,担保合同也有可能无效。例如,担保合同违反社会公共利益或者国家利益的无效,担保合同因债权人与债务人的恶意串通而无效,等等。也就是说,判断担保合同是否有效,不能仅以主债权债务合同是否有效为标准,还要看担保合同本身是否有合同法第五十二条规定的情形。在主债权债务合同有效,担保合同无效的情形下,债务人、担保人或者债权人对担保合同无效有过错的,也应当各自承担相应的民事责任。在这种情况下,如果是债务人为担保人的情况下,不发生问题,只是主债权失去担保,其对担保合同无效有过错的,应当对债权人承担过错责任;如果第三人为担保人的,担保人不再承担责任,但担保人对担保合同无效有过错的,其对债务未能履行的部分,承担相应的过错责任。最高人民法院在关于担保法的司法解释中就规定,主合同有效而担保合同无效,债权人无过错的,担保人与债务人对主合同债权人的经济损失,承担连带赔偿责任;债权人、担保人有过错的,担保人承担民事责任的部分,不应超过债务人不能清偿部分的二分之一。

第一百七十三条　担保物权的担保范围包括主债权及其利息、违约金、损害赔偿金、保管担保财产和实现担保物权的费用。当事人另有约定的,按照约定。

【释义】 本条是关于担保物权的担保范围的规定。

担保物权的担保范围是指担保人所承担的担保责任范围。我国1995年颁布的担保法分别在第四十六条、第六十七条、第八十三条对抵押权、质权和留置权的担保范围做了规定。第四十六条规定，抵押担保的范围包括主债权及利息、违约金、损害赔偿金和实现抵押权的费用。抵押合同另有约定的，按照约定。第六十七条规定，质押担保的范围包括主债权及利息、违约金、损害赔偿金、质物保管费用和实现质权的费用。质押合同另有约定的，按照约定。第八十三条规定，留置担保的范围包括主债权及利息、违约金、损害赔偿金、留置物保管费用和实现留置权的费用。本法在这三条规定基础上对担保物权的担保范围做了统一规定，使条文的内容更全面，文字更简洁，概括性更强。

根据本条规定，担保物权的担保范围包括：

（一）主债权

主债权指债权人与债务人之间因债的法律关系所发生的原本债权，例如金钱债权、交付货物的债权或者提供劳务的债权。主债权是相对于利息和其他附随债权而言，不包括利息以及其他因主债权而产生的附随债权。

（二）利息

利息指实现担保物权时主债权所应产生的一切收益。一般来说，金钱债权都有利息，因此其当然也在担保范围内。利息可以按照法律规定确定，也可以由当事人自己约定，但当事人不能违反法律规定约定过高的利息，否则超过部分的利息无效。

（三）违约金

违约金指按照当事人的约定，一方当事人违约的，应向另一方支付的金钱。在担保行为中，只有因债务人的违约行为导致不能履行债务时，违约金才可以纳入担保物权的担保范围。此外，当事人约定了违约金，一方违约时，应当按照该约定支付违约金。如果约定的违约金低于造成的损失时,当事人可以请求人民法院或者仲裁机构予以增加;约定的违约金过分高于造成的损失的,当事人可以请求人民法院或者仲裁机构予以适当减少。所以在计算担保范围时,违约金应当以人民法院或者仲裁机构最终确定的数额为准。

(四)损害赔偿金

损害赔偿金指一方当事人因违反合同或者因其他行为给债权人造成的财产、人身损失而给付的赔偿额。损害赔偿金的范围可以由法律直接规定,或由双方约定,在法律没有特别规定或者当事人另有约定的情况下,应按照完全赔偿原则确定具体赔偿数额。赔偿全部损失,既包括赔偿现实损失,也包括赔偿可得利益损失,直接损失指财产上的现实减少,可得利益损失又称可得利益,指失去的可以预期取得的利益。可得利益范围的确定需要坚持客观的原则,根据合同法第一百一十三条的规定,当事人一方不履行合同义务或者履行合同义务不符合约定,给对方造成损失的,损失赔偿额应当相当于因违约所造成的损失,包括合同履行后可以获得的利益,但不得超过违反合同一方订立合同时预见到或者应当预见到的因违反合同可能造成的损失。在确定担保范围中"损害赔偿金"的数额时,也应当遵守这个原则。违约金与损害赔偿金都具有代替给付的性质。如果不将它们纳入担保物权的担保范围,就有可能纵容债务人不履行债务,对债权人的保护是不够的。

(五)保管担保财产的费用

保管担保财产的费用指债权人在占有担保财产期间因履行善良保管义务而支付的各种费用。根据本法第二百一十五条、第二百三十四条的规定,在担保期间,质权人和留置权人有妥善保管担保财产的义务。但这并不意味着保管的费用由质权人或者留置权负担,相反,债务人或者第三人将担保财产交由债权人占有的目的是为了向债权人担保自己履行债务,保管费用应当由债务人或者提供担保的第三人承担,否则不利于担保活动的进行,也不利于确保债权的实现。需要特别指出的是，只有在质押和留置中，“保管担保财产的费用”才被纳入担保物权的担保范围；在抵押中，抵押财产由抵押人自己保管，所以保管抵押财产的费用已由抵押人自己承担，自然也就不应纳入担保范围。

（六）实现担保物权的费用

实现担保物权的费用指担保物权人在实现担保物权过程中所花费的各种实际费用，如对担保财产的评估费用、拍卖或者变卖担保财产的费用、向人民法院申请强制变卖或者拍卖的费用等。之所以将实现担保物权的费用纳入法定担保债权的范围，主要基于以下考虑：实现担保物权的费用是由于债务人不及时履行债务导致的，这些费用理应由债务人承担，否则不利于保护担保物权人的利益。当然，担保物权人应本着诚实信用的原则实现担保物权，所花的费用也应当合理，对不合理的费用不应当纳入担保的范围。

对担保物权所担保的债权范围，当事人可以依照自己的意思进行约定。本条规定的“担保物权的担保范围包括主债权及其利息、违约金、损害赔偿金、保管担保财产和实现担保物权的费用”属于法定担保债权范围，当事人约定的效力优先于本条关于法定担保债权范围的规定，也就是说，当事人约定的担保物权的担保范围可以与第一款规定的范围不同，例如，当事人可以约定抵押权的担保范围只限于主债权、损害赔偿金、实现担保物权的费用，不包括利息。这是合同法的意思自治原则在担保物权中的一定体现。所以，本条还规定“当事人另有约定的，按照约定”。

第一百七十四条　担保期间，担保财产毁损、灭失或者被征收等，担保物权人可以就获得的保险金、赔偿金或者补偿金等优先受偿。被担保债权的履行期未届满的，也可以提存该保险金、赔偿金或者补偿金等。

【释义】　本条是关于担保物权物上代位性的规定。

物上代位性指担保物权的效力及于担保财产因毁损、灭失所得的赔偿金等代位物上,其是担保物权的重要特征。由于担保物权人设立担保物权并不以占有和利用担保财产为目的,而是以支配担保财产的交换价值为目的。所以,即使担保财产本身已经毁损、灭失,只要该担保财产交换价值的替代物还存在,该担保物权的效力就移转到了该替代物上。这种效力不但在抵押权上存在,在质权、留置权上也存在。我国担保法对担保物权的物上代位性做了明确规定,例如,担保法第五十八条规定,抵押权因抵押物灭失而消灭。因灭失所得的赔偿金,应当作为抵押财产。第七十三条规定,质权因质物灭失而消灭。因灭失所得的赔偿金,应当作为出质财产。最高人民法院在关于担保法的司法解释中也规定,在抵押物灭失、毁损或者被征用的情况下,抵押权人可以就该抵押物的保险金、赔偿金或者补偿金优先受偿。许多国家的民法典或者担保交易法也做了类似规定,例如,日本民法典规定,抵押权对债务人因其标的物变卖、租赁、灭失或者毁损而应受的金钱或其他物,也可行使。德国民法典规定,属于抵押权的标的物为土地所有人或自主占有人的利益提交利益时,抵押权扩及于对保险人的债权。本法在担保法和最高人民法院司法解释的基础上,借鉴国外的立法经验,对此做了更为明确、更全面的规定。与担保法的规定相比,本条增加规定了两方面的内容:一是扩大了代位物的范围。担保法只规定了赔偿金,本条不但规定了赔偿金,还规定了保险金或者补偿金等;二是本条规定了“被担保债权的履行期未届满的,也可以提存该保险金、赔偿金或者补偿金等”,担保法对此未作规定。

根据本条的规定,担保财产的代位物包括:第一,担保财产因第三人的侵权行为或者其他原因毁损、灭失时,担保人所获得的损害赔偿金。但是,如果担保财产是由于债权人的原因导致担保财产毁损、灭失的,根据本法第二百一十五条、第二百三十四条的规定，质权人、留置权人负有妥善保管质押财产的义务；因保管不善致使质押或者留置财产毁损、灭失的，应当承担赔偿责任，质权人、留置权人向出质人或者债务人支付的损害赔偿金不能作为担保财产的代位物。第二，保险金。担保人对担保财产保险的，因保险事故发生而致使担保财产毁损、灭失时，担保人可以请求保险人支付保险金。该保险金可以作为代位物。第三，补偿金。这里的补偿金主要指担保财产被国家征收时，担保人从国家得到的补偿金。本法第四十二条明确规定，征收单位、个人的房屋及其他不动产，应当给予拆迁补偿，维护被征收人的合法权益；征收个人住宅的，还应当保障被征收人的居住条件。例如城市居民将自己的房屋向银行做了抵押贷款，如果房屋被国家征收的，其所得的补偿金应当作为抵押物的代位物。

担保期间，担保财产毁损、灭失或者被征收等产生的法律后果就是担保物权人可以就担保人所得的损害赔偿金、保险金或者补偿金等优先受偿。在因担保财产毁损、灭失或者被征收产生代位物的时候，可能会出现两种情况：一种情况是担保物权人的债权已经到期或者出现当事人约定的可以实现担保物权的情形。在这种情况下，担保物权人当然可以立即在代位物上实现自己的优先受偿权；另一种情况是担保物权人的债权还没有到期。在这种情况下，代位物虽说是特定的，但毕竟已经货币化，担保物权人对其进行控制的可能性降低，其到期实现债权的可能性也会降低，为保障担保物权人的债权得以实现，担保物权人可以提前在代位物上实现自己的债权；如果担保物权人还希望保留自己的期限利益，也可以不立即在代位物上实现担保物权，而等到债权履行期届满，债务人不履行债务时再在代位物上优先受偿。担保人可以自己或者应担保物权人的要求向提存机构提存该保险金、赔偿金或者补偿金等。

担保物权的效力虽及于担保财产的代位物，但在某些情况下，代位物的给付牵涉到第三人，例如，对担保财产造成损害的侵权行为人。担保物权人是否可以直接向第三人请求支付损害赔偿金、保险金或者补偿金？有一种意见认为，为确保担保物权人的债权得以实现，如果债务确已经到期，担保物权人可以直接向第三人请求该代位物，但不得损害其他债权人的利益；如果债务没有到期，担保物权人可以请求第三人向提存机关提存该损害赔偿金、保险金或者补偿金。当然，如果担保物权人不能及时请求第三人提存的，担保物权人可以要求担保人提存；担保人拒绝提存的，担保物权人可以请求人民法院对损害赔偿金、保险金或者补偿金等采取保全措施。

第一百七十五条　第三人提供担保，未经其书面同意，债权人允许债务人转移全部或者部分债务的，担保人不再承担相应的担保责任。

【释义】　本条是关于债权人未经担保人同意允许债务人转移债务的法律后果的规定。

第三人提供担保财产一般是基于其与债务人之间的特殊信任关系或者对债务人的资产、信誉有所了解。所以，在担保关系中，一旦未经担保人同意，债务人擅自转移债务的，将给担保人带来较大风险，因为提供担保财产的第三人对新的债务人可能一无所知。设立担保物权虽主要是为保障债权的实现，但也要照顾到担保人的利益，特别是当担保人是债务人以外的第三人时，如何平衡担保人、担保物权人和债务人三者的利益就很重要。本条对债权人的权利行使进行了限制，明确规定，第三人提供担保，未经其书面同意，债权人允许债务人转移全部或者部分债务的，担保人不再承担相应的担保责任。这种限制不但是对担保人利益的保护，同时也是对债权人利益的保护。本规定较好地平衡了担保人、债务人和债权人的利益。

正确理解本条应当注意以下几点：一是本条只适用于第三人提供担保财产的情况，如果担保财产是由债务人自己提供的，除非债权人明确放弃担保物权或者债务的受让人明确表示愿意代为提供新的担保，否则债权人同意债务人转移债务的行为并不意味着债务人担保责任的免除。二是债权人允许债务人转移债务必须要经提供担保财产的第三人的书面同意，如果不是书面形式，而是其他形式，视为不存在担保人的同意。根据合同法第十一条的规定，书面形式是指合同书、信件和数据电文（包括电传、电报、传真、电子数据交换和电子邮件）等可以有形地表现所载内容的形式。三是本条规定的债务转移不但包括债务人将债务全部转移给他人，也包括将部分债务转移给他人。债权人许可债务人部分转移的，原债务人并不退出债务关系，只是其所应承担的债务额发生减少，新债务人与原债务人共同向债权人承担债务。部分转移债务的也必须经担保人同意，否则担保人对转移出去的部分债务不承担担保责任。四是未经担保人书面同意，债权人许可债务人转移全部债务的，可以免除担保人全部担保责任；债权人许可债务人转移部分债务的，可以免除担保人部分的担保责任，担保人不得要求免除全部担保责任。这就是本条中“不再承担相应的担保责任”的正确内涵。

第一百七十六条　被担保的债权既有物的担保又有人的担保的，债务人不履行到期债务或者发生当事人约定的实现担保物权的情形，债权人应当按照约定实现债权；没有约定或者约定不明确，债务人自己提供物的担保的，债权人应当先就该物的担保实现债权；第三人提供物的担保的，债权人可以就物的担保实现债权，也可以要求保证人承担保证责任。提供担保的第三人承担担保责任后，有权向债务人追偿。

【释义】　本条是关于物的担保与人的担保的关系的规定。

物的担保是以物担保债务的履行,包括本法规定的抵押权、质权和留置权;人的担保是以人的信誉担保债务的履行,指担保法规定的保证。对于被担保的债权上既有物的担保又有人的担保的情况下,应如何处理物的担保与人的担保的关系问题,有不同意见。有的认为,根据“物的担保优于人的担保”的理论,担保权人应当先行使担保物权,保证人只有在物的担保不足以清偿债务时,才承担补充责任。我国担保法体现了这一观点,担保法第二十八条第一款规定,同一债权既有保证又有物的担保的,保证人对物的担保以外的债权承担担保责任。也就是说,担保物权人没有权利选择优先行使物的担保或者人的担保,而必须先行使物的担保。还有的认为,物的担保与人的担保没有先后之分,在债务人不履行债务时,是先行使物的担保还是人的担保应由担保权人自己决定,法律不应当限制。这既有利于保护债权的实现,也尊重了债权人的意愿。

本法区分三种情况对物的担保与人的担保的关系做了规定:

1. 在当事人对物的担保和人的担保的关系有约定的情况下,应当尊重当事人的意思,按约定实现。这充分尊重了当事人的意愿。

2. 在没有约定或者约定不明确,债务人自己提供物的担保的情况下,应当先就物的担保实现担保权。因为,如果债权人先行使人的担保,保证人在履行保证责任后,还需要向最终的还债义务人——债务人进行追索。如果担保权人先行使物的担保,就可以避免保证人日后再向债务人行使追索权的烦琐,减少实现的成本和费用。而且,在债务人自己提供物的担保的情况下,要求保证人先承担保证责任,对保证人也是不公平的。

3. 在没有约定或者约定不明确,第三人提供物的担保,又有人的担保的情况下,应当允许当事人进行选择。这样规定主要是基于以下考虑:在没有约定或者约定不明确,第三人提供物的担保,又有人的担保的情况下,第三人与保证人处于担保人的平等地位,都不是还债的最终义务人，债务人才是最终义务人。因此，债权人无论是先实现物的担保还是先实现人的担保，物的担保人或者保证人都存在向债务人追索的问题。为保障债权人的债权得以充分实现，法律应当尊重债权人的意愿，允许担保权人在这种情况下享有选择权。

实践中，对同一债权，还可能出现债务人和第三人均提供了物的担保，还有第三人提供人的担保的情形。在这种情况下，是否要求债权人先行使债务人的物的担保？经研究，我们认为，无论是从公平的角度，还是从防止日后追索权的烦琐，节约成本的角度，债权人应当先行使对债务人的物的担保，否则保证人可以有抗辩权。

与本条相关的还有一个问题：即在多个担保人的情况下，其中一个担保人承担担保责任后，该担保人除了可以向债务人追偿外，是否可以向其他担保人追偿？对于这个问题争论很大，有的认为，为了平衡各担保人的利益关系，应当允许各担保人之间相互追偿，这也符合民法上的公平原则与诚实信用原则。本法对此没有明确规定，但我们研究认为，在当事人没有明确约定承担连带担保责任的情况下，规定各担保人之间相互追偿是不妥的，主要理由是：第一，理论上讲不通。除非当事人之间另有约定，各担保人之间没有任何法律关系的存在，要求各担保人之间相互追偿，实质是法律强行在各担保人之间设定相互担保。这意味着，没有履行担保义务的担保人除了为债务人提供担保外，还必须为其他担保人提供担保，这既违背担保人的初衷，也不合法理。第二，从程序上讲费时费力、不经济。在存在多个担保人时，债务人是最终责任人，担保人在承担担保责任后，应当直接向债务人追偿，如果可以向其他担保人追偿，意味着其他担保人承担责任后，还必须向最终责任人——债务人追偿，从程序上讲，这是不经济的。第三，履行了担保责任的担保人不能向其他担保人追偿恰恰是公平原则的体现。除非当事人之间另有规定，每个担保人在设定担保时，都明白自己面临的风险:即在承担担保责任后,只能向债务人追偿。如果债务人没有能力偿还,自己就会受到损失。这种风险就是担保人设定担保时最为正常的风险且可以预见到的风险,必须由自己承担。担保人希望避免这种风险,就应当在设定担保时进行特别约定。第四,向其他担保人追偿可操作性很差。向其他担保人追偿,首先面临的一个问题就是如何确定追偿的份额。在保证与担保物权并存的情况下确定份额是很难的,例如 A、B、C 三人分别对债权人的债权 1000 万元提供担保,A 提供的是价值 600 万元的房屋抵押,B 提供的是价值 200 万元的机器设备抵押,C 提供保证。现债权人要求 C 履行保证责任,C 在履行了 1000 万元的保证责任后,他应当向 A 和 B 追偿多少? 这是一个复杂的计算题。

第一百七十七条　有下列情形之一的,担保物权消灭:

(一)主债权消灭;

(二)担保物权实现;

(三)债权人放弃担保物权;

(四)法律规定担保物权消灭的其他情形。

【释义】 本条是关于担保物权消灭原因的规定。

担保物权的消灭原因因担保物权种类的不同而有所区别,我国担保法对抵押权、质权和留置权的消灭原因分别做了规定。担保法第五十二条规定,抵押权与其担保的债权同时存在,债权消灭的,抵押权也消灭。第五十八条规定,抵押权因抵押物灭失而消灭。因灭失所得的赔偿金,应当作为抵押财产。第七十三条规定,质权因质物灭失而消灭。因灭失所得的赔偿金,应当作为出质财产。第七十四条规定,质权与其担保的债权同时存在,债权消灭的,质权消灭。第八十八条规定,留置权因下列原因消灭:(一)债权消灭的;(二)债务人另行提供担保并被债权人接受的。本法在担保法规定的基础上,对担保物权消灭的共同原因做了归纳:

第一，因主债权的消灭而消灭。担保物权是从属于主债权的权利，主债权消灭的，担保物权也随之消灭。这里的“主债权消灭”是指主债权的全部消灭，根据担保物权的不可分性，主债权的部分消灭，担保物权仍然存在，担保财产仍然担保剩余的债权，直到债务人履行全部债务时为止。此外，这里的“主债权消灭”指客观效果，与因谁的清偿而导致“主债权消灭”无关。也就是说，债务人自己清偿债务的，担保物权消灭；第三人代债务人清偿债务导致主债权消灭的，担保物权也消灭。

第二，担保物权实现导致担保物权消灭。“担保物权实现”指债务人到期不履行债务时，债权人与担保人约定折价实现自己的债权或者拍卖、变卖担保财产，以拍卖、变卖担保财产所得的价款优先受偿。担保物权是为担保债权而设定的，担保物权实现就意味着担保物权人权利的实现，担保物权自然就归于消灭。但是需要强调的是，担保物权一旦实现，无论其所担保的债权是否全部清偿，担保物权都消灭。根据本法第一百九十八条、第二百二十一条、第二百三十八条的规定，担保物权实现后，未受清偿的债权部分可以要求债务人清偿，但这部分债权已无担保物权。

第三，债权人放弃担保物权导致担保物权消灭。这里的“放弃”是指债权人的明示放弃，明示放弃主要包括两种情形：一是债权人用书面的形式明确表示放弃担保物权，例如，债权人与债务人或者提供担保的第三人以签订协议的方式同意放弃担保物权。二是债权人以行为放弃。例如，因债权人自己的行为导致担保财产毁损、灭失的，视为债权人放弃了担保物权。在立法中，对是否规定债权人放弃担保物权导致担保物权消灭曾有不同意见。从国外的立法例看，对这一问题的处理确实有两种不同的做法，有的国家承认所有人抵押，如德国规定，放弃抵押权的，抵押权不消灭，抵押权归所有人享有；也有的国家规定，放弃担保物权导致担保物权消灭。我们认为，承认所有人抵押实际承认了抵押权的独立性，这与本法规定的担保物权的从属性相违背,所以本法采纳了后一种做法。

第四,法律规定的其他导致担保物权消灭的情形。这是一个兜底性条款,主要是指本法的其他条款或者其他法律规定的担保物权消灭的特殊情形或者专属于某一类担保物权的消灭原因,例如,本法第二百四十条规定,留置权人对留置财产丧失占有或者留置权人接受债务人另行提供担保的,留置权消灭。这就是留置权消灭的特殊原因。

第一百七十八条　担保法与本法的规定不一致的,适用本法。

【释义】　本条是关于担保法与本法效力衔接问题的规定。

本法对抵押权、质权、留置权这三种担保物权都做了规定。1995 年实施的担保法中也包括对这三种权利的规定,其中有的规定与本法的规定不一致。本法第四编"担保物权",是在担保法的基础上规定的,为进一步完善我国担保物权制度,增加的规定主要有:(1)经当事人书面协议,企业、个体工商户、农业生产经营者可以将现有的以及将有的生产设备、原材料、半成品和产品抵押;(2)正在建造的建筑物、船舶、航空器可以抵押;(3)基金份额可以质押;(4)应收账款可以质押。增加这些规定,有利于促进融资,发展经济。

此外,本法根据我国担保实践的发展,并借鉴国外的有益经验,还对担保法的有些条款做了修改。例如担保法第二十八条规定,同一债权既有保证又有物的担保的,保证人对物的担保以外的债权承担保证责任。这一规定已经不适合担保制度的发展,不利于保护债权人利益。因此,物权法第一百七十六条规定,被担保的债权既有物的担保又有人的担保,债务人不履行到期债务或者发生当事人约定的实现担保物权的情形的,债权人应当按照约定实现债权;没有约定或者约定不明确,债务人自己提供物的担保的,债权人应当先就物的担保实现债权；第三人提供物的担保的，债权人可以就物的担保实现债权，也可以要求保证人承担保证责任。

物权法在制定的过程中考虑到了与担保法的效力衔接需要专门处理，所以在本条做出了明确规定。

第十六章　抵　押　权

本章分两节,共二十九条,规定了一般抵押权和最高额抵押权。

第一节　一般抵押权

本节规定了什么是抵押权,哪些财产可以抵押,抵押权的设定、效力及实现。

第一百七十九条　为担保债务的履行,债务人或者第三人不转移财产的占有,将该财产抵押给债权人的,债务人不履行到期债务或者发生当事人约定的实现抵押权的情形,债权人有权就该财产优先受偿。

前款规定的债务人或者第三人为抵押人,债权人为抵押权人,提供担保的财产为抵押财产。

【释义】　本条是关于抵押权基本权利的规定。

抵押权是指为担保债务的履行,债务人或者第三人不转移财产的占有,将该财产抵押给债权人,债务人不履行到期债务或者发生当事人约定的实现抵押权的情形,债权人有权就该财产优先受偿。

抵押法律关系的当事人为抵押人和抵押权人,客体为抵押财产。抵押人指为担保债的履行而提供抵押财产的债务人或者第三人。抵押权人指接受抵押担保的债权人。抵押财产指抵押人提供的用于担保债务履行的特定的物。比如,甲向乙借款200万元人民币,为保证按时偿还借款,将自己的房屋抵押给乙。在这个法律关系中,甲既是债务人,又是抵押人;乙既是债权人,又是抵押权人;房屋是抵押财产。有时,提供抵押财产的人并非债务人,而是主合同之外的第三人,该第三人就是抵押人。比如甲向乙借款,丙将自己的汽车抵押给乙,作为甲向乙履行债务的担保。该种情况,丙为抵押人,乙为抵押权人。

抵押权具有以下几个特征:

(一)抵押权是担保物权

抵押权以抵押财产作为债权的担保,抵押权人对抵押财产有控制、支配的权利。所谓控制权,表现在抵押权设定后,抵押人未经抵押权人同意,不得处分抵押财产。所谓支配权,表现在抵押权人在抵押财产担保的债权已届清偿期而未受清偿,或者发生当事人约定的实现抵押权的情形时,有权依照法律规定,以抵押财产折价或者以拍卖、变卖抵押财产的价款优先受偿。

(二)抵押权是债务人或者第三人以其所有的或者有权处分的特定的财产设定的物权

作为抵押权客体的财产,必须是债务人或者第三人所有的或者依法有权处分的,对自己无所有权或者无处分权的财产不得设定抵押权。用于抵押的财产还应当是特定的。所谓特定的财产,可以是不动产,也可以是动产,不动产指不能移动或者移动后就会改变性质或者降低价值的物,如房屋、土地、林木。动产指不动产以外的物,如飞机、车辆、机器设备。抵押的财产不论是不动产还是动产,都必须是确定的、有具体指向的,比如,某栋房屋,某宗土地。财产不特定,无法登记和支配。传统的民法学理论认为,作为抵押权客体的物只能是不动产,而动产只能作为质权的标的。但是,随着经济的发展,人们越来越深刻地感到,作为担保物权的某些动产,不转移占有比转移占有更有利于经济活动的进行。比如运输车辆，如果不转移占有，在抵押担保期间，不仅所有权人仍然可以利用车辆创造价值，而且还免去了债权人对车辆的保管义务。因此，一些立法，规定了动产的抵押担保。比如，美国制定了动产抵押法。我国台湾地区制定了“动产担保交易法”。该“法”规定：动产担保交易，指就动产设定抵押。机器、设备、工具、原料、半制品、成品、车辆、农林渔牧产品、牲畜及总吨位未满 20 吨之动力船舶或未满 50 吨之非动力船舶，均得为动产担保交易之标的物。我国物权法规定的用于抵押的财产既可以是不动产，也可以是动产。

（三）抵押权是不转移标的物占有的物权

抵押权设定后，抵押人不必将抵押财产转移于抵押权人，抵押人仍享有对抵押财产的占有、使用和收益的权利。比如，债务人甲将自己所有的房屋作为担保财产抵押给乙，在抵押期间，甲仍可在该房屋内居住；或者将该房屋出租给他人，收取租金。

（四）抵押权人有权就抵押财产卖得价金优先受偿

优先受偿，指当债务人有多个债权人，其财产不足清偿全部债权时，有抵押权的债权人，可以优先于其他债权人而受到清偿。比如甲各欠乙、丙、丁 100 万元贷款，但向乙借款时将自己的房屋抵押，作为还款的担保。当甲破产，破产财产不足以清偿所欠的乙、丙、丁的债务时，乙可以要求就拍卖抵押房屋所得的价款优先受偿，而丙、丁只能在乙受偿后，就所余财产按比例受偿。

实现抵押权必须符合法律规定的条件。实现抵押权应当具备以下条件之一：一是债务清偿期满，债务人不履行义务。清偿期未满，抵押权人无权拍卖抵押财产优先受偿。二是发生当事人约定的实现抵押权的情形。比如债权人与债务人约定，贷款只能用于教学大楼的建设，改变贷款用途的，双方的借贷法律关系终止，债务人即刻归还已贷出款项，不能归还的，债权人可以拍卖债务人的抵押财产，就卖得的价款优先受偿。当双方约定的实现抵押权的条件成就，即使债务清偿期没有届满，抵押权人也有权拍卖、变卖抵押财产优先受偿。这后一个条件担保法没有规定，是物权法针对实践的需要所作的补充规定。这一规定对于保护债权人的利益更为有利。

第一百八十条　债务人或者第三人有权处分的下列财产可以抵押：

（一）建筑物和其他土地附着物；

（二）建设用地使用权；

（三）以招标、拍卖、公开协商等方式取得的荒地等土地承包经营权；

（四）生产设备、原材料、半成品、产品；

（五）正在建造的建筑物、船舶、航空器；

（六）交通运输工具；

（七）法律、行政法规未禁止抵押的其他财产。

抵押人可以将前款所列财产一并抵押。

【释义】　本条是关于抵押财产范围的规定。

根据本条规定，财产抵押必须符合两个条件：第一，债务人或者第三人对抵押财产有处分权；第二，是本条规定的可以抵押的财产。

债务人或者第三人对抵押财产有处分权包括：（1）债务人或者第三人是抵押财产的所有权人。（2）债务人或者第三人对抵押财产享有用益物权，法律规定该用益物权可以抵押。比如城市房地产管理法第三十一条规定，房地产转让、抵押时，该房屋占用范围内的土地使用权同时转让、抵押。第四十七条规定："依法取得的房屋所有权连同该房屋占用范围内的土地使用权，可以设定抵押权。""以出让方式取得的土地使用权，可以设定抵押权。"（3）债务人或者第三人根据法律、行政法规定，或者经过政府主管部门批准,可以将其占有、使用的财产抵押。比如《全民所有制工业企业转换经营机制条例》第十五条规定,国有企业根据生产经营的需要,对一般固定资产,可以自主决定出租、抵押或者有偿转让。对关键设备、成套设备或者重要建筑物,经政府主管部门批准,也可以抵押、有偿转让。

本条规定的可以抵押的财产包括:

(一)建筑物和其他土地附着物

建筑物包括住宅、体育馆等,但并非所有的建筑物都可以抵押,只有抵押人有权处分的建筑物才可以抵押。城市房地产管理法第四十七条规定,依法取得的房屋所有权可以设定抵押权。按照这一规定,私人建造或者购买的住宅、商业用房;集体所有的乡镇企业厂房;企事业单位自建和购买的工商业用房、职工住房等,只要取得了所有权,就可以抵押。对于产权属于全民所有的房屋,包括国家确定给国家机关、社会团体、全民所有制企事业单位、军队使用的全民所有的房屋,未经依法批准,使用单位不得抵押。

其他土地附着物,指附着于土地之上的除房屋以外的不动产。包括桥梁、隧道、大坝、道路等构筑物,以及林木、庄稼等,比如,房前屋后属于公民个人所有的树木,公民个人在自留山、自留地和荒山、荒地、荒坡上种植的林木、农作物,集体所有的用材林、经济林、防护林、炭薪林,机关、团体、部队、学校、厂矿、农场、牧场等单位种植的林木等。

(二)建设用地使用权

宪法规定:"城市的土地属于国家所有。"这一规定表明,我国城市土地的所有者是国家,其他任何组织或者个人对其所占用的城市的土地没有所有权,只有使用的权利。我国1982年宪法第十条第四款规定:"任何组织或者个人不得侵占、买卖、出租或者以其他形式非法转让土地。"随着改革开放发展,为了开发土地资源,合理利用土地,1988年的宪法修正案第二条删除了1982年宪法关于不得出租土地的规定，并补充规定："土地的使用权可以依照法律的规定转让。"依据宪法，土地管理法对建设用地使用权做了规定。建设用地使用权是权利主体依法对国家所有的土地享有的占有、使用和收益的权利。按照现行法律规定，取得建设用地使用权主要有以下几种方式：(1)通过无偿划拨取得。即国家将国有土地依法确定给全民所有制单位、集体所有制单位或者个人使用。(2)通过出让取得。即国家将国有土地使用权在一定年限内出让给土地使用者，由土地使用者向国家支付土地使用权出让金。目前，出让国有土地使用权主要采取协议、招标、拍卖方式。(3)通过有偿转让取得。即土地使用者，将以出让方式获得的国有土地使用权，依法办理有关手续后，转移给他人使用。建设用地使用权取得的方式不同，权利人享有的处分权也不同，建设用地使用权可否抵押，取决于法律是否赋予权利人处分的权利，对此，我国的一些法律做了规定，比如，城市房地产管理法第四十七条规定，依法取得的房屋占用范围内的土地使用权，以及以出让方式取得的土地使用权，可以设定抵押权。对于法律不允许抵押的建设用地使用权，不可以作为抵押标的物。

（三）以招标、拍卖、公开协商等方式取得的荒地等土地承包经营权

宪法第十条规定："农村和城市郊区的土地，除由法律规定属于国家所有的以外，属于集体所有；宅基地和自留山、自留地，也属于集体所有。"集体所有的土地可否抵押，一直有不同意见，为了鼓励承包开发"四荒"地，解决承包开发荒地的资金短缺，担保法允许以"四荒"地的土地使用权抵押。担保法第三十四条规定，抵押人依法承包并经发包方同意抵押的荒山、荒沟、荒丘、荒滩等荒地的土地使用权可以抵押。物权法第一百三十三条规定，通过招标、拍卖、公开协商等方式承包荒地等农村土地，依照农村土地承包法等法律和国务院的有关规定，其土地承包经营权可以抵押。

该条规定的荒地，包括荒山、荒沟、荒丘、荒滩。物权法的规定与担保法的规定精神基本一致。按照本条规定，只要是通过招标、拍卖、公开协商方式承包荒地，不论承包人是本集体经济组织成员，还是本集体经济组织之外的单位或者个人，都可以依法将荒地的承包经营权抵押。

（四）生产设备、原材料、半成品、产品

生产设备包括：工业企业的各种机床、计算机、化学实验设备、仪器仪表设备、通讯设备，海港、码头、车站的装卸机械，拖拉机、收割机、脱粒机等农用机械等。

原材料指用于制造产品的原料和材料，比如用于炼钢的铁矿石，用于造纸的纸浆，用于生产家具的木料，用于制作面粉的小麦，用于建设工程的砖、瓦、沙、石等。

半成品指尚未全部生产完成的产品，比如尚未组装完成的汽车，尚未缝制纽扣的服装，尚未成熟的农作物等。

产品指生产出来的物，比如汽车、轮船等交通工具，仪表、仪器、机床等生产设备，电视机、电冰箱、大米、白面等生活用品。

担保法规定的可以抵押的财产主要是不动产，没有明确规定原材料、半成品、产品可以抵押。立法过程中对于是否限定动产抵押的范围曾有不同意见：一种意见认为，动产抵押的范围不宜过宽，理由是：(1)从境外的立法看，大多数国家和地区的动产抵押的范围限于大型机器设备、交通运输工具等经济价值比较大的动产。我国担保法实施十几年，设立抵押的动产也主要是机器设备、交通运输工具等价值较大的物，以其他动产抵押的比较少。(2)动产种类繁多，便于移动，公示问题难以解决，不对动产抵押作限制，会增加市场风险，不利于保护抵押权人和买受人的利益。另一种意见认为，对动产抵押的范围不宜作限制，理由是：(1)扩大动产抵押的范围，有利于当事人融资，特别是广大农村，土地承包经营权和宅基地使用权都不能抵押，农民用于融资担保的只有动产,限制动产抵押的范围,不利于农村经济的发展。(2)扩大动产担保范围是现代担保法的发展趋势。目前,无论是英美法系国家的立法,还是联合国国际贸易法委员会和世界银行的动产担保示范法,都对动产抵押持开放态度,即使在法律中没有规定动产抵押或者动产抵押范围相当窄的大陆法系国家,在司法实践中也通过让与担保制度予以弥补。(3)担保法规定了动产抵押,实施十几年并没有发生太大的问题。至于动产抵押的公示问题,可以通过制度设计解决。经对上述意见反复研究,物权法从解决生产者,特别是农业生产者贷款难的实践需要出发,规定生产设备、原材料、半成品、产品可以抵押。

(五)正在建造的建筑物、船舶、航空器

担保法没有明确规定在建的建筑物、船舶、航空器可以抵押。实践中,建设工程往往周期长、资金缺口大,以正在建造的建筑物、船舶、航空器作为贷款的担保,对于解决建设者融资难,保证在建工程顺利完工具有重要作用,为此,物权法增加规定在建的建筑物、船舶、航空器可以抵押。

(六)交通运输工具

交通运输工具包括:飞机、船舶、火车、各种机动车辆等。

(七)法律、行政法规未禁止抵押的其他财产

这是一项兜底性规定,以适应不断变化的经济生活需要。这项规定表明,以前六项规定以外的财产抵押,必须同时具备两个条件:(1)不是法律、行政法规规定禁止抵押的财产;(2)债务人或者第三人对该财产有处分权。

抵押人可以将前款所列财产一并抵押。这是关于企业财产集合抵押的规定。根据该款规定,企业可以将企业的动产、不动产及其某些权利作为一个整体进行担保,比如,将厂房、机器设备、库存产成品、工业产权等财产作为总资产向银行抵押贷款。但是,企业将财产一并抵押时,各项财产的数量、质量、状况和价值都应当是

明确的。

第一百八十一条 经当事人书面协议,企业、个体工商户、农业生产经营者可以将现有的以及将有的生产设备、原材料、半成品、产品抵押,债务人不履行到期债务或者发生当事人约定的实现抵押权的情形,债权人有权就实现抵押权时的动产优先受偿。

【释义】 本条是关于浮动抵押的规定。

浮动抵押指权利人以现有的和将有的全部财产或者部分财产为其债务提供担保。债务人不履行到期债务或者发生当事人约定的实现抵押权的情形,债权人有权就约定实现抵押权时的动产优先受偿。比如企业以现有的以及未来可能买进的机器设备、库存产成品、生产原材料等动产担保债务的履行。抵押权设定后,抵押人可以将抵押的原材料投入成品生产,也可以卖出抵押的财产。当发生债务履行期届满未清偿债务、抵押人被宣告破产或者被撤销、当事人约定的实现抵押权的情形成就或者严重影响债权实现的情形时,抵押财产确定,也就是说此时企业有什么财产,这些财产就是抵押财产。抵押财产确定前企业卖出的财产不追回,买进的财产算作抵押财产。抵押人以其全部财产设定浮动抵押的,只需要在登记时注明以全部财产抵押,即对抵押财产作概括性描述,不必详列抵押财产清单。以部分财产抵押的,则需要列明抵押的财产的类别。浮动抵押具有不同于固定抵押的两个特征:第一,浮动抵押设定后,抵押的财产不断发生变化,直到约定或者法定的事由发生,抵押财产才确定。第二,浮动抵押期间,抵押人处分抵押财产不必经抵押权人同意,抵押权人对抵押财产无追及的权利,只能就约定或者法定事由发生后确定的财产优先受偿。

浮动抵押源于英国的衡平法。1870 年,英国上诉法院在判决中认为,公司可以抵押现有的和将来取得的全部财产,但抵押权人不得干预公司的经营管理。自此,浮动抵押制度正式确立。该制度在印度、巴基斯坦、澳大利亚、新西兰、马来西亚、新加坡等国家得到承认。大陆法系国家如芬兰、挪威、瑞典、日本和俄罗斯也借鉴英国浮动抵押制度,在民法或者商法上做出了相应的规定。美国、加拿大也建立了类似英国的浮动抵押制度的动产统一权益担保制度。国外关于浮动抵押的规定和做法不完全相同,主要表现在:

(1)设定浮动抵押的主体。在英国,只有公司才可以设定浮动抵押,自然人和合伙无权设立。日本法律规定,只有股份有限公司有权设定浮动抵押。北欧国家法律规定,任何公司均可以设定浮动抵押。美国、加拿大对设定主体没有限制。

(2)浮动抵押的财产。在英国,浮动抵押的财产可以是动产,也可以是不动产,只不过以不动产设定浮动抵押要另行登记。在美国浮动抵押的财产限于动产。

(3)设立的程序要件。日本法律规定,浮动抵押的设立和变更应当经公证,并在公司所在地的股份有限公司登记簿上登记,否则不生效力。英国公司条例规定,设定浮动抵押后,应当在21日内到公司登记署登记,不登记不得对抗第三人。

(4)浮动抵押担保的债权种类。日本法律规定,浮动抵押所担保的债权限于公司债。美国、加拿大对浮动抵押担保的债权种类未作限制。

(5)对债权人的保护。英国法律对保护债权人提供了以下措施:①实行接管。英国判例法规定,当担保权益受到威胁时,债权人有权向法院申请委派接管人接管公司。英国破产法规定,在公司资不抵债或者接管更有利于公司生存时,法院可以颁布接管命令,派人接管公司。法院的接管命令不导致浮动抵押转让为固定抵押,除非当事人约定,法院接管浮动抵押转为固定抵押。公司被接管期间,冻结所有债务清偿和担保的执行,接管人必须继续经营公司,拯救公司,拯救失败,债权人才可以用公司财产清偿债务。

②债权人行使对公司财产的控制权。英国法律规定,浮动抵押设定后,抵押人可以对公司财产进行经营管理和处分,但债权人有权根据约定,限制抵押人对公司财产处分或者自己直接介入公司的经营管理,控制公司财产。限制处分公司财产或者直接介入公司管理的约定对知道该约定的第三人有拘束力。此外,债权人可以向法院申请禁令,阻止抵押人以非正常经营方式处分公司财产。在美国,一旦债务人违约,债权人有权收回担保财产,包括以自力救济的方式收回担保物,并通过法律法院或者自行处理担保财产。

(6)实现抵押权的条件。英国法律允许当事人约定实现抵押权的条件,但为了防止当事人约定对债务人限制过多,影响债务人正常经营,同时规定下列行为不导致浮动抵押转让为固定抵押:①债务人违约。债务人违约不足以使浮动抵押转为固定抵押,只有债权人申请实现债权、公司合并、分立、停业、破产或者当事人约定的事件发生才导致转化。②债权人的付款请求。付款请求不足以使浮动抵押转为固定抵押,除非要求付款时表明实现抵押权的意图。美国、加拿大允许当事人约定实现浮动抵押的事由,一旦约定的事由出现,债权人即可实现抵押权。

(7)浮动抵押的优先效力。日本法律规定,固定抵押权、法定抵押权、质权优先于浮动抵押权。存在多个浮动抵押权的,登记在先的浮动抵押权优先于登记在后的浮动抵押权。英国法律规定,同一财产同时存在固定抵押和浮动抵押的,固定抵押优先,除非浮动抵押合同明确禁止再创设新的担保,并且后设立的固定抵押权人知道该禁止性的约定。税收、工资优先于浮动抵押受偿。浮动抵押期间,法院强制执行债务人财产以及其他债权人行使抵销权的,不受浮动抵押权的限制。美国法律规定,公司财产同时存在浮动抵押和固定抵押的,按照抵押权设立的先后顺序受偿。

(8)浮动抵押权的实现。英国法律规定,设立浮动抵押的债务人不能清偿债务时,抵押权人享有浮动抵押合同约定的所有救济手段，包括占有公司财产、出售担保财产、由接管人管理公司等。日本法律规定，债务人应当向法院申请实现浮动抵押权，法院根据抵押权人的申请做出执行裁定，同时宣布对公司财产进行扣押。法院做出执行裁定后，要选任财产管理人并进行公告。

我国物权法应否规定浮动抵押，立法过程中有不同意见，有的反对规定浮动抵押，理由是：(1)浮动抵押期间，抵押人可以自由处分抵押财产，由于抵押财产处于不确定状态，实现债权的风险很大。(2)浮动抵押制度有赖于良好的市场环境和社会信誉，我国正由计划经济向市场经济转型，变动较大，在这样的背景下规定浮动抵押不利于保护债权人的利益。

有的认为应当规定浮动抵押，理由是：(1)有利于企业融资，促进经济发展。企业可以用现有的和将有的财产抵押，大大拓展了企业的融资能力，特别是对于一些发展前景较好的中小企业，用作融资担保的不动产有限，浮动抵押制度可以为他们创造有利的发展条件。(2)有利于简化抵押手续，降低抵押成本。设定浮动抵押时，不需要对抵押财产的名称、数量、质量、状况、所在地制作详细目录表，只需要对抵押的财产进行概括性描述；抵押期间，企业处分财产不必经抵押权人同意，新增财产不需要办理任何手续即成为抵押财产。(3)有利于企业正常经营。浮动抵押设定后，如果没有约定或者法定事由，抵押人可以对抵押财产行使占有、使用、收益和处分的权利，抵押权人不得对企业正常的经营活动进行干涉。(4)可以补充传统抵押的不足。传统抵押强调担保财产的特定性、担保财产的价值可预测性和保全性，但灵活性和融资性功能不足，而浮动抵押解决了这一问题。(5)符合国际通行做法。现在有相当多的国家实行了浮动抵押，经济全球化的大趋势，要求在法律制度上与国际做法相一致。(6)实践的需要。近些年一些公司已开始运用浮动抵押制度融资，特别在国际项目融资中，浮动抵押制度得到了广泛应用，许多商业银行也强烈呼吁尽早建立浮动抵押制度。经对上述意见和国内外做法反复研究,物权法规定了浮动抵押制度。

按照本条规定,设立浮动抵押应当符合下列条件:

第一,设立浮动抵押的主体限于企业、个体工商户、农业生产经营者。立法过程中,有的人认为,设立浮动抵押的主体应当限定为股份有限公司,理由是,浮动抵押最大的风险是抵押人恶意处分抵押财产,而抵押权人无法进行有效监控。股份有限公司的规模比较大,信誉比较好,而且有强制信息披露制度,将浮动抵押的主体限于股份有限公司可以减少风险,保护交易安全。有的人认为,在市场经济条件下,哪些主体能够设立浮动抵押,应当由当事人自己选择,不宜由法律做出限制。考虑到我国设立浮动抵押,主要是为了解决中小企业和农民贷款难,促进经济发展,因此,将设定浮动抵押的主体规定为企业、个体工商户和农业生产经营者。企业可以是国有独资企业、合伙企业、个人独资企业、公司制企业,只要注册登记为企业的组织都可以设定浮动抵押。个体工商户是以个人或者家庭经营为主的经济单位,注册登记为个体工商户的,也都可以设立浮动抵押。农业生产经营者,主要指农村承包经营户,也可以是其他从事农业生产的人。除了上述三项主体,国家机关、社会团体、事业单位、非从事生产经营的自然人不可以设立浮动抵押。

第二,设立浮动抵押的财产限于生产设备、原材料、半成品、产品。对除此以外的动产不得设立浮动抵押,对不动产也不得设立浮动抵押。

第三,设立浮动抵押要有书面协议,该协议一般包括担保债权的种类和数额、债务履行期间、抵押财产的范围、实现抵押权的条件等。这里所说的抵押财产的范围并不要求详细列明,比如以全部财产抵押的,可以写“以现有的或者将有的全部动产抵押”;以部分财产抵押的,可以写“以现有的和将有的鱼产品、蔬菜、水果抵押”。本法不承认以口头形式订立的浮动抵押协议。

第四,实现抵押权的条件是不履行到期债务或者发生当事人约定的实现抵押权的事由。不履行到期债务,比如,债权人与债务人约定,债务人于 2006 年 12 月 31 日前归还债权人的贷款,但 2006 年 12 月 31 日 24 点前,债务人没有偿还债权人的贷款。发生当事人约定的实现抵押权的条件,比如债权人在贷款时与债务人约定,该贷款用于污水治理工程,不得挪作他用,挪作他用的,债权人有权收回贷款,不能收回的拍卖抵押的财产。如果发生了债务人改变贷款用途,又不能偿还贷款的情形,就可以实现抵押权。

第五,债权人有权就实现抵押权时的动产优先受偿。这一规定表达了三层意思:其一,抵押期间,抵押财产处于不确定状态。抵押人可以自由处分抵押财产,只有约定或者法定的实现抵押权的条件成就时,抵押财产才确定。其二,实现抵押权时确定的抵押财产与设立抵押权时的财产不必相同,通常也不会相同,对于抵押期间处分的财产不能追及,新增的财产要作为抵押财产,债权人就实现抵押权时确定的抵押财产享有优先受偿的权利。其三,同一财产既有浮动抵押,又有固定抵押的,实现抵押权所得的价款,按照本法第一百九十九条的规定清偿。

第一百八十二条　以建筑物抵押的,该建筑物占用范围内的建设用地使用权一并抵押。以建设用地使用权抵押的,该土地上的建筑物一并抵押。

抵押人未依照前款规定一并抵押的,未抵押的财产视为一并抵押。

【释义】　本条是关于房地产抵押关系的规定。

由于房屋具有依附土地存在的特性,房屋所有权依法转让,必然产生建设用地使用权是否一并转让的问题;同样,建设用地使用权依法转让,也会产生该土地上的建筑物是否一并转让的问题。

由于房地产的不可分性,我国在处理房地产关系时的一个重要原则就是“地随房走或者房随地走”。所谓“地随房走”就是转让房屋的所有权或者使用权时,建设用地使用权同时转让。所谓“房随地走”,就是转让建设用地使用权时,该土地上的房屋也应一并转让。这一原则也同样适用于抵押,在设定抵押权时,房屋的所有权和建设用地使用权应当一并抵押,只有这样,才能保证实现抵押权时,房屋和建设用地使用权同时转让。比如,某甲将自己购买的商品房抵押给某乙,与此同时,其房屋占用范围内的建设用地使用权也应一并抵押。又比如,某单位以出让方式取得了对某片土地的建设用地使用权,在建设用地的使用年限内,如果将该建设用地使用权抵押,在设定抵押权时,该土地上的房屋也应一并抵押。

尽管担保法第三十六条规定“以依法取得的国有土地上的房屋抵押的,该房屋占用范围内的国有土地使用权同时抵押。以出让方式取得的国有土地使用权抵押的,应当将抵押时该国有土地上的房屋同时抵押”。但实践中,还是出现了一些将房屋抵押,但不抵押建设用地使用权,或者抵押建设用地使用权,但不抵押房屋所有权的情况,甚至有的人将房屋所有权与建设用地使用权分别抵押给不同的人,从而引发抵押权实现的困境,使债权人的利益受到损害。针对这一问题,本条第二款规定:“抵押人未依照前款规定一并抵押的,未抵押的财产视为一并抵押。”也就是说,即使抵押人只办理了房屋所有权抵押登记,没有办理建设用地使用权抵押登记,实现房屋抵押权时,建设用地使用权也一并作为抵押财产。同样,只办理了建设用地使用权登记,没有办理房屋所有权抵押登记,实现建设用地使用权的抵押时,房屋所有权也一并作为抵押财产。

需要指出的是,本条规定的建筑物,主要指国有土地上的建筑物和乡(镇)、村企业的厂房等建筑物。本条规定的建设用地使用权,包括城市住宅和公共设施用地、工矿用地、交通水利设施用地、旅游用地、军事设施用地的使用权。

第一百八十三条　乡镇、村企业的建设用地使用权不得单独抵押。以乡镇、村企业的厂房等建筑物抵押的，其占用范围内的建设用地使用权一并抵押。

【释义】 本条是关于乡镇、村企业的建筑物和建设用地使用权抵押的规定。

我国对耕地实行特殊保护，严格限制农用地转为建设用地。除兴办乡镇企业和村民建设住宅经依法批准使用本农民集体所有的土地，或者乡镇、村公共设施和公益事业建设经依法批准使用农民集体所有的土地的外。任何单位和个人进行建设，需要使用土地的，必须依法申请使用国有土地。由于抵押权的实现会带来建设用地使用权转让的后果，对农村建设用地的抵押不作任何限制，可能出现规避法律，以抵押为名，目的在于将农村集体所有的土地直接转为城市建设用地的情况。为了从严控制农村集体所有的土地的转让，又为农村工业化发展创造必要的条件，本条规定："乡镇、村企业的建设用地使用权不得单独抵押。以乡镇、村企业的厂房等建筑物抵押的，其占用范围内的土地使用权一并抵押。"也就是说，乡镇、村企业不能仅以集体所有的建设用地使用权抵押，但可以将乡镇、村企业的厂房等建筑物抵押，以厂房等建筑物抵押的，其占用范围内的建设用地使用权一并抵押。法律虽然允许乡镇、村企业的建设用地使用权随厂房等建筑物一并抵押，但对实现抵押权后土地的性质和用途做了限制性规定。本法第二百零一条规定，以乡镇、村企业的厂房等建筑物占用范围内的建设用地使用权抵押的，实现抵押权后，未经法定程序不得改变土地所有权的性质和土地的用途。也就是说，即使乡镇、村企业的建设用地使用权随其厂房等建筑物被拍卖了，受让的土地仍然属于农村集体所有。如果该土地原为工业用途，未经有关部门批准，买受人不能将该土地用于商业、旅游和住宅建设。

第一百八十四条　下列财产不得抵押：

（一）土地所有权；

（二）耕地、宅基地、自留地、自留山等集体所有的土地使用权，但法律规定可以抵押的除外；

（三）学校、幼儿园、医院等以公益为目的的事业单位、社会团体的教育设施、医疗卫生设施和其他社会公益设施；

（四）所有权、使用权不明或者有争议的财产；

（五）依法被查封、扣押、监管的财产；

（六）法律、行政法规规定不得抵押的其他财产。

【释义】　本条是关于禁止抵押的规定。

根据本条规定，下列财产不得抵押：

（一）土地所有权

土地所有权包括国有土地的所有权，也包括集体所有土地的所有权。目前，我国法律没有规定对国有土地所有权可以抵押。集体所有土地分为农用地和建设用地，农用地除“四荒地”的承包经营权外，一般不允许抵押，建设用地大量的要依法转为国家所有。如果允许土地所有权抵押，实现抵押权后，必然带来土地所有权归属的改变，从而违反宪法和法律关于我国土地只能归国家或者集体所有的规定，因此，土地所有权不得抵押。

（二）耕地、宅基地、自留地、自留山等集体所有的土地使用权

我国是农业大国，农业是国民经济的基础，而用于种植粮、棉、油、菜等农作物的耕地则是基础的基础。目前，由于国家发展建设征用耕地和一些单位违法乱占耕地，使我国的耕地数量逐年减少。为了贯彻落实科学发展观，保证经济社会可持续发展，必须采取更严格的管理措施保护耕地，保障农业持续、稳定、协调发展。因此，本法禁止以耕地抵押。

宅基地是农民生活的必需和赖以生存的所在。立法过程中，关于宅基地使用权可否抵押一直存在不同意见。考虑到目前我国农村社会保障体系尚未全面建立，宅基地使用权是农民安身立命之本，从全国范围看，现在宅基地使用权的转让和抵押的条件尚不成熟。特别是农民一户只有一处宅基地，农村居民出卖、出租住房后再申请宅基地的不予批准，这一点与城市居民是不同的。农民一旦失去住房及其宅基地，将会丧失基本生存条件，影响社会稳定。为了维护现行法律和现阶段国家有关农村土地政策，本条禁止以宅基地占用范围内的土地使用权抵押。

自留地、自留山是农民作为生活保障的基本生产资料，带有社会保障性质，从保护广大农民根本利益出发，禁止以自留地、自留山的使用权抵押。

（三）学校、幼儿园、医院等以公益为目的的事业单位、社会团体的教育设施、医疗卫生设施和其他社会公益设施

担保法第三十七条规定，学校、幼儿园、医院的教育设施、医疗卫生设施不得抵押。物权法立法过程中，对这一规定曾有不同意见。有的认为，随着教育体制和医疗体制的改革，出现了越来越多的民办学校和医院。民办学校、幼儿园、医院国家投资少、融资需求大，又没有教育设施、医疗设施以外的其他财产作为融资的担保，仅靠捐助或者投资人的继续投入等方式筹资，难以满足要求。因此，应当将学校、幼儿园、医院分为公办或民办，允许民办学校、医院的教育设施、医疗卫生设施抵押。有的建议规定，学校、幼儿园、医院的教育设施、医疗卫生设施可以抵押，但实现抵押后，不得改变学校、医院的性质和用途。

经对上述意见反复研究，物权法没有改变担保法的规定，理由是：学校、幼儿园不论是公办的，还是民办的，都是为社会公益目的而设立的。民办教育促进法第三条规定，民办教育事业属于公益性事业，是社会主义教育事业的组成部分。学校、幼儿园的教育设

施是用来教书育人的，如果允许以学校的教育设施抵押，一旦实现抵押权，不仅办学目的难以达到，严重的可能造成学生失学，影响社会安定。从国家、民族的未来考虑，从维护社会安定出发，从教育的目的着眼，应当禁止以教育设施抵押。医院是为了保证公众健康而设立的，也是一种公益事业，如果允许以医疗设施抵押，一旦实现抵押权，就会影响公众看病、治病，不利于保障人民健康。需要说明的是，本条禁止抵押的，只是教育设施和医疗卫生设施，比如教学楼、实验室、教学用计算机、实验设备，医院门诊大楼、住院部、X 光机、CT 机、化验仪器。

除学校、幼儿园、医院外，其他社会公益设施也不得抵押，比如，不得将公共图书馆、科学技术馆、博物馆、国家美术馆、少年宫、工人文化宫、敬老院、残疾人福利基金会等用于社会公益目的的设施抵押。

（四）所有权、使用权不明或者有争议的财产

财产所有权是权利主体依法对自己的财产占有、使用、收益和处分的权利。财产使用权是依法对财产使用、收益的权利。如果一项财产的所有权或者使用权不明确，甚至是有争议的，将其抵押不仅可能侵犯所有权人或者使用权人的合法权利，而且可能引起矛盾和争议，使得社会关系更加紊乱。因此，所有权、使用权不明或者有争议的财产不得抵押。

（五）依法被查封、扣押、监管的财产

依法查封、扣押财产，指人民法院或者行政机关采取强制措施将财产就地贴上封条或者运到另外的处所，不准任何人占有、使用或者处分。依法监管的财产，指行政机关依照法律规定监督、管理的财产。比如海关依照有关法律、法规，监管进出境的运输工具、货物、行李物品、邮递物品和其他物品。对违反海关法和其他有关法律法规规定的进出境货物、物品予以扣留。依法被查封、扣押、监管的财产，其合法性处于不确定状态，国家法律不能予以确认和

保护。因此禁止以依法被查封、扣押、监管的财产抵押。

（六）法律、行政法规规定不得抵押的其他财产

这是一项兜底性规定。除本条前五项所列不得抵押的财产外，在设定抵押权时，还要看其他法律、行政法规有无禁止抵押的规定。

第一百八十五条　设立抵押权，当事人应当采取书面形式订立抵押合同。

抵押合同一般包括下列条款：

（一）被担保债权的种类和数额；

（二）债务人履行债务的期限；

（三）抵押财产的名称、数量、质量、状况、所在地、所有权归属或者使用权归属；

（四）担保的范围。

【释义】　本条是关于设立抵押权的规定。

设立抵押权是抵押人与抵押权人之间的法律行为，该种行为不仅要求当事人双方意思表示一致，还要求通过一定的法律形式表现出来，该种法律形式就是合同。合同有口头和书面之分，口头合同一般适用于数额不大或者即时结清的民事法律行为，对于比较重大、容易发生纠纷或者需经一段时间才能终结的民事法律行为，则应当采用比较严格的书面形式。抵押涉及的财产数额较大，法律关系比较复杂，而且要在一段时间内为债权担保，因此，本条要求采用书面形式订立抵押合同。

抵押合同一般包括以下内容：

（一）被担保债权的种类和数额

主债权的种类，主要指主债权是财物之债，还是劳务之债。财物之债，指以给付一定财物为内容的债。这里的财物可以是特定物，比如是某种文物；也可以是金钱或者其他替代物，比如一定数

量的金钱、钢材、大米等。劳务之债,指债务人提供一定的劳务为义务内容的债。这里的劳务,可以有一定的物化结果,比如承揽人提供的劳务;也可以没有一定的物化结果,比如承运人提供的劳务。主债权的数额,指主债权的财物金额,或者对劳动者支付的工资、劳务费。

(二)债务人履行债务的期限

债务履行期限,指债务人履行债务的最终日期。超过债务履行期限债务人未履行债务的,就产生以抵押财产折价或者拍卖、变卖抵押财产偿还债务的法律后果。比如债权人与债务人约定债务在2006年4月30日前履行,4月30日就是债务履行的期限,过了4月30日24点,债务人没履行债务的,债权人就有权实现抵押权。由于债务履行期限是担保责任的起点,因此,抵押合同对此应有明确规定。

(三)抵押财产的名称、数量、质量、状况、所在地、所有权归属或者使用权归属

抵押财产的名称,指抵押的是何种标的物,比如是房屋、建设用地使用权还是机器设备。数量,指抵押财产有多少,比如房屋几间,土地多大,机器设备有几台。质量,指抵押财产的品质,比如抵押财产的质量标准是什么。状况,指抵押财产的现时状态,比如抵押的汽车行驶了多少公里。所在地,指抵押财产现在何处。所有权归属或者使用权归属,指财产归谁所有或者由谁依法使用。

(四)担保的范围

抵押财产担保的范围包括主债权及利息、违约金、损害赔偿金和实现抵押权的费用。主债权,指抵押权所担保的债权,也即债权人与债务人之间因债的法律关系所发生的债权。比如金钱债权、交付货物的债权、提供劳务的债权。利息,指借贷合同中,借用人支付给出借人的报酬。利息可以是法定的,比如银行对某一种类的贷款依法应收取的利息;也可以是当事人约定的,比如甲借钱给

乙，约定偿还借款时加收10%的利息。违约金，指合同一方在不履行或不适当履行合同时，为违约行为支付的带有惩罚性或者补偿性的金钱。比如债务履行期届满债务人没有偿还所借金钱，为补偿债权人因此而受到的损失，或者为了惩罚债务人的违约行为，要求债务人支付主债权标的额3%的违约金。损害赔偿金，指债务人因不履行债务或者不适当履行债务给债权人造成损害而支付的赔偿费用。比如，合同约定甲应向乙交付钢材，但甲交付的钢材的质量不符合合同要求，为此乙要求甲赔偿。实现抵押权的费用，指抵押权人因行使抵押权而支出的费用。比如拍卖、变卖抵押财产的费用。

当事人可以在合同中约定抵押担保的范围只包括上述一项或几项，也可以约定对上述各项都承担担保责任。担保的范围依合同约定确定；当事人对担保的范围没有约定的，抵押人应当对主债权及其利息、违约金、损害赔偿金和实现担保物权的费用承担担保责任。

抵押是双方的法律行为，合同除包括前四项内容外，当事人之间可能还有其他认为需要约定的事项，比如抵押财产的保险责任由谁承担，抵押人如果提前偿还债权向谁提存，发生纠纷后是否申请仲裁等，这些内容也可以在协商一致的情况下在抵押合同中约定。

抵押合同应当具备前款规定内容，这对于确定抵押合同双方当事人的权利义务，明确各方责任是极其必要的。实际上，合同订立得越细致，对各方权利义务的保护就越充分。但在实践中，由于一些当事人的疏忽或者法律意识淡薄，一些法律要求在合同中订立的条款，当事人并没有订立。如果认为合同缺少某一项条款既归于无效，不利于经济活动的稳定和顺利进行，而且事实上，一些缺少法律形式要件的合同已被无争议得履行了。因此，本条对于合同内容的要求是指导性的，而不是强制性的。如果合同中缺少了法律要求的某项内容，当事人可以在订立合同后补正，一般说来，补正的时间越早越好。补正合同，当事人双方应当协商一致。

第一百八十六条　抵押权人在债务履行期届满前，不得与抵押人约定债务人不履行到期债务时抵押财产归债权人所有。

【释义】　本条是关于禁止流押的规定。

流押合同或者流押条款，指债权人在订立抵押合同时与抵押人约定，债务人不履行债务时抵押财产归债权人所有。本条规定与我国担保法的规定是一致的。担保法第四十条规定："订立抵押合同时，抵押权人和抵押人在合同中不得约定在债务履行期届满抵押权人未受清偿时，抵押物的所有权转移为债权人所有。"担保法这样规定，主要考虑在设立抵押权时，抵押人处于资金需求者的地位，一些抵押人出于急需，可能不惜以自己价值很高的抵押财产去为价值远低于该抵押财产的债权担保，比如，甲向乙借款 10 万元人民币，以自己价值 30 万元人民币的房屋抵押担保。如果允许抵押权人和抵押人在订立抵押合同时约定在债务履行期届满抵押权人未受清偿时，抵押财产归债权人所有，那么，一些抵押人为了眼前的急迫需要，就可能做出不利于自己的选择。这样的结果，不仅不利于保护抵押人的合法权益，也与民法规定的平等、公平的原则相悖。对于禁止流押的规定，一些人有不同的意见，他们认为：第一，禁止流押的规定违背当事人意思自治的原则。流押合同仅涉及抵押人与抵押权人，如果抵押人与抵押权人在没有欺诈、胁迫或者其他违法事由的情形下，自愿达成流押合同没有什么不可以。第二，流押合同的订立并非都对抵押人不公平。抵押财产的价值并非一成不变，有可能出现设立抵押时抵押财产的价值远远大于所担保的债权，而实现抵押权时抵押财产的价值却一落千丈，反而远远小于所担保的债权。尤其在我国市场经济尚不成熟时，政府对社会经济生活进行广泛的干预与管制，政府的许多政策常常在很大程度上决定了许多抵押财产的价格，而政府的决定往往变动不定，因此，抵押财产的价值大涨大跌的情形并非停留在学者的理论上。如果抵押权人就这些抵押财产与抵押人做了流押的约定，那么当抵押权实现时抵押财产价值跌落，债权人反而深受其害。第三，订立流押合同或者流押条款，可以使实现抵押权成本最小化。

物权法没有接受上述意见。理由是：第一，抵押权人与抵押人签订流押合同，从形式上看好像是自愿，但实质上是否自愿，是否没有胁迫是很难判断的。就像消费者与某些具有垄断地位的生产者、经营者签订的合同，形式上消费者都是自愿接受的，但他不接受又能如何呢？真正公平的意思自治必须通过制度保障。第二，禁止流押的规定不仅追求对抵押人的公平，也要保证对抵押权人公平，如果流押合同订立后，因抵押财产价格缩减导致债权无法满足，对债权人也是不公平的。当然有人会说，这是债权人愿意承担的风险。但事到临头，哪个债权人不会追悔莫及呢？这与股民在股市上赔本是一个道理。况且抵押权设立不是风险投资，完全可以用制度，公平地保障债权人和抵押人的合法权益。第三，流押合同订立后，当事人双方是否依照约定履行了合同，不履行的原因是什么，可能相当复杂，如果因抵押权人的原因造成债务不履行，抵押权人又可以将抵押财产直接转为自己所有，可能会引发更大的麻烦，带来当事人双方特别是债务人的更高的成本。流押合同看起来成本比较低，但如果低成本不能带来公平的、高质量的经济社会效益，宁可不要这个低成本，便宜的不一定都是好的，这个道理谁都明白。当然，在制度设计上需要做出改进，以使抵押权的实现程序更简便、高效、低成本。事实上，物权法做了这样的努力。物权法第一百九十五条规定，债务人不履行到期债务或者发生当事人约定的实现抵押权的情形时，抵押权人可以与抵押人协议以抵押财产折价或者以拍卖、变卖抵押财产的价款优先受偿。抵押权人与抵押人未就抵押权实现方式达成协议的，抵押权人可以请求人民法院拍卖、变卖抵押财产。按照这一规定：(1)抵押权的实现是可以低成本的。因当债务不履行或者发生当事人约定的实现抵押权的情形时，抵押人与抵押权人可以就实现抵押权的方式协议，而实现抵押权时协议，抵押财产的价格可以参照当时的市场价格确定，比流押合同依订立时的抵押财产价格确定更公平合理，因而也更容易为双方当事人接受。(2)简化了担保物权的实现程序。担保法规定抵押权人与抵押人就实现抵押权的方式达不成协议的，要向人民法院提起诉讼，而物权法规定，达不成协议的，可以直接请求人民法院拍卖、变卖抵押财产。(3)与国外大多数国家的规定一致。从国外立法看，无论是大陆法系国家的德国，还是英美法系的美国，都有禁止流押的规定。

第一百八十七条　以本法第一百八十条第一款第一项至第三项规定的财产或者第五项规定的正在建造的建筑物抵押的，应当办理抵押登记。抵押权自登记时设立。

【释义】　本条是关于不动产抵押登记的规定。

财产抵押是重要的民事法律行为，法律除要求设立抵押权要订立书面合同外，还要求对某些财产办理抵押登记，不经抵押登记，抵押权不发生法律效力。根据本条规定，需要进行抵押登记的财产为：(1)建筑物和其他土地附着物；(2)建设用地使用权；(3)以招标、拍卖、公开协商等方式取得的荒地等土地承包经营权；(4)正在建造的建筑物。抵押登记，便于债权人查看抵押财产的权属关系以及曾否抵押，以决定是否接受该财产抵押担保；可以使得实现抵押权的顺序清楚、明确，防止纠纷的发生；有利于保护债权人的合法权益，有利于经济活动的正常进行。

需要说明的是，该条规定与担保法的规定不完全一致。担保法第四十一条规定："当事人以本法第四十二条规定的财产抵押的，应当办理抵押物登记，抵押合同自登记之日起生效。”物权法之所以将“抵押合同自登记之日起生效”，修改为“抵押权自登记时设立”，主要考虑，抵押合同的订立是以发生物权变动为目的的原因行为，属于债权关系范畴，其成立、生效应当依据合同法确定。抵押权的效力，除要求抵押合同合法有效这一要件外，还必须符合物权法的公示原则。将抵押合同的效力和抵押权的效力混为一谈，不利于保护抵押合同当事人的合法权益。比如某甲与某乙订立了房屋抵押合同，但是拖着不与某乙办理抵押登记，随后又将该房屋抵押给了某丙，与某丙办理了抵押登记。根据本条规定，当某甲不履行债务时，由于某丙办理了登记享有抵押权，可以优先受偿，而某乙没有办理登记，不享有抵押权。如果认为不登记抵押合同不发生效力，那么，某乙不仅不能享有抵押权，连追究某甲合同违约责任的权利都丧失了，这不仅对某乙不公平，也会助长恶意损害他人权益的行为，不利于社会经济秩序的维护。因此，物权法有必要区分抵押合同效力和物权变动效力。

第一百八十八条　以本法第一百八十条第一款第四项、第六项规定的财产或者第五项规定的正在建造的船舶、航空器抵押的，抵押权自抵押合同生效时设立；未经登记，不得对抗善意第三人。

【释义】　本条是关于动产抵押效力的规定。

根据本条规定，以生产设备、原材料、半成品、产品、交通工具，正在建造的船舶、航空器抵押的，抵押权自抵押合同生效时设立；未经登记，不得对抗善意第三人。为什么以不动产抵押，应当办理抵押登记，不办理登记，抵押权不发生效力，而以动产抵押，抵押权不以登记为生效要件？主要原因在于：第一，我国有关法律规定某些交通运输工具的抵押采用登记对抗制度。比如民用航空法第十六条规定：“设定民用航空器抵押权，由抵押权人和抵押人共同向国务院民用航空主管部门办理抵押权登记；未经登记，不得对抗第三人。”海商法第十三条规定“设定船舶抵押权，由抵押权人和抵押人共同向船舶登记机关办理抵押权登记；未经登记的，不得对抗第三人。”第二，当事人采用不转移占有的抵押方式担保债权实现往往基于双方的信任，如果对这些动产抵押也要求进行抵押登记，可能会对当事人造成不方便，也会增加抵押人的费用，特别是我国幅员辽阔，在比较偏远的地区办理抵押登记会更加困难。此外，由于动产便于移动，即使办理了抵押登记，也不能保证所有权人不将已抵押的动产转让给他人。因此，本条对以生产设备、原材料、半成品、产品、交通工具，正在建造的船舶、航空器的抵押的没有采用登记生效制度，当事人以这些动产抵押的，可以办理抵押登记，也可以不办理抵押登记，抵押权不以登记为生效条件，而是自抵押合同生效时设立。但是，办理与不办理抵押登记的法律后果是不同的，未办理抵押登记的，不得对抗善意第三人。所谓不得对抗善意第三人，包括两方面含义：一是合同签订后，如果抵押人将抵押财产转让，对于善意取得该财产的第三人，抵押权人无权追偿，而只能要求抵押人重新提供新的担保，或者要求债务人及时偿还债务。二是抵押合同签订后，如果抵押人以该财产再次设定抵押，而后位抵押权人进行了抵押登记，那么，实现抵押权时，后位抵押权人可以优于前位未进行抵押登记的抵押权人受偿。而办理抵押登记的，抵押权具有对抗第三人的法律效力，也就是说，抵押财产登记后，不论抵押财产转移到谁手中，只要债务履行期届满债务人没有履行债务，抵押权人都可以就该抵押财产实现抵押权。同时还有先于未登记的抵押权人受偿的权利。由此可见，为了切实保障自己债权的实现，抵押权人最好进行抵押登记。

第一百八十九条　企业、个体工商户、农业生产经营者以本法第一百八十一条规定的动产抵押的，应当向抵押人住所地的工商行政管理部门办理登记。抵押权自抵押合同生效时设立；未经登

记，不得对抗善意第三人。

依照本法第一百八十一条规定抵押的，不得对抗正常经营活动中已支付合理价款并取得抵押财产的买受人。

【释义】 本条是关于动产浮动抵押登记的规定。

本条规定了三方面内容：

（一）浮动抵押的登记部门和登记地点

1. 登记部门

按照本条规定，以现有的以及将有的生产设备、原材料、半成品、产品抵押，应当向抵押人住所地的工商行政管理部门办理登记。立法过程中，有人提出，浮动抵押应当由公证机构办理登记。考虑到目前企业、个体工商户都在工商行政管理部门进行注册登记，工商部门掌握企业、个体工商户的各方面信息，省、市、县、乡几级又都设立了工商局（所），由其进行抵押登记对当事人方便，也有利于保护债权人的合法权益。而且现行担保法规定，以企业的设备和其他动产抵押的，抵押登记部门为财产所在地的工商行政管理部门。当然，现行担保法也规定，以其他财产抵押的，登记部门为抵押人所在地的公证部门。但我国公证制度正在改革，公证机构只在设区的市设立，当事人办理抵押登记可能要跑很远的路，不太方便。而且实践中企业、个体工商户设立浮动抵押的情形可能会多于农业生产经营者，我国物权法要推动统一登记制度的建立，动产的浮动抵押不宜再规定两个部门办理登记，统一由工商行政管理部门办理登记为妥。

2. 登记地点

物权法规定的登记地点与担保法规定不一致，担保法规定，以企业设备和其他动产抵押的，由财产所在地的工商部门办理抵押登记。考虑到动产易于移动，难以确定在哪个所在地登记，而抵押人住所地比较稳定，查询也比较方便。因此物权法规定在抵押人住所地办理浮动抵押登记。

（二）浮动抵押权的效力

抵押登记，可以使抵押财产的潜在买受人明晰财产的物上负担，以避免交易风险，可以使债权人查看抵押财产的权属关系以及曾否抵押过，以决定是否接受该财产抵押担保，也可使得实现抵押权的顺序清楚明确，预防纠纷发生，对于保护债权人和善意第三人的合法权益和经济活动的正常进行具有重要意义。因此，设立抵押权应当办理登记。但是，考虑到浮动抵押的标的是现有的和将有的动产，抵押财产处于不确定状态，债权人同意接受浮动抵押往往是基于对抵押人的信任，如果强制浮动抵押登记，规定不登记抵押权不生效力，可能会对当事人造成不便，也会增加抵押人的费用。特别是浮动抵押主要是解决中小企业、个体工商户、农业生产经营者贷款难，他们本身缺乏资金，一些人又处于比较偏远的地区，办理抵押登记会有一定困难，因此，本条规定浮动抵押权自合同生效时设立，未经登记不得对抗善意第三人。也就是说，浮动抵押权不以登记为生效条件，而是自合同生效时设立，合同生效后，即使当事人没有办理登记，债务人不履行债务时，抵押权人仍然可以就实现抵押权的价款优先受偿。但是，办理与不办理抵押登记的法律后果是不同的，如果未办理抵押登记，浮动抵押的财产被再次设定抵押权的，后位的已登记的抵押权人，只要不知道也不应当知道该财产已被抵押的事实，就可以就该抵押财产优先于前位抵押权人受偿。为了保护自己的合法权益，浮动抵押权人还是应当办理抵押登记。

（三）对正常经营活动的买受人的保护

浮动抵押设立后，具有优先受偿的效力。但本条规定了例外，即浮动抵押不得对抗正常经营活动中已支付合理价款并取得抵押财产的买受人。之所以这样规定，主要因为：浮动抵押是现有的和将有的财产设定担保，抵押期间抵押人可以占有、使用、处分抵押财产，如果以全部或者部分动产抵押，又不让抵押人处分该财产，抵押人的经营活动就无法进行了。特别是浮动抵押的标的物通常是原材料、库存产成品，这些动产经常处于流动过程中，既然法律允许抵押期间处分抵押财产，浮动抵押又具有抵押期间财产不确定，抵押财产最终确定前处分抵押财产不受物上追及的特点，占有又是推定动产所有权的公示方法，那么对于浮动抵押财产的买受人就应当给予一定的保护。否则，所有动产的买受人为防止买受的货物被追及的风险，在交易前要么必须查阅登记资料，要么必须征得担保物权人的同意，这样将使动产交易活动变得极其滞重，不能适应现代商业的需要。但是，对于动产的买受人的保护又不能是漫无边际的，否则设立抵押权就会失去意义。按照本条规定，受到保护的买受人必须符合以下条件：第一，买受的财产是生产设备、原材料、半成品、产品。第二，受保护的主体必须是正常交易活动中的买受人。正常交易活动中的买受人主要包括两种情况：一是在存货融资中，买受出卖人在正常经营过程中出售的已设定担保的存货的人；二是市场交易中的消费者。第三，买受人必须是已支付合理价款并取得了抵押财产。具备这三个条件，抵押财产的买受人可以对抗抵押权人，即买受人可以取得买受的抵押财产而不受抵押权人的追及。

第一百九十条　订立抵押合同前抵押财产已出租的，原租赁关系不受该抵押权的影响。抵押权设立后抵押财产出租的，该租赁关系不得对抗已登记的抵押权。

【释义】　本条是关于抵押权和租赁权关系的规定。

以房屋等财产抵押的，在设定抵押权前，有时该财产上已存在租赁法律关系。比如甲将房屋抵押给乙前，已将该房屋出租给丙使用。这种事先存在的租赁关系是否继续有效呢？从理论上讲，财产租赁属于债权的范畴，根据物权优先于债权的原则，财产所有权人将已出租的财产转让给第三人的，第三人取得财产的所有权的同时,承租人的租赁权即归于消灭。承租人可以要求出租人承担债务不履行的责任,但不能向出租财产的买受人要求继续履行租赁合同,因为承租人与买受人不存在租赁合同关系。但是,随着社会经济的发展,为了保护承租人尤其是不动产承租人的利益,维护社会稳定,现代各国民法都逐渐采取了增强租赁权效力的做法,将“买卖击破租赁”规则转为“买卖不破租赁”规则,即租赁关系成立后,即使出租人将出租物转卖给第三人,该原已存在的租赁关系仍对买受人有效,承租人仍然可以向受让人主张租赁权,受让人取得的是一项有租赁权负担的财产所有权。我国担保法和合同法也采取了“买卖不破租赁”的规则,担保法第四十八条明确规定:“抵押人将已出租的财产抵押的,应当书面告知承租人,原租赁合同继续有效。”合同法第二百二十九条规定:“租赁物在租赁期间发生所有权变动的,不影响租赁合同的效力。”也就是说,因实现抵押权而将抵押财产转让时,抵押人与承租人之间原有的租赁关系不当然终止,承租人可以继续享有租赁权。物权立法过程中,有的同志提出,抵押人可以将出租的财产抵押,也经常发生将抵押的财产出租的情形,但我国担保法对此情形却没有规定。一种意见认为,由于抵押权成立在先,其当然优先于租赁权,租赁权不能对抗抵押权,抵押实现时租赁权应终止。另一种意见认为,只有在租赁权的存在影响抵押权人的利益时,抵押权才能对抗租赁权,否则抵押权实现时租赁权不消灭。经对上述意见研究,本条规定“抵押权设立后抵押财产出租的,该租赁关系不得对抗已登记的抵押权”。也就是说,第一,如果将办理了抵押登记的财产出租,实现抵押权后,抵押财产的买受人可以解除原租赁合同,承租人不能要求继续承租抵押的房屋。这样规定的理由主要是,抵押财产办理了登记的,承租人可以从抵押财产登记中查询租赁财产的物上负担情况,既然明知承租的财产有物上负担,就应当承担因实现抵押权而带来的风险。否则,财产抵押后出租仍适用“买卖不破租赁”的规则，抵押权的效力就会打折扣，就会变得不确定，也会因此失去设立的意义。第二，如果将没有办理登记的抵押财产出租，承租人不知道也不应当知道财产已抵押的情况，抵押权就不能对抗租赁权，仍应当适用“买卖不破租赁”的原则。

第一百九十一条 抵押期间，抵押人经抵押权人同意转让抵押财产的，应当将转让所得的价款向抵押权人提前清偿债务或者提存。转让的价款超过债权数额的部分归抵押人所有，不足部分由债务人清偿。

抵押期间，抵押人未经抵押权人同意，不得转让抵押财产，但受让人代为清偿债务消灭抵押权的除外。

【释义】 本条是关于抵押期间转让抵押财产的规定。

抵押权是不转移财产占有的物权。传统理论认为，抵押期间，抵押人不丧失对物的占有、使用、收益和处分的权利。抵押人转让抵押财产的，抵押权人对转让的抵押财产具有物上追及的法律效力。比如，甲向乙借款时，为担保借款的偿还将房屋抵押给了乙，之后又将该房屋卖给了丙，如果债务履行期间届满甲没有向乙归还借款，乙有权拍卖或者变卖丙所购买的房屋，并就拍卖或者变卖所得的价款优先受偿。上述理论和做法有利于加速经济流转，更好地发挥物的效用，但也使抵押权人和抵押财产的买受人承担了一定的风险。比如，抵押人转让已抵押但没有办理抵押登记的汽车，买受人根据善意取得的规定取得该汽车所有权的同时，抵押权消灭，抵押权就无法实现了。又比如，转让负有抵押权的财产，抵押权人有权就受让人买受的抵押财产实现抵押权，就可能出现买受人因实现抵押权而丧失买受的抵押财产，又无法从抵押人处取回已支付的转让价款的情况。为了维护抵押权人和抵押财产的买受人的合法权益，我国制定担保法时，对抵押财产的转让附加了一些条件。担保法第四十九条规定：“抵押期间，抵押人转让已办理登记的抵押物的,应当通知抵押权人并告知受让人转让物已经抵押的情况;抵押人未通知抵押权人或者未告知受让人的,转让行为无效。”“转让抵押物的价款明显低于其价值的,抵押权人可以要求抵押人提供相应的担保;抵押人不提供的,不得转让抵押物。”“抵押人转让抵押物所得的价款,应当向抵押权人提前清偿所担保的债权或者向与抵押权人约定的第三人提存。超过债权数额的部分,归抵押人所有,不足部分由债务人清偿。”物权法在以下两方面修改了担保法的规定:一是,抵押期间,抵押人转让抵押财产的,应当经抵押权人同意,而不是仅仅通知抵押权人并告知受让人;同时,要将转让所得的价款向抵押权人提前清偿债权或者提存。二是,抵押期间,未经抵押权人同意,不得转让抵押财产。除非受让人替抵押人向抵押权人偿还了债务消灭了抵押权。按照本条的制度设计,转让抵押财产,必须消除该财产上的抵押权。既然买受人取得的是没有物上负担的财产,也就不再有物上追及的问题。物权法这样规定的主要理由是:第一,财产抵押实际是以物的交换价值担保,抵押物转让,交换价值已经实现。以交换所得的价款偿还债务,消灭抵押权,可以减少抵押物流转过程中的风险,避免抵押人利用制度设计的漏洞取得不当利益,更好地保护抵押权人和买受人的合法权益。第二,担保法规定转让抵押财产的应当通知抵押权人并告知受让人,也就是说,只要是通知了抵押权人并告知了受让人,抵押权人就不能阻止抵押人的转让行为,而只能在转让抵押物的价款明显低于债权的价值时,要求抵押人提供相应的担保。但抵押财产的价值是随着市场价格波动的,抵押财产的价值是否明显低于债权难以做出准确判断,与其为抵押权的实现留下不确定因素,不如在转让抵押财产时,就将转让所得的价款向抵押权人提前清偿或者提存。第三,现实中往往是在实现抵押权时才发现未通知抵押权人或者未告知受让人已转让了抵押财产的情况,此时即使宣告转让合同无效,转让的财产可能也已无法追回。而转让抵押财产前就取得抵押权同意,可以防止以后出现的一系列麻烦,节省经济运行的成本,减少纠纷。一般说来,抵押人转让抵押财产的所得的价款不可能完全与其担保的债权数额一致,当抵押财产价款超过债权数额时,超过的部分,应当归抵押人所有;不足的部分由债务人清偿。也就是说,如果抵押人为债务人以外的第三人时,抵押人不再承担责任,其余债权由债务人偿还。

第一百九十二条 抵押权不得与债权分离而单独转让或者作为其他债权的担保。债权转让的,担保该债权的抵押权一并转让,但法律另有规定或者当事人另有约定的除外。

【释义】 本条是关于抵押权转让或者作为其他债权担保的规定。

作为担保物权的一种,抵押权以其所担保的债权存在为前提,没有债权,就不可能有抵押权,抵押权失去了债权,也就失去了存在的意义。由于抵押权不具有独立存在的特性,因此本条中规定:"抵押权不得与债权分离而单独转让或者作为其他债权的担保。"这一规定延续了我国担保法的规定,一些国家和地区的民法中也有类似的规定,如我国台湾地区"民法"规定,抵押权不得与债权分离而为让与,或为其他债权之担保。根据这一规定,抵押权的转让或者以抵押权为其他债权设定担保,应当与抵押权所担保的债权一同进行。抵押权人转让抵押权的,抵押权应当与其所担保的债权一同转让;抵押权人以抵押权向他人提供担保的,抵押权应当与其所担保的债权一同向他人提供担保。单独转让抵押权或者单独以抵押权作为其他债权担保的行为无效。

这里所讲的抵押权不得与债权分离而单独转让,是指抵押权人不得将抵押权单独让与他人而自己保留债权。例如,甲向乙借款 100 万元,以价值 120 万元的房屋抵押担保债务的履行,乙不能仅将该房屋的抵押权转让给丙而不转让债权,由于抵押权就其担保的债权而言所具有的附随性，没有债权，丙得到的抵押权是空的，是没有价值的。同样道理，抵押权人也不得单独将抵押权作为其他债权的担保而自己保留债权，抵押权只有在与其所担保的债权一同作为其他债权的担保时才有意义。

由于抵押权具有附随性，被担保的债权转让的，抵押权应当随被担保债权的转让而移转于受让人，因此本条规定："债权转让的，担保该债权的抵押权一并转让。"需要注意的是，关于这一规定，本条还有一项但书规定："但法律另有规定或者当事人另有约定的除外。""法律另有规定"，例如本法第二百零四条规定，最高额抵押担保的债权确定前，部分债权转让的，最高额抵押权不得转让。"当事人另有约定"，既可以是抵押权人在转让债权时，与受让人约定，只转让债权而不转让担保该债权的抵押权，这种情形大多发生在债权的部分转让时；也可以是第三人专为特定的债权人设定抵押的，该第三人与债权人约定，被担保债权的转让未经其同意的，抵押权因债权的转让而消灭。

第一百九十三条　抵押人的行为足以使抵押财产价值减少的，抵押权人有权要求抵押人停止其行为。抵押财产价值减少的，抵押权人有权要求恢复抵押财产的价值，或者提供与减少的价值相应的担保。抵押人不恢复抵押财产的价值也不提供担保的，抵押权人有权要求债务人提前清偿债务。

【释义】　本条是关于抵押财产价值减少时如何处理的规定。

抵押权设立后，抵押权人并不实际占有抵押财产，抵押财产仍由抵押人占有、使用和收益，在抵押期间，有可能由于抵押人的行为致使抵押财产价值减少，损害抵押权人的利益。抵押人使抵押财产价值减少的行为主要包括两个方面：一是抵押人采取积极的行为致使抵押财产价值减少，如砍伐抵押的林木、拆除抵押的房屋、驾驶抵押的机动车因操作不当造成车辆损坏；二是抵押人消极的不作为致使抵押财产价值减少,如对抵押的危旧房屋不做修缮、对抵押的机动车不进行定期的维修保养、有库房却任由抵押的机器设备在室外风吹雨淋。抵押权是为抵押权人的利益设定的,当抵押人的行为侵害抵押权人的利益时,应当给予抵押权人保全抵押财产价值、维护抵押担保效力的权利。因此,本条规定:抵押人的行为足以使抵押财产价值减少的,抵押权人有权要求抵押人停止其行为。如要求抵押人停止砍伐林木或者拆除房屋,加紧房屋修缮或者对车辆定期保养。抵押人对抵押权人的要求不予理睬、不停止其行为的,抵押权人可以请求人民法院强制抵押人停止其侵害行为。

实践中,很多时候,即使抵押人停止其行为,也已造成抵押财产价值减少,使抵押权人的利益受到损害,对此,抵押权人有权要求抵押人恢复抵押财产的价值,如将破旧的房屋修缮好,将损坏的车辆修理好。抵押财产的价值难以恢复或者恢复的成本过高的,抵押权人也可以要求抵押人提供与减少的价值相应的担保,如抵押人砍伐的林木价值约为10万元,抵押权人有权要求抵押人提供价值相当于10万元的新的抵押财产或者质押财产,或者由第三人对这10万元的债务提供保证担保。经抵押权人要求,抵押人不恢复抵押财产的价值也不提供担保的,抵押权人为保护自己的利益,防止抵押财产的价值进一步减少,有权要求债务人提前清偿债务。

需要注意的是,本条规定的抵押财产价值减少,均是由于抵押人的行为造成的,即只有在抵押人对抵押财产价值减少有过错的,才按照本条的规定处理。关于抵押人对抵押财产价值减少无过错时如何处理的问题,本条没有做出规定。那么,在抵押人无过错的情况下,如因地震、水灾等自然灾害,因失火、被窃等第三人原因致使抵押财产价值减少的,如何保护抵押权人的利益呢？对于非可归责于抵押人的原因使得抵押财产价值减少,如果要求抵押人恢复抵押财产的原价值或者提供价值相当的担保,对抵押人有失公正。对此,担保法第五十一条第二款规定:“抵押人对抵押物价值减少无过错的,抵押权人只能在抵押人因损害而得到的赔偿范围内要求提供担保。抵押物价值未减少的部分,仍作为债权的担保。”这样规定有一定的道理,但要求抵押人在因损害而得到的赔偿范围内再向抵押权人设定一个担保,比较麻烦,如果抵押人没有其他的财产可供担保,还需要考虑如何以抵押人获得的赔偿金等设定担保物权的问题。因此,本条没有延续这一规定,而是在担保物权编的“一般规定”一章中做了规定,根据本法第一百七十四条的规定,担保期间,担保财产毁损的,抵押权人可以就获得的保险金、赔偿金等优先受偿。被担保债权的履行期未届满的,也可以提存该保险金、赔偿金等。赋予抵押权人对因担保财产毁损而获得的保险金、赔偿金等享有直接优先受偿或者提存的权利,简化了处理程序,能够更有效地保护抵押权人的利益。当然,此时原抵押财产仍应当作为债权的担保。

第一百九十四条　抵押权人可以放弃抵押权或者抵押权的顺位。抵押权人与抵押人可以协议变更抵押权顺位以及被担保的债权数额等内容,但抵押权的变更,未经其他抵押权人书面同意,不得对其他抵押权人产生不利影响。

债务人以自己的财产设定抵押,抵押权人放弃该抵押权、抵押权顺位或者变更抵押权的,其他担保人在抵押权人丧失优先受偿权益的范围内免除担保责任,但其他担保人承诺仍然提供担保的除外。

【释义】　本条是关于抵押权人放弃抵押权、抵押权的顺位以及变更抵押权的规定。

抵押权作为抵押权人享有的一项权利,抵押权人可以放弃抵押权从而放弃其债权就抵押财产优先受偿的权利。抵押权人不行使抵押权或者怠于行使抵押权的,不得推定抵押权人放弃抵押权。

抵押权人放弃抵押权,不必经过抵押人的同意。抵押权人放弃抵押权的,抵押权消灭。

抵押权的顺位是抵押权人优先受偿的顺序,本法第一百九十九条对确定抵押权优先受偿顺序的原则做了规定。抵押权的顺位作为抵押权人享有的一项利益,抵押权人可以放弃其顺位,即放弃优先受偿的次序利益。抵押权人放弃抵押权顺位的,放弃人处于最后顺位,所有后顺位抵押权人的顺位依次递进。但在放弃人放弃抵押权顺位后新设定的抵押权不受该放弃的影响,其顺位仍应在放弃人的抵押权顺位之后。

本条规定,抵押权人与抵押人可以协议变更抵押权的顺位以及被担保的债权数额等内容。所谓抵押权顺位的变更,是指将同一抵押财产上的数个抵押权的清偿顺序互换。抵押权的顺位变更后,各抵押权人只能在其变更后的顺序上行使优先受偿权。对抵押权顺位以及被担保的债权数额等内容的变更,如果在同一抵押财产上还有其他抵押权人的,可能对这些抵押权人产生不利的影响,例如,当事人协议将第三顺位的抵押权变更为第一顺位的,那么就会影响原第一顺位与第二顺位抵押权的实现,甚至使他们完全得不到清偿;又如,抵押权人与抵押人协议增加被担保的债权数额的,就会影响后顺位的抵押权人行使其优先受偿的权利。为了保护同一财产上其他抵押权人的合法利益,本条特别规定:“抵押权的变更,未经其他抵押权人书面同意,不得对其他抵押权人产生不利影响。”未经其他抵押权人书面同意变更抵押权,对其他抵押权人产生不利影响的,变更无效。

本条第二款规定,债务人以自己的财产设定抵押,抵押权人放弃该抵押权、抵押权顺位或者变更抵押权的,其他担保人在抵押权人丧失优先受偿权益的范围内免除担保责任,但其他担保人承诺仍然提供担保的除外。这一规定是针对被担保的债权既有以债务人自己的财产作抵押的抵押担保又有其他担保的情形而做出的特别规定。这里的“其他担保人”既包括为债务人担保的保证人，也包括提供抵押、质押担保的第三人。

现以同一债权既有以债务人自己的财产作抵押的抵押担保又有保证担保的情形为例，对本款的规定作一说明：本法第一百七十六条规定，被担保的债权既有抵押担保又有保证担保，当债务人不履行到期债务或者发生当事人约定的实现抵押权的情形时，如果债务人是以自己的财产提供抵押担保的，债权人应当先就该抵押担保实现债权。根据这一规定，只要是债务人以自己的财产设定抵押的，无论该抵押是担保主债权的全部还是部分，都要首先行使抵押权来实现债权。如果因行使抵押权而实现了全部债权，那么保证人就不用承担保证责任了；如果行使了抵押权却只实现了部分债权，那么保证人就只对未实现的那部分债权承担保证责任。也就是说，在这种情形下，保证人是就债权人行使抵押权优先受偿而仍不能受偿的债权余额承担保证责任。如果抵押权人放弃该抵押权、抵押权的顺位或者变更抵押权而使其失去优先受偿的权利或者减少优先受偿的范围，那么因债权人丧失优先受偿的权益而未能受偿的债权，就要由保证人来承担保证责任，这就会加大保证人的保证责任。这种因抵押权人的行为就加重保证人保证责任的现象，是不合理的。举一个例子，甲以自己的房产向乙抵押贷款100万元，同时又由丙作为该项贷款的保证人，此后，甲又将该房产抵押给丁。在此例中，乙的抵押权处于抵押权的第一顺位，如果乙不放弃抵押权的顺位，甲的房产拍卖后，乙的贷款全部可以得到优先受偿，丙就无须再承担保证责任。但乙为了丁的利益放弃了抵押权的顺位，自愿将其顺位处于丁之后，结果该房产拍卖所得的价款在优先清偿给丁后，乙只有60万元的贷款得到了清偿，于是乙要求丙对剩下的40万元贷款承担保证责任。由于乙放弃抵押权顺位的行为而加重丙的保证责任，对丙而言是不公平、不合理的。为了避免发生这种现象，保护保证人等其他担保人的合法利益，因此，本法特别规定，其他担保人在抵押权人丧失优先受偿权益的范围内免除担保责任。根据这一规定，在上面的例子中，丙对乙剩余的40万元贷款的保证责任应予免除。但如果丙承诺仍然提供保证的，丙的保证责任不予免除。

第一百九十五条　债务人不履行到期债务或者发生当事人约定的实现抵押权的情形，抵押权人可以与抵押人协议以抵押财产折价或者以拍卖、变卖该抵押财产所得的价款优先受偿。协议损害其他债权人利益的，其他债权人可以在知道或者应当知道撤销事由之日起一年内请求人民法院撤销该协议。

抵押权人与抵押人未就抵押权实现方式达成协议的，抵押权人可以请求人民法院拍卖、变卖抵押财产。

抵押财产折价或者变卖的，应当参照市场价格。

【释义】　本条是关于抵押权实现的条件、方式和程序的规定。

本条对抵押权人实现抵押权的条件做出了规定：一是债务履行期间届满，债务人不履行债务；二是发生了当事人约定的实现抵押权的情形。满足上述任一条件，抵押权人就可以依照本条规定的方式和程序处理抵押财产以实现其债权。其中第二个条件，即"发生当事人约定的实现抵押权的情形"是本法新增加的规定，现以浮动抵押为例加以说明：根据本法规定，浮动抵押是以抵押人现有的以及将有的动产作抵押，抵押期间，抵押人在正常经营范围内可以自由处分其动产，债务人到期不履行债务的，抵押权人是以实现抵押权时的动产优先受偿。如果只允许抵押权人在债务人到期不履行债务时才能实现抵押权，可能会由于抵押人在经营过程中的非正常经营行为或者恶意的行为，甚至是正常经营行为，造成抵押权实现时抵押财产大量减少，无法对抵押权人的债权起到担保作用，从而损害抵押权人的利益。允许抵押权人与抵押人约定提前实现抵押权的条件,抵押权人就可以在抵押合同中对抵押人的某些行为进行约束,一旦抵押人违反约定从事了这些行为,满足了约定的实现抵押权的条件,抵押权人就可以提前实现抵押权,以保障自己的债权得到清偿。例如,A 企业以其仓库中现有及将有的所有产品设定浮动抵押向 B 银行贷款,B 银行为保全抵押财产在实现抵押权时能够达到一定的数量,以起到担保其债权的作用,可以与 A 企业在抵押合同中约定,A 企业不得以其库存的产品从事关联交易或者低价交易,如不得以低于市场价格一定比例的价格出售库存的产品,一旦出售价格低于约定的比例,B 银行即可提前实现抵押权;也可以在抵押合同中约定,即使在正常经营情况下,A 企业库存的产品数量也不得低于其整个库存量的一定比例,一旦低于该比例,B 银行即可提前实现抵押权。国外的一些立法,如英国、美国、加拿大等,也允许当事人约定实现抵押权的条件。

债务人不履行到期债务或者发生当事人约定的实现抵押权的情形的,抵押权人可以与抵押人就如何处理抵押财产进行协商,如果双方达成协议,就可以按照协议的方式实现抵押权。本条提供了三种抵押财产的处理方式供抵押权人与抵押人协议时选择:

(一)折价方式

抵押权人可以与抵押人协议,以折价的方式实现抵押权。折价的方式也就是抵押权人与抵押人协议,参照市场价格确定一定的价款将抵押财产的所有权转移给抵押权人,以实现债权。本法第一百八十六条规定:“抵押权人在债务履行期届满前,不得与抵押人约定债务人不履行到期债务时抵押财产归债权人所有。”这样规定是为了避免债务履行期届满前,抵押权人利用其优势地位与抵押人约定,在债务人到期不能履行债务时,将价值高于被担保债权的抵押财产直接转归抵押权所有,以充抵债权,从而对抵押人造成不公平。但法律所限制的只是在债务履行期届满前不得做出这种将来转移所有权的协议,在需要实现抵押权的时候,已不存在可能给抵押人造成不利的情势了,这时双方可以协议以折价的方式来清偿抵押权人的债权。而且,如果双方确定的抵押财产的价款高于被担保的债权时,依照本法规定,超出的部分要归抵押人所有,这样合同双方的权益就都得到了保护。

（二）拍卖方式

拍卖是抵押权实现的最为普通的一种方式。拍卖也称为竞卖,是指以公开竞争的方法将标的物卖给出价最高的买者。拍卖又分为自愿拍卖和强制拍卖两种,自愿拍卖是出卖人与拍卖机构一般为拍卖行订立委托合同,委托拍卖机构拍卖;强制拍卖是债务人的财产基于某些法定的原因由司法机关如人民法院强制性拍卖。抵押权人与抵押人协议以抵押财产拍卖来实现债权的方式属于第一种方式,双方达成一致意见,即可选择拍卖机构进行拍卖。以拍卖的方式实现抵押权有很大的优点,因为拍卖是以公开竞价的方式出卖标的物,拍卖的价款能够最大限度地体现拍卖财产的价值,从而充分发挥抵押财产对债权的担保作用。

（三）变卖方式

除前述两种方式外,本条规定双方还可以协议以变卖的方式实现抵押权。采用变卖的方式就是以拍卖以外的生活中一般的买卖形式出让抵押财产来实现债权的方式。为了保障变卖的价格公允,变卖抵押财产应当参照市场价格。

抵押权人与抵押人协议处理抵押财产时,可能涉及抵押人的其他债权人的利益,如果抵押财产折价过低或者拍卖、变卖的价格远低于市场价格,如一套抵押住房的市场价格为100万元,抵押权人与抵押人却仅以50万元的价格协议变卖,在该抵押权人就变卖所得价款优先受偿后,可供后顺位的抵押权人以及其他债权人实现其债权的数额就会大大减少,从而损害他们的利益。为保障其他债权人的利益,本条规定,抵押权人与抵押人的协议损害其他债权人利益的,其他债权人可以在知道或者应当知道撤销事由之日起1年内请求人民法院撤销该协议。这里规定的“一年”是一个固定期间,不得中止、中断。

上面讲的是抵押权人与抵押人达成协议而实现抵押权的情况,如果双方未达成协议,那么应当如何实现抵押权呢?对此,担保法规定:“协议不成的,抵押权人可以向人民法院提起诉讼。”本法起草过程中,不少人提出,要求抵押权人向人民法院提起诉讼以实现抵押权的规定使得抵押权的实现程序变得复杂而且漫长,有时抵押权需要一两年才能实现。实践中,一些抵押权人为了尽快实现抵押权,事先与抵押人签署一份具有强制执行力的公证文书,约定债务人到期不履行债务的,抵押权人不必向人民法院提起诉讼,直接向人民法院申请强制执行,进行执行程序。因此,建议为使抵押权的实现程序更加简便,应当允许抵押权人在协议不成的情况下,直接向人民法院申请拍卖、变卖抵押财产。经过研究,我们认为,抵押权人与抵押人未就实现抵押权达成协议,主要有两种情形:一是双方就债务履行期届满债权未受清偿的事实没有异议,只是就采用何种方式来处理抵押财产的问题达不成一致意见;二是双方在债务是否已经履行以及抵押权本身的问题上存在争议,如双方对抵押合同的有关条款或者抵押权的效力问题存在争议,这些问题实际上是实现抵押权的前提条件,双方对此发生争议,也就根本谈不上协议以何种方式实现抵押权了。对于第一种情形,即抵押权人与抵押人仅就抵押权实现方式未达成协议的,为了简便抵押权的实现程序,本条规定,抵押权人可以直接请求人民法院拍卖、变卖抵押财产。对于第二种情形,抵押权人仍应当采取向人民法院提起诉讼的方式解决。

这里还有一个问题需要予以说明,既然本法规定了浮动抵押制度,那么是否应当单独规定浮动抵押权的实现程序呢?对这一问题,本法起草过程中有不同意见。一种意见认为,应当单独规定浮动抵押权的实现程序,因为浮动抵押权的实现与一般抵押权的实现有很大的不同。一般抵押权是以抵押财产折价受偿或者以拍卖、变卖抵押财产的价款优先受偿。而浮动抵押权的标的物多是整个公司或者公司的大部分财产,以整个公司的财产或者大部分财产实现债权,会涉及公司的接管、清算、采取拯救措施等问题;如果公司资不抵债的,还会涉及公司的破产问题。因此,浮动抵押权的实现是一个比较复杂的问题;如果不明确规定其实现程序,浮动抵押制度将很难操作。国外的一些立法也对浮动抵押权的实现程序做出了特别规定,如日本有关法律规定,债权人应当向法院申请实现浮动抵押权,法院根据抵押权人的申请做出执行裁定,同时宣布对公司财产进行扣押。法院做出执行裁定后,还要选任财产管理人并进行公告。另一种意见认为,没有必要单独规定浮动抵押权的实现程序,浮动抵押权可以准用一般抵押权的实现方式,由浮动抵押权人拍卖、变卖公司的财产优先受偿或者以公司财产折价受偿。本条规定没有区分一般抵押权与浮动抵押权,无论哪种抵押权,均适用本条规定的抵押权实现的方式和程序。这样规定的主要考虑是,本法规定的浮动抵押财产的范围仅限于动产,即只有在企业、个体工商户和农业生产经营者的生产设备、原材料、半成品和产品这些动产上才能设定浮动抵押权,并不包括企业的不动产以及知识产权、商业秘密等财产权利。这就意味着企业一般不会以其全部财产设定浮动抵押。而就企业的动产浮动抵押而言,其抵押权的实现与一般抵押权实现的方式和程序并没有什么区别。此外,浮动抵押制度在我国还是一项新的担保制度,实际适用过程中会出现哪些问题,一旦涉及整个企业的接管、清算等问题如何妥善处理,还需要在司法实践中不断摸索,积累经验,通过制定和修改有关法律逐步完善。

第一百九十六条　依照本法第一百八十一条规定设定抵押的,抵押财产自下列情形之一发生时确定:

（一）债务履行期届满，债权未实现；

（二）抵押人被宣告破产或者被撤销；

（三）当事人约定的实现抵押权的情形；

（四）严重影响债权实现的其他情形。

【释义】 本条是关于以债务人现有的以及将有的动产抵押的，在什么情形下抵押财产确定的规定。

本条是专门针对浮动抵押增加的规定。根据本法第一百八十一条的规定，当事人除可以在特定的财产上设定抵押即固定抵押外，企业、个体工商户、农业生产经营者还可以将现有的以及将有的生产设备、原材料、半成品和产品抵押，即在上述动产上设定浮动抵押，当债务人不履行到期债务或者发生当事人约定的实现抵押权的情形时，债权人有权就实现抵押权时的动产优先受偿。浮动抵押区别于固定抵押的一个重要特征就是抵押财产的范围不确定，浮动抵押设定后，抵押人仍然有权继续占有、经营管理并自由处分其财产，这样就使抵押财产不固定，在抵押期间不断发生变化。但是，当抵押权人需要行使抵押权时，抵押财产应当是确定的；只有抵押财产被确定，抵押权人才能将抵押财产折价或者拍卖、变卖以实现抵押权。因此，抵押财产的确定是抵押权实现的前提条件。当然，一般情况下也只有在需要实现抵押权时，才有必要确定抵押财产。抵押财产的确定是实现浮动抵押权中的一个重要问题。

那么，在什么情形下抵押财产能被确定呢？依照本条的规定，抵押财产确定的情形有以下四种：

第一，债务履行期届满，债权未实现的，抵押财产确定。这种情况下，无论抵押权人是否向抵押人提出实现抵押权的要求，抵押财产均应确定，自债务履行期届满之日起，抵押人不得再处分抵押财产。

第二，抵押人被宣告破产或者被撤销的，抵押人停止营业，进入清算程序，由于其财产不再发生变动，抵押财产随之确定，抵押权人对抵押财产享有优先受偿的权利。

第三，发生当事人约定的实现抵押权的情形的，抵押财产确定。前面讲过，抵押权人为保障自己的债权得到清偿，可以与抵押人约定提前实现抵押权的情形，如约定抵押人从事关联交易或者低价交易为提前实现抵押权的情形，又如约定抵押人用于抵押的库存的产品数量低于库存总量的一定比例为提前实现抵押权的情形。当事人约定了实现抵押权的情形的，一旦发生了该情形，抵押财产即被确定，抵押权人可以要求实现抵押权。

第四，发生严重影响债权实现的其他情形的，抵押财产确定。严重影响债权实现的情形，范围比较广泛，既可以是因经营不善导致抵押人经营状况恶化或者严重亏损；也可以是因抵押人放弃其到期债权、无偿转让财产或者以明显不合理的低价转让财产，致使其财产明显减少；还可以是抵押人为逃避债务而隐匿、转移财产。抵押人有上述行为，严重影响债权实现的，抵押权人为保全抵押财产达到一定的数额，以起到担保其债权优先受偿的作用，可以向抵押人要求确定抵押财产，以实现抵押权。抵押人对抵押权人的要求有异议的，抵押权人可以向人民法院请求确定抵押财产。需要说明的是，如果抵押人有放弃其到期债权、无偿转让财产或者以明显不合理的低价转让财产的行为，严重影响抵押权人债权实现的，抵押权人除可以依照本条规定要求确定抵押财产外，还可以依照合同法的有关规定向人民法院请求撤销抵押人的行为。因抵押权人行使撤销权而追回的财产，如果原本就属于浮动抵押财产的范围，抵押财产确定后，仍属于抵押财产。

本条规定的四种情形为抵押财产确定的法定情形，发生其中任一情形的，自该情形发生时浮动抵押即转化为固定抵押，抵押财产确定，抵押人不得再处分抵押财产，抵押权人可以依照本法第一百九十五条的规定实现抵押权。

第一百九十七条　债务人不履行到期债务或者发生当事人约定的实现抵押权的情形，致使抵押财产被人民法院依法扣押的，自扣押之日起抵押权人有权收取该抵押财产的天然孳息或者法定孳息，但抵押权人未通知应当清偿法定孳息的义务人的除外。

前款规定的孳息应当先充抵收取孳息的费用。

【释义】　本条是关于抵押财产孳息的规定。

抵押财产的孳息，是指由抵押财产而产生的收益。孳息分为天然孳息和法定孳息，天然孳息指物依照自然规律产生的收益，如土地上生长的庄稼、树木结的果实、牲畜产的幼畜；法定孳息指依照法律关系产生的收益，如出租人有权收取的租金、贷款人依法所得的利息。抵押权设立后，抵押财产的占有权、使用权和收益权仍由抵押人行使，因抵押财产的使用而产生的孳息应当归抵押人所有，抵押权的效力不及于该孳息。

但是，债务人不履行到期债务或者发生当事人约定的实现抵押权的情形，因抵押权人行使抵押权致使抵押财产被人民法院依法扣押的，如果抵押财产的孳息仍为抵押人收取，则会使抵押人为收取孳息而拖延处理抵押财产，不利于保护抵押权人的利益。此时剥夺抵押人对抵押财产孳息的收取权，有利于抵押权人顺利实现抵押权，也能够充分发挥抵押财产担保债权受偿的功能。因此，本条规定，抵押财产被人民法院扣押的，抵押权的效力及于抵押财产的孳息，自扣押之日起抵押权人有权收取该抵押财产的天然孳息和法定孳息。例如，甲将已出租的房屋作为贷款担保抵押给乙，债务履行期间，甲仍有权收取该房屋的租金，但债务履行期满，甲没有履行债务，乙为行使抵押权请求人民法院将该房屋扣押的，此时，收取房租的权利就不再由抵押人甲行使，而应由抵押权人乙行使。又如，A 将果树抵押给 B，抵押期间，A 仍可摘取树上的果实，但债务履行期满 A 没有履行债务，致使果树被人民法院依法扣押的，摘取果实的权利就应由 B 行使。需要说明的是，抵押权的效力及于抵押财产的孳息必须具备两个条件：（1）必须是抵押财产被扣押后，抵押权人才能收取其孳息；（2）抵押财产被扣押后，抵押权人已经通知应当给付法定孳息的义务人。因为法定孳息如租金的取得，取决于义务人的给付行为，通常情况下义务人负有向抵押人给付孳息的义务，如果抵押权人未将扣押事实通知义务人，义务人就无法将孳息交付给抵押权人，抵押权的效力也就无法及于该孳息。

由于收取孳息可能要付出一些费用，如收取果实的劳务费，这些费用应当首先得到满足，也就是说，孳息应当先充抵收取孳息的费用，再用于清偿抵押权人的债权。

第一百九十八条　抵押财产折价或者拍卖、变卖后，其价款超过债权数额的部分归抵押人所有，不足部分由债务人清偿。

【释义】　本条是关于抵押财产变现后，其价款超过债权数额或者不足清偿债权时如何处理的规定。

抵押财产按照本法第一百九十五条规定的方式和程序折价或者拍卖、变卖后，所变现的价款可能超出其所担保的债权数额或者不足清偿债权。抵押财产作为债权的担保，仅以最终实现债权为目的。因此，其折价或者拍卖、变卖所得的价款超过债权数额的部分，由于债权已经得到清偿，应当归抵押财产的原所有人即抵押人所有；如果其价款还不足以清偿债权，由于抵押人已就其抵押财产承担了担保责任，不足的部分应当由债务人清偿。例如，甲向乙贷款 100 万元，丙用自己的一套住房为甲做抵押担保，甲到期无力偿还债务时，乙与丙协议将该套住房变卖，如果变卖所得为 120 万元，清偿乙的债权后，剩余的 20 万元归丙所有；如果变卖所得为 80 万元，偿还给乙后，不足的 20 万元应当由甲清偿。

第一百九十九条　同一财产向两个以上债权人抵押的，拍卖、变卖抵押财产所得的价款依照下列规定清偿：

（一）抵押权已登记的，按照登记的先后顺序清偿；顺序相同的，按照债权比例清偿；

（二）抵押权已登记的先于未登记的受偿；

（三）抵押权未登记的，按照债权比例清偿。

【释义】　本条是关于同一财产向两个以上债权人抵押的，数个抵押权清偿顺序的规定。

要解决同一财产上存在的数个抵押权清偿顺序的问题，首先要明确同一财产能否向数个债权人做抵押。对此，本法和担保法的规定都是肯定的，但本法规定的精神与担保法的规定又有所不同。担保法第三十五条规定："抵押人所担保的债权不得超出其抵押物的价值。财产抵押后，该财产的价值大于所担保债权的余额部分，可以再次抵押，但不得超出其余额部分。"根据这一规定，只有在抵押财产的价值大于所担保的债权时，抵押人才可以就同一抵押财产向其他的债权人再次抵押，而且向数个债权人抵押担保的债权总额不得超出该抵押财产的价值。例如，如果抵押人以价值100万元的房屋向甲抵押贷款了50万元，那么抵押人还可以向乙抵押贷款20万元，向丙抵押贷款30万元；如果抵押人以该房屋向甲抵押贷款的数额恰好是100万元，那么他就不能以该房屋再向乙和丙抵押贷款了。

担保法制定于1995年，当时我国市场经济正处于起步阶段，各种制度和规范还不完善，"三角债"的现象比较严重，社会信用程度比较低。在这种情况下，严格抵押制度，对重复抵押行为即以同一财产向同一债权人或者不同债权人多次抵押的行为，做出上述限制性规定，是非常必要的。但随着近年来我国社会主义市场经济的不断发展和完善，该规定也显示出了一些局限性，主要有：

(1)限制了抵押财产的充分利用,没有充分发挥抵押财产的融资作用和担保效益,不利于市场经济条件下债务人对融资的需求。(2)要求被担保债权不超出抵押财产的价值,限制了当事人设定抵押的意愿。债权人是否接受抵押担保,并不完全取决于抵押财产的价值是否大于或者与被担保债权数额相当,债权人还要综合考虑债务人的偿还能力、信用状况以及是否还存在其他担保形式等诸多因素。在某些条件下,即使抵押财产的价值小于被担保债权的数额,债权人仍然愿意接受该抵押担保。例如,甲以价值100万元的房屋向乙抵押贷款50万元后,还希望以该房屋再向丙抵押贷款60万元,丙经调查发现甲的收入状况和以往的信用记录都比较好,贷款的风险比较小,因此愿意接受该抵押担保,向甲提供贷款。担保法的规定限制了债权人的这种意愿。(3)实践中,登记部门往往以担保法规定的"抵押人所担保的债权不得超出其抵押物的价值"为由,在办理抵押登记时,强制要求对抵押财产进行评估,有的甚至要求一年评估一次,借评估高收费。强制评估致使很多当事人不去办理抵押登记。

本法起草过程中,多数意见认为本法应当将担保法的这一规定删去。鉴于上述情况,本法没有保留该规定,也就是说,本法不再限制同一财产的重复抵押行为。以同一财产向同一债权人或者不同债权人多次抵押的,抵押人所担保的债权可以超出其抵押财产的价值,数个抵押权依照本法规定的顺序清偿。是否在同一财产上设定数个抵押,由当事人根据实际情况判断和决定。

根据本条的规定,同一财产向两个以上债权人抵押的,拍卖、变卖抵押财产所得的价款按照以下原则清偿:

首先,抵押权已登记的,按照登记的先后顺序清偿;顺序相同的,按照债权比例清偿。关于抵押权生效的原则,本法区分不动产和动产抵押,做了不同规定。根据本法的规定,以建筑物和其他土地附着物、建设用地使用权、荒地的承包经营权和正在建造的建筑物这些不动产抵押的，应当办理抵押登记，抵押权自登记时发生效力。根据本法的规定，以生产设备、原材料、半成品、产品、交通运输工具和正在建造的船舶、飞行器等动产抵押的，抵押权自抵押合同生效时发生效力；未经登记，不得对抗善意第三人。根据本法的规定，企业、个体工商户、农业生产经营者以现有的以及将有的生产设备、原材料、半成品和产品这些动产抵押，即以动产设定浮动抵押的，抵押权也自抵押合同生效时发生效力；未经登记，不得对抗善意第三人。本条规定的按照抵押权登记的先后顺序清偿债权的原则，既适用于以登记为抵押权生效要件的不动产抵押，也适用于以登记为抵押权对抗要件的动产抵押，即无论是不动产抵押还是动产抵押，数个抵押权都已登记的，都按照登记的先后顺序清偿。以抵押权登记的先后顺序为标准清偿抵押债权是世界各国抵押担保制度中的一般规则。确定抵押权登记的先后，以登记部门登记材料中记载的登记时间为准。做第一顺序抵押登记的被担保债权，就拍卖、变卖抵押财产的价款优先受偿，处于第二顺序的只能就剩余的部分受偿，依此类准。如果抵押权登记的时间相同，也就是抵押权登记的顺序相同，那么就按照各担保债权的比例来清偿；所占比例大的，多受清偿。

其次，抵押权已登记的先于未登记的受偿。这一原则是针对动产抵押而言的。因为在不动产抵押中，未办理抵押登记的，不发生抵押权的效力，也就不会发生未登记的抵押权与已登记的抵押权之间清偿顺序的问题。根据本法的规定，当事人以动产抵押的，可以自愿办理抵押登记，而不要求必须办理登记。动产抵押权无论是否办理登记都自抵押合同生效时发生效力。但是，当事人是否办理抵押登记，在法律效力上还是有差别的：办理抵押登记的，抵押权人可以对抗第三人；未登记的，不得对抗善意第三人。这样规定主要是因为办理抵押登记的，其他债权人就可以通过查阅登记资料知道该财产已经设定抵押的情况，公示性较强；而没有办理抵押登记的，其他债权人一般很难知道该财产是否已经设定了抵押，所以法律给予已登记的抵押权以特别的保护。在清偿顺序的问题上，本法做出抵押权已登记的先于未登记的受偿的规定。

最后，抵押权未登记的，按照债权比例清偿。这一原则也是针对动产抵押而言的。前面已经讲到，本法规定未经登记的动产抵押权不具有对抗善意第三人的效力。依照这一规定，在同一抵押财产上设定数个抵押权时，各抵押权人互为第三人，如果每一个抵押权都没有办理登记，那么无论各抵押权设立先后，其相互间均不得对抗。因此，各抵押权人对抵押财产拍卖、变卖所得的价款应当享有同等的权利，按照各债权的比例受清偿。这一原则与担保法的规定不同。担保法第五十四条第（二）项规定，抵押物未登记的，按照抵押合同生效时间的先后顺序清偿；顺序相同的，按照债权比例清偿。根据本法第一百七十八条“担保法与本法的规定不一致的，适用本法”的规定，担保法的上述规定不再适用。

第二百条　建设用地使用权抵押后，该土地上新增的建筑物不属于抵押财产。该建设用地使用权实现抵押权时，应当将该土地上新增的建筑物与建设用地使用权一并处分，但新增建筑物所得的价款，抵押权人无权优先受偿。

【释义】　本条是关于以建设用地使用权抵押的特别规定。

依照本法第一百八十条和第一百八十二条的规定，债务人或者第三人有权处分的建设用地使用权可以抵押。以建设用地使用权抵押的，该土地上现有的建筑物一并抵押；抵押人未一并抵押的，未抵押的建筑物视为一并抵押。建设用地使用权抵押，是指抵押人以其依法取得的国有建设用地使用权以不转移占有的方式向抵押权人提供债务履行担保的行为；当债务人到期不履行债务时，抵押权人有权以处理该建设用地使用权所得的价款优先受偿。建设用地使用权抵押后，抵押人仍然有权依法对该土地进行开发，建造建筑物。对于该土地上新增的建筑物，由于其不在抵押合同约定的抵押财产的范围内，因此不属于抵押财产。

为了实现抵押权，需要处分抵押的建设用地使用权时，如果该土地上已存在建筑物，一般来讲，只有将建筑物与建设用地使用权一并处分，才能实现建设用地使用权现实的使用价值和交换价值，这就是为什么我们在实践中要遵循"房随地走"的原则。因此，本条规定，处分抵押的建设用地使用权实现抵押权时，虽然新增的建筑物不属于抵押财产，仍可以将其与建设用地使用权一并处分。但处分后，由于新增的建筑物不属于抵押财产，处分新增建筑物所得的价款，抵押权人没有优先受偿的权利，只能作为普通债权人行使权利。

第二百零一条　依照本法第一百八十条第一款第三项规定的土地承包经营权抵押的，或者依照本法第一百八十三条规定以乡镇、村企业的厂房等建筑物占用范围内的建设用地使用权一并抵押的，实现抵押权后，未经法定程序，不得改变土地所有权的性质和土地用途。

【释义】　本条是关于以农村土地承包经营权或者乡镇、村企业的建设用地使用权抵押的，其抵押权实现的特别规定。

本法第一百八十条第一款第三项规定，以招标、拍卖、公开协商等方式取得的荒地等土地承包经营权可以抵押。第一百八十五条规定，乡镇、村企业的建设用地使用权不得单独抵押。以乡镇、村企业的厂房等建筑物抵押的，其占用范围内的建设用地使用权一并抵押。用于农村土地承包经营的荒地的所有权属于农民集体所有或者国家所有依法由农民集体使用，乡镇、村企业的建设用地属于农民集体所有。为了保护我国农村集体土地，防止农业用地的流失，促进农村经济的发展，农村土地使用权的流转应当坚持土地所有权的性质和土地用途不变的原则。以荒地的土地承包经营权或者乡镇、村企业的厂房等建筑物占用范围内的建设用地使用权抵押的，实现抵押权后，未经法定程序，土地的所有权不得转移，仍归国家所有或者集体所有，也不得擅自改变土地的原有用途。

第二百零二条 抵押权人应当在主债权诉讼时效期间行使抵押权；未行使的，人民法院不予保护。

【释义】 本条是关于抵押权存续期间的规定。

根据本法和担保法的有关规定，主债权消灭、抵押权实现、债权人放弃抵押权以及抵押财产灭失的，抵押权消灭。那么，在上述任何一种情形都没有发生的情况下，抵押权应当一直存续下去还是应当有一定的存续期间呢？这是本条规定要解决的问题。

本法起草过程中，比较一致的意见是应当规定抵押权的存续期间；但就如何规定抵押权存续期间的问题，存在不同意见。现就其中四种主要意见做一介绍：

第一种意见认为，抵押权所担保的债权的诉讼时效期间届满后，抵押权人在两年内不行使抵押权的，抵押权应当消灭。其理由是：主债权的诉讼时效期间届满后，主债权并没有消灭，而只是债权人失去了胜诉权，由于主债权的存在，其抵押权也附随存在。但如果抵押权一直存在，可能会由于抵押权人长期怠于行使抵押权，而不利于发挥抵押财产的经济效用，阻碍经济的发展。因此再给抵押权人 2 年的行使期间，2 年内不行使的，抵押权消灭，是比较合理的。最高人民法院就有关问题制定的司法解释也是这样规定的。有的认为 2 年期间较短，不利于保护抵押权人的利益，建议改为 5 年。

第二种意见认为，担保物权因其担保的主债权履行期间届满后 4 年内不行使而消灭。其理由是：将抵押权的存续期间与主债权的诉讼时效挂钩，由于诉讼时效有中止、中断的情形，可能会使担保物权长期存在，加重了抵押人的负担，也不利于法律关系的稳定和市场交易;而规定4年的除斥期间,可以解决这一问题。

第三种意见认为,应当在担保物权一般规定一章中规定,主债权诉讼时效期间届满未行使担保物权的,担保物权消灭。这样规定可以将抵押权、质权和留置权的存续期间都包含进去。

第四种意见认为,抵押权人应当在主债权诉讼时效期间行使抵押权;未行使的,人民法院不予保护。

本法采纳了上述第四种意见。这样规定的主要考虑是,随着市场经济的快速运转,如果允许抵押权一直存续,可能会使抵押权人怠于行使抵押权,不利于发挥抵押财产的经济效用,制约经济的发展。因此,规定抵押权的存续期间,能够促使抵押权人积极行使权利,促进经济的发展。由于抵押权是主债权的从权利,因此一些国家民法和我国台湾地区“民法”将抵押权的存续期间与主债权的消灭时效或者诉讼时效挂钩的做法,值得借鉴。此外,上述前三种意见各有一些不妥之处,现试做一简要分析:

第一种意见提出的主债权的诉讼时效期间届满后,抵押权还有两年的存续期间,是否妥当,值得研究。在抵押人为第三人的情况下,抵押人在这2年期间内承担了担保责任后,应当有权向债务人追偿。但由于主债权已过诉讼时效,债务人对抵押权人清偿债务的请求享有抗辩权,这种抗辩权能否对抗抵押人的追偿权?如果不能对抗,诉讼时效对债务人来说就失去了意义,债务人实际上还要履行债务;如果能够对抗,抵押人的追偿权就无法得到保障。

第二种意见中的4年是除斥期间,是一个固定期间,没有中止或者中断,而主债权的诉讼时效期间有中止或者中断,这就可能造成主债权的诉讼时效期间尚未届满而抵押权已经消灭的情形,从而使抵押权失去担保主债权履行的功能。

第三种意见为质权和留置权也设定了存续期间。根据这一意见,主债权诉讼时效期间届满质权人、留置权人未行使质权、留置权的,质权、留置权消灭,质权人、留置权人应当向出质人、债务人返还质押财产、留置财产，这对已经实际占有质押财产、留置财产的质权人、留置权人是不公平的。关于质权、留置权的问题，本法根据各自权利的特点单独做了规定。本法第二百二十条规定，出质人可以请求质权人在债务履行期届满后及时行使质权；质权人不行使的，出质人可以请求人民法院拍卖、变卖质押财产。第二百三十七条规定，债务人可以请求留置权人在债务履行期间届满后行使留置权；留置权人不行使的，债务人可以请求人民法院拍卖、变卖留置财产。

综合以上分析，第四种意见是比较适当的，因此本法采纳了该意见。

需要注意的是，本条规定的是抵押权人在主债权诉讼时效期间内未行使抵押权的，人民法院不予保护。也就是说，过了主债权诉讼时效期间后，抵押权人丧失的是抵押权受人民法院保护的权利即胜诉权，而抵押权本身并没有消灭，如果抵押人自愿履行担保义务的，抵押权人仍可以行使抵押权。

第二节　最高额抵押权

第二百零三条　为担保债务的履行，债务人或者第三人对一定期间内将要连续发生的债权提供担保财产的，债务人不履行到期债务或者发生当事人约定的实现抵押权的情形，抵押权人有权在最高债权额限度内就该担保财产优先受偿。

最高额抵押权设立前已经存在的债权，经当事人同意，可以转入最高额抵押担保的债权范围。

【释义】　本条主要是关于最高额抵押的概念的规定。

根据本条的规定，最高额抵押是指为担保债务的履行，债务人或者第三人对一定期间内将要连续发生的债权提供抵押担保，债务人不履行到期债务或者发生当事人约定的实现抵押权的情形的，抵押权人有权在最高债权额限度内就该担保财产优先受偿。

最高额抵押具有以下特征：

首先，最高额抵押是限额抵押。设定抵押时，抵押人与抵押权人协议约定抵押财产担保的最高债权限额，无论将来实际发生的债权如何增减变动，抵押权人只能在最高债权额范围内对抵押财产享有优先受偿权。实际发生的债权超过最高限额的，以抵押权设定时约定的最高债权额为限优先受偿；不及最高限额的，以实际发生的债权额为限优先受偿。

其次，最高额抵押是为将来发生的债权提供担保。最高额抵押权设定时，不以主债权的存在为前提，是典型的担保将来债权的抵押权。这里的“将来债权”，是指设定抵押时尚未发生，在抵押期间将要发生的债权。

再次，最高额抵押所担保的最高债权额是确定的，但实际发生额不确定。设定最高额抵押权时，债权尚未发生，为担保将来债权的履行，抵押人和抵押权人协议确定担保的最高数额，在此额度内对债权担保。如甲以自己的一栋房产为抵押财产，与银行乙签订一份担保最高 300 万元债权的最高额抵押合同，以担保将来可能发生的债权的履行。

最后，最高额抵押是对一定期间内连续发生的债权做担保。这里讲的一定期间，不仅指债权发生的期间，更是指抵押权担保的期间，如对 2007 年 1 月 1 日至 12 月 31 日发生的债权提供担保。连续发生的债权，是指所发生的债权次数不确定，且接连发生，如债务人在一年期间内向银行第一次借款 100 万元，第二次借款 50 万元，在该期间内将来还可能发生第三次、第四次甚至更多次借款。这里讲的对一定期间内连续发生的债权做担保，是指在担保的最高债权额限度内，对某一确定期间内连续多次发生的债权做担保，如最高债权额为 300 万元，担保期间为一年，那么，在一年之内，无论发生多少次债权，只要债权总额不超过 300 万元，这些债权都可以就抵押财产优先受偿。

最高额抵押是随着商品经济发展而产生的一项重要的抵押担保制度,一些国家民法和我国台湾地区的“民法”对此都做了规定。我国担保法适应社会主义市场经济发展的需要,也确立了这一制度。最高额抵押与一般抵押相比具有一定的优越性。例如,甲向乙连续多次借款,如果采用一般财产抵押的办法,那么每次借款都要设定一个抵押担保,签订一次抵押合同,进行一次抵押登记,手续十分烦琐;而在借款之前设定一个最高额抵押,无论将来债权发生几次,只要签订一个抵押合同、做一次抵押登记就可以了,这样做既省时、省力、省钱,还可以加速资金的融通,促进经济发展。

关于最高额抵押的适用范围,担保法第六十条规定,借款合同可以附最高额抵押合同;债权人与债务人就某项商品在一定期间内连续发生交易而签订的合同,可以附最高额抵押合同。随着市场经济的不断发展,经济往来日益频繁,经济交往形式日益多样,在现实经济生活中,不仅当事人之间的借贷关系、商品交易关系可以利用最高额抵押的形式,其他交易关系也可能需要以最高额抵押做担保,如票据关系、商业服务关系。因此,本法没有保留担保法的上述规定,不再对最高额抵押的适用范围进行限制,为实践发展留出空间。

根据本条的规定,最高额抵押是对将要发生的债权提供担保,那么,最高额抵押权设立前已经存在的债权,能否被转入最高额抵押担保的债权范围内呢?对这一问题,在本法起草过程中,多数意见认为,最高额抵押权的本质特征不在于其所担保的债权为将来的债权,而在于所担保的债权为不特定债权,且具有最高限额。因此,只要最终实际发生的债权总额不超过双方约定的最高债权额,即使该债权发生在最高额抵押权设立前,也应当被允许增补到最高额抵押所担保的债权范围内。而且是否将已经存在的债权转入最高额抵押担保的债权范围，是当事人自己的权利，只要双方协商同意，法律应当允许。本条第二款采纳了这一意见。

第二百零四条　最高额抵押担保的债权确定前，部分债权转让的，最高额抵押权不得转让，但当事人另有约定的除外。

【释义】　本条是关于最高额抵押所担保的主债权以及最高额抵押权转让的规定。

关于最高额抵押所担保的主债权能否转让的问题，担保法第六十一条规定："最高额抵押的主合同债权不得转让。"担保法这样规定的主要考虑是，最高额抵押是对一定期间连续发生的债权做担保，而不是单独对其中的某一项债权做担保；而且最高额抵押所担保的债权在担保期间内经常变更，处于不稳定状态。如果允许主合同债权转让，就要考虑最高额抵押权是否转让、如何转让，以及如果几个债权分别转让给不同的第三人时，最高额抵押权由谁行使、如何行使等问题。在当时我国市场机制尚未完善的情况下，为了防止经济生活出现混乱局面，保障信贷和交易安全，担保法做出最高额抵押的主合同债权不得转让的特别规定，是必要的。但随着我国市场经济的不断发展和市场机制的不断完善，最高额抵押的主合同债权转让与否，应当按照当事人意思自治的原则，由债权人自己决定。德国、日本等一些国家的民法也规定，最高额抵押所担保的债权可以依照债权转让的一般规定进行转让。因此，本法不再保留担保法的上述规定，最高额抵押所担保的主债权是可以转让的。

关于最高额抵押权是否随其所担保的主债权的转让而转让的问题，应当区别不同情况分别对待。最高额抵押所担保的主债权确定后，主债权在约定的最高限额内就抵押财产优先受偿，此时最高额抵押与一般抵押没有什么区别。因此，根据一般抵押权随主债权的转让而转让的原则，主债权转让的，最高额抵押权一并转让。那么,最高额抵押担保的主债权确定前,最高额抵押权是否随部分债权的转让而转让呢?对此,本条主要考虑的是因为最高额抵押是对一定期间内连续发生的所有债权做担保,而不是单独对其中的某一个债权做担保。因此,最高额抵押权并不从属于特定债权,而是从属于主合同关系。部分债权转让的,只是使这部分债权脱离了最高额抵押权的担保范围,对最高额抵押权并不发生影响,最高额抵押权还要在最高债权额限度内,对已经发生的债权和尚未发生将来可能发生的债权做担保。因此,最高额抵押担保的主债权确定前,部分债权转让的,最高额抵押权并不随之转让,除非当事人另有约定。其他一些国家,如日本,对这一问题也做了类似的规定。

根据本条但书的规定,当事人可以约定在最高额抵押担保的债权确定前,最高额抵押权随部分债权的转让而转让。当事人的约定主要有以下两种情形:(1)部分债权转让的,抵押权也部分转让,原最高额抵押所担保的债权额随之相应减少。在这种情况下,转让的抵押权需要重新做抵押登记,原最高额抵押权需要做变更登记。(2)部分债权转让的,全部抵押权随之转让,未转让的部分债权成为无担保债权。

第二百零五条　最高额抵押担保的债权确定前,抵押权人与抵押人可以通过协议变更债权确定的期间、债权范围以及最高债权额,但变更的内容不得对其他抵押权人产生不利影响。

【释义】　本条是关于抵押权人与抵押人协议变更最高额抵押有关内容的规定。

最高额抵押担保的债权确定前,抵押权人与抵押人可以通过协议变更最高额抵押的有关内容。当事人可以协议变更的内容主要包括:

一是债权确定的期间。抵押权人与抵押人一般会在最高额抵押合同中约定债权确定的期间。例如,如果当事人订立最高额抵押合同对2007年1月1日至12月31日发生的债权做担保,那么该期间即为债权确定的期间,2007年12月31日为债权确定的最后日期。最高额抵押担保的债权确定前,当事人可以协议延长最高额抵押合同中约定的确定债权的期间,如将该期间延长至2008年6月30日;也可以协议缩短该期间,如缩短至2007年6月30日。

二是债权范围。当事人可以协议变更最高额抵押权担保的债权范围。例如,某家电经销商与某家电制造商签订一份最高额抵押合同,对一定期间内连续购进该家电制造商生产的电视机所要支付的货款提供担保。抵押期间,双方约定,在最高额抵押担保范围内,同时为家电制造商的电冰箱的货款提供担保。

三是最高债权额。当事人可以协议提高或者降低抵押财产担保的最高债权额,如将约定的最高债权额300万元提高至500万元或者降低至200万元。

是否变更债权确定的期间、债权范围以及最高债权额,取决于当事人的协商一致;但在同一抵押财产上还有其他抵押权人特别是后顺位的抵押权人时,变更的内容可能对他们产生一定的影响,甚至损害他们的合法权益。例如,最高额抵押合同中约定的债权确定的最后日期在后顺位抵押权的债务履行期届满之前,如果最高额抵押权人与抵押人协议延长债权确定的期间,将债权确定的最后日期延长至该后顺位抵押权的债务履行期届满之后,就会对后顺位抵押权人实现其抵押权产生不利的影响。又如,最高额抵押权人与抵押人协议提高最高债权额,而实际发生的债权数额也高于原最高债权额,那么抵押财产的变价款用于优先清偿该最高额抵押权的数额就会相应增加,这样也会对后顺位抵押权人实现其抵押权产生不利影响。为防止抵押权人与抵押人的变更损害其他抵押权人的利益,本条以但书的形式特别规定:变更的内容不得对其他抵押权人产生不利影响。根据这一规定,抵押权人与抵押人的变更对其他抵押权人产生不利影响的，该变更无效。

第二百零六条　有下列情形之一的，抵押权人的债权确定：

（一）约定的债权确定期间届满；

（二）没有约定债权确定期间或者约定不明确，抵押权人或者抵押人自最高额抵押权设立之日起满二年后请求确定债权；

（三）新的债权不可能发生；

（四）抵押财产被查封、扣押；

（五）债务人、抵押人被宣告破产或者被撤销；

（六）法律规定债权确定的其他情形。

【释义】　本条是关于最高额抵押权所担保债权确定事由的规定。

最高额抵押权所担保债权的确定是指最高额抵押权所担保的债权因一定事由而归于固定。最高额抵押权的实现除了需要债务人不履行到期债务或者发生当事人约定的实现抵押权的情形外，还须具备其担保债权额的确定。最高额抵押权担保的债权额之所以需要确定：一是根据本法第二百零三条的规定，最高额抵押权是对一定期间内将要连续发生的债权提供抵押担保。也就是说，最高额抵押权所担保的债权额在抵押期间具有不确定性和变动性。但债权终需要清偿，在清偿的条件出现时，债务人具体应清偿多少债权，应有一个确定的数额。二是最高额抵押权仍属于抵押权的一种，抵押权人在实现优先受偿权时，具体优先受偿的范围为多大，应当有一个定额。担保法对最高额抵押权所担保债权的确定事由没有做具体规定，这限制了最高额抵押权在实践中的应用。基于此，本条对最高额抵押权所担保债权的确定事由做了详细规定。

在吸收法院审判实践经验及借鉴国外立法例的基础上，本条规定，具有下列情形之一的，最高额抵押权所担保的债权确定：

（一）约定的债权确定期间届满

债权确定的期间是指确定最高额抵押权所担保的债权实际数额的时间。实践中，最高额抵押权人为了防止抵押人任意行使确定债权额的请求权而使自己处于不利地位，抵押人为了防止自己的抵押物所担保的债权长期处于不稳定的状态，一般都愿意在最高额抵押合同中对债权确定的期间进行约定。所以，对债权确定的期间进行约定是最高额抵押合同的重要内容。当事人约定的债权确定期间届满，最高额抵押权所担保的债权额即自行确定。这里需要区分两组概念：一是当事人约定的债权确定期间与最高额抵押权的存续期间。前者是指最高额抵押权人与抵押人之间约定的，用以确定最高额抵押权所担保债权额的时间；后者是指最高额抵押权担保债权的期间。根据本法第二百零二条的规定，抵押权人应当在主债权诉讼时效期间行使抵押权；未行使的，人民法院不予保护。也就是说，最高额抵押权的存续期间与主债权的诉讼时效一致。所以，最高额抵押权的存续期间一般长于当事人约定的债权确定的期间。二是当事人约定的债权确定期间与最高额抵押中的债务清偿期。最高额抵押中的债务清偿期指债务人履行债务的期间。当事人约定的债权确定期间届至，债务的清偿期未必届至。当事人可以在最高额抵押合同中约定以债务的清偿期为债权确定的期间，也可以在债务清偿期外另约定债权确定的期间。

（二）没有约定确定债权期间或者约定不明确，抵押权人或者抵押人自最高额抵押权设立之日起满2年后请求确定债权

实践中，当事人可能没有约定确定的债权期间，或者即使有约定，但约定的期间不明确。在这种情况下，如何决定最高额抵押所担保债权的确定时间？对这个问题，国外的做法主要有两种：一是规定抵押权人或者抵押人可以随时要求确定最高额抵押权所担保的债权额；二是规定一个确定债权额的法定期间，如日本民法典规定，最高额抵押人自最高额抵押权设定时起经过3年，可以请求确

定债权原本。本法采纳了第二种做法，明确规定，没有约定确定债权期间或者约定不明确，抵押权人或者抵押人自最高额抵押权设立之日起满2年后请求确定债权。这样规定主要基于两点考虑：一是设立最高额抵押权的目的主要是为了对连续性的交易提供担保，连续性交易一般会持续一段时间，如果允许当事人随时要求确定最高额抵押权所担保的债权额，就意味着一方当事人特别是抵押人有可能在很短时间内就要求确定债权额，这无疑与设立最高额抵押权的目的不相符合；二是在当事人对确定债权额的期间没有约定或者约定不清楚的情况下，规定一个法定的确定债权额的期间，可以使最高额抵押权的地位因法定期间的存在而较为安稳，抵押权人不必时时顾虑抵押人行使确定请求权。这对于稳定最高额抵押关系是有好处的。本条规定的"二年"是一个固定期间，不存在中止、中断的问题，其起算点是最高额抵押权设立之日。根据本法第一百八十七条、第一百八十八条的规定，如果以建筑物、建设用地使用权等不动产权益做最高额抵押的，最高额抵押权设立之日为最高额抵押权登记之日；如果以交通运输工具等动产做最高额抵押的，最高额抵押权设立之日为最高额抵押合同生效之日。

（三）新的债权不可能发生

在新的债权不可能发生的情况下，最高额抵押权所担保的债权额也是确定的。这里的"新的债权不可能发生"主要包括两种情形：一是连续交易的终止。如果最高额抵押是对连续交易提供担保，则连续交易的结束日期就是债权额的确定时间，即使当事人约定的债权确定期间或者本条第（二）项规定的法定确定期间还没有届至，最高额抵押权所担保的债权额也是确定的。二是最高额抵押关系的基础法律关系消灭而导致新的债权不可能发生。比如在连续的借款交易中，借款人的严重违约致使借款合同依照合同约定或者法律规定被解除，新的借款行为自然不再发生。这种关系终止时，最高额抵押权所担保的债权额自然也确定。在这种情况下,债权额的确定时间也不受当事人约定的或者法定确定期间的影响。

(四)抵押财产被查封、扣押

在最高额抵押权存续期间,抵押财产被法院查封、扣押的,其有可能被拍卖或者变卖。抵押财产被拍卖、变卖的价格直接影响到最高额抵押权人债权利益的实现。为确保自己的利益,在抵押财产被查封、扣押时,最高额抵押权人一般都希望被担保的债权额尽早确定。此外,查封、扣押抵押财产实际上隔断了抵押财产与担保债权的关系,也脱离了最高额抵押人和最高额抵押权人对抵押财产的影响和控制。因此,无论是从保护最高额抵押权人、其他债权人利益的角度,还是从稳定担保关系的角度,都应当确定最高额抵押所担保的债权额。需要注意的是,被担保的债权额因抵押财产被查封、扣押而确定的,除了其他法律另有规定,最高额抵押权人仍可以就被确定的担保债权额对抵押财产行使优先受偿权。这种优先受偿权优先于一般债权,也优先于排在其后的其他担保物权。

(五)债务人、抵押人被宣告破产或者被撤销

在最高额抵押权存续期间,债务人、抵押人有可能被宣告破产或者被撤销。债务人、抵押人被宣告破产或者被撤销所产生的直接法律后果就是债务人、抵押人进入破产程序或者清算程序。根据破产法的规定,未到期的债权,在破产申请受理时视为到期。附利息的债权自破产申请受理时起停止计息。根据本法第二百零三条的规定,债务到期是实现最高额抵押权的法定事由,因此债务人被宣告破产使确定最高额抵押所担保的债权额成为必要。抵押人进入破产程序的,其所有的财产(包括最高额抵押财产)都由破产管理人占有和支配;但对破产人的特定财产享有担保物权的权利人,对该特定财产享有优先受偿的权利,所以抵押人被宣告破产也使最高额抵押所担保的债权确定成为必要。同理,在债务人、抵押

人被撤销的情况下，债务人或者抵押人进入清算程序也需要确定担保债权额。需要强调一点，根据企业破产法第一百三十二条的规定，企业破产法施行后，破产人在企业破产法公布之日前所欠职工的工资和医疗、伤残补助、抚恤费用，所欠的应当划入职工个人账户的基本养老保险、基本医疗保险费用，以及法律、行政法规规定应当支付给职工的补偿金，依照破产法第一百一十三条的规定清偿后不足以清偿的部分，以破产法第一百零九条规定的特定财产优先于对该特定财产享有担保权的权利人受偿。企业破产法第一百零九条规定的就是担保物权人对担保财产的优先受偿权。也就是说，在债务人或者抵押人被宣告破产时，最高额抵押权人受担保的债权额确定，但其对抵押财产优先受偿的权利受企业破产法第一百三十二条的影响。

（六）法律规定债权确定的其他情形

这是保底性条款。除了本条第（一）项至第（五）项所规定的可以确定债权额的法定事由外，在本法其他条款或者其他法律中也有可能规定确定债权的其他情形。如根据本法第二百零三条的规定，发生当事人约定的实现最高额抵押权的事由时，最高额抵押权人有权在最高债权额限度内就该担保财产优先受偿，而最高额抵押权人行使最高额抵押权的基础就是担保债权额的确定，所以出现当事人约定的实现最高额抵押权的事由就意味着担保债权额的确定。

最高额抵押权所担保债权额的确定将产生以下法律效力：一是最高额抵押权转变为普通抵押权。在债务人到期不履行债务或者出现当事人约定的实现抵押权的情形时，抵押权人可以依照普通抵押权的规定行使其抵押权。二是确定被担保债权的范围。被担保债权额确定时存在的主债权，不论其是否已到清偿期或者是否附有条件，均属于最高额抵押权担保的范围。被担保债权确定时存在的被担保主债权的利息、违约金、赔偿金，不论在确定时是否已经发生,也属于被担保债权的范围。但是在最高额抵押权担保的债权确定后才发生的主债权不属于被担保债权的范围。三是最高额抵押权所担保的债权确定后,一旦债权到期或者出现当事人约定的可以实现抵押权的情形,抵押权可以就抵押财产优先受偿,但优先受偿的额度不得超过双方当事人约定的最高担保额。抵押权人实现最高额抵押权时,如果实际发生的债权额高于最高限额的,以最高额为限,超过部分不具有优先受偿的效力;如果实际发生的债权额低于最高限额的,以实际发生的债权额为限对抵押财产优先受偿。

第二百零七条　最高额抵押权除适用本节规定外,适用本章第一节一般抵押权的规定。

【释义】 本条是关于最高额抵押权适用一般抵押权相关条款的规定。

与一般抵押权相比,最高额抵押权具有特殊性:一是最高抵押权具有一定的独立性。在一般抵押权中,抵押权完全从属于主债权,随主债权的设立、移转和消灭而设立、移转和消灭。但是最高抵押权的设立、转移和消灭在一定程度上独立于主债权。在设立上,没有债权存在,不能设立一般抵押权;但最高额抵押权却往往为将来的债权而设,不需要依附于现成的债权。在移转上,一般抵押权要求债权转移的,抵押权也随之转移;但在最高额抵押权中,根据本法第二百零四条的规定,除当事人另有约定外,最高额抵押担保的债权确定前,部分债权转让的,最高额抵押权不得转让。在消灭上,一般抵押权要求主债权消灭的,抵押权也消灭;但在最高额抵押权中,只要产生最高额抵押权的基础关系还存在,部分债权的消灭不影响最高抵押权的存在。二是最高额抵押权所担保的债权在设立时具有不确定性。在一般抵押权设立时,其所担保的债权在设立时就是特定的,所担保的债权额是明确的;但最高额抵押权设立时，其所担保的债权额是不确定的，一直到本法第二百零六条所规定的确定债权额的事由出现时，其所担保的债权额才确定。三是在最高额抵押权中，当事人必须约定抵押权人得以优先受偿的最高债权数额。当事人约定的享有担保的最高债权数额并非最高额抵押权所担保的实际债权额，因为实际债权额到底是多少，只有根据本法第二百零六条的规定进行确定后才清楚。当实际发生的债权额超过最高限额时，以最高限额为准实现抵押权，超过的部分不具有优先受偿的效力；实际发生的债权额低于最高限额的，以实际发生的数额为准实现抵押权。在一般抵押权中，当事人并不需要约定优先受偿的最高债权数额。以上三点是一般抵押权与最高额抵押权的主要区别。但是从性质上讲，最高额抵押权仍属于抵押权的一种，与一般抵押权具有许多共性。除本节规定的条文外，本法关于一般抵押权的许多规定都可以适用于最高额抵押权。为了避免内容重复，本条规定，最高额抵押权除适用本节规定外，适用本法第十六章第一节一般抵押权的规定。

最高额抵押权可以适用本法第十六章第一节一般抵押权的规定主要有：一是关于抵押权设立的规定。关于最高额抵押权设立的当事人、设立的程序、可用于抵押的财产等内容与一般抵押权基本相同。本法第一百八十条、第一百八十二条、第一百八十三条、第一百八十四条的规定均可适用于最高额抵押权。二是关于抵押权登记与生效时间的规定。最高额抵押权的登记和生效时间适用本法第一百八十七条、第一百八十八条的规定。根据本法第一百八十七条、第一百八十八条的规定，以本法第一百八十条第一款第（一）项至第（三）项规定的财产或者第（五）项规定的正在建造的建筑物抵押的，应当办理抵押登记，抵押权自登记时设立。以本法第一百八十条第一款第（四）项、第（六）项规定的财产或者第（五）项规定的正在建造的船舶、航空器抵押的，抵押权自抵押合同生效时设立；未经登记，不得对抗善意第三人。三是关于抵押权与其他权利的关系的规定。本法第一百九十条对抵押权与租赁权的关系、第一百九十九条对同一财产上多个抵押权的清偿顺序做了规定。这些规定也可用于处理最高额抵押权与租赁权或者其他抵押权的关系。四是关于最高额抵押权的实现。最高额抵押权的实现程序和方式均可适用一般抵押权的实现程序和方式。本法第一百九十五条、第一百九十七条、第一百九十八条、第二百条等条文对此做了规定。五是关于抵押财产保全的规定。本法第一百九十一条、第一百九十三条关于抵押财产保全的规定可以适用于最高额抵押权。此外,本法第十六章第一节第一百九十四条关于抵押权人放弃抵押权或者抵押权顺位的规定、第二百条关于抵押权存续期间的规定也可适用于最高额抵押权。

第十七章 质 权

第一节 动产质权

本节共十五条，对动产质权基本权利、禁止出质的动产、质权合同、禁止流质契约、动产质权设立、孳息收取权、对质物处分使用的限制、质物的保管、质物保全、转质、质权的放弃、质物返还及质权实现、行使质权的请求权、质物变价款归属原则及最高额值权等做了规定。

第二百零八条 为担保债务的履行，债务人或者第三人将其动产出质给债权人占有的，债务人不履行到期债务或者发生当事人约定的实现质权的情形，债权人有权就该动产优先受偿。

前款规定的债务人或者第三人为出质人，债权人为质权人，交付的动产为质押财产。

【释义】 本条是关于动产质权基本权利的规定。

债务人或者第三人将其动产移转给债权人占有作为债权的担保，当债务人不履行到期债务或者当事人约定的实现质权的情形出现时，债权人享有就质押给债权人的动产折价或者拍卖、变卖该动产的价款优先受偿的权利。

（一）动产质权与质押

债务人或者第三人将其动产交给债权人占有并实际控制的行为被称之为质押，质权人因质押而取得的权利为质权，质权是担保物权的一种。质权与质押是两个不同的概念。质押是指设定质权的法律行为，质权是指质权人的权利；质押是质权产生的原因，质权是质押引起的法律后果。

（二）质权的法律特征

1. 动产质权是担保物权。债务人或者第三人将其质物交由债权人占有，是为了担保债权的实现。质权人占有质物实际上是取得了质物上的交换价值。在一般情况下，其只能占有质物，而不能使用、收益。因此，质权人的标的不是物的使用价值，而是物的交换价值，是为了保证特定债权的实现而设定，质权附随于债权而存在。

2. 动产质权是在他人的财产上设立的物权。动产质权是在债务人或者第三人的动产上设定的担保物权，因此属于他物权。质权的标的可以是债务人自己的财产，也可以是第三人的财产，债权人没有必要在自己所有的财产上为担保自己的债权设定质权。

3. 动产质权由债权人占有质物为生效条件。质权是以质权人占有质物为条件的，质权人只有占有质物才享有质权，移转质物的占有是质权与抵押权的根本区别。因此，出质人须将质物交付质权人占有，质权人才能取得质权。

4. 动产质权是就质物价值优先受偿的权利。由于动产质权的设定是以担保特定债权的实现为目的，因此，当债务履行期届满而债务人不履行债务或者出现债务人与债权人约定实现质权的情形时，质权人有权就质物折价或者拍卖、变卖该质物的价款优先受偿。

“当事人约定的实现质权的情形”是指当事人双方在订立的合同中约定的实现质权的一些事由，例如当事人一般会在担保合同中约定债务人履行债务的义务方式等，如果债务人不按合同约定的方式等履行债务，则可能构成实现质权的情形。

第二百零九条　法律、行政法规禁止转让的动产不得出质。

【释义】　本条是关于禁止出质的动产的规定。

关于禁止出质的动产的规定，是在将物权法草案向社会公布公开征求意见后新增加的内容。物权法草案的一、二、三审稿及担保法均没此内容，在物权法草案向社会公开征求意见后，有的群众提出，出质的财产应当是允许转让的财产，法律禁止转让的财产不能作为质押的财产。法律委员会经研究，建议增加一条规定此内容。

（一）依法可以转让的动产均可以设定动产质权

哪些财产可以作为质权标的物，各国规定不尽相同。有的国家规定，各种财产上均可设立质权；有的国家规定，质权的标的限于动产；对于哪些动产可以设定质权，则大多不做列举。根据民法的法理，法律不禁止的，都应当是允许的；而法律不明确规定禁止转让的动产，都可以作为设定质权的标的。

合法拥有的并且依法可以转让的动产可以设定质权。因此，可以设定的动产应当是十分宽泛的，如车辆、古董字画、珠宝首饰。但是，法律、行政法规规定禁止流通的动产不得设定质权，如毒品、管制枪支。

（二）规定禁止转让的动产的依据应当是法律、行政法规

设定动产质权是一种民事权利，对于禁止性的限定应当是十分严格的。规定禁止转让的动产的依据只能是全国人大及其常委会制定的法律、国务院制定的行政法规。其他规范性文件，不能作为规定禁止转让动产的依据。

第二百一十条　设立质权，当事人应当采取书面形式订立质权合同。

质权合同一般包括下列条款：

（一）被担保债权的种类和数额；

（二）债务人履行债务的期限；

（三）质押财产的名称、数量、质量、状况；

（四）担保的范围；

（五）质押财产交付的时间。

【释义】 本条是关于质权合同的规定。

质权是依照当事人的真实意思而创设的权利。当事人设定质权的行为是一种双方的法律行为，应当通过订立质权合同来进行。

（一）订立质权合同应当采用书面形式

质权设定的行为为要式行为，应当采用书面的形式进行。要式行为即法律、行政法规规定的要求当事人在民事行为中应当采用的形式或者方式。

关于动产质权的合同形式，学者们一直有不同观点。有的认为，口头质权订立合同也应当允许。考虑到口头合同虽然简单、易行，但一旦发生争议，不易证明其存在及具体内容，不利于事实的查明和纠纷的解决，为了便于确定当事人的权利义务、民事责任等法律关系，促使当事人谨慎行使担保物权，减少纠纷的发生，规范设定质权的行为，法律规定应当采用书面形式订立质权合同。

对于设立动产质权合同未采用书面形式的，依据合同法第三十六条的规定，一方已经履行主要义务，对方接受的，该合同成立。

（二）动产质权的合同内容

动产质权合同是明确质权人与出质人权利义务的协议，也是将来处理当事人之间纠纷的重要依据。因此，当事人在订立质权合同时，对当事人之间的权利义务应尽可能约定清楚、明确。本条关于合同内容的规定，是提示性、指导性的、非要式的。值得一提的是，本条将担保法中规定的“应当包括”修改为“一般包括”，主要考虑：一方面，合同的内容是当事人双方真实意思的表示，应当由当事人自己确定；另一方面，由于担保法规定的是“应当包括”，司法实践中经常出现不符合规定内容的情形时，质押合同被确认无效而导致当事人权益得不到保护的情况。动产质权合同一般包括的内容主要有：

1. 被担保债权的种类和数额。被担保债权，通常被称为主债权。担保合同是为主债权的实现而设立的。主债权的种类，有金钱债权、特定物给付债权、种类物给付债权以及以作为或不作为为标的的债权等。数额是指主债权是以金钱来衡量的数量；不属于金钱债权的，可以明确债权标的额的数量、价款等。被担保债权的种类和数额，是确定质权发生的依据，也是质权人实现质权时优先受偿确定范围的基础。

2. 债务人履行债务的期限。债务人履行债务的期限是指债务人承担债务的时间。质权合同订立后，在主债权清偿期届满前，质权人享有的只是占有质物的权利。其优先受清偿的权利虽然已经成立，但此间质权人实际享有的只是与主债权价值相当的优先受偿的期待权。质权人对质物的变价受偿必须要等到债务人期届满且债务人没有债务，或者出现了当事人之间在合同中订立的实现质权的情形实际发生时，才能进行。质权合同规定债务人债务的期限，可以准确确定债务人债务清偿期届满的时间，明确质权人实现质权的时间，保证债权人及时实现质权。

3. 质押财产的名称、数量、质量、状况。质物是设立动产质权的关键所在。没有质物，则不可能产生质权。动产质权合同，是出质人以其或者第三人的质物为实现质权人的质权而设定的担保合同，质权最终要以质物的变价来实现。所以在动产质权合同中要对质物的相关情况有明确的描述，包括质物的名称，以确定质物为何种物；质物的数量、质量，以确定质物的价值量。

4. 担保的范围。动产质权担保的范围，是指质权人实现质权时可以优先受偿的范围。质权担保的范围应当由当事人协商确定。但当事人对担保范围不作约定或者约定不明确时，可以参考本法第一百七十三条的规定确定，即担保物权的担保范围包括主债权及其利息、损害赔偿金、保管担保财产和实现担保物权的费用。

5. 质押财产交付的时间。质押财产交付的时间是质权合同中的重要内容,质物的交付直接关系到质权的生效。根据本法的规定,质权自质物实际交付质权人时设立。当事人在质权合同中约定质物的交付时间,就可以明确出质人应当在何时将质物移转给质权人,质权人在何时接受质物,以确定质权的效力。明确质物的交付时间,有利于保障质权人债权的实现,维护交易安全,减少纠纷。

第二百一十一条　质权人在债务履行期届满前,不得与出质人约定债务人不履行到期债务时质押财产归债权人所有。

【释义】　本条是关于禁止流质的规定。

根据本条的规定,质权人在债务履行期届满前,不得与出质人约定债务人不履行债务时质押财产归债权人所有。这项规定被通称为"禁止流质契约"条款。各国民法一般均禁止出质人与质权人以"流质契约"处分质押标的物,以保证质权合同当事人之间的公平。

禁止流质契约的规定始自罗马法,为大多数国家或地区的立法例,如法国、德国、日本、瑞士民法和我国台湾地区的"民法"。

规定禁止流质契约,主要是考虑债务人借债往往处于急窘之境,债权人可以利用债务人的这种不利境地和自己的强势地位,迫使债务人与其签订流质契约,以价值过高的质押物担保小的债权额,在债务人不能清偿债务时,取得质押物的所有权,从而牟取不当利益。为了保障出质人的合法利益,法律规定禁止流质契约。当然,从现实生活与经济发展看,债务人借债,并非都是处于弱势地位,借债并进行质权担保的发生原因是多样化的。但从总体上说,为了保证担保活动的平等、自愿、公平和诚实信用,规定禁止流质契约还是十分有必要的。

禁止流质契约的意思主要是:当事人不得在质权合同中约定

出质人在债务履行期届满不履行到期债务的，质押财产的所有权转移于质权人所有，即使当事人认为质物与债权价值相当，也不允许订立如此内容的协议。

第二百一十二条　质权自出质人交付质押财产时设立。

【释义】　本条是关于动产质权设立的规定。

（一）交付质押财产是质权的生效要件

动产质权的标的是动产。动产具有易于转移、难以控制的特点。为了保障动产质权的实现，也为了保护善意第三人的合法权益，本条规定动产质权的设立以交付为生效要件。

（二）质权自出质人交付质押财产时设立

出质人与质权人订立动产质权合同，该合同自成立时生效。但在移转质物的占有之前，并不发生担保物权的效力；出质人只有实际移转质物交付到质权人占有时，质权才发生效力。司法实践中往往将合同效力与质权效力混同。根据本条的规定，质物是否移转是质权是否生效的判断标准：当事人没有移转质物，质权无效。其质权合同是否有效要根据合同法的有关规定判断，质权无效并不当然导致合同无效，不应将质权有效与否与合同的效力合二为一混同判断。

第二百一十三条　质权人有权收取质押财产的孳息，但合同另有约定的除外。

前款规定的孳息应当先充抵收取孳息的费用。

【释义】　本条是关于质权人孳息收取权的规定。

根据本条的规定，除合同另有约定外，质权人有权收取质押财产所产生的孳息，质权的效力及于孳息。

（一）质权人孳息收取权的依据

关于质权的效力是否当然及于孳息，各国立法并不相同。

质权有占有质权与收益质权之分：占有质权是质权人仅有占有质物而无使用收益的权利的质权；收益质权是质权人对质物占有并有使用收益的质权。我国质权并未对此进行划分。较有共识的意见是，由于质权人占有质物，因此由其收取质物所产生的孳息最为简便可行；同时，收取的孳息用于清偿债务，对于出质人也无损害。

根据本条的规定，质权人能否收取孳息有两种情况：一是，如果当事人在合同中明确约定质权人无权收取质物所产生的孳息，则质权人不能收取质物孳息作为债权的担保；二是，如果当事人对质权人能否收取孳息没有约定或者约定不明的，质权人有权依照本条的规定收取质物所产生的孳息。

（二）孳息的种类

质物所产生的孳息包括自然孳息和法定孳息。质物所产生的自然孳息是指质物因自然原因由自身分离出来的利益，如果树结的果实、母畜生的幼畜；法定孳息，指依照法律规定由质物所产生的利益，如根据合同产生的租金、利息。

质权人依法收取孳息时，并不当然取得所有权，而是取得孳息的质权，孳息成为质权的标的。如果孳息是金钱，质权人可以直接用于清偿；如果孳息是物，可以由质权人与出质人协议以该孳息折价或者拍卖、变卖，以所得价款优先受偿。

（三）孳息的充抵顺序

依法收取的孳息首先应当充抵收取孳息的费用，然后充抵主债权的利息和主债权。例如，以母牛作为质物的，如果母牛产仔，债务清偿期届满，债务人没有清偿债务，那么当事人可以将牛仔折价或者拍卖、变卖，所得价款先充抵牛仔接生费等。

第二百一十四条　质权人在质权存续期间，未经出质人同意，擅自使用、处分质押财产，给出质人造成损害的，应当承担赔偿

责任。

【释义】 本条是关于质权人对质物使用处分的限制及法律责任的规定。

非经出质人同意,质权人在质权存续期间不得擅自使用、处分质物;质权人违反本条规定,使用或者处分质物的,应当承担赔偿责任。禁止质权人擅自使用、处分质物的规定体现了动产质权的设定目的及其特征。

质权人不得擅自使用、处分质物的理由主要有:首先,当事人设定动产质权的目的在于担保质权人的债权能够得到清偿:质权人占有质物,使用质物脱离出质人而为质权人所掌控,使质权人的担保物权得以保障。其次,质权从其性质上看是担保物权而非用益物权。动产质权与抵押权相比,其根本区别在于担保物的移转与否:抵押不移转抵押物,仍由抵押人占有、使用;而动产质权移转质物的占有,将属于出质人占有的质物转至质权人的控制之下。这是由于用于抵押的物大多是不动产,而用于质押的是容易移转的动产。质权人占有质物的作用在于控制质物,保证债权实现。最后,无论是抵押还是质押,物的担保在于其交换价值而非使用价值。从这个意义上说,质权人取得质物、控制质物是为了质物不被出质人随意处分而使担保落空,质权人使用、处分质物显然不是设定质权的目的。因此,质权人非经出质人同意不得擅自使用、处分质物。

质权人未经出质人同意,擅自使用质物、处分质物,一旦造成质物毁损、灭失给出质人造成损失的,质权人要根据法律规定承担民事赔偿责任。

第二百一十五条　质权人负有妥善保管质押财产的义务;因保管不善致使质押财产毁损、灭失的,应当承担赔偿责任。

质权人的行为可能使质押财产毁损、灭失的,出质人可以要求

质权人将质押财产提存，或者要求提前清偿债务并返还质押财产。

【释义】 本条是关于质权人妥善保管质物义务的规定。

质权人在占有质物的同时即产生妥善保管质物的义务。质权人该项义务的承担，一是因为质物虽依动产质权合同移归质权人占有，但其所有权仍是出质人的，在质权人占有质物期间，因质权人未尽妥善保管义务致使质物灭失或者毁损，是对出质人的质物所有权的侵害；二是因为质权人占有质物是为了自己债权的实现，如果质物毁损、灭失，不仅侵害出质人的利益，同时影响了自己的权益。

所谓妥善保管，即以善良管理人的注意义务加以保管。善良管理人的注意，是指依照一般交易上的观念，认为有相当的知识经验及诚意的人所具有的注意，即以一种善良的心和应当具备的知识来保管质物。例如，对于字画的保管应当注意防潮、防虫蛀、防灰尘等，对于贵重珠宝的保管应当注意防盗窃、防碎裂等。如果达不到对于应当注意的保管标准的，就不是妥善保管。

质权人违反保管义务造成质物毁损、灭失的，应当承担赔偿责任，该项赔偿责任是基于出质人的所有权而产生的请求权。对质权人的民事责任承担应当采用过错推定原则，即出质人只要证明质物遭受毁损、灭失的事实即可。质权人应当举证证明自己已经尽了妥善保管的义务，否则就应当承担赔偿责任。

如果出质人认为质权人的行为可能使质押财产毁损、灭失的，出质人可以要求质权人将质押财产提存，或者要求提前清偿债务并返还质押财产。本条第二款的这一规定，是为了更好地保护质物，以保护出质人与质权人双方的利益不受损失。"可能"即也许、或许，而不是已经发生。这种可能性是否产生，不能仅凭出质人的想象，要有一定的事实发生。如字画出质后，出质人发现质权人存放字画的房屋漏雨，可能危及字画。"提存"就是将质物放到出质人与质权人约定的第三人处存放。国外一般设有法定提存机构,有的设在法院,有的单独成立。目前,我国一些公证机构在做此类业务。出质人与质权人约定的第三人可以是任何一个公民、法人或其他组织。提存费用应当由质权人承担。出质人提前清偿债权的,质权人应当返还质押财产。

第二百一十六条　因不能归责于质权人的事由可能使质押财产毁损或者价值明显减少,足以危害质权人权利的,质权人有权要求出质人提供相应的担保;出质人不提供的,质权人可以拍卖、变卖质押财产,并与出质人通过协议将拍卖、变卖所得的价款提前清偿债权或者提存。

【释义】　本条是关于质物保全的规定。

(一)质物毁损或者价值减少的事由

不能归责于质权人的事由可能使质押财产毁损或者价值明显减少,是指质物可能毁损或者价值明显减少产生的原因不是由于质权人的保管不善所致,而是由于自然原因等导致的。

(二)替代担保

当质物可能存在损坏或者价值明显减少的事实足以危害质权人的利益时,质权人为保全其质权不受损害,可以要求出质人提供相应的担保,此为质权人的替代担保请求权,也有称质权人的物上代位请求权。规定替代担保的质物保全规定,主要是由于质押担保是以质物所具有的交换价值确保债权的实现。如果质物的价值可能明显减少或者质物毁损,将直接危害到质权人的质权,法律应当赋予质权人对其担保利益维护的救济手段,允许质权人要求出质人提供相应的担保。“相应的担保”是指与可能毁损或者价值明显减少的数额相当的担保。

(三)提前清偿债权或者提存

当质物有可能损坏或者价值明显减少的情况出现时,质权人请求出质人提供相应的担保,出质人不提供的,质权人可以拍卖或者变卖质押财产，并与出质人通过协议将拍卖或者变卖所得的价款提前清偿债权，也可以将处分质物的价款提存。此时质权人拍卖、变卖质物无须出质人同意。拍卖、变卖所得的价款，性质上属于质物的替代物，质权人不当然取得价款的所有权，出质人可以用该价款提前向质权人清偿债权；如果以该价款提存的，则要等债权期间届满，以提存的价款清偿债务。无论是提前清偿债权，还是提存后届时清偿，其价款超出所担保债权的部分，应当直接归还出质人。

第二百一十七条　质权人在质权存续期间，未经出质人同意转质，造成质押财产毁损、灭失的，应当向出质人承担赔偿责任。

【释义】　本条是关于转质权的规定。

质权人为担保自己或者他人的债务，在占有的质物上再次设定质权的称为转质，所成立的质权为转质权。因转质而取得质权的人为转质权人。转质既可适用于动产质权，也可适用于权利质权。转质依其是否经出质人同意，分为“承诺转质”和“责任转质”。“承诺转质”，指经出质人同意，质权人在占有的质物上为第三人设定质权的行为。承诺转质是经出质人同意的行为，质权人对因转质权人的过错而造成的损失承担责任，并不因转质而加重法律责任。“责任转质”指质权人不经出质人同意，以自己的责任将质物转质于第三人的行为。责任转质因未经出质人同意就将质物转质，不仅要承担质物因转质权人的过失而灭失、毁损的责任，而且要承担因转质期间发生的因不可抗力产生的质物的风险责任，其责任要比未转质的情况沉重得多。各个国家和地区对于转质及转质的类型有不同的规定：有的未对转质做规定，如德国、法国；有的规定“承诺转质”，如瑞士；有的规定“责任转质”，如我国台湾地区；有的同时规定“承诺转质”和“责任转质”，如日本。

对是否允许转质有不同意见。有的认为，应当允许转质。质权具有融通资金和保全债权的双重功能，质权人因质权的设定而投入的融资，有通过转质再度流动的可能性，转质具有促进金融流通的经济机能。动产质权在现代社会中本身就存在着不利于发挥物的使用价值的缺陷，如果承认转质，就可以使物再次发挥交换价值和使用价值，有助于促使物的价值实现的最大化。就转质本身而言，对债务人、质权人和转质权人并无任何不利。有的认为，转质引起的权利义务关系较复杂，允许转质则可能损害出质人的利益。

物权法不提倡转质，也没有禁止转质。为了保护出质人的利益，本条规定的原则是，未经出质人同意不允许转质，质权人转质的要承担赔偿责任。

第二百一十八条　质权人可以放弃质权。债务人以自己的财产出质，质权人放弃该质权的，其他担保人在质权人丧失优先受偿权益的范围内免除担保责任，但其他担保人承诺仍然提供担保的除外。

【释义】　本条是关于质权放弃及其他担保人责任承担原则的规定。

放弃质权是质权人对自己权利处分的一种形态，其有权放弃质权。质权人放弃质权，因此可能对其他担保人造成影响，其他担保人要根据质权人放弃质权的情形决定是否免除担保责任。

（一）质权的放弃

质权人放弃质权，是指质权人放弃其因享有质权而优先于普通债权人就质物受清偿的权利的行为。质权人有权处分自己的质权。当质权人以放弃质权的方式处分质权时，应当符合法律的规定。质权人放弃质权应当明示。质权人不行使质权或者怠于行使质权的，不能推定为质权人放弃质权。质权人放弃质权，原因可能是多方面的。如果是质权人单方的意思表示，无须取得出质人的同意。质权因质权人放弃质权而消灭。

（二）其他担保人责任承担原则

质权人放弃质权，不得有损于其他利害关系人的利益。有时，在同一债权上既有质权担保又有其他担保。在这种情况下，质权人放弃质权时，则直接影响其他担保人的利益。为了确保其他担保人的利益不因其放弃质权的行为而受到影响，本条规定，在质权人放弃质权时，如果是债务人以自己的财产出质的，其他担保人在质权优先受偿的范围内，不再承担担保责任；但其他担保人承诺仍然承担担保责任的，法律并不干涉。例如，某项债权既有质押担保，又有保证的，质权人放弃质权，必然会对保证人造成影响。因为如果债务人不履行债务，其质物所产生的质权被质权人放弃后，担保责任则将由保证人全部承担，加重了保证人的负担。本着公平的原则，在质权担保是主债权的全部时，质权人放弃质权的，保证人免除全部保证责任；在质权担保的是主债权的部分责任时，质权人放弃质权的，保证人免除质权人放弃质权范围所承担的担保责任。

第二百一十九条　债务人履行债务或者出质人提前清偿所担保的债权的，质权人应当返还质押财产。

债务人不履行到期债务或者发生当事人约定的实现质权的情形，质权人可以与出质人协议以质押财产折价，也可以就拍卖、变卖质押财产所得的价款优先受偿。

质押财产折价或者变卖的，应当参照市场价格。

【释义】　本条是关于质物返还及质权实现的规定。

债务履行期届满，将产生两种情况：一是质权因其所担保的债权受清偿或者其他原因的发生而消灭；二是债务未受清偿。根据这两种不同情况本条规定了两种不同的法律后果，即质物返还或者实现质权。

（一）质物返还

债务人于债务履行期届满时履行了债务或者出质人提前清偿了所担保的债权，质权消灭，质权人对其占有的质物负有返还给出质人的义务。质权人依质权合同有权占有质物，但在质权消灭时，质权人就丧失了继续占有质物的依据，应当将质物返还出质人。出质人因清偿债务，将质物上存在的所有权负担消灭，出质人可以依法请求质权人返还质物；质权人拒不返还的，应当承担民事责任。

质权人应当向出质人返还质物，因为出质人可以是债务人，也可以是第三人。当出质人不是债务人而是第三人时，债务人虽然清偿了债务，但是由于用于担保的质物的所有权是第三人的，所以应当返还给第三人而非债务人。

（二）实现质权

质权人实现质权，是指质权人在债权已届清偿期而债务人不履行债务或者发生当事人约定的实现质权的情形时，处分占有的质物优先受偿的行为。质权人实现质权的前提条件是债务履行期届满债务未受清偿或者发生当事人约定的实现质权的情形。

质押担保的目的在于确保债权的清偿。当债务人不履行债务或者违约时，质权人有权将占有的质物以折价、拍卖、变卖等方式变价后优先受偿。

折价是指债务人在履行期限届满未履行其债务时，经出质人与质权人协议，按照质物的品质，参考市场价格，把质物的所有权由出质人转移给质权人，从而实现质权的一种方式。折价必须由出质人与质权人协商一致，否则只能拍卖或变卖。折价与流质不同：折价是发生在债务履行期届满，债务人不履行债务，质权人实现质权时；流质是发生在质权合同设定时。

拍卖是指按照拍卖程序，以公开竞价的方式将质物卖给出价最高叫价者的买卖。

变卖是指直接将质物变价卖出的行为,变卖没有公开竞价等形式与程序上的限制,方便、快捷、变价成本小。变卖必须参考市场价格。

第二百二十条　出质人可以请求质权人在债务履行期届满后及时行使质权;质权人不行使的,出质人可以请求人民法院拍卖、变卖质押财产。

出质人请求质权人及时行使质权,因质权人怠于行使权利造成损害的,由质权人承担赔偿责任。

【释义】 本条是关于及时行使质权请求权及怠于行使质权的责任的规定。

为了督促担保物权人及时行使权利,稳定交易秩序,本法对抵押规定了时效,即抵押权人应当在主债权诉讼时效期间行使抵押权;未行使的,人民法院不予保护。质权同样存在主债权到期而及时行使质权的问题。但质权与抵押权不同:一是抵押权并不移转抵押物,抵押物始终在抵押人手里控制和使用;质权移转质物,质权设立后,质物由质权人占有。二是主债权届满债务人不履行债务的情况出现后,抵押人由于没有抵押物,往往积极行使抵押权,以保证债权的实现;而质权人由于质物在其手中控制,往往并不急于行使质权。对于是否与抵押权一样规定动产质权时效,有专家提出,规定抵押权超过时效法院不予保护并无不妥;而如果规定质权超过时效法院不予保护则有失公允,因为质物在质权人处占有,债务人不还债,过了时效依仗法律的时效规定,强行把质物从质权人手中要回,对质权人不公。

根据抵押权与质权的不同,本法未规定质权时效,但为了避免质权人滥用权利、怠于行使权利,本条赋予了出质人行使质权的请求权及质权人怠于行使质权的责任。

（一）出质人的质权行使请求权

出质人在债务履行期届满，不能偿还债务时，有权请求质权人及时行使质权；如果质权人经出质人请求后仍不行使的，出质人有权径行到人民法院要求拍卖、变卖质物，以清偿债务。

（二）质权人怠于行使质权的责任

随着市场价格的变化，质物也存在着价格下跌或者意外灭失的风险。因此，一旦债务履行期届满，而债务人未清偿债务的，质权人应当及时行使质权，以免给出质人造成损失，出质人也有权请求质权人行使权利。质权人怠于行使权利会致使质物价格下跌，或者发生其他毁损、灭失等情形，使质物无法实现其原有的变价额。比如，原本质物变价后除还清债务后仍有余额的，余额没有了；原本变价款足以偿还债务的，不够了；原本可还债务大部分的，只够还小部分了。在此情形下，质权人对于出质人的损失要承担赔偿责任。需要注意的是，根据本款的规定，出质人首先要有请求质权人及时行使质权的行为；其次要有证据证明造成损害是由于质权人怠于行使质权造成的，损害的事实应当与质权人怠于行使质权有直接的因果关系。

第二百二十一条　质押财产折价或者拍卖、变卖后，其价款超过债权数额的部分归出质人所有，不足部分由债务人清偿。

【释义】　本条是关于质物变价款归属原则的规定。

质权设定的目的在于确保债务的清偿。当质押所担保的债权于履行期届满而未受清偿时，质权人可以就质物的价款优先受偿。质权的实现是质权的根本效力所在，也是质权人最重要的权利。

质权实现就是将质物的交换价值兑现，质权人以变价款优先受偿。质物价值的最初估算与最终的变价可能并不一致，这与当事人在设定质权时对质物的估算是否准确以及市场价格不断变化有关。但是，无论质物的变价如何，设定质权时的主债权是清楚的。因此，实现质权应以清偿质押担保范围的债权为界，质物折价、拍卖、变卖后，超过所担保的债权额的，价款归出质人所有；不足的部分由债务人清偿。

根据本条规定的质物价款归属原则，质权人在实现质权时，应当注意以下几种情况：

首先，如果数个可分的质物为同一债权担保时，各个质物都担保债权的全部，但在实现质权时，如果质权人折价、拍卖或者变卖部分质物的价款足以清偿质押担保范围的债权，则应停止折价、拍卖或者变卖其余的质物。因为质物的所有权归出质人，出质人只是以质物担保质权人的债权，一旦债权受清偿，质权也就消灭了，剩余的质物应当归还出质人。

其次，如果以一个质物作为债权担保的，质物变价超出所担保的债权的，应当将剩余价款还给出质人，因为出质人是质物的所有权人。

最后，如果质物的变价款不足以清偿所担保的债权的，出质人以全部变价款交给质权人后，质权消灭，因为质权的标的是质物，质物因用于清偿担保债权而消灭，质权也因之消灭。担保债权未清偿的部分，仍然在债权人与债务人之间存在，只是不再是质权担保债权，而是无质权担保，债务人仍然负有清偿债务的义务。如果债务人和出质人不是同一人时，未偿还的债务由债务人承担，出质人不再承担责任。

第二百二十二条　出质人与质权人可以协议设立最高额质权。

最高额质权除适用本节有关规定外，参照本法第十六章第二节最高额抵押权的规定。

【释义】 本条是关于最高额质权的规定。

最高额质权是指为担保债务的履行，债务人或者第三人对一定期间内将要连续发生的债权提供质押财产担保的，债务人不履行到期债务或者发生当事人约定的实现质权的情形，质权人有权在最高债权额限度内就该担保财产优先受偿。担保法并没有规定最高额质权制度。本法新设最高额质权制度主要基于以下几方面的考虑：一是实践的需要。近些年，实践中出现了当事人比照最高额抵押权设立最高额质权的情形。为了规范和引导最高额质权的应用，本法有必要对最高额质权做出规定。二是规定最高额质权的目的是为了简化设立担保的手续，方便当事人，促进资金融通，更好地发挥抵押担保的功能。三是多年的实践证明担保法规定的最高额抵押权制度对于配合继续性交易的发展，扩大担保融资，促进社会经济的繁荣，发挥了重要的作用。在质权制度中引入最高额质权也可以发挥这样的作用。

与动产质权相比，最高额质权有自己的特征；但就根本属性而言，其仍属于质权，本节关于动产质权的许多规定可以适用于最高额质权。比如最高额质权的设立、最高额质权的实现、质物的保全等内容都可以适用本节关于动产质权的相关规定。

最高额质权与最高额抵押权具有许多相同之处，主要体现在：一是两者在设立、转移和消灭上均一定程度独立于主债权；二是两者担保的债权都是不特定债权；三是两者均有最高担保额的限制；四是在实现担保物权时，均需要对担保的债权进行确定。基于以上相同点，本条规定，最高额质权可以参照本法第十六章第二节关于最高额抵押权的规定。最高额质权的转移、最高额质权的变更以及最高额质权所担保债权的确定可以参照本法第二百零四条、第二百零五条和第二百零六条的规定。此外，根据本法第二百零三条第二款的规定，最高额抵押权设立前已经存在的债权，经当事人同意，可以转入最高额抵押担保的债权范围。同理，最高额质权设立前已经存在的债权，经当事人同意，可以转入最高额质押担保的债权范围。基于此，本条第二款规定，最高额质权还可参照本法

第十六章第二节关于最高额抵押权的相关规定。这里之所以强调最高额质权“参照”本法关于最高额抵押权的规定,主要是考虑到最高额质权与最高额抵押权性质不同:最高额质权需要质权人占有担保财产,其本质属于质权的一种;最高额抵押权不需要抵押权人占有担保财产,其本质属于抵押权的一种。因此,只宜“参照”,不宜直接适用。

第二节 权利质权

第二百二十三条 债务人或者第三人有权处分的下列权利可以出质:

(一)汇票、支票、本票;

(二)债券、存款单;

(三)仓单、提单;

(四)可以转让的基金份额、股权;

(五)可以转让的注册商标专用权、专利权、著作权等知识产权中的财产权;

(六)应收账款;

(七)法律、行政法规规定可以出质的其他财产权利。

【释义】 本条是关于可以出质的权利范围的规定。

(一)权利质权的概念

权利质权是指以出质人提供的财产权利为标的而设定的质权。权利质权具有与动产质权相同的一些特征,都是以担保债务履行和债权实现为目的,性质都是价值权、担保权。但是,由于标的物不同,权利质权与动产质权相比又具有一定的特殊性。本节的内容主要就是关于权利质权的一些特殊规定;本节没有规定的,则适用动产质权一节的有关规定。

随着经济高度发展,商品交易越加频繁,商品和货币流通的手段也应需要而不断发展，以票据、有价证券及其他财产凭证替代有形财产和货币流通越加广泛。充分利用这些财产凭证所体现的无形财产权，对促进资金融通和商品流通、发展经济有着重要作用。设立权利质权的目的和意义即在于此。

（二）权利质权的性质

关于权利质权的性质，主要有权利让与说和权利出质说两种观点：

1. 权利让与说

权利让与说认为，原来质权的标的限于有体物，而所谓质权本仅指物上质，权利之上不可以设立质权。权利质权实际上是以担保为目的，而为权利的让与。尤其是债权质，质权人有直接收取质权标的债权的权能；如果不把债权的出质看作是债权的让与，则无法说明其理由。

2. 权利出质说

权利出质说又称权利标的说。此说认为，权利质权与物上质权在本质上并无差别，所不同的只是其标的而已：物上质权以物为标的，而权利质权以权利为标的。权利人让与有交换价值的权利，与让与有交换价值的物，应依同一的理由，权利可以是交易上的标的。至于设定一般权利质权须依权利让与的规定，以及债权及其质权人可以直接收取质权标的债权，只不过是为了方便而已，不能直接视之为权利让与。出质的权利仍然属于出质人，质权人取得的是与出质权利不同的权利即质权。因此，权利质权性质上应是以权利为标的而设定的质权。此说为通说。

（三）权利质权的标的

1. 为权利质权标的的要件

权利质权的标的是出质人提供的作为债权担保的权利。但并不是所有的权利都可以作为权利质权的标的，其必须满足下列条件：

（1）必须是财产权。财产权，是指物权、债权、无体财产权等以财产为内容，可以以金钱估价的权利。因其具有经济价值，质权人可以从其价值中受偿。而人身权，无论是人格权如生命权、身体权、名誉权，还是身份权如亲属权、继承权，由于不直接具有经济价值，都不得作为权利质权的标的。

（2）必须具有让与性。权利质权为价值权，在债务人不履行到期债务时，质权人得以出质权利的价值优先受偿。因此，其标的应有变价的可能，须具有让与性。不具有让与性的财产权，不能称为权利质权的标的。比如，一些与特定权利主体密不可分的财产权，如继承权、亲属间的扶养请求权、抚恤金领取请求权，都不得作为权利质权的标的。

（3）必须是适于设质的权利。虽为具有让与性的财产权，但不适于设定质权的权利，也不得作为权利质权的标的。关于何种权利适于设质，何种权利不适于设质，各个国家和地区的规定不同。在我国，在不动产物权上设定的权利一般认定为抵押权，因此，不动产物权不能作为权利质权的标的。至于抵押权、质权和留置权等担保物权，由于不能与其所担保的主债权分离，因此，也不能成为权利质权的标的。

2. 权利质权标的的种类

本条对哪些权利可以出质，采取了列举的方式一一列出；除这些权利以外，其他权利均不得出质。按照本条的规定，可以出质的权利包括：

（1）汇票、支票、本票

汇票是指出票人签发的，委托付款人在见票时或者在指定日期无条件支付确定的金额给收款人或者持票人的票据。汇票分为银行汇票和商业汇票。根据票据法的规定，汇票必须记载“汇票”字样、无条件支付的委托、确定的金额、付款人名称、收款人名称、出票日期和出票人签章；只要有一项未记载，汇票便无效。

本票是指出票人签发的，承诺自己在见票时无条件支付确定的金额给收款人或者持票人的票据。在我国，根据票据法的规定，本票仅指银行本票，本票必须记载“本票”字样、无条件支付的承诺、确定的金额、收款人名称、出票日期和出票人签章；只要有一项未记载，本票便无效。

支票是指出票人签发的，委托办理支票存款业务的银行或者其他金融机构在见票时无条件支付确定的金额给收款人或者持票人的票据。在我国，根据票据法的规定，支票必须记载“支票”字样、无条件支付的委托、确定的金额、付款人名称、出票日期、出票人签章；只要有一项未记载，支票便无效。

(2)债券、存款单

债券是指由政府、金融机构或者企业为了筹措资金而依照法定程序向社会发行的，约定在一定期限内还本付息的有价证券，包括政府债券、金融债券和企业债券。政府证券在我国又称国库券，即由政府为筹措资金而向投资者发行的一种债券。金融债券是由金融机构发行的债券。企业债券是由企业发行的债券。

存款单，也称存单，是指存款人在银行或者储蓄机构存了一定数额的款项后，由银行或者储蓄机构开具的到期还本付息的债权凭证。

(3)仓单、提单

仓单是指仓库保管人应存货人的请求而填发的有价证券。根据合同法的规定，存货人交付仓储物的，保管人应当给付仓单。保管人应当在仓单上签字或者盖章。仓单包括应下列事项：①存货人的名称或者姓名和住所；②仓储物的品种、数量、质量、包装、件数和标记；③仓储物的损耗标准；④储存场所；⑤储存期间；⑥仓储费；⑦仓储物已经办理保险的，其保险金额、期间以及保险人的名称；⑧填发人、填发地和填发日期。仓单是提取仓储物的凭证。存货人或者仓单持有人在仓单上背书并经保管人签字或者盖章的，可以转让提取仓储物的权利。

提单是指用以证明海上货物运输合同和货物已经由承运人接收或者装船，以及承运人保证据以交付货物的单证。根据海商法的规定，提单中载明的向记名人交付货物、按照指示人的指示交付货物或者向提单持有人交付货物的条款，构成承运人据以交付货物的保证。货物由承运人接收或者装船后，应托运人的要求，承运人应当签发提单。提单可以由承运人授权的人签发，提单由载货船舶的船长签发的视为代表承运人签发。提单的内容应包括下列各项：①货物的品名、标志、包数或者件数、重量或者体积，以及运输危险货物时对危险性质的说明；②承运人的名称和主营业所；③船舶名称；④托运人的名称；⑤收货人的名称；⑥装货港和在装货港接收货物的日期；⑦卸货港；⑧多式联运提单增列接收货物地点和交付货物地点；⑨提单的签发日期、地点和份数；⑩运费的支付；⑪承运人或者其代表的签字。提单缺少上述规定的一项或者几项的，不影响提单的性质。提单分为记名提单、指示提单和不记名提单。记名提单不得转让；指示提单经过记名背书或者空白背书可以转让；不记名提单无须背书即可转让。

（4）可以转让的基金份额、股权

基金份额是指向投资者公开发行的，表示持有人按其所持份额对基金财产享有收益分配权、清算后剩余财产取得权和其他相关权利，并承担相应义务的凭证。这里所称的基金，仅指证券投资基金法中规定的证券投资基金，即通过公开发售基金份额募集证券投资基金，由基金管理人管理，基金托管人托管，为基金份额持有人的利益，以资产组合方式进行证券投资活动的信托契约型基金，包括投资于不同对象的信托契约型基金、采用不同运作方式的信托契约型基金和选择不同投资收益与风险的信托契约型基金等。

股权是指股东因向公司直接投资而享有的权利。在我国，公司包括有限责任公司和股份有限公司。有限责任公司股东的股权是通过公司签发的出资证明书来体现的,股份有限公司股东的股权是通过公司签发的股票来体现的。出资证明书,是指证明投资人已经依法履行缴付出资义务,成为有限责任公司股东的法律文件。根据公司法的规定,有限责任公司成立后,应当向股东签发出资证明书。出资证明书应当载明下列事项:①公司名称;②公司成立日期;③公司注册资本;④股东的姓名或者名称、缴纳的出资额和出资日期;⑤出资证明书的编号和核发日期。出资证明书由公司盖章。股票是指股份有限公司签发的证明股东所持股份的凭证。根据公司法的规定,股票采用纸面形式或者国务院证券监督管理机构规定的其他形式。股票应当载明下列主要事项:①公司名称;②公司成立日期;③股票种类、票面金额及代表的股份数;④股票的编号。股票由法定代表人签名,公司盖章。发起人的股票,应当标明发起人股票字样。出资证明书和股票就是股东享有股权的法定凭证,股东凭此证券就可享有相应的股权。

只有可以转让的基金份额和股权才可以作为权利质权的标的;有的基金份额和股权依法不得转让,则不能出质。比如,根据公司法的规定,发起人持有的本公司股份,自公司成立之日起 1 年内不得转让。公司公开发行股份前已发行的股份,自公司股票在证券交易所上市交易之日起 1 年内不得转让。因此,这两类股权在法定期限内都不得出质。

(5)可以转让的注册商标专用权、专利权、著作权等知识产权中的财产权

知识产权,是指人们对于自己的创造性智力活动成果和经营管理中的标记所依法享有的权利,包括注册商标专用权、专利权和著作权等。知识产权通常具有时间性、地域性和专有性的特点。知识产权主要是一种财产权利;但某些知识产权如著作权既具有人身性又具有财产性,可以将其中的权利划分为人身权部分和财

产权部分,只有财产权部分才能作为权利质权的标的。

注册商标专用权是指注册商标所有人依法对注册商标享有的独占使用权。根据商标法的规定,转让注册商标的,转让人和受让人应当签订转让协议,并共同向商标局提出申请。转让注册商标经核准后,予以公告。受让人自公告之日起享有商标专用权。商标注册人可以通过签订商标使用许可合同,许可他人使用其注册商标。因此,注册商标所有人享有注册商标转让权和注册商标许可权。这两者都是注册商标专用权中的财产权,都可以作为权利质权的标的。

专利权是指由国家专利主管机关授予专利申请人或其继受人在一定期限内实施其发明创造的专有权,包括发明专利权、实用新型专利权及外观设计专利权。根据专利法的规定,转让专利申请权或者专利权的,当事人应当订立书面合同,并向国务院专利行政部门登记,由国务院专利行政部门予以公告。任何单位或者个人实施他人专利的,应当与专利权人订立书面实施许可合同,向专利权人支付专利使用费。因此,专利权人享有专利转让权和专利实施许可权。这两者都是专利权中的财产权,都可以作为权利质权的标的。

著作权是指文学、艺术和科学作品的创作者对其创作完成的作品所享有的权利。根据著作权法的规定,著作权可分为人身权和财产权两部分。人身权包括发表权、署名权、修改权和保护作品完整权。财产权是指著作权人对作品的使用权和获得报酬权。其中,使用权指以各种方式使用作品的权利,是著作权人的一项主要财产权利,包括复制权、发行权、出租权、展览权、表演权、放映权、广播权、信息网络传播权、摄制权、改编权、翻译权、汇编权和应当由著作权人享有的其他权利等;获得报酬权指转让使用权或者许可他人使用而获得报酬的权利。著作权中的人身权和著作权人有密切关系,具有人身属性,只能专属于著作权人,不得让与,也不得出质；只有著作权中的财产权才可以作为权利质权的标的。

（6）应收账款

应收账款是指权利人因提供一定的货物、服务或者设施而获得的要求义务人付款的权利，不包括因票据或者其他有价证券而产生的付款请求权。应收账款实质上属于一般债权，包括尚未产生的将来的债权，但仅限于金钱债权。应注意的是，应收账款的概念中包括了“公路、桥梁等收费权”。物权法征求意见稿在可以出质的权利中曾单独列出“公路、桥梁等收费权”一项。在征求意见时和常委会审议过程中，有的意见认为，收费权指权利人对将来可能产生的收益所享有的请求权，实质上是一种预期债权，可以纳入应收账款，而且目前收费情况比较混乱，哪些收费权可以质押，哪些不能质押，还需要进一步清理。比如，交通部 2006 年 12 月《关于进一步规范收费公路管理工作的通知》中要求全国各省、市、自治区暂停收费公路收费权转让，此时的收费权便不能质押。物权法采纳了这一意见，将“公路、桥梁等收费权”的概念纳入“应收账款”的概念中，在本条没有明确列出“公路、桥梁等收费权”，仅规定了“应收账款”可以出质。

我国担保法没有明确规定应收账款可以质押，但在第七十四条规定了一个弹性条款“依法可以质押的其他权利”。基于此，在国务院的有关文件、最高人民法院的司法解释及一些地方性法规中对部分应收账款的质押做了规定。国务院于 1999 年发文允许公路建设项目法人用公路收费权进行质押贷款。该文件规定，省级人民政府批准的收费文件是公路收费权的权利证书，地市级以上交通主管部门是公路收费权质押的登记部门。根据该文件，最高人民法院在关于担保法若干问题的司法解释中专门规定，公路桥梁、公路隧道或者公路渡口等不动产收益权可以质押。原对外经济贸易合作部也曾发文许可企业用出口退税权向银行进行质押贷款。最高人民法院于 2004 年颁布的司法解释对出口退税质押贷款做了明确规定。另外,国务院办公厅在转发《国务院西部开发办关于西部大开发若干政策措施意见》的通知中规定,可以用基础设施项目收益权或收费权质押贷款。中国人民银行和教育部在《关于进一步解决学生公寓等高等学校后勤服务设施建设资金问题的若干意见》中规定,可以以学生公寓收费权质押贷款,质押合同必须经省级教育行政部门审批和统一登记,自登记之日起生效。一些地方性法规也对一些收费权质押做了规定,例如重庆市规定,基础设施项目收费权和收益权可以质押。

物权法立法过程中,对于是否允许应收账款出质,存在不同意见。有的意见认为,不应允许应收账款出质。其理由是:①应收账款出质缺乏有效的公示手段,允许其出质有可能损害交易安全,质权人的利益难以保障。②收费权实质是一种变动性比较大的期待权,体现在:一是赖以收费的设施能否建成是未知的;二是该设施建成后,能否收到预期的费用是未知的;三是收费权是特许的,受行政干预过多,有可能被行政机关取消,不稳定。因此,收费权作为债权的担保风险较大。③国外规定应收账款出质,是以良好的社会信用和完善的金融机制作为基础的。我国目前的社会信用较差,金融机制不健全,银行呆坏账较多,法律允许收费权和应收账款出质,可能会制造更多的呆坏账,增加金融风险。有的意见认为,应当允许应收账款出质。其理由是:①实践有需要。一些基础设施建设项目如公路建设、电网建设,所需资金量大,大部分都靠融资解决,收费权的收益比较稳定,以其出质风险不大,银行愿意接受。关于应收账款,据统计,我国企业现有5.5亿元应收账款的沉淀资本,由于法律限制,这部分资本发挥的作用比较小。而且对于高科技企业和中小企业来说,没有多少不动产或者动产,但这些企业一般都有应收账款。允许应收账款出质既能盘活这些沉淀资本,又能解决高科技企业和中小企业担保难的问题。②有理论基础。应收账款实质上都是一般债权,法律允许一般债权转让,就没有理由禁止一般债权做担保。③符合国际通行规则。无论是大陆法系国家还是英美法系国家，大部分都立法允许应收账款出质，没有产生大的问题。④风险可控。以应收账款出质确实可能会产生法律风险和商业风险，但国内外的实践经验表明，这些风险是可以控制和解决的。对法律风险，一般通过承认其合法性、建立规范的登记制度和明确清偿顺位等方法加以解决。对商业风险，当事人可以自己评估，通过合同约定和采取监控措施等来降低风险。物权法采纳了后一种意见，明确规定应收账款可以出质。

（7）法律、行政法规规定的可以出质的其他财产权利

这是对可以出质的权利做的保底性规定。本条明确可以出质的权利并不能涵盖所有可以出质的权利范围，根据现实需要，法律、行政法规可以规定其他权利可以出质；只要在法律、行政法规中明确规定可以出质的，也适用本节权利质权的有关规定。

第二百二十四条　以汇票、支票、本票、债券、存款单、仓单、提单出质的，当事人应当订立书面合同。质权自权利凭证交付质权人时设立；没有权利凭证的，质权自有关部门办理出质登记时设立。

【释义】　本条是关于以汇票、支票、本票、债券、存款单、仓单、提单出质的权利质权设立的规定。

根据本条的规定，以汇票、支票、本票、债券、存款单、仓单、提单出质的，双方当事人应当订立书面质权合同。合同内容一般包括被担保债权的种类和数额，债务人履行债务的期限，出质权利的名称、数额，担保的范围等。

合同订立后，质权并不当然设立。以汇票、支票、本票、债券、存款单、仓单、提单出质的，其质权设立的情形可分两种：

首先，有权利凭证的，质权自权利凭证交付质权人时设立。权利凭证是指记载权利内容的象征性的证书，通常采用书面形式，如

汇票、支票、本票、存款单、仓单、提单和一部分实物债券等都有权利凭证。此时出质人需要将该权利凭证交付给质权人，质权自交付时设立。

其次，没有权利凭证的，质权自有关部门办理出质登记时设立。在我国，部分债券如记账式国库券和在证券交易所上市交易的公司债券等都已经实现无纸化，这些债券没有权利凭证，如果要出质，就必须到法律、法规规定的有关登记部门办理出质登记，质权自登记时设立。如记账式国库券须到中央国债登记结算公司办理出质登记，在证券交易所上市交易的公司债券则须到证券登记结算机构办理出质登记。

第二百二十五条　汇票、支票、本票、债券、存款单、仓单、提单的兑现日期或者提货日期先于主债权到期的，质权人可以兑现或者提货，并与出质人协议将兑现的价款或者提取的货物提前清偿债权或者提存。

【释义】　本条是关于以汇票、支票、本票、债券、存款单、仓单、提单出质的权利质权人行使权利的特别规定。

载明兑现日期或者提货日期的汇票、支票、本票、债券、存款单、仓单、提单的兑现日期或者提货日期届至时，原则上必须兑现或者提货，以免除第三债务人的债务。如果不按时兑现或者提货，有可能给债务人自身带来损失，最终影响其所担保的主债权的实现。例如仓单提货日期届至不按时提货的，须加付仓储费。因此，本条规定，汇票、支票、本票、债券、存款单、仓单、提单的兑现日期或者提货日期先于主债权到期的，质权人可以不经过出质人同意，有权将汇票、支票、本票、债券或者存款单上所载款项兑现，有权将仓单或者提单上所载货物提货。但质权人兑现款项或者提取货物后不能据为己有，必须通知出质人，并与出质人协商，或者用兑现的价款或提取的货物提前清偿债权，或者将兑现的价款或提取的货物提存。提前清偿债权的，质权消灭；提存的，质权继续存在于提存的价款或者货物上。出质人只能在提前清偿债权和提存中选择，不能既不同意提前清偿债权也不同意提存。

第二百二十六条　以基金份额、股权出质的，当事人应当订立书面合同。以基金份额、证券登记结算机构登记的股权出质的，质权自证券登记结算机构办理出质登记时设立；以其他股权出质的，质权自工商行政管理部门办理出质登记时设立。

基金份额、股权出质后，不得转让，但经出质人与质权人协商同意的除外。出质人转让基金份额、股权所得的价款，应当向质权人提前清偿债权或者提存。

【释义】　本条是关于以基金份额、股权出质的权利质权设立和出质人处分基金份额、股权的限制的规定。

根据本条第一款的规定，以基金份额、股权出质的，双方当事人应当订立书面质权合同。合同内容一般包括被担保债权的种类和数额，债务人履行债务的期限，基金份额、股权的相关信息，担保的范围等。

合同订立后，质权并不当然设立。以基金份额出质的，应当到证券登记结算机构办理出质登记，质权自登记时设立。

以股权出质的，其质权设立的情形分两种：

第一，以证券登记结算机构登记的股权出质的，质权自证券登记结算机构办理出质登记时设立。

证券登记结算机构是指为证券交易提供集中登记、存管与结算服务，不以营利为目的的法人。依法应当在证券登记结算机构登记的股权，包括上市公司的股权、公开发行股份的公司的股权、非公开发行但股东在200人以上的公司的股权等，这些股权的表现形式都为股票。根据证券法的规定，这些股票都实现无纸化管理，其发行、转让等行为都要受证券监督管理机构的监管，股票的过户、结算、保管等行为都通过证券登记结算机构。同时，证券登记结算机构的结算采取全国集中统一的电子化运营方式，既方便当事人和第三人登记、查询，也节省登记成本。因此，以这些股权出质的，质权须到证券登记结算机构办理出质登记才能设立。

第二，以其他股权出质的，质权自工商行政管理部门办理出质登记时设立。

其他股权，指不在证券登记结算机构登记的股权，包括有限责任公司的股权、非公开发行的股东在200人以下的股份有限公司的股权等。在物权法立法过程中，有的意见认为，以这些股权出质的，将出质的情况记载于公司的股东名册即可。但考虑到质权为担保物权，应当具有较强的公示效果，能够让第三人迅速、便捷、清楚地了解到权利上存在的负担，在股东名册上的记载其公示效果不强，也不便于第三人查询。因此，物权法没有采纳这一意见，而是将登记机构设为工商行政管理部门。以这些股权出质的，须到工商行政管理部门办理出质登记，质权自登记时设立。

本条第二款规定的是对出质人处分基金份额和股权的限制。基金份额和股权出质后，原则上不能转让。其理由在于：一方面，出质人的基金份额和股权虽然被出质了，但其仍为基金份额持有人或者股东，转让基金份额和股权是对基金份额和股权的处分，是基金份额持有人和股东的权利，质权人无权转让作为债权担保的基金份额和股权，否则构成对基金份额持有人和股东权利的侵害。另一方面，基金份额和股权虽为出质人所有，但其作为债权的担保，是有负担的权利，如果随意转让可能会损害质权人的利益，不利于担保债权的实现。所以，原则上基金份额和股权出质后，不能转让；但如果出质人与质权人协商一致，都同意转让出质基金份额和股权，这属于双方当事人对自己权利的自由处分，法律自然允许。但转让基金份额和股权所得的价款，并不当然用于清偿所担保的债权；因为此时债务清偿期尚未届至，出质人应当与质权人协商，将所得的价款提前清偿所担保的债权或者提存。提前清偿债权的，质权消灭。提存的，质权继续存在于提存的价款上。出质人只能在提前清偿债权和提存中选择；不能既不同意提前清偿债权，也不同意提存。

第二百二十七条　以注册商标专用权、专利权、著作权等知识产权中的财产权出质的，当事人应当订立书面合同。质权自有关主管部门办理出质登记时设立。

知识产权中的财产权出质后，出质人不得转让或者许可他人使用，但经出质人与质权人协商同意的除外。出质人转让或者许可他人使用出质的知识产权中的财产权所得的价款，应当向质权人提前清偿债务或者提存。

【释义】　本条是关于注册商标专用权、专利权、著作权等知识产权中的财产权出质的权利质权设立和出质人处分知识产权的限制的规定。

根据本条第一款的规定，以注册商标专用权、专利权、著作权等知识产权中的财产权出质的，双方当事人应当订立书面质权合同。合同内容一般包括被担保债权的种类和数额，债务人履行债务的期限，知识产权的相关信息如注册商标专用权人及其注册商标和注册号、专利权人及其专利号和专利权中的财产权、著作权人的姓名或者名称及其著作权中的财产权，担保的范围等。

合同订立后，质权并不当然设立，须到有关主管部门办理出质登记时才能设立。这主要是因为知识产权是一种无形财产权，无法以占有的方式来公示，所以知识产权出质必须以登记的方式来公示。这里的“有关主管部门”是指注册商标专用权、专利权和著作权等知识产权的主管部门。具体地说，根据商标法第二条的规定，国务院工商行政管理部门商标局是注册商标专用权的主管部门；根据专利法第三条的规定，国务院专利行政部门和省、自治区、直辖市人民政府管理专利工作的部门是专利权的主管部门;根据著作权法第七条的规定,国务院著作权行政管理部门和各省、自治区、直辖市人民政府的著作权行政管理部门是著作权的主管部门。

本条第二款规定的是对出质人处分知识产权的限制。以注册商标专用权、专利权、著作权等知识产权中的财产权出质的,权利虽然仍属于知识产权人,但由于该知识产权是有负担的权利,因此,出质人不能自由转让或者许可他人使用。如果允许出质人自由转让或者许可他人使用其注册商标专用权、专利权、著作权等知识产权中的财产权;则无论是有偿转让还是无偿转让,也无论是许可他人有偿使用还是许可他人无偿使用,都将损害质权人的利益。因为一方面转让的费用和许可他人使用的费用都要归出质人收取;另一方面出质人有权无限制地转让其注册商标专用权、专利权、著作权等知识产权中的财产权,必然导致该注册商标专用权、专利权、著作权等知识产权中的财产权价值的下降,最终的结果必然损害质权人的利益,不利于担保债权的实现。但是如果经出质人与质权人协商同意,可以转让或者许可他人使用出质的注册商标专用权、专利权、著作权等知识产权中的财产权。因为此时转让,是经过质权人同意的,是否会损害质权人的利益由质权人自己判断,法律不加干涉。

按照本条第二款的规定,转让或者许可他人使用出质的注册商标专用权、专利权、著作权等知识产权中的财产权所得的价款,不当然用于清偿所担保的债权。因为此时债务清偿期尚未届至,出质人应当与质权人协商,将所得的价款提前清偿所担保的债权或者提存。提前清偿债权的,质权消灭。提存的,质权继续存在于提存的价款上。出质人只能在提前清偿债权和提存中选择,不能既不同意提前清偿债权,也不同意提存。

第二百二十八条　以应收账款出质的,当事人应当订立书面

合同。质权自信贷征信机构办理出质登记时设立。

应收账款出质后，不得转让，但经出质人与质权人协商同意的除外。出质人转让应收账款所得的价款，应当向质权人提前清偿债权或者提存。

【释义】 本条是关于以应收账款出质的权利质权设立和出质人转让应收账款的限制的规定。

根据本条第一款的规定，以应收账款出质的，双方当事人应当订立书面质权合同。合同内容一般包括被担保债权的种类和数额，债务人履行债务的期限，应收账款的名称、数额，担保的范围等。

合同订立后，质权并不当然设立，双方当事人还须到信贷征信机构办理出质登记后质权才设立。目前我国的信贷征信机构是中国人民银行信贷征信中心。

应收账款出质的关键问题是如何使其对第三人产生效力，以妥善保护质权人、出质人和第三人的利益，明确其公示方法是解决这一问题的最好途径。应收账款出质的公示方法一般有三种：一是书面合同的交付；二是书面合同加债权证书的交付；三是书面合同加登记。物权法采纳了第三种方法，主要是考虑到登记的公示效果最强，有利于第三人迅速、便捷、清楚地了解应收账款上存在的权利质权，更能保护质权人和其他第三人的利益。

对于登记机构的选择，也存在着不同意见。有的意见认为，应当根据应收账款的种类，在不同的登记机构进行登记。有的意见认为，应当统一登记机构。对于统一到哪一个登记机构，也有不同意见。有的认为，应当到工商行政管理部门登记；有的认为，应当到国债登记结算机构登记；有的认为，应当到信贷征信机构登记。考虑到现在市场交易追求交易安全、便捷、迅速的特点，统一应收账款出质的登记机构势在必行。同时，这个登记机构必须具备一个现代的、集中化的和基于互联网的技术系统，能够做到信息准确、快速及时、查询便捷、操作简单、成本低廉和使用安全。我国的信贷征信机构在全国已经建立了信贷征信系统，该系统是目前国内全国联网最大的电子化信息系统，覆盖面广，已经达到国内所有金融机构、所有县及有信用社的乡镇，信息量大，信息处理快捷，能够满足应收账款登记和查询的需要。基于上述原因，物权法规定了信贷征信机构为应收账款出质的登记机构。

本条第二款规定的是应收账款出质后对出质人权利的限制，即出质人不得随意转让应收账款。这主要是为了保护质权人的利益，防止出质人随意处置应收账款，保证其所担保的债权的实现。出质人只有在取得质权人同意的情况下才能转让应收账款。与前几条的规定的内容类似，转让应收账款所得的价款，并不当然用于清偿所担保的债权。因为此时债务清偿期尚未届至，出质人应当与质权人协商，将所得的价款提前清偿所担保的债权或者提存。提前清偿债权的，质权消灭。提存的，质权继续存在于提存的价款上。出质人只能在提前清偿债权和提存中选择；不能既不同意提前清偿债权，也不同意提存。

第二百二十九条　权利质权除适用本节规定外，适用本章第一节动产质权的规定。

【释义】　本条是关于权利质权适用动产质权有关规定的规定。

权利质权与动产质权都是以其客体的交换价值的取得为目的的担保物权，有由客体直接取得一定价值的权能；并不因其客体是有体物还是无体物而性质不同，两者共同构成质权的组成部分，在很多内容上是相同的。但权利质权的标的物为权利，而动产质权的标的物为动产，因此两者在某些具体方面如权利的生效上还存在一定的区别。因此，本章第一节对动产质权是作为质权的一般形式加以规定的，本节对权利质权仅在某些内容上做了特殊规定，其他没有规定的内容可以适用动产质权的规定,如质权合同的一般条款、流质的禁止、质权人的义务、质权的实现方式和最高额质权。

第十八章　留　置　权

本章共十一条，对留置权的一般规定、留置财产与债权的关系、留置权的适用范围、留置权人的权利与义务、留置权的实现以及留置权与抵押权、质权的竞合和留置权消灭的特殊情形等内容做了规定。

第二百三十条　债务人不履行到期债务，债权人可以留置已经合法占有的债务人的动产，并有权就该动产优先受偿。

前款规定的债权人为留置权人，占有的动产为留置财产。

【释义】　本条是有关留置权的一般规定。

（一）留置权的概念

留置权是指在债务人不履行到期债务时，债权人有权依照法律规定留置已经合法占有的债务人的动产，并就该动产优先受偿的权利。这时，债权人便为留置权人，占有的动产便为留置财产。

留置权是我国经济生活中较为普遍存在的一种担保形式。留置权设定的目的在于维护公平原则，督促债务人及时履行义务。物权法之前的一些法律已经对留置权做了规定，如民法通则第八十九条规定，按照合同约定一方占有对方的财产，对方不按照合同给付应付款项超过约定期限的，占有人有权留置该财产，依照法律的规定以留置财产折价或者以变卖该财产的价款优先得到偿还。担保法则专设“留置”一章，共七条。其第八十二条规定，本法所称留置，是指依照本法第八十四条的规定，债权人按照合同约定占有债务人的动产，债务人不按照合同约定的期限履行债务的，债权人有权依照本法规定留置该财产，以该财产折价或者以拍卖、变卖该财产的价款优先受偿。合同法也分别规定了承揽合同、运输合同和保管合同中债权人享有的留置权。

（二）其他国家和地区有关留置权的规定

各个国家和地区法律中有关留置权的规定差异颇大。大陆法系国家主要形成了债权留置权和物权留置权两种不同的留置权制度，而英美法系国家关于留置权的规定则别具一格。

1. 债权留置权。法国、德国和意大利等国采取债权留置权制度。留置权只是债权效力的延伸，债权人在债务人履行债务前，对已占有的债务人之物有拒绝给付的权利，但没有直接支配的权利。

2. 物权留置权。瑞士、日本和我国台湾地区采取物权留置权制度。留置权是债权人为担保债务获得清偿而对其占有的债务人的财产享有的一种独立的法定担保物权。在瑞士和我国台湾地区，留置权具有变价权和优先受偿权两项效力；但在日本，法律没有明文规定这两项效力。

3. 英美法上的留置权。英美法上的留置权种类繁多，共有三十多种，主要包括普通法上的留置权、衡平法上的留置权和海上留置权。普通法上的留置权以物的占有为条件，又称占有的留置权，类似于大陆法系中的物权留置权；后两种留置权则不以物的占有为必要。

（三）留置权的特征

物权法规定的留置权具有以下几项特征：

1. 从属性。留置权以担保债权的目的而存在，因此留置权为从属于所担保债权的从权利，具有从属性。留置权依主债权的存在而存在，依主债权的转移而转移，并因主债权的消灭而消灭。

2. 法定性。留置权为法定担保物权，具有法定性。留置权只能直接依据法律的规定发生，不能由当事人自由设定。只要债务人不履行到期债务，债权人即可以依照法律规定留置已经合法占有的债务人的动产,并在满足法律规定的条件的情况下,折价或者拍卖、变卖留置财产以受偿。

3. 不可分性。留置权的不可分性表现为:一是留置权所担保的是债权的全部,而不是部分。二是留置权的效力及于债权人所留置的全部留置财产,留置权人可以对留置财产的全部行使留置权,而不是部分。只要债权未受全部清偿,留置权人就可以对全部留置财产行使权利,不受债权分割或者部分清偿以及留置财产分割的影响。当然,为了公平起见,依据物权法第二百三十二条,留置财产为可分物的,债权人留置的财产的价值应当相当于债务的金额,而不应留置其占有的债务人的全部动产。

(四)留置权与其他类似权利的比较

1. 留置权与抵押权

留置权和抵押权都是担保物权,都可以动产为标的物。两者的区别主要在于:

(1)设立的条件不同。留置权直接依据法律的规定发生,属于法定担保物权;而抵押权由当事人自由设定,依双方当事人合意而发生,属于约定担保物权。

(2)标的物的范围不同。留置权的标的物只能是动产;而抵押权的标的物可以是动产,也可以是不动产。

(3)标的物与债权的关系不同。留置权的标的物应当与债权属于同一法律关系,只有企业之间留置的才能除外;而抵押权无此限制。

(4)权利的实现不同。债务人不履行到期债务时,留置权人不能当然地实现留置权,而应当先与债务人约定留置财产后的债务履行期间;债务人逾期未履行时,留置权人才可以留置财产折价或者直接拍卖、变卖留置财产。而抵押权只需债务人不履行到期债务或者发生当事人约定的实现抵押权的情形便可以行使;但抵押权人应当与抵押人协议以抵押财产折价或者以拍卖、变卖该抵押财产所得的价款清偿债权，协议不成的抵押权人可以请求人民法院拍卖、变卖抵押财产。

（5）消灭的原因有所不同。留置权人对留置财产丧失占有或者留置权人接受债务人另行提供担保的，留置权消灭；而抵押权不因这两种原因而消灭。

2. 留置权与动产质权

留置权和动产质权都是担保物权，且都以动产为标的物，以占有动产为要件，外观上有相似之处。两者的区别主要在于：

（1）设立的条件不同。留置权直接依据法律的规定发生，属于法定担保物权；而动产质权由当事人自由设定，依双方当事人合意而发生，属于约定担保物权。

（2）占有动产的起始原因不同。留置权占有动产的起始原因一般是为了加工、修理等原因；而动产质权占有动产的原因在于担保债权的实现。

（3）标的物与债权的关系不同。留置权的标的物应当与债权属于同一法律关系，只有企业之间留置的才能除外；而动产质权则无此限制。

（4）权利的实现不同。债务人不履行到期债务时，留置权人不能当然地实现留置权，而应当先与债务人约定留置财产后的债务履行期间；债务人逾期未履行时，留置权人才可以留置财产折价或者直接拍卖、变卖留置财产。而动产质权只要债务人不履行到期债务或者发生当事人约定的实现债权的情形，质权人便可以实现质权。

（5）消灭的原因有所不同。留置权人接受债务人另行提供担保的，留置权消灭；而动产质权不因此种原因而消灭。

3. 留置权与同时履行抗辩权

合同法第六十六条规定了同时履行抗辩权。所谓同时履行抗辩权，是指在双务合同中应当同时履行义务的一方当事人有证据证明另一方当事人在同时履行的时间不能履行或者不能适当履行,到履行期时其享有不履行或者不全部履行的权利。留置权与同时履行抗辩权都是基于公平原则而产生,两者也可以并存。其区别主要在于:

(1)性质不同。留置权属于物权,以物的支配为内容,具有对抗第三人的效力;而同时履行抗辩权是双务合同的一种效力,只能对合同对方当事人行使,不能对抗第三人。

(2)标的物的范围不同。留置权的标的物只能是动产;而同时履行抗辩权所能拒绝给付的种类则没有限制。

(3)发生原因不同。留置权直接依据法律的规定发生;而同时履行抗辩权则是双务合同的当然结果。

(4)所保护的债权不同。留置权所保护的债权,与留置的标的物属于同一法律关系即可,企业之间留置的则无此限制;履行抗辩权所保护的债权,必须基于同一双务合同,且双方当事人之间需有对价关系存在。

(5)效力不同。留置权的效力在于对抗债务人的标的物返还请求权,债务人不履行到期债务时,经过法律规定的程序,留置权人可以留置财产折价或者直接拍卖、变卖留置财产并就其价金优先受偿;而同时履行抗辩权的效力在于对抗对方当事人的债务履行请求权,对方当事人履行前,自己可以拒绝其享有的履行请求,但没有积极实现自己债权的手段。

(6)消灭的原因不同。留置权人对留置财产丧失占有或者接受债务人另行提供担保的,留置权消灭;而同时履行抗辩权只要对方的债务不履行便不会消灭。

4. 留置权与抵销权

合同法第九十九条规定了抵销权。所谓抵销权,是指当事人双方互负给付种类相同的到期债务时,双方可以按照相同数额互相折抵充销债务的权利。留置权与抵销权的目的都在于避免债务

履行中的不公平现象。两者的区别主要在于:

(1)性质不同。留置权为担保物权;而抵销权为形成权。

(2)目的不同。留置权的目的是担保债权的实现;而抵销权的目的主要在于避免重复给付所造成的浪费。

(3)标的物的范围不同。留置权的标的物只能是动产;而抵销权的标的物可以为一切适于抵销的债权债务。

(4)效力不同。留置权仅具有留置效力和优先受偿效力,并不能直接使双方债权债务归于消灭;而抵销权有因抵销而使双方债权债务在抵销范围内确定消灭、终局消灭的效力。

(5)权利的实现不同。债务人不履行到期债务时,经过法律规定的程序,留置权人可以留置财产折价或者直接拍卖、变卖留置财产并就其价金优先受偿;而抵销权的行使只需向对方当事人意思表示即可。

(6)消灭原因不同。留置权人对留置财产丧失占有或者接受债务人另行提供担保的,留置权消灭;而抵销权不因这些原因而消灭。

(五)留置权成立的要件

1. 债权人已经合法占有债务人的动产

债权人要行使留置权,必须已经合法占有债务人的动产。这个要件包含三层意思:第一,必须是动产。留置权的标的物只能是动产,债权人占有的不动产上不能成立留置权。第二,必须债权人占有动产。债权人的这种占有可以是直接占有,也可以是间接占有。但单纯的持有不能成立留置权。如占有辅助人虽持有动产,却并非占有人,因此不得享有留置权。第三,必须合法占有动产。债权人必须基于合法原因而占有债务人动产,如基于承揽、运输、保管合同的约定而取得动产的占有。如果不是合法占有债务人的动产,不得留置,如债权人以侵权行为占有债务人的动产。

2. 债权人占有的动产，应当与债权属于同一法律关系，但企业之间留置的除外

除了企业之间留置的以外，留置财产必须与债权的发生处于同一法律关系中。比如，保管合同中寄存人不按期交付保管费，保管人可以留置保管物，此时留置权成立。如果保管人对寄存人享有的是保管合同之外的其他债权而留置保管物，或者保管人留置的是债务人的其他财产，则该留置权不能成立。

3. 债务人不履行到期债务

债权人对已经合法占有的动产，并不能当然成立留置权，留置权的成立还须以债权已届清偿期而债务人未全部履行为要件。如果债权未到期，那么债务人仍处于自觉履行的状态中，还不能判断债务人到期能否履行债务，这时留置权还不能成立。只有在债务履行期限届满，债务人仍不履行债务时，债权人才可以将其合法占有的债务人的动产留置。

第二百三十一条　债权人留置的动产，应当与债权属于同一法律关系，但企业之间留置的除外。

【释义】　本条是有关留置财产与债权的关系的规定。

关于留置财产与债权的关系，在物权法起草过程中，争议颇大。第一种意见认为，只要是合法占有的财产，债权人便有权留置；第二种意见认为，留置财产应当与债权的发生有牵连关系；第三种意见认为，留置财产应当与债权的发生有牵连关系，但企业之间留置的除外；第四种意见认为，留置财产应当与债权属于同一法律关系，但企业之间留置的除外。

留置权的目的在于留置债务人的财产，迫使债务人履行债务，保障债权的实现。但如果允许债权人任意留置与债权的发生没有关系的债务人财产，则对债权人的保护过大，有违公平原则，也会损害其他债权人的利益和交易安全，第一种意见不可取。

“牵连关系”的概念在理论上有多种解释，存在“一元论”和“二元论”两种观点。“一元论”认为，留置权的标的物与债权有无牵连关系，应依“统一的单一的标准”来判断。但何为“统一的单一的标准”，则说法不一：一是认为标的物为构成债权发生的法律事实之一时，即具有牵连关系；二是认为标的物构成债权发生的基础，即具有牵连关系；三是认为标的物的存在与债权的发生之间具有相当因果关系，而且社会一般观念认为有留置权存在的必要时，即为有牵连关系；四是债权与标的物由于某种经济关系而发生，债务人如自己不履行债务，却要债权人返还其标的物，在社会一般观念认为不当时，即可认为标的物与债权存在牵连关系。“二元论”认为，债权与标的物之间存在牵连关系，并不以标的物为债权发生的直接原因为限；如果是债权发生的间接原因，也可以认为有牵连关系。至于哪些是债权发生的间接原因，也存在不同看法：一是认为债权与标的物占有之取得，系因同一交易关系或者同一目的而发生的，即有牵连关系；二是认为债权间接因标的物的关系而发生的，两者即有牵连关系；三是标的物为因同一原因而发生的债权之标的物时，即存在牵连关系；四是认为债权因标的物而发生，或者债权与标的物的返还请求权因同一法律关系或者生活关系而发生，即有牵连关系。可见，牵连关系的概念过于模糊，范围不确定，法律适用中容易产生分歧，第二种意见和第三种意见也不可取。

因此，物权法没有采用牵连关系的概念，而是明确规定，留置财产应当与债权属于同一法律关系。同时，由于在商业实践中，企业之间相互交易频繁，追求交易效率，讲究商业信用，如果严格要求留置财产必须与债权的发生具有同一法律关系，则有悖交易迅捷和交易安全原则。因此，本条同时规定，企业之间留置的财产，可以不与债权属于同一法律关系。

第二百三十二条　法律规定或者当事人约定不得留置的动

产，不得留置。

【释义】 本条是关于留置权适用范围的限制性规定。

关于留置权的适用范围，担保法第八十四条规定：“因保管合同、运输合同、加工承揽合同发生的债权，债务人不履行债务的，债权人有留置权。法律规定可以留置的其他合同，适用前款规定。当事人可以在合同中约定不得留置的物。”在物权法起草过程中，对是否保留担保法的这一规定，存在不同意见。有的意见认为，为避免滥用留置权的情况发生，应该维持担保法的这一规定，即只有因保管合同、运输合同、加工承揽合同和法律规定可以留置的其他合同发生的债权，才能适用留置权。有的意见认为，担保法规定的留置权的适用范围过窄，不符合经济实践需要，不利于保护债权人的利益，应当扩大范围。

应该说，担保法制定的时候，我国市场经济刚刚起步，有关市场经济的法律制度还不完善，一套有序的市场经济体制还未形成，规定留置权较为狭窄的适用范围是妥当的。但随着市场经济的发展，相关市场规则和法律制度的完善，将留置权的适用范围扩大到因无因管理、仓储合同及其他服务合同发生的债权中是必要和合适的。从其他国家和地区有关留置权的立法来看，也几乎没有逐一列举留置权适用范围的。因此，物权法没有明文列举留置权的适用范围，而只是在本条中对留置权的适用范围做出限制，规定了不得留置的两种情形。只要不属于这两种情形，又符合留置权成立的条件，均可以成立留置权。

第一，法律规定不得留置的，依照其规定。如果法律基于公序良俗等原因明确规定某些情形下不得留置或者某些财产不得留置，则须依照该法律规定，不得成立留置权。

第二，当事人约定不得留置的，按照约定。对于当事人已经明确约定不得留置的动产，都不能成立留置权。比如，承揽合同当事人事先在合同中约定排除留置权，则在定作人未向承揽人支付报酬或者材料费等价款时，承揽人也不得留置完成的工作成果，而应当依债权本身的效力提起追索价款及违约金的诉讼。留置权属于法定担保物权，法律之所以允许当事人通过约定加以排除，主要是由于留置权的目的是基于公平原则，为了保护债权人的利益，担保债权的实现，并未涉及公共利益或者其他第三人的利益，如果债权人基于意思自治而自愿放弃这一权利，法律自然无须干涉。

第二百三十三条 留置财产为可分物的，留置财产的价值应当相当于债务的金额。

【释义】 本条是关于可分物作为留置财产的特殊规定。

可分物是指经分割而不损害其经济用途或者失去其价值的物。前面说过，留置权具有不可分性，表现为：一是留置权所担保的是债权的全部，而不是部分；二是留置权的效力及于债权人所留置的全部留置财产，留置权人可以对留置财产的全部行使留置权，而不是部分。但本条对于留置权的不可分性做了一定程度的缓和，明确规定留置财产为可分物的，留置财产的价值应当相当于债务的金额。比如，在运输合同中，甲为承运人，乙为托运人，甲受乙的委托运输一列车的煤，因乙不给付甲运输费，甲便可以留置乙的货物。若运输的煤价值为 100 万元，运输费为 1 万元，这时甲只能在相当于运输费 1 万元的范围内留置相应价值的煤，而不能留置全部煤。物权法之所以如此规定，是因为债权人留置财产的目的，是为了担保债权的实现，只要留置财产的价值相当于债务金额，就能够保证其债权得到实现，没有必要留置过多的财产。过分强调留置权的不可分性，对债务人不公平，有损其合法权益，也不利于物尽其用。

但如果留置财产为不可分物，由于该物的分割会减损其价值，因此不适用本条的规定。比如，一台锅炉作为承揽合同的标的物，如果定作人不支付报酬，承揽人留置该物的，就不能适用本条的规定,因为锅炉若予分割则其价值就会遭受减损。对于不可分物,债权人可以将其全部留置。

第二百三十四条　留置权人负有妥善保管留置财产的义务;因保管不善致使留置财产毁损、灭失的,应当承担赔偿责任。

【释义】 本条是关于留置权人保管义务的规定。

在留置权关系中,留置权人占有留置财产,以担保自己债权的实现,这是留置权人依法享有的权利。但享有权利的同时还必须承担一定的义务:由于留置财产在留置权消灭之前依然属于债务人所有,因此,留置权人在占有留置财产的同时就必须对留置财产负有保管义务,应当妥善保管留置财产。留置权人如果违反此项义务致使留置财产毁损、灭失的,则应当对债务人承担赔偿责任。

关于何为“妥善保管”,有不同的认识。有的意见认为,留置权人应当以善良管理人的注意保管留置财产。留置权人对保管未予以善良管理人之注意的,即为保管不善,因此而导致留置财产毁损、灭失的,应当负赔偿责任。有的意见认为,除因不可抗力造成留置财产毁损、灭失外,留置权人对留置财产的毁损、灭失均应负保管不善的赔偿责任。前一种意见为通说。日本民法、我国台湾地区的“民法”都采纳这种观点。如日本民法第二百九十八条规定:“(1)留置权人应以善良管理人的注意,占有留置物。(2)留置权人未经债务人承诺,不得使用、租赁留置物,亦不得以之提供担保。但是,为保全该物而进行必要使用者,不在此限。(3)留置权人违反前二款规定时,债务人可以请求消灭留置权。”我国台湾地区“民法”第九百三十三条规定:“债权人应以善良管理人之注意,保管留置物。”至于实际中如何认定“妥善保管”,应当依据一般交易上的观念,以一个有知识、有经验的理性人所应具有的标准来加以衡量。

这里还有一个问题值得注意:留置权人占有留置财产,必须妥善保管,原则上未经债务人同意,不得使用、出租留置财产或者擅自把留置财产作为其他债权的担保物。但是,留置权人出于保管的需要,为使留置财产不因闲置而生损害,在必要的范围内有使用留置财产的权利,如适当使用留置的机动车或者机械以防止其生锈。

第二百三十五条　留置权人有权收取留置财产的孳息。

前款规定的孳息应当先充抵收取孳息的费用。

【释义】　本条是关于留置权人收取孳息的权利的规定。

留置权人在占有留置财产期间,有权收取留置财产所产生的孳息。这里的孳息包括天然孳息和法定孳息。这主要是因为留置权人占有留置财产并负有保管义务,由其收取孳息较为适当;而且留置权人收取的孳息也是用于抵充债权,对于债务人也无不利。日本民法和我国台湾地区的"民法"也有类似规定。如日本民法第二百九十七条规定:"(1)留置权人可以收取由留置物产生的孳息,先于其他债权人,以孳息抵充其债权的清偿。(2)前款孳息,应先抵充债权的利息,尚有剩余时,再抵充原本。"我国台湾地区"民法"第九百三十五条规定:"债权人得收取留置物所生之孳息,以抵偿其债权。"

但需要说明的是,留置权人对收取的孳息只享有留置权,并不享有所有权。收取的孳息应当首先充抵收取孳息的费用,然后再充抵债务及其利息。

第二百三十六条　留置权人与债务人应当约定留置财产后的债务履行期间;没有约定或者约定不明确的,留置权人应当给债务人两个月以上履行债务的期间,但鲜活易腐等不易保管的动产除外。债务人逾期未履行的,留置权人可以与债务人协议以留置财产折价,也可以就拍卖、变卖留置财产所得的价款优先受偿。

留置财产折价或者变卖的,应当参照市场价格。

【释义】 本条是关于实现留置权的一般规定。

留置权的实现是指留置权人对留置财产进行处分,以优先受偿其债权的行为。关于留置权的实现,各个国家和地区的规定有所不同。瑞士民法典第八百九十八条第一款规定:"债务人不履行义务时,债权人经事先通知债务人,得变卖留置物。但此规定仅限于债权人未得到充分担保的情形。"我国台湾地区"民法"第九百三十六条规定:"债权人于其债权已届清偿期而未受清偿者,得定六个月以上之相当期限,通知债务人,声明如不于其期限内为清偿时,即就其留置物取偿。债务人不于前项期限内为清偿者,债权人得依关于实行债权之规定,拍卖留置物,或取得其所有权。不能为第一项之通知者,于债权清偿期届满后,经过二年仍未受清偿时,债权人亦得行使前项所定之权利。"我国担保法第八十七条规定:"债权人与债务人应当在合同中约定,债权人留置财产后,债务人应当在不少于两个月的期限内履行债务。债权人与债务人在合同中未约定的,债权人留置债务人财产后,应当确定两个月以上的期限,通知债务人在该期限内履行债务。债务人逾期仍不履行的,债权人可以与债务人协议以留置物折价,也可以依法拍卖、变卖留置物。"物权法参考了担保法的这一规定,借鉴相关国家和地区的规定,在留置权实现的条件和实现的方法上做了一定的修改。

(一)留置权实现的条件

留置权人实现留置权必须具备两个条件:

1. 留置权人须给予债务人以履行债务的宽限期。债权已届清偿期债务人仍不履行债务,留置权人并不能立即实现留置权,而必须经过一定的期间后才能实现留置权。这个一定的期间,称为宽限期。宽限期限多长,涉及债权人与债务人利益的平衡问题。期限过长,不利于留置权人实现债权;期限过短,不利于债务人筹集资金,履行义务。为此,根据实践经验和公平原则,本条规定,留置权人与债务人应当约定留置财产后的债务履行期间；没有约定或者约定不明确的，留置权人应当给债务人两个月以上履行债务的期间，但鲜活易腐等不易保管的动产除外。即留置权人留置财产后，便可以与债务人自由协商一定的债务履行期限。与担保法规定的这一期限“不得少于两个月”不同，物权法没有明确规定双方约定的期限长短，只要双方当事人协商达成一致便可。如果留置权人与债务人对于宽限期限没有约定或者约定不明确的，留置权人可自行确定宽限期限，但不得少于两个月，除非留置财产为鲜活易腐等不易保管的动产，如海鲜、水果、蔬菜。这些动产保管成本过高，如果期限过长，容易贬值甚至失去价值，对留置权人和债务人都不利。因此，留置权人无须给予债务人两个月以上的宽限期。

2. 债务人于宽限期内仍不履行义务。债务人在宽限期内履行了义务，留置权归于消灭，留置权人当然不能再实现留置权。如果债务人仍不履行义务，留置权人便可以按法律规定的方法实现留置权。

（二）留置权实现的方法

依照本条的规定，留置权实现的方法有三种，即折价、拍卖和变卖。留置权人可以与债务人协商采取哪种方法实现留置权。一般情况下，双方当事人可以先协议将留置财产折价以实现其债权；如果无法达成协议，留置权人可以依法拍卖或者变卖留置财产，并以拍卖或者变卖所得的价款优先受偿其债权。

1. 折价。折价是指留置权人与债务人协议确定留置财产的价格，留置权人取得留置财产的所有权以抵销其所担保的债权。这种方法比较简单；但必须双方当事人协商一致，否则就应当采取拍卖或者变卖的方法。

2. 拍卖。拍卖是指依照拍卖法规定的拍卖程序，于特定场所以公开竞价的方式出卖留置财产的方式。拍卖的公开性和透明度都比较高，但同时费用也较高。

3.变卖。变卖是指以一般的买卖形式出卖留置财产的方式。由于拍卖的费用较高，有的双方当事人不愿意负担这一费用，因此采取费用较为低廉的变卖方式。

本条第二款还规定，无论留置财产是拍卖还是变卖，都必须参照市场价格，而不能随意降低该留置财产的价格。

第二百三十七条　债务人可以请求留置权人在债务履行期届满后行使留置权；留置权人不行使的，债务人可以请求人民法院拍卖、变卖留置财产。

【释义】　本条是关于债务人可以请求留置权人行使留置权的规定。

留置权为物权，其不受所担保的债权的诉讼时效的限制。因此，留置权人在其所担保的债权的诉讼时效完成后，仍可以对留置财产行使留置权。理论上说，留置权可以长期不灭，其行使并无时间限制。但是，如果留置权人长期持续占有留置财产而不实现，不符合“物尽其用”的原则，也会对社会、经济生活产生不利影响。而且，在有的情况下，留置财产会有自然损耗或者贬值的可能，如果长期不实现留置权，留置财产的价值会受影响，对债务人不利。因此，不能让留置权人无限期地留置财产而不行使留置权。本条便是基于以上原因而做出规定的。也就是说，债务履行期间届满，如果债务人自知没有能力履行债务，可以请求留置权人及时实现留置权；如果留置权人不实现的，债务人有权请求人民法院拍卖或者变卖该留置财产，以消灭留置权。

第二百三十八条　留置财产折价或者拍卖、变卖后，其价款超过债权数额的部分归债务人所有，不足部分由债务人清偿。

【释义】　本条是关于留置权实现的规定。

根据本法第二百三十六条的规定，债务人逾期未履行债务的，留置权人可以与债务人协议以留置财产折价，也可以就拍卖、变卖留置财产所得的价款优先受偿。根据本法第二百三十七条的规定，债务人可以请求留置权人在债务履行期间届满后行使留置权；留置权人不行使的，债务人也可以请求人民法院拍卖、变卖留置财产。留置财产被折价或者拍卖、变卖后，可能出现三种情况：一是留置财产折价或者被拍卖、变卖所得的价款刚好满足留置权人的债权，留置权的债权完全得以实现，债务人的留置权财产也因为折价或者拍卖、变卖而被处分，不存在剩余价款返还的问题。两者的债权债务关系以及担保关系完全消灭。二是留置财产折价或者被拍卖、变卖所得的价款超过了留置权人的债权数额，超过的部分应当归债务人所有。如果是留置权人处分留置财产的，留置权人在扣除自己应得部分后，应当将剩余部分返还给债务人，不得占为己有，否则就构成不当得利。如果是人民法院根据本法第二百三十七条的规定对留置财产进行拍卖、变卖的，人民法院在扣除留置权人的债权额后，应当将剩余部分及时返还给债务人。三是留置财产折价或者被拍卖、变卖所得的价款不足以清偿留置权人的债权。由于留置财产不能完全满足留置权人的债权，所以留置权人与债务人之间的债权债务关系并不因实现留置权而完全消灭，留置权人仍可以就留置财产不足以清偿的部分要求债务人偿还。只不过剩余债权就变成了无担保物权的普通债权，留置权人也成了普通债权人，留置权人可以普通债权人的身份要求债务人偿还剩余债务；债务人拒绝偿还的，其可以向人民法院起诉。

第二百三十九条　同一动产上已设立抵押权或者质权，该动产又被留置的，留置权人优先受偿。

【释义】　本条是关于留置权与抵押权或者质权关系的规定。

根据本法的规定，在动产上既可以设立抵押权，也可以设立质权。如果同一动产上已设立了抵押权或者质权，该动产又被留置的,应当如何处理留置权与抵押权或者质权的关系?本条规定,同一动产上已设立抵押权或者质权,该动产又被留置的,留置权人优先受偿。也就是说,同一动产同时存在留置权与抵押权或者质权的,留置权的效力优先于抵押权或者质权。这样规定,主要是基于以下三方面的考虑:一是反映了我国立法经验和司法实践经验。我国的一些法律已明确规定,同一标的物上同时存在抵押权与留置权的,留置权优先于抵押权。例如我国海商法第二十五条规定,船舶优先权先于船舶留置权受偿,船舶抵押权后于船舶留置权受偿。前款所称船舶留置权,是指造船人、修船人在合同另一方未履行合同时,可以留置所占有的船舶,以保证造船费用或者修船费用得以偿还的权利。人民法院的审判实践也承认了留置权优先于抵押权这一原则。最高人民法院在关于担保法若干问题的司法解释中规定,同一财产上抵押权与留置权并存时,留置权人优先于抵押权人受偿。二是这样规定符合国际上的立法经验。许多国家以及我国台湾地区都承认留置权效力优先于抵押权或者质权效力的原则。例如,美国统一商法典规定,任何人在通常的业务过程中就设定担保物权的货物提供服务或者提供原材料,且成文法或者法律原则规定其可以就因该种服务或者原材料的提供所占有的货物享有留置权的,则该留置权优先于已经发生的担保物权,除非法律另有规定。三是从理论上讲,留置权属于法定担保物权,其直接依据法律规定而产生,而抵押权与质权均为约定担保物权。法定担保物权优先于约定担保物权为公认的物权法原则。

正确理解本条,应当注意两点:一是在同一动产上,无论留置权是产生于抵押权或者质权之前,还是产生于抵押权或者质权之后,留置权的效力都优先于抵押权或者质权。也就是说,留置权对抵押权或者质权的优先效力不受其产生时间的影响。二是留置权对抵押权或者质权的优先效力不受留置权人在留置动产时是善意还是恶意的影响。立法中,有的认为,为了防止当事人利用留置权的优先效力，恶意在已设有抵押权的动产上行使留置权，妨碍或者排除动产上抵押权的行使，建议明确规定，同一动产上留置权产生于抵押权或者质权之后的，只有留置权人属于善意时，留置权效力才优先于已存在的抵押权或者质权。我们认为，这里的"善意"指留置权人对同一动产已存在的抵押权或者质权不知情；与之相对应的"恶意"指留置权人对同一动产上已存在的抵押权或者质权知情，而并非恶意串通的意思。留置权产生的基础是公平原则，在适用留置权规则的许多情况下，留置权人一般都使被留置动产的价值得到保全，且留置权人的债权与被留置动产的价值相比往往是微不足道的。在这种情况下，仅仅以留置权人知道或者应当知道该动产上存在抵押权或者质权就否定其优先效力，对留置权人是不公平的。实践中，留置权人留置某一动产时往往知道该动产上存在抵押权或者质权。例如，某一汽车所有人将该汽车送到某一修理厂修理，修理厂可能对该汽车上存在抵押权是知情的，但这并不妨碍修理厂在汽车所有人不支付修理费的情况下留置该汽车且以该留置权对抗存在的抵押权或者质权。基于以上考虑，本条并没有强调留置权优先于抵押权或者质权的效力以留置权人善意作为前提。当然，如果留置权人与债务人恶意串通成立留置权，其目的就是为了排除在动产上的抵押权或者质权的，这已经超出了"恶意和善意"的范畴，属于严重违反诚实信用原则的恶意串通行为。在这种情况下，不但留置权不能优先于抵押权或者质权，该留置权也应当视为不存在。

第二百四十条　留置权人对留置财产丧失占有或者留置权人接受债务人另行提供担保的，留置权消灭。

【释义】 本条是关于留置权消灭原因的规定。

留置权作为一种物权，其消灭的原因是多样的：可因物权消灭的共同原因而消灭，如因留置标的物的灭失、被征收等原因而消灭;也可因担保物权消灭的共同原因而消灭,如因被担保债权的消灭、留置权的行使以及留置权被抛弃等原因而消灭。此外,留置权作为一种法定的担保物权,还具有特殊的消灭原因。根据本条的规定,这些特殊的消灭原因是:

(一)因留置权人对留置财产丧失占有而消灭

留置权产生的前提条件是债权人对债务人财产的合法占有。留置权人的这种占有应当为持续不间断的占有,否则留置权就会因占有的丧失而消灭。日本民法典规定,留置权因占有丧失而消灭。我国台湾地区“民法”规定,留置权因占有之丧失而消灭。我国担保法对此未做规定;但我国海商法第二十五条第二款规定,船舶留置权在造船人、修船人不再占有所造或者所修的船舶时消灭。此外,我国的司法实践也承认,留置权人对留置财产丧失占有时,留置权消灭。例如,最高人民法院在关于适用担保法若干问题的司法解释第一百一十四条中明确规定,留置权人将留置物返还给债务人后,以其留置权对抗第三人的,人民法院不予支持。本条在总结国内外立法经验和司法实践经验基础上,明确了留置权人丧失对留置财产的占有是留置权消灭的原因。需注意的是,若留置权人非依自己的意愿暂时丧失对留置财产占有的,留置权消灭;但这种消灭并不是终局性的消灭,留置权人可以依占有的返还原物之诉要求非法占有人返还留置物而重新获得留置权。

(二)因留置权人接受债务人另行提供担保而消灭

留置权作为一种法定担保物权,其功能主要是通过留置权人留置合法占有的债务人动产,促使债务人尽快偿还债务。如果债务人为清偿债务另行提供了相当的担保,该担保就构成了留置权的替代,债权人的债权受偿得到了充分的保障,原留置财产上的留置权理应消灭。而且,在债务人提供相当担保的情况下,如果留置财产上的留置权仍然存在,就对债务人的利益限制过多,妨碍了债务人对留置财产的利用,不符合诚实信用原则和公平原则。基于此，许多国家和我国台湾地区均规定，留置权人接受债务人另行提供担保的，留置权消灭。我国担保法第八十八条也规定，债务人另行提供担保并被债权人接受的，留置权消灭。债务人另行提供的担保可以是其他担保物权如抵押权、质权，也可以是保证。

债务人另行提供担保导致留置权消灭的，应当满足以下条件：一是债务人另行提供的担保应当被债权人接受；若债权人不接受新担保的，留置权不消灭。二是债务人另行提供的担保所能担保的债权应当与债权人的债权额相当。由于留置权是以先行占有的与债权有同一法律关系的动产为标的物，留置物的价值有可能高于被担保的债权额，但债务人另行提供的担保所能担保的债权不以留置物的价值为标准，一般应与被担保的债权额相当。当然在双方当事人协商一致的情况下，债务人另行提供的担保所能担保的债权也可以低于或者高于债权人的债权额。

第五编　占　　有

第十九章　占　　有

本章共五条，主要就占有的调整范围、无权占有情形下的损害赔偿责任、原物及孳息的返还以及占有保护等问题分别做了规定。占有，指对不动产或者动产事实上的控制与支配。它分为有权的占有和无权的占有：前者指占有人与占有返还请求人之间，有寄托、租赁或有其他正当法律关系时占有人对不动产或者动产的占有；后者指占有人对不动产或者动产的占有无正当的法律关系或者原法律关系被撤销或无效时占有人对不动产或者动产的占有。无权占有又分善意占有和恶意占有，其法律责任及法律后果存在差别。本章的最后对占有的保护做了规定，使得在占有物被侵夺时，占有人可以采取请求返还原物、排除妨害、消除危险或者损害赔偿等方式保护自己的占有。

第二百四十一条　基于合同关系等产生的占有，有关不动产或者动产的使用、收益、违约责任等，按照合同约定；合同没有约定或者约定不明确的，依照有关法律规定。

【释义】　本条是关于有权占有法律适用的规定。

导致占有发生的法律关系多种多样：一种是有权占有，主要指基于合同等债的关系而产生的占有，如根据运输或者保管合同，承运人或者保管人对托运或者寄存货物发生的占有；另一种是无权占有，主要发生在占有人对不动产或者动产的占有无正当法律关系，或者原法律关系被撤销或无效时占有人对占有物的占有，包括误将他人之物认为己有或者借用他人之物到期不还等。以上两种占有发生的原因虽然各不相同，但法律后果的处理不外乎两类情形：其一是在占有过程中，被占有的不动产或者动产的使用、收益以及损害赔偿责任该如何确定；其二是当被占有的不动产或者动产遭到第三方侵夺或者妨害时，占有人能够行使哪些权利保护自己对不动产或者动产的占有。

首先来看第一个问题，占有过程中，被占有的不动产或者动产的使用、收益以及损害赔偿责任该如何确定。对这一问题的回答，因有权占有和无权占有的区别而存在差别。对于因合同等债的关系而产生的占有，本法明确规定，有关被占有的不动产或者动产的使用、收益、违约责任等，按照合同约定；合同没有约定或者约定不明确的，依照合同法等有关法律的规定。关于无权占有情形下，有关不动产或者动产的使用、收益及损害赔偿责任等，本法第二百四十二条至第二百四十四条做了具体规定，无权占有是本编规定的重点。

其次，被占有的不动产或者动产被侵夺的，该如何处理？对这一问题的回答，不因有权占有和无权占有的区别而有不同，它们都可适用本法第二百四十五条的规定，即占有的不动产或者动产被侵占的，占有人有权请求返还原物；对妨害占有的行为，占有人有权请求排除妨害或者消除危险；因侵夺或者妨害造成损害的，占有人还有权请求损害赔偿。

第二百四十二条　占有人因使用占有的不动产或者动产，致使该不动产或者动产受到损害的，恶意占有人应当承担赔偿责任。

【释义】　本条是关于无权占有不动产或者动产致其损害，恶意占有人应当承担赔偿责任的规定。

在有权占有的情况下,如基于租赁或者借用等正当法律关系而占有他人的不动产或者动产时,当事人双方多会对因使用而导致不动产或者动产的损害责任做出约定。大多数情况下,对于因正常使用而导致不动产或者动产的损耗、折旧等,往往由所有权人负担,因为有权占有人所支付的价金即是对不动产或者动产因正常使用而发生损耗的补偿。例如甲将其自行车租给乙使用,每月乙支付给甲 30 元钱使用费,半年后自行车因使用而发生损耗折旧,此时,一般情况下甲不能向乙要求额外的损害赔偿,因为乙每月所支付的租用费即是对自行车使用价值的补偿。当然,如果乙采取破坏性方式使用自行车,致使自行车提前报废,如果双方对此有事前约定,那么按其约定处理。实践中,在有权占有情况下,被占有的不动产或者动产因使用而产生损害,其责任确定和解决方法并不棘手。按照一般的惯例,如果要把自己的不动产或者动产租给他人使用,应当先收取一定的押金,作为不动产或者动产被他人损坏后的担保。

但当这一问题涉及无权占有时,权责的确定和实际解决的办法就不那么容易了。无权占有又分为善意占有和恶意占有。关于恶意占有人应当承担损害赔偿责任,各地立法均无异议;但关于善意占有人是否要承担赔偿责任的问题,有些争论。境外的立法多规定,善意占有人对被占有物因使用而发生的损害,不承担损害赔偿责任。查阅境外立法例,有明确规定善意占有人不担责任的为瑞士,其民法典第九百三十八条规定:(1)物的善意占有人,依其被推定的权利得使用并收益该物的,对权利人无损害赔偿的责任。(2)前款情形,物消灭或受损害的,占有人无须赔偿。其他立法例虽然没有类似瑞士的明确规定,但关于物因善意占有人使用而受损害的问题,大多由善意占有人权利的推定去解决。例如德国民法典第九百五十五条、我国台湾地区“民法”第九百五十二条规定，善意占有人，依推定其为适法所有之权利得为占有物之使用及收益。

境外立法规定善意占有人不担责任的逻辑是，法律对于占有赋予了几种法律效力，其一就是权利的推定效力，占有人于占有物上行使的权利，推定其适法有此权利，而善意占有人在使用占有物时即被法律推定为物的权利人，具有占有使用的权利。因此，对于使用被占有的物而导致的物的损害，不应负赔偿责任。本法采纳上述立法，规定占有人因使用占有的不动产或者动产，致使该不动产或者动产受到损害的，恶意占有人应当承担赔偿责任；对于善意占有人，法律不苛以此种赔偿义务。

第二百四十三条　不动产或者动产被占有人占有的，权利人可以请求返还原物及其孳息，但应当支付善意占有人因维护该不动产或者动产支出的必要费用。

【释义】　本条是关于无权占有人应向权利人返还原物及其孳息并且善意占有人享有必要费用返还请求权的规定。

本条规定主要包括两层意思：第一，无论是善意占有人还是恶意占有人，对于权利人都负有返还原物及其孳息的义务；第二，返还原物及其孳息之后，善意占有人对于因维护该不动产或者动产而支出的必要费用，可以要求权利人返还，而恶意占有人无此项请求权。

首先，针对第一层意思，无论善意占有人还是恶意占有人都必须返还原物及其孳息的问题，各国立法存在一些差别，此种差别主要体现在对善意占有人可否保留孳息的争论上（而对于恶意占有人的原物及其孳息返还义务，各国立法均无异议）。一种立法例认为，善意占有人原则上不负担从原物上获得收益的返还义务和赔偿义务。例如根据德国民法典第九百八十七条、第九百九十三条的规定，善意占有人既不负有返还收益的义务，也不负有损害赔偿的义务。另一种立法例认为,善意占有人无须返还从占有物上获得的孳息;但是如果善意占有人保留孳息,则不得向权利人请求返还其为维护该动产或者不动产而支出的必要费用。在立法过程中,有的意见认为,善意占有人有权保留孳息,理由在于既然善意占有人被法律推定为适法享有权利的人,善意占有人对占有物的使用及收益得到法律的承认,对于占有物的收益,善意占有人有权保留。

分析各方意见,同时考虑到国外关于善意占有可以保留孳息的规定,是同必要费用返还请求权相关的。例如瑞士民法典和日本民法以及台湾地区"民法"均规定,如果保留孳息,则善意占有人不得向权利人请求返还其为维护该动产或者不动产而支出的必要费用。这同本法目前的规定的确有区别,但两种处理方式的法律后果相差不大。原物和孳息返还权利人,但为维护占有物而支出的必要费用可以请求权利人返还的法律结果,和孳息保留必要费用不得求偿的法律后果区别实际不大。

同时还应注意到本法目前的规定和民法中因无因管理而产生的法律结果是一致的。并且保留孳息的规定,并非各国通例。德国民法典关于这一问题并未区分善意占有和恶意占有,其民法典第九百九十四条规定,所有人的偿还义务依关于无因管理的规定确定之。因此,本法明确规定,权利人可以请求返还原物及其孳息,但应当支付善意占有人因维护该不动产或者动产支出的必要费用。这样就使得法律关系更加简化,便于操作。

第二百四十四条　占有的不动产或者动产毁损、灭失,该不动产或者动产的权利人请求赔偿的,占有人应当将因毁损、灭失取得的保险金、赔偿金或者补偿金等返还给权利人;权利人的损害未得到足够弥补的,恶意占有人还应当赔偿损失。

【释义】　本条是关于被占有的不动产或者动产毁损、灭失时占有人责任的规定。

当占有的不动产或者动产毁损、灭失时,如果占有人和占有返还请求权人之间,有寄托、租赁等关系或者有其他正当的法律关系时(即有权占有的情形),占有人就被占有的不动产或者动产所负的责任等,均各依其基础法律关系去解决;但如果不具备寄托、租赁等此种正当法律关系或者外形上虽有此类关系但实为无效或者被撤销时,则占有人同占有返还请求权人间的责任义务如何确定,不免发生问题。虽然关于这一情形,可以适用有关侵权行为或者不当得利的规定,但仅仅有此不足以充分解决问题。所以本条规定此种情形下,占有人应当将因毁损、灭失取得的保险金、赔偿金或者补偿金等返还给权利人;权利人的损害未得到足够弥补的,恶意占有人还应当赔偿损失。为了更准确地理解本条的含义,有必要从以下三个方面做进一步说明:

(一)毁损、灭失的含义

毁损的含义易于理解,它使得被占有的不动产或者动产的使用价值或者交换价值降低。而所谓灭失,指被占有的不动产或者动产对于占有人来说,不复存在;这包括物的实体消灭和丧失下落,或者被第三人善意取得而不能返还。例如甲的自行车被乙借用到期不还,乙在自行车链条掉脱的情形下仍执意骑行导致自行车链条断裂,即为毁损行为;如乙疏忽大意将自行车停放河滩处未有任何固定措施,河滩涨水将自行车冲向下游无法找回,或者乙疏忽大意疏于保管致使自行车被盗无法找寻等,都称之灭失。

(二)善意占有人对占有物毁损、灭失的责任

虽然善意占有人于占有物上所行使的权利,被推定为其合法享有,其对被占有物的使用被规定为占有人的权利,但该物毕竟在法律上不属于占有人所有,如果造成占有物毁损、灭失的,占有人还应当对物的真正权利人承担赔偿责任。但法律应当考虑减轻善意占有人的责任,以贯彻法律对善意占有人的保护。因此,在确定

善意占有人的责任时,应当依照不当得利的返还原则,即只有善意占有人因物的毁损、灭失而受有利益时,才对物的权利人承担赔偿责任;如果未受有利益,则不必赔偿。所谓因物的毁损、灭失而受有利益,指占有人所受积极利益,如当物的毁损灭失由第三人造成时,占有人取得的赔偿金或者替代物;而消极利益,指占有人因物的毁损灭失而减少支出的费用,则不在此列。例如,甲误将乙家的小羊认为己有,而村人丙打猎误射小羊,事后丙赔偿甲 500 元钱或者一只牛犊,乙可以依据本条向甲要求返还丙所赔付的 500 元钱或者牛犊;但如果丙未对甲进行赔偿,乙不能以小羊已亡甲节省了每日饲养费用为由,要求甲返还所省费用。

需要说明的是,日本民法及我国台湾地区“民法”关于此赔偿责任有“可归责于占有人的事由”为限的规定。例如日本民法第一百九十一条规定,占有物因应归责于占有人的事由而灭失或者毁损时,善意占有人在因灭失或毁损而现受利益限度内,负赔偿义务。我国台湾地区“民法”第九百五十三条规定,善意占有人,因可归责于自己之事由,致占有物灭失或毁损者,对于回复请求人,仅以因灭失或毁损所受之利益为限,负赔偿责任。但本法认为,善意占有人的责任既然可以限定在以其所受利益为限,则造成毁损、灭失的原因可不必追问,无论是否可以归责于占有人,只要其对被占有物的毁损、灭失受有利益,则都应在所受利益范围内对权利人承担责任。

(三)恶意占有人对占有物毁损、灭失的责任

所谓恶意占有,指明知或者因重大过失不知自己为无权占有而仍然进行的占有。是否为恶意占有,依占有人取得占有时的具体情况而进行判断。取得时为善意,而后得知自己为无权占有的,自其知道之时起,变为恶意占有人。恶意占有人明知自己无权而仍然占有他人之物,其占有不仅缺乏法律上的正当根据,道德上也乏善可陈,因此各国立法均对恶意占有人苛以较重的责任。

恶意占有人通常系由侵权行为取得占有，因此在决定恶意占有人责任时，应参考侵权损害赔偿的原则，损失多少赔多少，除去占有物的价值外，还包括物的权利人所失的利益。此外，占有物的价值，以物的实际价值为准；恶意占有人取得占有时的价值与物的权利人请求返还时的价值不同的，以较高价值为准。值得说明的是，有些国家的立法例将恶意占有人的赔偿责任限定在可归责于其的事由为限。如德国民法典第九百八十七条、日本民法第一百九十一条均规定，占有物因应归责于占有人的事由而灭失或者毁损时，恶意占有人对回复人负赔偿全部损害的义务。但本法未采取此种立场，而是对恶意占有人科以更严厉的责任，即无论物的毁损、灭失是否可归责于恶意占有人自身，对于物的权利人，恶意占有人都应负担赔偿全部损失的责任。

最后一点需要说明的是，权利人（回复请求权人）因被占有物的毁损、灭失所受的损害，因权利种类的不同而有差别。当权利人为所有权人时，赔偿范围应为物的价额；当权利人为运送人、质权人或者租赁人时，对于占有物仅有限定的利益，其赔偿应以其限定的利益为限。例如因占有物的灭失而不能回复所生之损害，质权人只能请求赔偿质权的价额，运送人只能请求赔偿与其运费相当的金额，其残余之额应为所有权人保留。

第二百四十五条　占有的不动产或者动产被侵占的，占有人有权请求返还原物；对妨害占有的行为，占有人有权请求排除妨害或者消除危险；因侵占或者妨害造成损害的，占有人有权请求损害赔偿。

占有人返还原物的请求权，自侵占发生之日起一年内未行使的，该请求权消灭。

【释义】　本条是关于占有保护的规定。

占有人对于他方侵占或者妨害自己占有的行为，可以行使法律赋予的占有保护请求权,如返还原物、排除妨害或者消除危险。占有保护的理由在于,已经成立的事实状态,不应受私力而为的扰乱,而只能通过合法的方式排除,这是一般公共利益的要求。例如甲借用乙的自行车,到期不还构成无权占有,乙即使作为自行车的物主也不可采取暴力抢夺的方式令甲归还原物;而对于其他第三方的侵夺占有或者妨害占有的行为等,甲当然可以依据本条的规定行使占有的保护。因此可以看出,占有人无论是有权占有还是无权占有,其占有受他人侵害,即可行使法律赋予的占有保护请求权;而侵害人只要实施了本条所禁止的侵害行为,即应承担相应的责任,法律不问其是否具有过失,也不问其对被占有的不动产或者动产是否享有权利。

(一)占有保护请求权的种类

占有保护请求权以排除对占有的侵害为目的,因而属于一种物权的请求权。根据占有受侵害的不同情形,分别发生占有物返还请求权、占有妨害排除请求权和占有危险消除请求权。

1. 占有物返还请求权

占有物返还请求权发生于占有物被侵夺的情形。此种侵夺占有而构成的侵占,是指非基于占有人的意思,采取违法的行为使其丧失对物的控制与支配。需要注意的是,非因他人的侵夺而丧失占有的,如因受欺诈或者胁迫而交付的,不享有占有物返还请求权。此种情形下,原占有人要回复占有,必须依法律行为的规定,主张撤销已经成立的法律关系等去解决。此外,还需说明一点,即本条所规定的占有物返还请求权的要件之一为侵占人的行为必须是造成占有人丧失占有的直接原因,否则不发生依据本条规定而产生的占有物返还请求权。例如,遗失物之拾得人,虽然拾得人未将遗失物交送有关机关而据为己有,但此种侵占非本条所规定的情形。拾得人将遗失物据为己有的行为,并非是失主丧失占有的直接原因(失主最初丧失对物的占有,可能是由于疏忽大意遗忘物品等)，因此失主对于拾得人不得依占有物返还请求权为据提起诉讼，而应依其所有权人的地位提请行使返还原物请求权。

2. 排除妨害请求权

占有被他人妨害时，占有人得请求妨害人除去妨害。妨害除去请求权的相对人，为妨害占有的人。数人相继为妨害的，以现为妨害的人为请求权的相对人；继续妨害的，占有人可请求相对人停止妨害；一次妨害的，占有人可请求相对人除去妨害。排除妨害的费用应由妨害人负担。占有人自行除去妨害的，其费用可依无因管理的规定向相对人请求偿还。

3. 消除危险请求权

消除危险请求权中的危险，应为具体的事实的危险；对于一般抽象的危险，法律不加以保护。具体的事实的危险，指其所用的方法，使外界感知对占有的妨害。例如违反建筑规则建设高危建筑、接近邻地开掘地窖等，而产生对邻地的危险。需要说明的两点是：首先，危险消除请求权中的危险，必须持续存在；请求权行使之时危险已经消失的，不得请求防止。其次，必须有客观的产生危险的事实；被请求人有无故意或者过失，法律在所不问。

占有虽非一种权利，但也属法律所保护的一种财产利益，不受他人非法的任意侵害。侵害占有的，应负侵权的损害赔偿责任。侵害占有可能发生的损害主要有：(1)使用收益的损害，即占有人不能使用收益占有物而生的损害；(2)支出费用的损害，即占有人对占有物支出费用、本可向物的权利人请求偿还，却因该物被侵夺而毁损灭失不能求偿；(3)责任损害，即占有人因占有物被第三人侵夺而发生毁损灭失后，从而产生对物的权利人的损害赔偿责任。

(二)占有人返还原物请求权的行使期间

本条最后规定了占有保护请求权中的返还原物请求权，自侵占发生之日起一年内未行使的，该请求权消灭。这里需要说明两个问题。

首先,占有保护请求权中的排除妨害请求权和消除危险请求权,原则上同妨害或者危险的持续状态紧密相联。如果妨害已经消失或者危险已经不存在,自然没有排除妨害或者消除危险请求权提请的必要;如果此种妨害或者危险造成了实际的损害,占有人当然可以提起损害赔偿请求权,而此项损害赔偿请求权应当受两年普通诉讼时效的限制;如果妨害或者危险持续发生,那么此项排除妨害或者消除危险的请求权自然没有受时效限制的道理。

其次,占有人返还原物请求权可因一定期间内不行使而消灭。此项期间各地立法如德国、瑞士、日本民法及我国台湾地区"民法",大多规定为一年。该期间有的国家明定为消灭时效,有的规定为除斥期间。但是从占有保护制度的设立目的和实际功能上讲,此项期间设为除斥期间更妥。其理由在于消灭时效可因事实而中断或者中止,而且它以受侵害人知道或者应当知道受侵害之时开始起算,如果按照消灭时效来规定,此项期间可能远比一年要长,那么将使权利处于长期不稳定的状态。并且通常情况下,占有物返还请求权因除斥期间经过而未行使的,占有人如果对物享有其他实体权利(如所有权),自然可以依照其实体权利提出返还请求,因此也没有必要在本条中规定更长的期间进行保护。

附 则

附则共两条，规定了地方性法规对不动产统一登记做出规定的权利以及物权法的实施日期。

第二百四十六条 法律、行政法规对不动产统一登记的范围、登记机构和登记办法作出规定前，地方性法规可以依照本法有关规定作出规定。

【释义】 本条是关于授权地方性法规暂时规定不动产统一登记的规定。

理解和把握本条需要了解以下情况：

（一）我国现有的不动产登记制度存在的问题

目前我国办理不动产登记的机构有土地管理部门、房产管理部门、农业主管部门、林业主管部门等多个部门。登记机构不统一，存在重复登记、登记资料分散、增加当事人负担、资源浪费等弊端。在物权法起草过程中，很多意见都认为，登记机构特别是不动产登记机构不统一，必然出现诸多弊端，不利于健全登记制度，应当统一登记机构。但是统一登记机构的问题较为复杂，对哪些登记机构可以统一、哪些不宜统一，统一的登记机构如何设立，登记机构是否具有行政管理职责等，各方面的意见分歧较大。

（二）物权法解决统一登记问题的考虑

建立不动产统一登记制度是必要的；但是，考虑到建立统一登记制度涉及行政管理体制改革，需要有个过程。从现实情况看，群众迫切要求建立城镇房地产统一登记制度。根据城市房地产管理法第六十二条的规定,省级人民政府有权确定“由一个部门统一负责房产管理和土地管理工作”,一些地方也有这方面的规定和做法。据此,本条做出了目前的授权性规定。

(三)这一授权性规定在我国当前立法体制下的意义

准确把握本条规定还需要从立法体制的角度思考:

1. 有权依据本条制定地方性法规的主体

立法法第六十三条规定:“省、自治区、直辖市的人民代表大会及其常务委员会根据本行政区域的具体情况和实际需要,在不同宪法、法律、行政法规相抵触的前提下,可以制定地方性法规。较大的市的人民代表大会及其常务委员会根据本市的具体情况和实际需要,在不同宪法、法律、行政法规和本省、自治区的地方性法规相抵触的前提下,可以制定地方性法规,报省、自治区的人民代表大会常务委员会批准后施行。……本法所称较大的市是指省、自治区的人民政府所在地的市,经济特区所在地的市和经国务院批准的较大的市。”此外,关于地方性法规的制定,地方各级人民代表大会和地方各级人民政府组织法第七条也有规定。

根据立法法的规定,有权依照物权法的授权性规定,制定地方性法规的立法主体包括两大类:(1)省、自治区和直辖市人大及其常委会,目前我国除台湾省外共有22个省、5个自治区和4个直辖市。(2)较大的市人大及其常委会。这里“较大的市”是指省会市、经济特区所在地的市以及经国务院批准的根据地方各级人民代表大会和地方各级人民政府组织法规定享有地方性法规制定权的城市。目前我国共有27个省会市、4个经济特区所在地的市(深圳市、厦门市、珠海市和汕头市);截至2000年立法法实施时,共有18个经国务院批准享有地方性法规制定权的较大的市(唐山市、大同市、包头市、大连市、鞍山市、抚顺市、吉林市、齐齐哈尔市、青岛市、无锡市、淮南市、洛阳市、宁波市、淄博市、邯郸市、本溪市、徐州市和苏州市）。

2. 依据本条，制定地方性法规时应当遵循的原则

立法法第六十四条规定，地方性法规可以为执行法律、行政法规的规定，就需要根据本行政区域的实际情况做具体规定的事项做出规定。除按照立法法规定只能制定法律的事项外，其他事项国家尚未制定法律或者行政法规的，省、自治区、直辖市和较大的市根据本地方的具体情况和实际需要，可以先制定地方性法规。在国家制定的法律或者行政法规生效后，地方性法规同法律或者行政法规相抵触的规定无效，制定机关应当及时予以修改或者废止。

根据立法法的规定，为贯彻本条的规定，制定地方性法规应当遵循两大原则：一是根据本行政区域的具体情况和实际需要的原则；二是不同宪法、法律、行政法规相抵触的原则。要坚持根据本行政区域的具体情况和实际需要的原则，就要在制定地方性法规的过程中，特别是对于统一登记这种中央尚未立法而地方先行立法的情况，注意根据本地方的具体情况和实际需要，进行有针对性的立法。

要坚持不同宪法、法律、行政法规相抵触的原则，就要既充分发挥地方立法的主动性和积极性，又要从有利于国家法制统一的角度出发。对于不动产统一登记这种中央立法不能一步到位的，地方通过先行立法，既可以解决地方性事务的现实需要；又可以通过地方性法规的制定和实施，积累解决有关法律问题的实践经验，为日后的中央立法打下良好基础。一旦法律、行政法规将来对统一登记问题做出规定，就应当按照法律、行政法规的规定执行。

第二百四十七条　本法自 2007 年 10 月 1 日起施行。

【释义】　本条是关于物权法施行日期的规定。

物权法于 2007 年 3 月 16 日由第十届全国人民代表大会第五次会议审议通过，于 2007 年 10 月 1 日起实施。本条旨在明确本

法的生效时间。

立法法第五十一条规定:“法律应当明确规定施行日期。”法律的施行时间即法律开始发挥效力的时间。法律效力的内容由具体的规定决定。一部法律的众多规范何时开始发挥其效力呢?这也需要具体的规定。正确理解法律关于施行时间的规定,是运用法律的前提条件。

法律从何时施行?目前我国立法实践中主要有三种方式:一是在法律条文中直接规定,从其公布之日起生效施行。这样可以使法律立刻发挥规范相关法律关系的准绳作用。二是在法律条文中确定法律公布一段时间后的某一日期,作为法律开始生效施行的日期。这样可以为法律的实施留出一定的宣传和准备的时间。三是法律公布后先予以试行或者暂行,立法部门通过进一步补充完善,再通过为正式法律,公布施行。三种方式的共同点在于,无论哪种方法,法律发挥其作用的时间都是确定的。选择不同的规定方式是由不同法律的不同性质和现实对这部法律的不同需要程度决定的。

从法律的性质上看,物权法是规范财产关系的民事基本法律,在中国特色社会主义法律体系中起支架作用、不可或缺。从现实需要上看,它的制定和实施是坚持社会主义基本经济制度的需要,是规范社会主义市场经济秩序的需要,是维护广大人民群众切身利益的需要,更是实现 2010 年形成中国特色社会主义法律体系目标的需要。物权法的早日实施的必要性是毋庸置疑的。另外,回顾物权法草案走过的历程,在 2007 年由十届全国人民代表大会五次会议审议通过前,历经了十三年起草、七次常委会审议,社会各界的关注程度,人民群众参与提出意见和建议的热烈程度,这一切在新中国的立法史上是空前的。这一切都说明,物权法涉及经济社会的方方面面,这部法的政治性、政策性很强,专业性也很强。为物权法的实施留出充分的准备时间是十分必要的。

综合考虑物权法的重要性和对物权法的迫切需要，本条规定，物权法自2007年10月1日起实施。这样，为了物权法的实施就有了将近7个月的准备期。物权法充分发扬民主的起草过程，已经为这部法律做了广泛的宣传。在准备期间，各级国家机关特别是有关行政主管部门，应当抓紧时间普及掌握本法，向群众广泛宣传本法，并依职责为本法的实施做好各项准备工作。人民群众也可以有更多的时间了解学习本法。

在物权法的实施准备工作中，还要注意本条关于生效时间的规定，还涉及物权法有无溯及力的问题。法律的溯及力和法律的生效时间一样，都是确定法律效力时间范围的重要因素，将影响到法律的贯彻实施。一般说来，法律的溯及力问题就是某部法律是否可以适用于在其生效前发生的情况，适用就是有溯及力；不适用就是没有溯及力。法律不溯及既往是各国普遍遵循的法治原则。我国也以无溯及力为重要立法原则之一，物权法也不例外。之所以不溯及既往，是因为法律要保护权利，维护秩序。特别是对于物权法而言，以前依法成立的财产关系不论是否符合现在物权法的规定都应当保护其稳定，这样才能保护合法取得的物权，避免因法律的变动带来不必要的纷争。例如物权法第七十四条关于车库、车位归属的规定，不能说物权法做了这样的规定，现有的车库、车位就都要根据该条重新确定归属。对于物权法实施之前的车库、车位，其归属应当根据当时有效的法律、法规以及国家的有关规定来确定。从溯及力的角度上看，物权法的实施时间也是处理有关问题时确定适用法律的标尺。注意到物权法不溯及既往，有利于全面理解本条规定的意义，正确把握物权法的效力。

总之，“十年一剑，百炼钢成”，物权法投入实施已经指日可待。将近七个月的准备期必将更有利于落实物权法实施前的各项准备工作，确保物权法实施后充分实现其价值，定分止争，物尽其用，利国利民。

第二部分　附　　录

中华人民共和国物权法

（2007年3月16日第十届全国人民
代表大会第五次会议通过）

目 录

第一编　总　　则

第一章　基本原则

第一条　为了维护国家基本经济制度，维护社会主义市场经济秩序，明确物的归属，发挥物的效用，保护权利人的物权，根据宪法，制定本法。

第二条　因物的归属和利用而产生的民事关系，适用本法。

本法所称物，包括不动产和动产。法律规定权利作为物权客体的，依照其规定。

本法所称物权，是指权利人依法对特定的物享有直接支配和排他的权利，包括所有权、用益物权和担保物权。

第三条　国家在社会主义初级阶段，坚持公有制为主体、多种所有制经济共同发展的基本经济制度。

国家巩固和发展公有制经济，鼓励、支持和引导非公有制经济的发展。

国家实行社会主义市场经济，保障一切市场主体的平等法律地位和发展权利。

第四条 国家、集体、私人的物权和其他权利人的物权受法律保护，任何单位和个人不得侵犯。

第五条 物权的种类和内容，由法律规定。

第六条 不动产物权的设立、变更、转让和消灭，应当依照法律规定登记。动产物权的设立和转让，应当依照法律规定交付。

第七条 物权的取得和行使，应当遵守法律，尊重社会公德，不得损害公共利益和他人合法权益。

第八条 其他相关法律对物权另有特别规定的，依照其规定。

第二章 物权的设立、变更、转让和消灭

第一节 不动产登记

第九条 不动产物权的设立、变更、转让和消灭，经依法登记，发生效力；未经登记，不发生效力，但法律另有规定的除外。

依法属于国家所有的自然资源，所有权可以不登记。

第十条 不动产登记，由不动产所在地的登记机构办理。

国家对不动产实行统一登记制度。统一登记的范围、登记机构和登记办法，由法律、行政法规规定。

第十一条 当事人申请登记，应当根据不同登记事项提供权属证明和不动产界址、面积等必要材料。

第十二条 登记机构应当履行下列职责：

（一）查验申请人提供的权属证明和其他必要材料；

（二）就有关登记事项询问申请人；

（三）如实、及时登记有关事项；

（四）法律、行政法规规定的其他职责。

申请登记的不动产的有关情况需要进一步证明的，登记机构可以要求申请人补充材料，必要时可以实地查看。

第十三条 登记机构不得有下列行为：

（一）要求对不动产进行评估；

（二）以年检等名义进行重复登记；

（三）超出登记职责范围的其他行为。

第十四条 不动产物权的设立、变更、转让和消灭，依照法律规定应当登记的，自记载于不动产登记簿时发生效力。

第十五条 当事人之间订立有关设立、变更、转让和消灭不动产物权的合同，除法律另有规定或者合同另有约定外，自合同成立时生效；未办理物权登记的，不影响合同效力。

第十六条 不动产登记簿是物权归属和内容的根据。

不动产登记簿由登记机构管理。

第十七条 不动产权属证书是权利人享有该不动产物权的证明。不动产权属证书记载的事项，应当与不动产登记簿一致；记载不一致的，除有证据证明不动产登记簿确有错误外，以不动产登记簿为准。

第十八条 权利人、利害关系人可以申请查询、复制登记资料，登记机构应当提供。

第十九条 权利人、利害关系人认为不动产登记簿记载的事项错误的，可以申请更正登记。不动产登记簿记载的权利人书面同意更正或者有证据证明登记确有错误的，登记机构应当予以更正。

不动产登记簿记载的权利人不同意更正的，利害关系人可以申请异议登记。登记机构予以异议登记的，申请人在异议登记之日起十五日内不起诉，异议登记失效。异议登记不当，造成权利人损害的，权利人可以向申请人请求损害赔偿。

第二十条 当事人签订买卖房屋或者其他不动产物权的协议，为保障将来实现物权，按照约定可以向登记机构申请预告登记。预告登记后，未经预告登记的权利人同意，处分该不动产的，不发生物权效力。

预告登记后，债权消灭或者自能够进行不动产登记之日起三个月内未申请登记的，预告登记失效。

第二十一条　当事人提供虚假材料申请登记，给他人造成损害的，应当承担赔偿责任。

因登记错误，给他人造成损害的，登记机构应当承担赔偿责任。登记机构赔偿后，可以向造成登记错误的人追偿。

第二十二条　不动产登记费按件收取，不得按照不动产的面积、体积或者价款的比例收取。具体收费标准由国务院有关部门会同价格主管部门规定。

第二节　动产交付

第二十三条　动产物权的设立和转让，自交付时发生效力，但法律另有规定的除外。

第二十四条　船舶、航空器和机动车等物权的设立、变更、转让和消灭，未经登记，不得对抗善意第三人。

第二十五条　动产物权设立和转让前，权利人已经依法占有该动产的，物权自法律行为生效时发生效力。

第二十六条　动产物权设立和转让前，第三人依法占有该动产的，负有交付义务的人可以通过转让请求第三人返还原物的权利代替交付。

第二十七条　动产物权转让时，双方又约定由出让人继续占有该动产的，物权自该约定生效时发生效力。

第三节　其他规定

第二十八条　因人民法院、仲裁委员会的法律文书或者人民政府的征收决定等，导致物权设立、变更、转让或者消灭的，自法律文书或者人民政府的征收决定等生效时发生效力。

第二十九条 因继承或者受遗赠取得物权的，自继承或者受遗赠开始时发生效力。

第三十条 因合法建造、拆除房屋等事实行为设立或者消灭物权的，自事实行为成就时发生效力。

第三十一条 依照本法第二十八条至第三十条规定享有不动产物权的，处分该物权时，依照法律规定需要办理登记的，未经登记，不发生物权效力。

第三章 物权的保护

第三十二条 物权受到侵害的，权利人可以通过和解、调解、仲裁、诉讼等途径解决。

第三十三条 因物权的归属、内容发生争议的，利害关系人可以请求确认权利。

第三十四条 无权占有不动产或者动产的，权利人可以请求返还原物。

第三十五条 妨害物权或者可能妨害物权的，权利人可以请求排除妨害或者消除危险。

第三十六条 造成不动产或者动产毁损的，权利人可以请求修理、重作、更换或者恢复原状。

第三十七条 侵害物权，造成权利人损害的，权利人可以请求损害赔偿，也可以请求承担其他民事责任。

第三十八条 本章规定的物权保护方式，可以单独适用，也可以根据权利被侵害的情形合并适用。

侵害物权，除承担民事责任外，违反行政管理规定的，依法承担行政责任；构成犯罪的，依法追究刑事责任。

第二编 所 有 权

第四章 一般规定

第三十九条 所有权人对自己的不动产或者动产，依法享有占有、使用、收益和处分的权利。

第四十条 所有权人有权在自己的不动产或者动产上设立用益物权和担保物权。用益物权人、担保物权人行使权利，不得损害所有权人的权益。

第四十一条 法律规定专属于国家所有的不动产和动产，任何单位和个人不能取得所有权。

第四十二条 为了公共利益的需要，依照法律规定的权限和程序可以征收集体所有的土地和单位、个人的房屋及其他不动产。

征收集体所有的土地，应当依法足额支付土地补偿费、安置补助费、地上附着物和青苗的补偿费等费用，安排被征地农民的社会保障费用，保障被征地农民的生活，维护被征地农民的合法权益。

征收单位、个人的房屋及其他不动产，应当依法给予拆迁补偿，维护被征收人的合法权益；征收个人住宅的，还应当保障被征收人的居住条件。

任何单位和个人不得贪污、挪用、私分、截留、拖欠征收补偿费等费用。

第四十三条 国家对耕地实行特殊保护，严格限制农用地转为建设用地，控制建设用地总量。不得违反法律规定的权限和程序征收集体所有的土地。

第四十四条 因抢险、救灾等紧急需要，依照法律规定的权限和程序可以征用单位、个人的不动产或者动产。被征用的不动产或者动产使用后，应当返还被征用人。单位、个人的不动产或者动产被征用或者征用后毁损、灭失的，应当给予补偿。

第五章 国家所有权和集体所有权、私人所有权

第四十五条 法律规定属于国家所有的财产，属于国家所有即全民所有。

国有财产由国务院代表国家行使所有权；法律另有规定的，依照其规定。

第四十六条 矿藏、水流、海域属于国家所有。

第四十七条 城市的土地，属于国家所有。法律规定属于国家所有的农村和城市郊区的土地，属于国家所有。

第四十八条 森林、山岭、草原、荒地、滩涂等自然资源，属于国家所有，但法律规定属于集体所有的除外。

第四十九条 法律规定属于国家所有的野生动植物资源，属于国家所有。

第五十条 无线电频谱资源属于国家所有。

第五十一条 法律规定属于国家所有的文物，属于国家所有。

第五十二条 国防资产属于国家所有。

铁路、公路、电力设施、电信设施和油气管道等基础设施，依照法律规定为国家所有的，属于国家所有。

第五十三条 国家机关对其直接支配的不动产和动产，享有占有、使用以及依照法律和国务院的有关规定处分的权利。

第五十四条 国家举办的事业单位对其直接支配的不动产和动产，享有占有、使用以及依照法律和国务院的有关规定收益、处分的权利。

第五十五条 国家出资的企业，由国务院、地方人民政府依照法律、行政法规规定分别代表国家履行出资人职责，享有出资人权益。

第五十六条 国家所有的财产受法律保护，禁止任何单位和个人侵占、哄抢、私分、截留、破坏。

第五十七条 履行国有财产管理、监督职责的机构及其工作人员，应当依法加强对国有财产的管理、监督，促进国有财产保值增值，防止国有财产损失；滥用职权，玩忽职守，造成国有财产损失的，应当依法承担法律责任。

违反国有财产管理规定，在企业改制、合并分立、关联交易等过程中，低价转让、合谋私分、擅自担保或者以其他方式造成国有财产损失的，应当依法承担法律责任。

第五十八条 集体所有的不动产和动产包括：

（一）法律规定属于集体所有的土地和森林、山岭、草原、荒地、滩涂；

（二）集体所有的建筑物、生产设施、农田水利设施；

（三）集体所有的教育、科学、文化、卫生、体育等设施；

（四）集体所有的其他不动产和动产。

第五十九条 农民集体所有的不动产和动产，属于本集体成员集体所有。

下列事项应当依照法定程序经本集体成员决定：

（一）土地承包方案以及将土地发包给本集体以外的单位或者个人承包；

（二）个别土地承包经营权人之间承包地的调整；

（三）土地补偿费等费用的使用、分配办法；

（四）集体出资的企业的所有权变动等事项；

（五）法律规定的其他事项。

第六十条 对于集体所有的土地和森林、山岭、草原、荒地、滩涂等，依照下列规定行使所有权：

（一）属于村农民集体所有的，由村集体经济组织或者村民委员会代表集体行使所有权；

（二）分别属于村内两个以上农民集体所有的，由村内各该集体经济组织或者村民小组代表集体行使所有权；

（三）属于乡镇农民集体所有的，由乡镇集体经济组织代表集体行使所有权。

第六十一条 城镇集体所有的不动产和动产,依照法律、行政法规的规定由本集体享有占有、使用、收益和处分的权利。

第六十二条 集体经济组织或者村民委员会、村民小组应当依照法律、行政法规以及章程、村规民约向本集体成员公布集体财产的状况。

第六十三条 集体所有的财产受法律保护,禁止任何单位和个人侵占、哄抢、私分、破坏。

集体经济组织、村民委员会或者其负责人作出的决定侵害集体成员合法权益的,受侵害的集体成员可以请求人民法院予以撤销。

第六十四条 私人对其合法的收入、房屋、生活用品、生产工具、原材料等不动产和动产享有所有权。

第六十五条 私人合法的储蓄、投资及其收益受法律保护。

国家依照法律规定保护私人的继承权及其他合法权益。

第六十六条 私人的合法财产受法律保护,禁止任何单位和个人侵占、哄抢、破坏。

第六十七条 国家、集体和私人依法可以出资设立有限责任公司、股份有限公司或者其他企业。国家、集体和私人所有的不动产或者动产,投到企业的,由出资人按照约定或者出资比例享有资产收益、重大决策以及选择经营管理者等权利并履行义务。

第六十八条 企业法人对其不动产和动产依照法律、行政法规以及章程享有占有、使用、收益和处分的权利。

企业法人以外的法人,对其不动产和动产的权利,适用有关法律、行政法规以及章程的规定。

第六十九条 社会团体依法所有的不动产和动产,受法律保护。

第六章 业主的建筑物区分所有权

第七十条 业主对建筑物内的住宅、经营性用房等专有部分享有所有权，对专有部分以外的共有部分享有共有和共同管理的权利。

第七十一条 业主对其建筑物专有部分享有占有、使用、收益和处分的权利。业主行使权利不得危及建筑物的安全，不得损害其他业主的合法权益。

第七十二条 业主对建筑物专有部分以外的共有部分，享有权利，承担义务；不得以放弃权利不履行义务。

业主转让建筑物内的住宅、经营性用房，其对共有部分享有的共有和共同管理的权利一并转让。

第七十三条 建筑区划内的道路，属于业主共有，但属于城镇公共道路的除外。建筑区划内的绿地，属于业主共有，但属于城镇公共绿地或者明示属于个人的除外。建筑区划内的其他公共场所、公用设施和物业服务用房，属于业主共有。

第七十四条 建筑区划内，规划用于停放汽车的车位、车库应当首先满足业主的需要。

建筑区划内，规划用于停放汽车的车位、车库的归属，由当事人通过出售、附赠或者出租等方式约定。

占用业主共有的道路或者其他场地用于停放汽车的车位，属于业主共有。

第七十五条 业主可以设立业主大会，选举业主委员会。

地方人民政府有关部门应当对设立业主大会和选举业主委员会给予指导和协助。

第七十六条 下列事项由业主共同决定：

（一）制定和修改业主大会议事规则；

（二）制定和修改建筑物及其附属设施的管理规约；

（三）选举业主委员会或者更换业主委员会成员；

（四）选聘和解聘物业服务企业或者其他管理人；

（五）筹集和使用建筑物及其附属设施的维修资金；

（六）改建、重建建筑物及其附属设施；

（七）有关共有和共同管理权利的其他重大事项。

决定前款第五项和第六项规定的事项，应当经专有部分占建筑物总面积三分之二以上的业主且占总人数三分之二以上的业主同意。决定前款其他事项，应当经专有部分占建筑物总面积过半数的业主且占总人数过半数的业主同意。

第七十七条 业主不得违反法律、法规以及管理规约，将住宅改变为经营性用房。业主将住宅改变为经营性用房的，除遵守法律、法规以及管理规约外，应当经有利害关系的业主同意。

第七十八条 业主大会或者业主委员会的决定，对业主具有约束力。

业主大会或者业主委员会作出的决定侵害业主合法权益的，受侵害的业主可以请求人民法院予以撤销。

第七十九条 建筑物及其附属设施的维修资金，属于业主共有。经业主共同决定，可以用于电梯、水箱等共有部分的维修。维修资金的筹集、使用情况应当公布。

第八十条 建筑物及其附属设施的费用分摊、收益分配等事项，有约定的，按照约定；没有约定或者约定不明确的，按照业主专有部分占建筑物总面积的比例确定。

第八十一条 业主可以自行管理建筑物及其附属设施，也可以委托物业服务企业或者其他管理人管理。

对建设单位聘请的物业服务企业或者其他管理人，业主有权依法更换。

第八十二条 物业服务企业或者其他管理人根据业主的委托管理建筑区划内的建筑物及其附属设施，并接受业主的监督。

第八十三条 业主应当遵守法律、法规以及管理规约。

业主大会和业主委员会，对任意弃置垃圾、排放污染物或者噪声、违反规定饲养动物、违章搭建、侵占通道、拒付物业费等损害他人合法权益的行为，有权依照法律、法规以及管理规约，要求行为人停止侵害、消除危险、排除妨害、赔偿损失。业主对侵害自己合法权益的行为，可以依法向人民法院提起诉讼。

第七章 相邻关系

第八十四条 不动产的相邻权利人应当按照有利生产、方便生活、团结互助、公平合理的原则,正确处理相邻关系。

第八十五条 法律、法规对处理相邻关系有规定的,依照其规定;法律、法规没有规定的,可以按照当地习惯。

第八十六条 不动产权利人应当为相邻权利人用水、排水提供必要的便利。

对自然流水的利用,应当在不动产的相邻权利人之间合理分配。对自然流水的排放,应当尊重自然流向。

第八十七条 不动产权利人对相邻权利人因通行等必须利用其土地的,应当提供必要的便利。

第八十八条 不动产权利人因建造、修缮建筑物以及铺设电线、电缆、水管、暖气和燃气管线等必须利用相邻土地、建筑物的,该土地、建筑物的权利人应当提供必要的便利。

第八十九条 建造建筑物,不得违反国家有关工程建设标准,妨碍相邻建筑物的通风、采光和日照。

第九十条 不动产权利人不得违反国家规定弃置固体废物,排放大气污染物、水污染物、噪声、光、电磁波辐射等有害物质。

第九十一条 不动产权利人挖掘土地、建造建筑物、铺设管线以及安装设备等,不得危及相邻不动产的安全。

第九十二条 不动产权利人因用水、排水、通行、铺设管线等利用相邻不动产的,应当尽量避免对相邻的不动产权利人造成损害;造成损害的,应当给予赔偿。

第八章 共 有

第九十三条 不动产或者动产可以由两个以上单位、个人共有。

共有包括按份共有和共同共有。

第九十四条 按份共有人对共有的不动产或者动产按照其份额享有所有权。

第九十五条 共同共有人对共有的不动产或者动产共同享有所有权。

第九十六条 共有人按照约定管理共有的不动产或者动产；没有约定或者约定不明确的，各共有人都有管理的权利和义务。

第九十七条 处分共有的不动产或者动产以及对共有的不动产或者动产作重大修缮的，应当经占份额三分之二以上的按份共有人或者全体共同共有人同意，但共有人之间另有约定的除外。

第九十八条 对共有物的管理费用以及其他负担，有约定的，按照约定；没有约定或者约定不明确的，按份共有人按照其份额负担，共同共有人共同负担。

第九十九条 共有人约定不得分割共有的不动产或者动产，以维持共有关系的，应当按照约定，但共有人有重大理由需要分割的，可以请求分割；没有约定或者约定不明确的，按份共有人可以随时请求分割，共同共有人在共有的基础丧失或者有重大理由需要分割时可以请求分割。因分割对其他共有人造成损害的，应当给予赔偿。

第一百条 共有人可以协商确定分割方式。达不成协议，共有的不动产或者动产可以分割并且不会因分割减损价值的，应当对实物予以分割；难以分割或者因分割会减损价值的，应当对折价或者拍卖、变卖取得的价款予以分割。

共有人分割所得的不动产或者动产有瑕疵的，其他共有人应当分担损失。

第一百零一条 按份共有人可以转让其享有的共有的不动产或者动产份额。其他共有人在同等条件下享有优先购买的权利。

第一百零二条 因共有的不动产或者动产产生的债权债务，在对外关系上，共有人享有连带债权、承担连带债务，但法律另有规定或者第三人知道共有人不具有连带债权债务关系的除外；在共有人内部关系上，除共有人另有约定外，按份共有人按照份额享有债权、承担债务，共同共有人共同享有债权、承担债务。偿还债务超过自己应当承担份额的按份共有人，有权向其他共有人追偿。

第一百零三条　共有人对共有的不动产或者动产没有约定为按份共有或者共同共有，或者约定不明确的，除共有人具有家庭关系等外，视为按份共有。

第一百零四条　按份共有人对共有的不动产或者动产享有的份额，没有约定或者约定不明确的，按照出资额确定；不能确定出资额的，视为等额享有。

第一百零五条　两个以上单位、个人共同享有用益物权、担保物权的，参照本章规定。

第九章　所有权取得的特别规定

第一百零六条　无处分权人将不动产或者动产转让给受让人的，所有权人有权追回；除法律另有规定外，符合下列情形的，受让人取得该不动产或者动产的所有权：

（一）受让人受让该不动产或者动产时是善意的；

（二）以合理的价格转让；

（三）转让的不动产或者动产依照法律规定应当登记的已经登记，不需要登记的已经交付给受让人。

受让人依照前款规定取得不动产或者动产的所有权的，原所有权人有权向无处分权人请求赔偿损失。

当事人善意取得其他物权的，参照前两款规定。

第一百零七条　所有权人或者其他权利人有权追回遗失物。该遗失物通过转让被他人占有的，权利人有权向无处分权人请求损害赔偿，或者自知道或者应当知道受让人之日起二年内向受让人请求返还原物，但受让人通过拍卖或者向具有经营资格的经营者购得该遗失物的，权利人请求返还原物时应当支付受让人所付的费用。权利人向受让人支付所付费用后，有权向无处分权人追偿。

第一百零八条 善意受让人取得动产后，该动产上的原有权利消灭，但善意受让人在受让时知道或者应当知道该权利的除外。

第一百零九条 拾得遗失物，应当返还权利人。拾得人应当及时通知权利人领取，或者送交公安等有关部门。

第一百一十条 有关部门收到遗失物，知道权利人的，应当及时通知其领取；不知道的，应当及时发布招领公告。

第一百一十一条 拾得人在遗失物送交有关部门前，有关部门在遗失物被领取前，应当妥善保管遗失物。因故意或者重大过失致使遗失物毁损、灭失的，应当承担民事责任。

第一百一十二条 权利人领取遗失物时，应当向拾得人或者有关部门支付保管遗失物等支出的必要费用。

权利人悬赏寻找遗失物的，领取遗失物时应当按照承诺履行义务。

拾得人侵占遗失物的，无权请求保管遗失物等支出的费用，也无权请求权利人按照承诺履行义务。

第一百一十三条 遗失物自发布招领公告之日起六个月内无人认领的，归国家所有。

第一百一十四条 拾得漂流物、发现埋藏物或者隐藏物的，参照拾得遗失物的有关规定。文物保护法等法律另有规定的，依照其规定。

第一百一十五条 主物转让的，从物随主物转让，但当事人另有约定的除外。

第一百一十六条 天然孳息，由所有权人取得；既有所有权人又有用益物权人的，由用益物权人取得。当事人另有约定的，按照约定。

法定孳息，当事人有约定的，按照约定取得；没有约定或者约定不明确的，按照交易习惯取得。

第三编 用益物权

第十章 一般规定

第一百一十七条 用益物权人对他人所有的不动产或者动产，依法享有占有、使用和收益的权利。

第一百一十八条 国家所有或者国家所有由集体使用以及法律规定属于集体所有的自然资源，单位、个人依法可以占有、使用和收益。

第一百一十九条 国家实行自然资源有偿使用制度，但法律另有规定的除外。

第一百二十条 用益物权人行使权利，应当遵守法律有关保护和合理开发利用资源的规定。所有权人不得干涉用益物权人行使权利。

第一百二十一条 因不动产或者动产被征收、征用致使用益物权消灭或者影响用益物权行使的，用益物权人有权依照本法第四十二条、第四十四条的规定获得相应补偿。

第一百二十二条 依法取得的海域使用权受法律保护。

第一百二十三条 依法取得的探矿权、采矿权、取水权和使用水域、滩涂从事养殖、捕捞的权利受法律保护。

第十一章 土地承包经营权

第一百二十四条 农村集体经济组织实行家庭承包经营为基础、统分结合的双层经营体制。

农民集体所有和国家所有由农民集体使用的耕地、林地、草地以及其他用于农业的土地，依法实行土地承包经营制度。

第一百二十五条 土地承包经营权人依法对其承包经营的耕

地、林地、草地等享有占有、使用和收益的权利，有权从事种植业、林业、畜牧业等农业生产。

第一百二十六条 耕地的承包期为三十年。草地的承包期为三十年至五十年。林地的承包期为三十年至七十年；特殊林木的林地承包期，经国务院林业行政主管部门批准可以延长。

前款规定的承包期届满，由土地承包经营权人按照国家有关规定继续承包。

第一百二十七条 土地承包经营权自土地承包经营权合同生效时设立。

县级以上地方人民政府应当向土地承包经营权人发放土地承包经营权证、林权证、草原使用权证，并登记造册，确认土地承包经营权。

第一百二十八条 土地承包经营权人依照农村土地承包法的规定，有权将土地承包经营权采取转包、互换、转让等方式流转。流转的期限不得超过承包期的剩余期限。未经依法批准，不得将承包地用于非农建设。

第一百二十九条 土地承包经营权人将土地承包经营权互换、转让，当事人要求登记的，应当向县级以上地方人民政府申请土地承包经营权变更登记；未经登记，不得对抗善意第三人。

第一百三十条 承包期内发包人不得调整承包地。

因自然灾害严重毁损承包地等特殊情形，需要适当调整承包的耕地和草地的，应当依照农村土地承包法等法律规定办理。

第一百三十一条 承包期内发包人不得收回承包地。农村土地承包法等法律另有规定的，依照其规定。

第一百三十二条 承包地被征收的，土地承包经营权人有权依照本法第四十二条第二款的规定获得相应补偿。

第一百三十三条 通过招标、拍卖、公开协商等方式承包荒地等农村土地，依照农村土地承包法等法律和国务院的有关规定，其土地承包经营权可以转让、入股、抵押或者以其他方式流转。

第一百三十四条 国家所有的农用地实行承包经营的,参照本法的有关规定。

第十二章 建设用地使用权

第一百三十五条 建设用地使用权人依法对国家所有的土地享有占有、使用和收益的权利,有权利用该土地建造建筑物、构筑物及其附属设施。

第一百三十六条 建设用地使用权可以在土地的地表、地上或者地下分别设立。新设立的建设用地使用权,不得损害已设立的用益物权。

第一百三十七条 设立建设用地使用权,可以采取出让或者划拨等方式。

工业、商业、旅游、娱乐和商品住宅等经营性用地以及同一土地有两个以上意向用地者的,应当采取招标、拍卖等公开竞价的方式出让。

严格限制以划拨方式设立建设用地使用权。采取划拨方式的,应当遵守法律、行政法规关于土地用途的规定。

第一百三十八条 采取招标、拍卖、协议等出让方式设立建设用地使用权的,当事人应当采取书面形式订立建设用地使用权出让合同。

建设用地使用权出让合同一般包括下列条款:

(一)当事人的名称和住所;

(二)土地界址、面积等;

(三)建筑物、构筑物及其附属设施占用的空间;

(四)土地用途;

(五)使用期限;

(六)出让金等费用及其支付方式;

(七)解决争议的方法。

第一百三十九条 设立建设用地使用权的，应当向登记机构申请建设用地使用权登记。建设用地使用权自登记时设立。登记机构应当向建设用地使用权人发放建设用地使用权证书。

第一百四十条 建设用地使用权人应当合理利用土地，不得改变土地用途；需要改变土地用途的，应当依法经有关行政主管部门批准。

第一百四十一条 建设用地使用权人应当依照法律规定以及合同约定支付出让金等费用。

第一百四十二条 建设用地使用权人建造的建筑物、构筑物及其附属设施的所有权属于建设用地使用权人，但有相反证据证明的除外。

第一百四十三条 建设用地使用权人有权将建设用地使用权转让、互换、出资、赠与或者抵押，但法律另有规定的除外。

第一百四十四条 建设用地使用权转让、互换、出资、赠与或者抵押的，当事人应当采取书面形式订立相应的合同。使用期限由当事人约定，但不得超过建设用地使用权的剩余期限。

第一百四十五条 建设用地使用权转让、互换、出资或者赠与的，应当向登记机构申请变更登记。

第一百四十六条 建设用地使用权转让、互换、出资或者赠与的，附着于该土地上的建筑物、构筑物及其附属设施一并处分。

第一百四十七条 建筑物、构筑物及其附属设施转让、互换、出资或者赠与的，该建筑物、构筑物及其附属设施占用范围内的建设用地使用权一并处分。

第一百四十八条 建设用地使用权期间届满前，因公共利益需要提前收回该土地的，应当依照本法第四十二条的规定对该土地上的房屋及其他不动产给予补偿，并退还相应的出让金。

第一百四十九条 住宅建设用地使用权期间届满的，自动续期。

非住宅建设用地使用权期间届满后的续期，依照法律规定办理。该土地上的房屋及其他不动产的归属，有约定的，按照约定；没有约定或者约定不明确的,依照法律、行政法规的规定办理。

第一百五十条 建设用地使用权消灭的,出让人应当及时办理注销登记。登记机构应当收回建设用地使用权证书。

第一百五十一条 集体所有的土地作为建设用地的,应当依照土地管理法等法律规定办理。

第十三章 宅基地使用权

第一百五十二条 宅基地使用权人依法对集体所有的土地享有占有和使用的权利,有权依法利用该土地建造住宅及其附属设施。

第一百五十三条 宅基地使用权的取得、行使和转让,适用土地管理法等法律和国家有关规定。

第一百五十四条 宅基地因自然灾害等原因灭失的,宅基地使用权消灭。对失去宅基地的村民,应当重新分配宅基地。

第一百五十五条 已经登记的宅基地使用权转让或者消灭的,应当及时办理变更登记或者注销登记。

第十四章 地 役 权

第一百五十六条 地役权人有权按照合同约定,利用他人的不动产,以提高自己的不动产的效益。

前款所称他人的不动产为供役地,自己的不动产为需役地。

第一百五十七条 设立地役权,当事人应当采取书面形式订立地役权合同。

地役权合同一般包括下列条款:

(一)当事人的姓名或者名称和住所;

(二)供役地和需役地的位置;

(三)利用目的和方法;

(四)利用期限;

（五）费用及其支付方式；

（六）解决争议的方法。

第一百五十八条 地役权自地役权合同生效时设立。当事人要求登记的，可以向登记机构申请地役权登记；未经登记，不得对抗善意第三人。

第一百五十九条 供役地权利人应当按照合同约定，允许地役权人利用其土地，不得妨害地役权人行使权利。

第一百六十条 地役权人应当按照合同约定的利用目的和方法利用供役地，尽量减少对供役地权利人物权的限制。

第一百六十一条 地役权的期限由当事人约定，但不得超过土地承包经营权、建设用地使用权等用益物权的剩余期限。

第一百六十二条 土地所有权人享有地役权或者负担地役权的，设立土地承包经营权、宅基地使用权时，该土地承包经营权人、宅基地使用权人继续享有或者负担已设立的地役权。

第一百六十三条 土地上已设立土地承包经营权、建设用地使用权、宅基地使用权等权利的，未经用益物权人同意，土地所有权人不得设立地役权。

第一百六十四条 地役权不得单独转让。土地承包经营权、建设用地使用权等转让的，地役权一并转让，但合同另有约定的除外。

第一百六十五条 地役权不得单独抵押。土地承包经营权、建设用地使用权等抵押的，在实现抵押权时，地役权一并转让。

第一百六十六条 需役地以及需役地上的土地承包经营权、建设用地使用权部分转让时，转让部分涉及地役权的，受让人同时享有地役权。

第一百六十七条 供役地以及供役地上的土地承包经营权、建设用地使用权部分转让时，转让部分涉及地役权的，地役权对受让人具有约束力。

第一百六十八条 地役权人有下列情形之一的，供役地权利人有权解除地役权合同，地役权消灭：

（一）违反法律规定或者合同约定，滥用地役权；

（二）有偿利用供役地，约定的付款期间届满后在合理期限内经两次催告未支付费用。

第一百六十九条　已经登记的地役权变更、转让或者消灭的，应当及时办理变更登记或者注销登记。

第四编　担保物权

第十五章　一般规定

第一百七十条　担保物权人在债务人不履行到期债务或者发生当事人约定的实现担保物权的情形，依法享有就担保财产优先受偿的权利，但法律另有规定的除外。

第一百七十一条　债权人在借贷、买卖等民事活动中，为保障实现其债权，需要担保的，可以依照本法和其他法律的规定设立担保物权。

第三人为债务人向债权人提供担保的，可以要求债务人提供反担保。反担保适用本法和其他法律的规定。

第一百七十二条　设立担保物权，应当依照本法和其他法律的规定订立担保合同。担保合同是主债权债务合同的从合同。主债权债务合同无效，担保合同无效，但法律另有规定的除外。

担保合同被确认无效后，债务人、担保人、债权人有过错的，应当根据其过错各自承担相应的民事责任。

第一百七十三条　担保物权的担保范围包括主债权及其利息、违约金、损害赔偿金、保管担保财产和实现担保物权的费用。当事人另有约定的，按照约定。

第一百七十四条　担保期间，担保财产毁损、灭失或者被征收等，担保物权人可以就获得的保险金、赔偿金或者补偿金等优先受偿。被担保债权的履行期未届满的，也可以提存该保险金、赔偿金或者补偿金等。

第一百七十五条 第三人提供担保，未经其书面同意，债权人允许债务人转移全部或者部分债务的，担保人不再承担相应的担保责任。

第一百七十六条 被担保的债权既有物的担保又有人的担保的，债务人不履行到期债务或者发生当事人约定的实现担保物权的情形，债权人应当按照约定实现债权；没有约定或者约定不明确，债务人自己提供物的担保的，债权人应当先就该物的担保实现债权；第三人提供物的担保的，债权人可以就物的担保实现债权，也可以要求保证人承担保证责任。提供担保的第三人承担担保责任后，有权向债务人追偿。

第一百七十七条 有下列情形之一的，担保物权消灭：

（一）主债权消灭；

（二）担保物权实现；

（三）债权人放弃担保物权；

（四）法律规定担保物权消灭的其他情形。

第一百七十八条 担保法与本法的规定不一致的，适用本法。

第十六章 抵 押 权

第一节 一般抵押权

第一百七十九条 为担保债务的履行，债务人或者第三人不转移财产的占有，将该财产抵押给债权人的，债务人不履行到期债务或者发生当事人约定的实现抵押权的情形，债权人有权就该财产优先受偿。

前款规定的债务人或者第三人为抵押人，债权人为抵押权人，提供担保的财产为抵押财产。

第一百八十条 债务人或者第三人有权处分的下列财产可以

抵押：

（一）建筑物和其他土地附着物；

（二）建设用地使用权；

（三）以招标、拍卖、公开协商等方式取得的荒地等土地承包经营权；

（四）生产设备、原材料、半成品、产品；

（五）正在建造的建筑物、船舶、航空器；

（六）交通运输工具；

（七）法律、行政法规未禁止抵押的其他财产。

抵押人可以将前款所列财产一并抵押。

第一百八十一条 经当事人书面协议，企业、个体工商户、农业生产经营者可以将现有的以及将有的生产设备、原材料、半成品、产品抵押，债务人不履行到期债务或者发生当事人约定的实现抵押权的情形，债权人有权就实现抵押权时的动产优先受偿。

第一百八十二条 以建筑物抵押的，该建筑物占用范围内的建设用地使用权一并抵押。以建设用地使用权抵押的，该土地上的建筑物一并抵押。

抵押人未依照前款规定一并抵押的，未抵押的财产视为一并抵押。

第一百八十三条 乡镇、村企业的建设用地使用权不得单独抵押。以乡镇、村企业的厂房等建筑物抵押的，其占用范围内的建设用地使用权一并抵押。

第一百八十四条 下列财产不得抵押：

（一）土地所有权；

（二）耕地、宅基地、自留地、自留山等集体所有的土地使用权，但法律规定可以抵押的除外；

（三）学校、幼儿园、医院等以公益为目的的事业单位、社会团体的教育设施、医疗卫生设施和其他社会公益设施；

（四）所有权、使用权不明或者有争议的财产；

（五）依法被查封、扣押、监管的财产；

（六）法律、行政法规规定不得抵押的其他财产。

第一百八十五条 设立抵押权，当事人应当采取书面形式订立抵押合同。

抵押合同一般包括下列条款：

（一）被担保债权的种类和数额；

（二）债务人履行债务的期限；

（三）抵押财产的名称、数量、质量、状况、所在地、所有权归属或者使用权归属；

（四）担保的范围。

第一百八十六条 抵押权人在债务履行期届满前，不得与抵押人约定债务人不履行到期债务时抵押财产归债权人所有。

第一百八十七条 以本法第一百八十条第一款第一项至第三项规定的财产或者第五项规定的正在建造的建筑物抵押的，应当办理抵押登记。抵押权自登记时设立。

第一百八十八条 以本法第一百八十条第一款第四项、第六项规定的财产或者第五项规定的正在建造的船舶、航空器抵押的，抵押权自抵押合同生效时设立；未经登记，不得对抗善意第三人。

第一百八十九条 企业、个体工商户、农业生产经营者以本法第一百八十一条规定的动产抵押的，应当向抵押人住所地的工商行政管理部门办理登记。抵押权自抵押合同生效时设立；未经登记，不得对抗善意第三人。

依照本法第一百八十一条规定抵押的，不得对抗正常经营活动中已支付合理价款并取得抵押财产的买受人。

第一百九十条 订立抵押合同前抵押财产已出租的，原租赁关系不受该抵押权的影响。抵押权设立后抵押财产出租的，该租赁关系不得对抗已登记的抵押权。

第一百九十一条 抵押期间，抵押人经抵押权人同意转让抵押财产的，应当将转让所得的价款向抵押权人提前清偿债务或者提存。

转让的价款超过债权数额的部分归抵押人所有,不足部分由债务人清偿。

抵押期间,抵押人未经抵押权人同意,不得转让抵押财产,但受让人代为清偿债务消灭抵押权的除外。

第一百九十二条 抵押权不得与债权分离而单独转让或者作为其他债权的担保。债权转让的,担保该债权的抵押权一并转让,但法律另有规定或者当事人另有约定的除外。

第一百九十三条 抵押人的行为足以使抵押财产价值减少的,抵押权人有权要求抵押人停止其行为。抵押财产价值减少的,抵押权人有权要求恢复抵押财产的价值,或者提供与减少的价值相应的担保。抵押人不恢复抵押财产的价值也不提供担保的,抵押权人有权要求债务人提前清偿债务。

第一百九十四条 抵押权人可以放弃抵押权或者抵押权的顺位。抵押权人与抵押人可以协议变更抵押权顺位以及被担保的债权数额等内容,但抵押权的变更,未经其他抵押权人书面同意,不得对其他抵押权人产生不利影响。

债务人以自己的财产设定抵押,抵押权人放弃该抵押权、抵押权顺位或者变更抵押权的,其他担保人在抵押权人丧失优先受偿权益的范围内免除担保责任,但其他担保人承诺仍然提供担保的除外。

第一百九十五条 债务人不履行到期债务或者发生当事人约定的实现抵押权的情形,抵押权人可以与抵押人协议以抵押财产折价或者以拍卖、变卖该抵押财产所得的价款优先受偿。协议损害其他债权人利益的,其他债权人可以在知道或者应当知道撤销事由之日起一年内请求人民法院撤销该协议。

抵押权人与抵押人未就抵押权实现方式达成协议的,抵押权人可以请求人民法院拍卖、变卖抵押财产。

抵押财产折价或者变卖的,应当参照市场价格。

第一百九十六条 依照本法第一百八十一条规定设定抵押的,抵押财产自下列情形之一发生时确定:

（一）债务履行期届满，债权未实现；

（二）抵押人被宣告破产或者被撤销；

（三）当事人约定的实现抵押权的情形；

（四）严重影响债权实现的其他情形。

第一百九十七条 债务人不履行到期债务或者发生当事人约定的实现抵押权的情形，致使抵押财产被人民法院依法扣押的，自扣押之日起抵押权人有权收取该抵押财产的天然孳息或者法定孳息，但抵押权人未通知应当清偿法定孳息的义务人的除外。

前款规定的孳息应当先充抵收取孳息的费用。

第一百九十八条 抵押财产折价或者拍卖、变卖后，其价款超过债权数额的部分归抵押人所有，不足部分由债务人清偿。

第一百九十九条 同一财产向两个以上债权人抵押的，拍卖、变卖抵押财产所得的价款依照下列规定清偿：

（一）抵押权已登记的，按照登记的先后顺序清偿；顺序相同的，按照债权比例清偿；

（二）抵押权已登记的先于未登记的受偿；

（三）抵押权未登记的，按照债权比例清偿。

第二百条 建设用地使用权抵押后，该土地上新增的建筑物不属于抵押财产。该建设用地使用权实现抵押权时，应当将该土地上新增的建筑物与建设用地使用权一并处分，但新增建筑物所得的价款，抵押权人无权优先受偿。

第二百零一条 依照本法第一百八十条第一款第三项规定的土地承包经营权抵押的，或者依照本法第一百八十三条规定以乡镇、村企业的厂房等建筑物占用范围内的建设用地使用权一并抵押的，实现抵押权后，未经法定程序，不得改变土地所有权的性质和土地用途。

第二百零二条 抵押权人应当在主债权诉讼时效期间行使抵押权；未行使的，人民法院不予保护。

第二节 最高额抵押权

第二百零三条 为担保债务的履行,债务人或者第三人对一定期间内将要连续发生的债权提供担保财产的,债务人不履行到期债务或者发生当事人约定的实现抵押权的情形,抵押权人有权在最高债权额限度内就该担保财产优先受偿。

最高额抵押权设立前已经存在的债权,经当事人同意,可以转入最高额抵押担保的债权范围。

第二百零四条 最高额抵押担保的债权确定前,部分债权转让的,最高额抵押权不得转让,但当事人另有约定的除外。

第二百零五条 最高额抵押担保的债权确定前,抵押权人与抵押人可以通过协议变更债权确定的期间、债权范围以及最高债权额,但变更的内容不得对其他抵押权人产生不利影响。

第二百零六条 有下列情形之一的,抵押权人的债权确定:

(一)约定的债权确定期间届满;

(二)没有约定债权确定期间或者约定不明确,抵押权人或者抵押人自最高额抵押权设立之日起满二年后请求确定债权;

(三)新的债权不可能发生;

(四)抵押财产被查封、扣押;

(五)债务人、抵押人被宣告破产或者被撤销;

(六)法律规定债权确定的其他情形。

第二百零七条 最高额抵押权除适用本节规定外,适用本章第一节一般抵押权的规定。

第十七章 质 权

第一节 动产质权

第二百零八条 为担保债务的履行,债务人或者第三人将其动产出质给债权人占有的，债务人不履行到期债务或者发生当事人约定的实现质权的情形，债权人有权就该动产优先受偿。

前款规定的债务人或者第三人为出质人，债权人为质权人，交付的动产为质押财产。

第二百零九条 法律、行政法规禁止转让的动产不得出质。

第二百一十条 设立质权，当事人应当采取书面形式订立质权合同。

质权合同一般包括下列条款：

（一）被担保债权的种类和数额；

（二）债务人履行债务的期限；

（三）质押财产的名称、数量、质量、状况；

（四）担保的范围；

（五）质押财产交付的时间。

第二百一十一条 质权人在债务履行期届满前，不得与出质人约定债务人不履行到期债务时质押财产归债权人所有。

第二百一十二条 质权自出质人交付质押财产时设立。

第二百一十三条 质权人有权收取质押财产的孳息，但合同另有约定的除外。

前款规定的孳息应当先充抵收取孳息的费用。

第二百一十四条 质权人在质权存续期间，未经出质人同意，擅自使用、处分质押财产，给出质人造成损害的，应当承担赔偿责任。

第二百一十五条 质权人负有妥善保管质押财产的义务；因保管不善致使质押财产毁损、灭失的，应当承担赔偿责任。

质权人的行为可能使质押财产毁损、灭失的，出质人可以要求质权人将质押财产提存，或者要求提前清偿债务并返还质押财产。

第二百一十六条 因不能归责于质权人的事由可能使质押财产毁损或者价值明显减少，足以危害质权人权利的，质权人有权要求出质人提供相应的担保；出质人不提供的，质权人可以拍卖、变卖质押财产，并与出质人通过协议将拍卖、变卖所得的价款提前清偿债务或者提存。

第二百一十七条　质权人在质权存续期间,未经出质人同意转质,造成质押财产毁损、灭失的,应当向出质人承担赔偿责任。

第二百一十八条　质权人可以放弃质权。债务人以自己的财产出质,质权人放弃该质权的,其他担保人在质权人丧失优先受偿权益的范围内免除担保责任,但其他担保人承诺仍然提供担保的除外。

第二百一十九条　债务人履行债务或者出质人提前清偿所担保的债权的,质权人应当返还质押财产。

债务人不履行到期债务或者发生当事人约定的实现质权的情形,质权人可以与出质人协议以质押财产折价,也可以就拍卖、变卖质押财产所得的价款优先受偿。

质押财产折价或者变卖的,应当参照市场价格。

第二百二十条　出质人可以请求质权人在债务履行期届满后及时行使质权;质权人不行使的,出质人可以请求人民法院拍卖、变卖质押财产。

出质人请求质权人及时行使质权,因质权人怠于行使权利造成损害的,由质权人承担赔偿责任。

第二百二十一条　质押财产折价或者拍卖、变卖后,其价款超过债权数额的部分归出质人所有,不足部分由债务人清偿。

第二百二十二条　出质人与质权人可以协议设立最高额质权。

最高额质权除适用本节有关规定外,参照本法第十六章第二节最高额抵押权的规定。

第二节　权利质权

第二百二十三条　债务人或者第三人有权处分的下列权利可以出质:

(一)汇票、支票、本票;

(二)债券、存款单;

（三）仓单、提单；

（四）可以转让的基金份额、股权；

（五）可以转让的注册商标专用权、专利权、著作权等知识产权中的财产权；

（六）应收账款；

（七）法律、行政法规规定可以出质的其他财产权利。

第二百二十四条 以汇票、支票、本票、债券、存款单、仓单、提单出质的，当事人应当订立书面合同。质权自权利凭证交付质权人时设立；没有权利凭证的，质权自有关部门办理出质登记时设立。

第二百二十五条 汇票、支票、本票、债券、存款单、仓单、提单的兑现日期或者提货日期先于主债权到期的，质权人可以兑现或者提货，并与出质人协议将兑现的价款或者提取的货物提前清偿债务或者提存。

第二百二十六条 以基金份额、股权出质的，当事人应当订立书面合同。以基金份额、证券登记结算机构登记的股权出质的，质权自证券登记结算机构办理出质登记时设立；以其他股权出质的，质权自工商行政管理部门办理出质登记时设立。

基金份额、股权出质后，不得转让，但经出质人与质权人协商同意的除外。出质人转让基金份额、股权所得的价款，应当向质权人提前清偿债务或者提存。

第二百二十七条 以注册商标专用权、专利权、著作权等知识产权中的财产权出质的，当事人应当订立书面合同。质权自有关主管部门办理出质登记时设立。

知识产权中的财产权出质后，出质人不得转让或者许可他人使用，但经出质人与质权人协商同意的除外。出质人转让或者许可他人使用出质的知识产权中的财产权所得的价款，应当向质权人提前清偿债务或者提存。

第二百二十八条 以应收账款出质的，当事人应当订立书面合同。质权自信贷征信机构办理出质登记时设立。

应收账款出质后，不得转让，但经出质人与质权人协商同意的除外。出质人转让应收账款所得的价款，应当向质权人提前清偿债务或者提存。

第二百二十九条 权利质权除适用本节规定外，适用本章第一节动产质权的规定。

第十八章 留 置 权

第二百三十条 债务人不履行到期债务，债权人可以留置已经合法占有的债务人的动产，并有权就该动产优先受偿。

前款规定的债权人为留置权人，占有的动产为留置财产。

第二百三十一条 债权人留置的动产，应当与债权属于同一法律关系，但企业之间留置的除外。

第二百三十二条 法律规定或者当事人约定不得留置的动产，不得留置。

第二百三十三条 留置财产为可分物的，留置财产的价值应当相当于债务的金额。

第二百三十四条 留置权人负有妥善保管留置财产的义务；因保管不善致使留置财产毁损、灭失的，应当承担赔偿责任。

第二百三十五条 留置权人有权收取留置财产的孳息。

前款规定的孳息应当先充抵收取孳息的费用。

第二百三十六条 留置权人与债务人应当约定留置财产后的债务履行期间；没有约定或者约定不明确的，留置权人应当给债务人两个月以上履行债务的期间，但鲜活易腐等不易保管的动产除外。债务人逾期未履行的，留置权人可以与债务人协议以留置财产折价，也可以就拍卖、变卖留置财产所得的价款优先受偿。

留置财产折价或者变卖的，应当参照市场价格。

第二百三十七条 债务人可以请求留置权人在债务履行期届满后行使留置权；留置权人不行使的，债务人可以请求人民法院拍卖、变卖留置财产。

第二百三十八条 留置财产折价或者拍卖、变卖后,其价款超过债权数额的部分归债务人所有,不足部分由债务人清偿。

第二百三十九条 同一动产上已设立抵押权或者质权,该动产又被留置的,留置权人优先受偿。

第二百四十条 留置权人对留置财产丧失占有或者留置权人接受债务人另行提供担保的,留置权消灭。

第五编 占 有

第十九章 占 有

第二百四十一条 基于合同关系等产生的占有,有关不动产或者动产的使用、收益、违约责任等,按照合同约定;合同没有约定或者约定不明确的,依照有关法律规定。

第二百四十二条 占有人因使用占有的不动产或者动产,致使该不动产或者动产受到损害的,恶意占有人应当承担赔偿责任。

第二百四十三条 不动产或者动产被占有人占有的,权利人可以请求返还原物及其孳息,但应当支付善意占有人因维护该不动产或者动产支出的必要费用。

第二百四十四条 占有的不动产或者动产毁损、灭失,该不动产或者动产的权利人请求赔偿的,占有人应当将因毁损、灭失取得的保险金、赔偿金或者补偿金等返还给权利人;权利人的损害未得到足够弥补的,恶意占有人还应当赔偿损失。

第二百四十五条 占有的不动产或者动产被侵占的,占有人有权请求返还原物;对妨害占有的行为,占有人有权请求排除妨害或者消除危险;因侵占或者妨害造成损害的,占有人有权请求损害赔偿。

占有人返还原物的请求权,自侵占发生之日起一年内未行使的,该请求权消灭。

附　　则

第二百四十六条　法律、行政法规对不动产统一登记的范围、登记机构和登记办法作出规定前,地方性法规可以依照本法有关规定作出规定。

第二百四十七条　本法自 2007 年 10 月 1 日起施行。

关于《中华人民共和国物权法(草案)》的说明

(2007年3月8日在第十届全国人民代表大会第五次会议上)

全国人民代表大会常务委员会副委员长　王兆国

各位代表:

我受全国人大常委会委托,现对《中华人民共和国物权法(草案)》作说明。

一、制定物权法的必要性

物权法是规范财产关系的民事基本法律,调整因物的归属和利用而产生的民事关系,包括明确国家、集体、私人和其他权利人的物权以及对物权的保护。

我国的民法通则、土地管理法、城市房地产管理法、农村土地承包法、担保法等法律对物权作了不少规定,这些规定对经济社会发展发挥了重要作用。随着改革的深化、开放的扩大和社会主义经济、政治、文化、社会建设的发展,为了适应全面贯彻落实科学发展观、构建社会主义和谐社会的要求,有必要依据宪法,在总结实践经验的基础上制定物权法,对物权制度的共性问题和现实生活中迫切需要规范的问题作出规定,进一步明确物的归属,定分止争,发挥物的效用,保护权利人的物权，完善中国特色社会主义物权制度。

制定物权法是坚持社会主义基本经济制度的需要。坚持公有制为主体、多种所有制经济共同发展是国家在社会主义初级阶段的基本经济制度。通过制定物权法，明确国有财产和集体财产的范围、国家所有权和集体所有权的行使、加强对国有财产和集体财产的保护，有利于巩固和发展公有制经济；明确私有财产的范围、依法对私有财产给予保护，有利于鼓励、支持和引导非公有制经济的发展。

制定物权法是规范社会主义市场经济秩序的需要。产权明晰、公平竞争是发展社会主义市场经济的基本要求。通过制定物权法，确认物的归属，明确所有权和用益物权、担保物权的内容，保障各种市场主体的平等法律地位和发展权利，依法保护权利人的物权，对于发展社会主义市场经济具有重要作用。

制定物权法是维护广大人民群众切身利益的需要。随着改革开放、经济发展，人民群众生活普遍改善，迫切要求切实保护他们通过辛勤劳动积累的合法财产、保护依法享有的土地承包经营权等合法权益。通过制定物权法，明确并保护私人所有权、业主的建筑物区分所有权、土地承包经营权、宅基地使用权，以维护人民群众的切身利益，激发人们创造财富的活力，促进社会和谐。

制定物权法是实现2010年形成中国特色社会主义法律体系目标的需要。物权法是民法的重要组成部分，是在中国特色社会主义法律体系中起支架作用、不可或缺的重要法律。制定物权法是在本届全国人大任期内基本形成中国特色社会主义法律体系的重要步骤。

二、制定物权法总的原则和物权法草案的形成

物权法的起草工作始于1993年。全国人大常委会对制定物权法高度重视。2002年12月，九届全国人大常委会对民法草案的物权法编进行了初次审议。本届全国人大常委会把制定物权法列入重要议程，在过去工作基础上，花了很大精力，做了大量工作。为了把这部法律制定好，全国人大常委会坚持民主立法、科学立法。2005年7月

将物权法草案向社会全文公布，共收到人民群众提出的意见1万多件；并先后召开100多次座谈会和几次论证会，还到一些地方进行专题调研，充分听取部分全国人大代表、基层群众、专家学者、中央有关部门等各方面的意见。在征求意见过程中，各方面提出了许多意见和建议。全国人大常委会高度重视各方面的意见，对草案进行了六次审议，审议次数之多在我国立法史上是空前的。

制定物权法总的原则是：以邓小平理论和"三个代表"重要思想为指导，全面贯彻落实科学发展观，坚持正确的政治方向，从我国的国情和实际出发，全面准确地体现和坚持社会主义基本经济制度；依据宪法和法律规定，对国家、集体和私人的物权实行平等保护的原则，同时针对国有财产流失的情况，加强对国有财产的保护；全面准确地体现现阶段党在农村的基本政策，维护广大农民群众的利益；针对现实生活中迫切需要规范的问题，统筹协调各种利益关系，促进社会和谐。总之，制定物权法必须始终坚持正确的政治方向，坚持物权法的中国特色，坚持一切从实际出发。

遵循以上原则，吸收各方面的合理意见和建议，经对草案反复研究修改，修改后的草案比最初的草案有了较大改动。本届全国人大常委会第二十五次会议审议时，常委会组成人员对草案给予高度评价、充分肯定，认为草案体现了党的主张和人民意志的统一，凝聚了集体的智慧，已趋成熟。会议高票通过了将草案提请十届全国人大五次会议审议的决定。会后，全国人大常委会办公厅按照法定程序，于今年1月12日将物权法草案发送全国人大代表，并有计划地组织代表研读、讨论草案，作好审议准备。根据有些代表在讨论中提出的意见，对草案又作了一些修改，形成了提请大会审议的物权法草案。草案共5编、19章、247条。

三、物权法草案的主要内容

（一）关于坚持社会主义基本经济制度

中国特色社会主义物权制度是由社会主义基本经济制度决定

的,与资本主义物权制度有本质区别。制定中国特色社会主义物权法,必须全面准确地体现社会主义基本经济制度,体现党的十六大提出的两个“毫不动摇”的精神。第一,物权法草案把坚持国家基本经济制度作为物权法的基本原则,明确规定:“国家在社会主义初级阶段,坚持公有制为主体、多种所有制经济共同发展的基本经济制度。”“国家巩固和发展公有制经济,鼓励、支持和引导非公有制经济的发展。”这一基本原则作为物权法的核心,贯穿并体现在整部物权法的始终。第二,所有权是所有制在法律上的表现,是物权制度的基础。草案对国家所有权和集体所有权、私人所有权作了明确规定,其中用较多条款对国家所有权作了规定,有利于坚持和完善社会主义基本经济制度,有利于各种所有制经济充分发挥各自优势,相互促进,共同发展。第三,发展社会主义市场经济是坚持和完善社会主义基本经济制度的必然要求。草案在明确规定“用益物权人、担保物权人行使权利,不得损害所有权人的权益”的前提下,对用益物权和担保物权作了规定,有利于充分发挥物的效用,有利于维护市场交易秩序,促进经济发展。

(二)关于平等保护国家、集体和私人的物权

物权法属于民法,民法的一项重要原则是对权利人的权利实行平等保护。物权法草案规定:“国家、集体、私人的物权和其他权利人的物权受法律保护,任何单位和个人不得侵犯。”

宪法规定:“国家实行社会主义市场经济。”公平竞争、平等保护、优胜劣汰是市场经济的基本法则。在社会主义市场经济条件下,各种所有制经济形成的市场主体都在统一的市场上运作并发生相互关系,各种市场主体都处于平等地位,享有相同权利,遵守相同规则,承担相同责任。如果对各种市场主体不给予平等保护,解决纠纷的办法、承担的法律责任不一样,就不可能发展社会主义市场经济,也不可能坚持和完善社会主义基本经济制度。为了适应社会主义市场经济发展的要求,党的十六届三中全会进一步明确要“保障所有市场主体的平等法律地位和发展权利。”即使不进入市场交易的财产,宪法

也明确规定:“公民的合法的私有财产不受侵犯。”“国家依照法律规定保护公民的私有财产权和继承权。”在财产归属依法确定的前提下,作为物权主体,不论是国家、集体,还是私人,对他们的物权也都应当给予平等保护。平等保护不是说不同所有制经济在国民经济中的地位和作用是相同的。依据宪法规定,公有制经济是主体,国有经济是主导力量,非公有制经济是社会主义市场经济的重要组成部分,他们在国民经济中的地位和作用是不同的。这主要体现在国家宏观调控、公共资源配置、市场准入等方面,在关系国家安全和国民经济命脉的重要行业和关键领域,必须确保国有经济的控制力,而这些是由经济法、行政法予以规定的。

(三)关于国有财产

物权法草案对国有财产的范围、国家所有权的行使和加强对国有财产的保护等作了明确规定。

关于国有财产的范围。物权法草案依据宪法和有关法律,明确规定国有财产包括:属于国家所有的自然资源,属于国家所有的基础设施,国家机关和国家举办的事业单位的财产,等等;并规定,国家出资的企业,由国务院、地方人民政府依照法律、行政法规规定分别代表国家履行出资人职责,享有出资人权益。从法律上进一步明确属于国家所有的资源性、经营性财产的范围,对于发展壮大国有经济,增强国家的经济实力,发挥社会主义制度的优越性,具有关键性作用。

关于国家所有权的行使问题。依据宪法规定,全国人民代表大会是最高国家权力机关,国务院是最高国家权力机关的执行机关。全国人民代表大会代表全国人民行使国家权力,体现在依法就关系国家全局的重大问题作出决定,而具体执行机关是国务院。因此,具体行使国家所有权的是政府,而不是人大。土地管理法、矿产资源法、草原法、海域使用管理法等法律已经明确规定由国务院代表国家行使所有权,这也是现行的管理体制。物权法草案规定:“国有财产由国务院代表国家行使所有权;法律另有规定的,依照规定。”这既符合人民代表大会制度的特点，也体现了党的十六大关于国家要制定法律法规，建立中央政府和地方政府分别代表国家履行出资人职责，享有所有者权益的国有资产管理体制的要求。全国人民代表大会通过立法授权国务院代表国家行使国家所有权，体现了全国人民代表大会的性质及其行使职权的特点。政府行使国家所有权，应当依法对人大负责，受人大监督。

关于对国有财产的保护问题。针对当前国有财产流失的实际情况，物权法草案在坚持平等保护原则的基础上，从五个方面强化了对国有财产的保护。一是规定："法律规定属于国家所有的财产，属于国家所有即全民所有。"并规定了哪些财产属于国有财产，防止因归属不明确而造成国有财产流失。二是规定："法律规定专属于国家所有的不动产和动产，任何单位和个人不能取得所有权。"三是规定："国家所有的财产受法律保护，禁止任何单位和个人侵占、哄抢、私分、截留、破坏。"四是针对国有企业财产流失的问题，规定："违反国有财产管理规定，在企业改制、合并分立、关联交易等过程中，低价转让、合谋私分、擅自担保或者以其他方式造成国有财产损失的，应当依法承担法律责任。"五是针对国有财产监管中存在的问题，规定：履行国有财产管理监督职责的机构及其工作人员，"滥用职权，玩忽职守，造成国有财产损失的，应当依法承担法律责任。"这些规定体现了宪法关于加强对社会主义公共财产保护的精神，具有重要的现实意义。

（四）关于集体财产

物权法草案依据宪法和现阶段党在农村的基本政策，明确规定："农村集体经济组织实行家庭承包经营为基础、统分结合的双层经营体制。"并以专章分别规定了"土地承包经营权"和"宅基地使用权"。

为了赋予农民长期而有保障的土地使用权，物权法草案规定：耕地、草地、林地的承包期届满，由土地承包经营权人按照国家有关规定继续承包。

关于土地承包经营权、宅基地使用权的转让和抵押能否放开的问题。考虑到目前我国农村社会保障体系尚未全面建立,土地承包经营权和宅基地使用权是农民安身立命之本,从全国范围看,现在放开土地承包经营权、宅基地使用权的转让和抵押的条件尚不成熟。为了维护现行法律和现阶段国家有关农村土地政策,并为今后修改有关法律或者调整有关政策留有余地,物权法草案规定:“土地承包经营权人依照农村土地承包法的规定有权将土地承包经营权采取转包、互换、转让等方式流转。”“宅基地使用权的取得、行使和转让,适用土地管理法等法律和国家有关规定。”

关于城镇集体财产。我国的城镇集体企业是从上世纪 50 年代以来逐步形成的。在几十年的进程中,几经发展变化,有些集体企业是由国有企业为安排职工子女就业、知识青年回城设立的,有些是国有企业在改制中为分离辅业、安置富余人员设立的。近些年来,城镇集体企业通过改制又发生了很大变化。按照党的十六大以来的精神,目前城镇集体企业改革还在继续深化。草案对城镇集体财产从物权的角度作了原则规定:“城镇集体所有的不动产和动产,依照法律、行政法规的规定由本集体享有占有、使用、收益和处分的权利。”并规定:“集体所有的财产受法律保护,禁止任何单位和个人侵占、哄抢、私分、破坏。”这符合当前实际情况,也为今后深化改革留下空间。

(五)关于私有财产

改革开放以来,经济快速发展,人民生活不断提高,私有财产日益增加。切实保护公民的私有财产,既是宪法的规定和党的主张,也是人民群众的普遍愿望和迫切要求。物权法草案规定:“私人对其合法的收入、房屋、生活用品、生产工具、原材料等不动产和动产享有所有权。”“私人合法的储蓄、投资及其收益受法律保护。”“国家依照法律规定保护私人的继承权及其他合法权益。”“私人的合法财产受法律保护,禁止任何单位和个人侵占、哄抢、破坏。”这些规定,进一步完善了保护私有财产的法律制度,有利于激发人民群众创造、积累财富的积极性,促进社会和谐。

随着住房制度改革,越来越多的城镇居民拥有自己的房屋,而且大量集中在住宅小区内，业主的建筑物区分所有权已经成为私人不动产物权中的重要权利。物权法草案从维护业主的合法权益出发，明确规定业主对建筑物内的住宅、经营性用房等专有部分享有所有权，对专有部分以外的共有部分如电梯等公用设施和绿地等公用场所享有共有和共同管理的权利。草案还对小区内的车库、车位的归属，业主委员会的职能，业主和物业服务机构的关系等，作了规定。

（六）关于征收补偿

征收集体所有的土地和城乡居民的房屋，关系广大人民群众的切身利益，社会普遍关注。

我国的国情是人口多、耕地少，现在全国耕地保有量只有18.3亿亩，人均耕地只有1.4亩，是世界平均水平的三分之一。十届全国人大四次会议批准的“十一五”规划纲要确定，到2010年耕地保有量必须保持18亿亩，这是一项约束性指标，是不可逾越的底线。实行最严格的土地管理制度，特别是切实保护基本农田，是我国面临的一项十分紧迫而又艰巨的任务。物权法草案明确规定：“国家对耕地实行特殊保护，严格限制农用地转为建设用地，控制建设用地总量。不得违反法律规定的权限和程序征收集体所有的土地。”

依据宪法，物权法草案规定，为了公共利益的需要，依照法律规定的权限和程序可以征收集体所有的土地和单位、个人的房屋及其他不动产。同时，草案对征收补偿的原则和内容作了规定。

关于征收集体所有的土地问题，物权法草案规定：“征收集体所有的土地，应当支付土地补偿费、安置补助费、地上附着物和青苗的补偿费等费用，并足额安排被征地农民的社会保障费用，保障被征地农民的生活，维护被征地农民的合法权益。”这一规定体现了党和国家关于征地补偿安置必须确保被征地农民原有生活水平不降低、长远生计有保障的原则。关于征收单位、个人的房屋及其他不动产的问题，草案规定：“征收单位、个人的房屋及其他不动产，应当给予拆迁补偿，维护被征收人的合法权益；征收个人住宅的，还应当保障被征收人的居住条件。”考虑到各地的发展很不平衡，具体的补偿标准和补偿办法,由土地管理法等有关法律依照物权法草案规定的补偿原则和补偿内容,根据不同情况作出规定。

针对现实生活中征收补偿不到位和侵占补偿费用的行为,物权法草案明确规定:“任何单位和个人不得贪污、挪用、私分、截留、拖欠征收补偿费等费用。”违反规定的,要依法承担法律责任。

此外,物权法草案还有几项内容:一是关于正确处理相邻关系问题,草案对用水、排水、通行、通风、采光等产生的相邻关系作了规定,以利于发展生产、方便生活,维护相邻权利人的权益,促进邻里关系和谐。二是关于担保物权问题,草案在担保法的基础上,增加了可以用作担保的财产的规定,进一步完善担保制度,以促进融资,发展经济。三是关于对物权的保护问题,草案对物权的保护途径、保护方法作了全面规定,并规定侵害物权的,除承担民事责任外,还应当依法承担行政责任、刑事责任,健全了物权保护制度。四是关于占有问题,草案主要规定了对占有的保护和无权占有人的侵权责任,以维护社会秩序和权利人的合法权益。

《中华人民共和国物权法(草案)》和以上说明,请审议。

后　记

《中华人民共和国物权法》已经十届全国人大五次会议通过，自 2007 年 10 月 1 日起施行。物权法是民法的重要组成部分，是规范财产关系的基本法律，在中国特色社会主义法律体系中起着支架作用，对于维护国家基本经济制度，维护社会主义市场经济秩序，明确物的归属，发挥物的效用，保护权利人的物权，将产生极其重要的作用。

为了更好地宣传物权法，使社会各界能够准确理解和把握立法原意，了解和掌握《中华人民共和国物权法》中的各项制度，保证物权法的顺利实施，全国人大常委会法制工作委员会民法室的同志编写了这本《中华人民共和国物权法释义》，对《中华人民共和国物权法》逐条做了解释和说明。本书由全国人大常委会法制工作委员会主任胡康生主编并撰写了导言。全国人大常委会法制工作委员会副主任王胜明、民法室主任姚红任副主编。民法室的同志参加了本书的撰写工作。各章的撰稿人分别是：第一章（杨明仑），第二章（杜涛、李倩），第三章（何山），第四章（杨明仑），第五章（孙娜娜、郝作成），第六章（段京连），第七章（李文阁），第八章（李文阁、孙娜娜），第九章（何山、李倩），第十章（贾东明、陈佳林），第十一章（贾东明），第十二章（陈佳林、水淼），第十三章（水淼），第十四章（王瑞娣），第十五章（石宏），第十六章（姚红、严冬枫），第十七章（扈纪华、庄晓泳），第十八章（庄晓泳），第十九章（李倩），附则（水淼等）。

本书力求准确、详尽、通俗地逐条阐释物权法的内容。但因时间和水平有限，释义不妥和疏漏之处在所难免，敬请读者原谅，并批评指正。

作 者

2007 年 3 月 16 日